# Vos ressources numériques

Un ensemble d'outils numériques spécialement
vous aider dans l'acquisition des connaissances liées à

# ANTHOLOGIE LITTÉRAIRE
## DU MOYEN ÂGE AU XIXe SIÈCLE

3e édition

- 40 ateliers interactifs
- Plus de 20 grilles pour répondre aux questions *Vers l'analyse*
- Extraits en version allongée
- Extraits supplémentaires provenant de la 2e édition
- Fiche d'autocorrection pour la révision linguistique

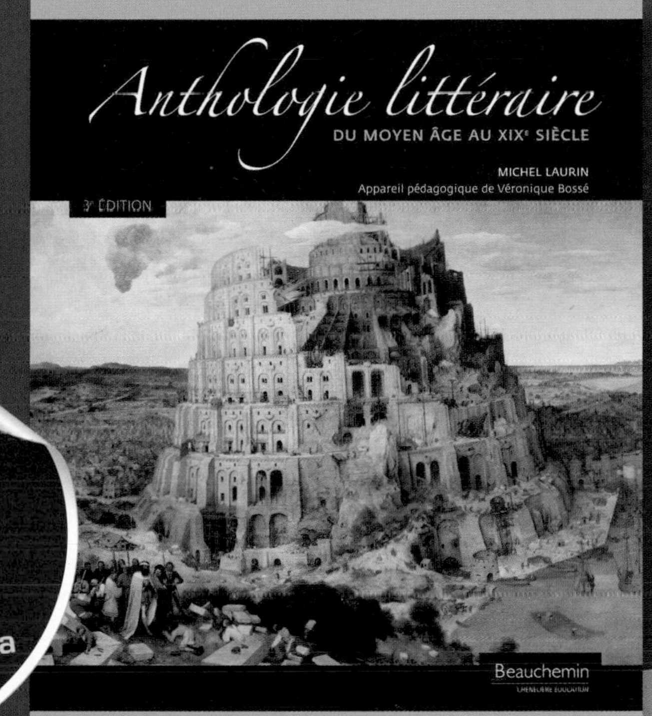

**Accédez à ces outils en un clic !**

**www.cheneliere.ca/laurin**

# Anthologie littéraire

## DU MOYEN ÂGE AU XIX[E] SIÈCLE

MICHEL LAURIN

Appareil pédagogique de Véronique Bossé

3e ÉDITION

Conception et rédaction des activités interactives en ligne
MARC SAVOIE

Conception et rédaction des outils pédagogiques en ligne
VÉRONIQUE BOSSÉ

**Anthologie littéraire**
**du Moyen-Âge au XIXe siècle, 3e édition**

Michel Laurin
Appareil pédagogique conçu et réalisé par Véronique Bossé



*Conception éditoriale:* France Vandal
*Édition:* Frédéric Raguenez
*Coordination:* Johanne Losier
*Recherche iconographique:* Marie-Chantal Laforge
*Révision linguistique:* Paul Lafrance
*Correction d'épreuves:* Jacinthe Caron
*Conception graphique et de la couverture:* Micheline Roy
*Impression:* TC Imprimeries Transcontinental

*Coordination éditoriale des outils pédagogiques en ligne:* Julie Prince
*Coordination des outils pédagogiques en ligne:* Marie-Michèle Martel

**Catalogage avant publication**
**de Bibliothèque et Archives nationales du Québec**
**et Bibliothèque et Archives Canada**

Vedette principale au titre:

Anthologie littéraire du Moyen Âge au XIXe siècle

3e éd.

Comprend des réf. bibliogr. et un index.
Pour les étudiants du niveau collégial.

ISBN 978-2-7616-5742-6

1. Littérature française – Histoire et critique. 2. Littérature française. I. Laurin, Michel, 1944- . II. Bossé, Véronique.

PQ116.A57 2012 840.9 C2012-940389-X

Beauchemin
CHENELIÈRE ÉDUCATION

5800, rue Saint-Denis, bureau 900
Montréal (Québec) H2S 3L5 Canada
Téléphone : 514 273-1066
Télécopieur : 514 276-0324 ou 1 800 814-0324
info@cheneliere.ca



**ISBN 978-2-7616-5742-6**

Dépôt légal: 2e trimestre 2012
Bibliothèque et Archives nationales du Québec
Bibliothèque et Archives Canada

Imprimé au Canada

2 3 4 5 6 ITIB 17 16 15 14 13

Nous reconnaissons l'aide financière du gouvernement du Canada par l'entremise du Fonds du livre du Canada (FLC) pour nos activités d'édition.

Gouvernement du Québec – Programme de crédit d'impôt pour l'édition de livres – Gestion SODEC.

**Sources iconographiques**

Couverture: Pieter Bruegel, dit Bruegel l'Ancien, *La tour de Babel*, 1563. Erich Lessing/Art Resource, NY.

Chapitre 1, p. 2 : Pieter Brughel, dit Bruegel l'Ancien, *Chasseurs dans la neige,* 1565. Galleria degli Uffi zi, Florence, Italy/The Bridgeman Art Library International.

Chapitre 2, p. 44 : Boticelli, *Le printemps*, 1482. Wikipedia Commons

Chapitre 3, p. 74 : Le bassin de Neptune à Versailles. Photolibrary.com.

Chapitre 4, p. 126 : Giovanni Paolo Pannini, *Fête musicale donnée à l'occasion du mariage du Dauphin,* XVIIIe siècle. Louvre, Paris, France/Giraudon/The Bridgeman Art Library.

Chapitre 5, p. 174 : Sir John Everett Millais, *Ophelia*, 1851-1852, Private Collection/Photo © Peter Nahum at The Leicester Galleries, London/The Bridgeman Art Library.

**Remerciements**

L'éditeur tient à remercier les personnes suivantes qui, grâce à leurs nombreux commentaires et suggestions, ont contribué à l'élaboration de cette nouvelle édition.

Anyse Boisvert (Collège Édouard-Montpetit)
Chantal Charbonneau (Collège Édouard-Montpetit)
Fannie Dagenais (Cégep de l'Outaouais)
Maryse Deschamps (Cégep Marie-Victorin)
Virginie Dufour (Cégep de Sainte-Foy)
Michel Forest (Cégep de Saint-Laurent)
Sophie Joli-Cœur (Collège Lionel-Groulx)
Guillaume Lachapelle (Cégep de Sherbrooke)
Micheline Landriault (Cégep de l'Abitibi-Témiscamingue)
Chantal Lebel (Cégep Limoilou)
Rita Painchaud (Cégep de Trois-Rivières)
Julie Payant (Cégep Saint-Jean-sur-Richelieu)
Christine Porlier (Cégep de la Gaspésie et des Îles)
Lucie Saint-Pierre (Cégep de La Pocatière)

*La littérature est un des rares exercices qui exigent de l'homme une volonté singulière, une conduite d'existence qui ralentissent les progrès d'une médiocrité qui nous est naturelle.*

*Colette*

La grande force de la littérature réside en sa capacité à projeter le lecteur dans un monde fictif à la fois différent du sien et semblable en un point fondamental : son humanité, ce partage qui lie un auteur solitaire à un lecteur solitaire. Parfaitement singulière mais tout aussi parfaitement universelle, l'œuvre littéraire authentique est le lieu qui exprime quelque chose de ce qui fait l'homme.

Mais pourquoi, alors que le temps présent disqualifie le passé et incite à une sorte d'alzheimer généralisé, lire des textes écrits il y a de nombreux siècles, et encore, dans un autre pays, un autre continent ? Tout simplement parce que ces écrits font partie de l'histoire de l'Occident, de notre histoire et de l'histoire de notre langue, au même titre que les racines font partie de l'arbre. Les grandes œuvres peuvent d'ailleurs être lues différemment d'une époque à l'autre et recèlent toujours des interprétations nouvelles, riches de possibilités d'analyse dans une perspective contemporaine. Ayant survécu à l'usure du temps, ces œuvres permettent à chacun d'imaginer d'autres mondes que le sien propre, de comprendre de l'intérieur des logiques qui lui semblaient au départ étrangères.

Convenons que, sans y être initiés, faire nous-mêmes le geste engageant qui consiste à prendre un livre et à le lire, à aller vers des phrases qui peuvent résister et provoquer, ne va pas de soi. Il revient alors à l'enseignant, dont le rôle consiste à susciter le désir d'apprendre et de vivre pleinement, de nous faire sortir de nos rails habituels en nous amenant à connaître ceux qui ont le mieux exploré les avenues de la vie et nous font comprendre la grandeur et l'inextricable foisonnement de nos vies.

Cette 3e édition de l'*Anthologie littéraire*, complètement renouvelée, dresse une « carte du territoire » de la production littéraire française des origines à 1850. Son découpage en cinq chapitres selon des données historiques entend surtout faire apparaître des cohérences de différents ordres, aussi bien esthétiques et artistiques que linguistiques, sociales, politiques, religieuses ou idéologiques. Cette structuration commode pour l'enseignement ne doit toutefois pas faire oublier la continuité de certains phénomènes littéraires d'une période à l'autre. Après un aperçu des principaux événements susceptibles d'éclairer les œuvres et leur genèse, chaque chapitre propose un panorama de textes essentiels, des œuvres aux approches les plus diverses et dans lesquelles le lecteur d'aujourd'hui entre aisément. Les grands courants de l'évolution littéraire y sont dessinés, chacun s'efforçant de dégager la spécificité des différents genres, poésie, roman, essai et théâtre. Une attention particulière est portée aux courants artistiques ainsi qu'aux illustrations, afin de montrer les passerelles existant entre les arts visuels et la littérature.

Toutefois, l'intention première est d'éclairer le geste littéraire du nouage des mots et des choses : découvrir, derrière le « qu'est-ce que ça raconte », le « comment c'est écrit ». À cette fin, l'appareil pédagogique est totalement repensé. La dernière partie, portant sur l'analyse littéraire, est restructurée afin de la rendre mieux accessible à l'étudiant. Les questions « Vers l'analyse » qui accompagnent chaque extrait sont renouvelées afin de proposer un nouvel éclairage sur l'extrait, et de stimuler le professeur dans son enseignement. Pour outiller l'étudiant dans ses révisions et dégager les grandes lignes du chapitre, des « Vues d'ensemble » sont ajoutées en fin de chapitre. Autre nouveauté, en début de chapitre, une ligne du temps permet de mieux visualiser la période étudiée et de s'en imprégner. Voici un ouvrage de référence qui se veut agréable, simple et commode, propre à structurer les connaissances.

Michel Laurin

# Particularités de l'ouvrage

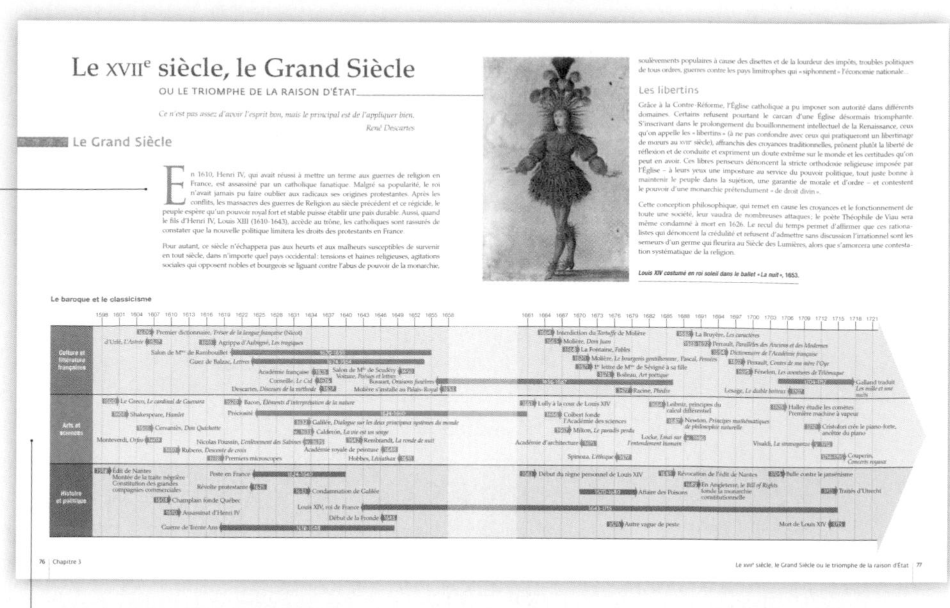
Le XVII^e^ siècle, le Grand Siècle

OU LE TRIOMPHE DE LA RAISON D'ÉTAT

Le Grand Siècle

Les libertins

Le baroque et le classicisme

## Contexte sociohistorique

On ne saurait aborder la littérature sans tenir compte de son contexte social et historique. En début de chapitre, pour chaque siècle ou période historique, on retrace les événements les plus marquants, les principaux acteurs ainsi que les changements qu'ils ont entraînés sur les plans politique, sociologique, philosophique et religieux, ainsi que, bien entendu, les grands courants artistiques et littéraires.

## Ligne du temps

Chaque chapitre s'ouvre sur une ligne du temps qui présente les principaux événements ayant marqué la période à l'étude. Divisée en trois rangées, cette ligne du temps résume les événements culturels et littéraires en France, les points tournants dans l'univers des arts et des sciences ainsi que les événements historiques et politiques.

## Biographies

Chaque œuvre littéraire naît dans un contexte particulier : celui de son auteur. Aussi, chaque extrait est accompagné d'une courte biographie ou d'une mise en contexte de l'auteur et de son œuvre.

## Extraits d'œuvres

Les extraits de textes littéraires figurent dans des encadrés de couleur.

## Vers l'analyse

Tous les extraits d'œuvres sont enrichis d'une série de questions visant à approfondir le texte et à en découvrir le sens. Certains termes ou concepts sont marqués d'un astérisque qui renvoie au chapitre final portant sur l'analyse littéraire. On trouve également pour certains extraits une rubrique **Sujet d'analyse littéraire** qui propose un sujet de rédaction. Il est conseillé de répondre aux questions qui précèdent le sujet avant de se lancer dans la rédaction afin d'approfondir sa compréhension de l'extrait.

## Compléments d'information

Afin d'offrir une anthologie riche et diversifiée, des encadrés ont été ajoutés à titre de compléments d'information. Ils exposent de façon succincte des données historiques, sociologiques, littéraires ou théoriques.

La naissance de la langue française

*Les serments de Strasbourg* (extrait)

Pro Deo amur et pro christian poblo et nostro commun salvament, d'ist di in avant, in quant Deus savir et podir me dunat, si salvarai eo cist meon fradre Karlo et in aiudha et in cadhuna cosa, si cum om per dreit son fradra salvar dift, in o quid il mi altresi fazet et ab Ludher nul plaid nunquam prindrai qui, meon vol, cist meon fradre Karle in damno sit.

Sa traduction en français courant

Pour l'amour de Dieu et pour le salut du peuple chrétien et notre propre salut, de ce jour en avant (dorénavant), autant que Dieu m'en donnera le savoir et le pouvoir, je défendrai mon frère Charles, et l'aiderai en toute circonstance, comme on doit selon l'équité défendre son frère, pourvu qu'il en fasse autant à mon égard. Et jamais je ne prendrai avec Lothaire aucun arrangement qui, de ma volonté, puisse être nuisible à mon frère Charles.



Les principaux dialectes au x^e^ siècle.

Le Moyen Âge a commencé au v^e^ siècle, mais ce n'est qu'au début du xi^e^ qu'une littérature pouvant être dite de langue française apparaît et commence à remplacer les œuvres en latin.

Le latin avait été imposé à la Gaule en 52 avant notre ère, après la défaite du Gaulois Vercingétorix aux mains de César. Cette langue allait devenir avec les siècles celle des gens d'Église et des hommes cultivés. Ce sera la langue des études, de la philosophie et des sciences, ainsi que la langue internationale des communications. Le latin demeurera d'ailleurs la langue des gens cultivés dans toute l'Europe au moins jusqu'au xvii^e^ siècle, et la langue de l'Église jusqu'à il y a peu.

Jusqu'au ix^e^ siècle, le latin est donc le véhicule de la foi. Mais la langue parlée par les fidèles, issue de ce même latin, s'est si profondément transformée que le peuple, littéralement, en perd son latin ! Le parler de la masse, déformé par un usage strictement oral, s'est différencié de sa forme originelle, en plus d'emprunter des mots aux langues des différents envahisseurs aussi bien qu'à celles des marins et commerçants transitant par les ports. Si bien que, en 813, les évêques recommandent à leurs prêtres de prêcher en langue vulgaire (du latin *vulgus*, « peuple »), la langue du peuple, pour s'assurer d'être compris. On donne le nom de roman à cette langue intermédiaire entre le latin et ce qui deviendra le français. Quand des textes seront rédigés en cette langue, ils seront connus sous le nom de « romans ». C'est précisément avec eux que commence l'histoire de la littérature française.

Le premier texte qui nous soit parvenu en langue romane est un traité de loi, *Les serments de Strasbourg* (842), un pacte d'alliance de deux petits-fils de Charlemagne contre leur frère. Ce premier embryon qui préfigure le français nous apparaît teinté de latin et d'allemand.

Quant au premier texte considéré comme « littéraire », il date de 881. *La cantilène de sainte Eulalie* est un poème de 229 vers (des décasyllabes : 10 pieds) qui rappelle le martyre d'une sainte morte à 14 ans, en 304, pour avoir refusé de renier sa foi. Il marque le début de la littérature française parce qu'il en est le premier exemple conservé.

Au x^e^ siècle, sur le territoire de la France actuelle, les multiples dialectes locaux d'origine romane peuvent

14 | Chapitre 1

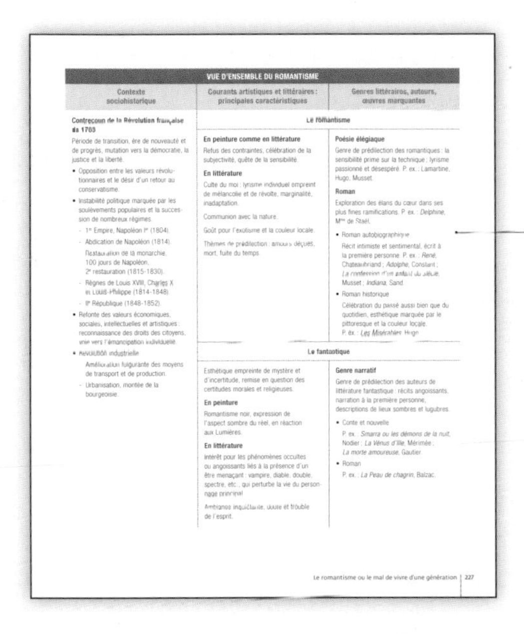

| VUE D'ENSEMBLE DU ROMANTISME | | |
|---|---|---|
| Contexte sociohistorique | Courants artistiques et littéraires : principales caractéristiques | Genres littéraires, auteurs, œuvres marquantes |
| | Le romantisme | |
| **Contrecoup de la Révolution française de 1789**<br>Période de transition, ère de nouveauté et de progrès, mutation vers la démocratie, la justice et la liberté.<br>• Opposition entre les valeurs révolutionnaires et le désir d'un retour au conservatisme.<br>• Instabilité politique marquée par les soulèvements populaires et la succession de nombreux régimes.<br>- 1^er^ Empire, Napoléon I^er^ (1804).<br>- Abdication de Napoléon (1814). Restauration de la monarchie. 100 jours de Napoléon. 2^e^ restauration (1815-1830).<br>- Règnes de Louis XVIII, Charles X et Louis-Philippe (1814-1848).<br>- II^e^ République (1848-1852).<br>• Refonte des valeurs économiques, sociales, intellectuelles et artistiques : reconnaissance des droits des citoyens, voie vers l'émancipation individuelle.<br>• Révolution industrielle.<br>- Amélioration fulgurante des moyens de transport et de production.<br>- Urbanisation, montée de la bourgeoisie. | **En peinture comme en littérature**<br>Refus des contraintes, célébration de la subjectivité, quête de la sensibilité.<br>**En littérature**<br>Culte du moi : lyrisme individuel empreint de mélancolie et de révolte, marginalité, inadaptation.<br>Communion avec la nature.<br>Goût pour l'exotisme et la couleur locale.<br>Thèmes de prédilection : amours déçues, mort, fuite du temps. | **Poésie élégiaque**<br>Genre de prédilection des romantiques : la sensibilité prime sur la technique ; lyrisme passionné et désespéré. P. ex. : Lamartine, Hugo, Musset.<br>**Roman**<br>Exploration des élans du cœur dans ses plus fines ramifications. P. ex. : *Delphine*, M^me^ de Staël.<br>• Roman autobiographique<br>Récit intimiste et sentimental, écrit à la première personne. P. ex. : *René*, Chateaubriand ; *Adolphe*, Constant ; *La confession d'un enfant du siècle*, Musset ; *Indiana*, Sand.<br>• Roman historique<br>Célébration du passé aussi bien que du quotidien, esthétique marquée par le pittoresque et la couleur locale. P. ex. : *Les Misérables*, Hugo. |
| | Le fantastique | |
| | Esthétique empreinte de mystère et d'incertitude, remise en question des certitudes morales et religieuses.<br>**En peinture**<br>Romantisme noir, expression de l'aspect sombre du réel, en réaction aux Lumières.<br>**En littérature**<br>Intérêt pour les phénomènes occultes ou angoissants liés à la présence d'un être menaçant : vampire, diable, double, spectre, etc., qui perturbe la vie du personnage principal.<br>Ambiance inquiétante, doute et trouble de l'esprit. | **Genre narratif**<br>Genre de prédilection des auteurs de littérature fantastique : récits angoissants, narration à la première personne, descriptions de lieux sombres et lugubres.<br>• Conte et nouvelle<br>P. ex. : *Smarra ou les démons de la nuit*, Nodier ; *La Vénus d'Ille*, Mérimée ; *La morte amoureuse*, Gautier.<br>• Roman<br>P. ex. : *La Peau de chagrin*, Balzac. |

Le romantisme ou le mal de vivre d'une génération | 227

## Vue d'ensemble

Tous les chapitres se terminent par un tableau divisé en trois colonnes qui présentent le contexte historique de la période étudiée, ses principales caractéristiques, ainsi que les genres littéraires, les auteurs et les œuvres marquantes.

## Analyse littéraire

Intégrée à la fin de l'ouvrage et abondamment appuyée par des tableaux, des définitions et des exemples, cette section passe d'abord en revue les divers aspects structurels du texte : vocabulaire, grammaire, phrases, figures de style, genres littéraires. Elle aborde ensuite les particularités de la rédaction de l'analyse littéraire, telles que le plan, les différentes parties, le style et les citations.

1. Repérage des éléments

L'analyse littéraire peut prendre différentes formes. Elle vise généralement à dégager les thèmes principaux d'une œuvre ou d'un extrait, puis à montrer comment l'écriture se met au service de ces thèmes, ce qu'elle cherche à faire en décortiquant les procédés littéraires liés au propos. Une telle rédaction exige un important travail préalable de réflexion et de repérage pour bien situer l'œuvre dans son contexte. Il faut, d'abord et avant tout, bien comprendre le sujet de rédaction et les consignes qui l'accompagnent de façon à orienter la lecture et le repérage des éléments. Peu importe les consignes et le libellé du sujet, il faut y porter grande attention avant d'entreprendre la lecture méthodique du texte à l'étude. Nous illustrerons les étapes du travail par un exemple d'analyse d'un extrait de la pièce *Phèdre* de Racine, qui permet de constater combien les tragédies de cet auteur reposent sur la psychologie des personnages.

LIBELLÉ DU SUJET

**Extrait à l'étude :** *Phèdre* de Racine, lignes 41 à 82 : *Je m'abhorre encor plus que tu ne me détestes* (monologue de Phèdre).

**Sujet de rédaction :** Faites l'étude des thèmes en faisant ressortir le déchirement 1 que ressent le personnage de Phèdre.

**Consignes :** Rédigez une analyse littéraire d'environ 700 mots constituée d'une introduction, d'un développement d'au moins deux paragraphes et d'une conclusion. L'étude de chacun des thèmes doit s'appuyer sur l'explication de procédés littéraires 2 au service du propos 3.

1 En comprendre le sens : souffrance morale, rupture intérieure.

2 Procédés littéraires : éléments de l'examen détaillé (figures de style, choix des mots, procédés grammaticaux, versification, etc.).

3 Propos : éléments de l'approche générale (auteur, époque, courant, contexte sociohistorique et littéraire, genre, etc.).

1.1 Approche générale

Les éléments dont il faut tenir compte dans l'amorce de l'analyse font appel aux connaissances acquises dans le cours de littérature. Ils concernent surtout le fond de l'œuvre et son contexte. En ce sens, on s'intéresse surtout ici au propos de l'œuvre et aux indices permettant d'en comprendre la portée. Il vous revient de faire les liens qui s'imposent dans le contexte précis de votre travail, donc de choisir les outils d'analyse qui mettront en valeur vos idées selon les particularités de l'œuvre à l'étude. Les grilles d'analyse proposent plusieurs éléments pertinents pour l'analyse. Toutefois, tous ces éléments ne s'appliquent pas à tous les types de textes. De plus, selon les particularités de l'œuvre à l'étude, il peut exister des recoupements d'une grille à l'autre. Il est donc judicieux de bien réviser et comprendre les notions auxquelles fait appel chacune des grilles, pour choisir les éléments à approfondir en fonction de l'œuvre à étudier et de la tâche à accomplir.

1.1.1 Situation de l'œuvre

| GRILLE D'ANALYSE – Situation de l'œuvre | |
|---|---|
| Éléments essentiels | À chercher ou à vérifier |
| Auteur et contexte sociohistorique | |
| Il est essentiel de bien indiquer l'œuvre et son auteur. Des liens pertinents peuvent également se dégager de l'approfondissement du contexte littéraire, social et historique dans lequel l'œuvre s'inscrit. | • Année de parution.<br>• Auteur : vie et œuvre (moments importants de la carrière littéraire, période charnière, etc.).<br>• Événements sociohistoriques, culturels ou politiques entourant la parution de l'œuvre. |

→

Repérage des éléments | 229

Table des matières

**Chapitre 1** Le Moyen Âge ou l'âge des (re)commencements ... 2

**Un aperçu sociohistorique de l'époque médiévale** ... 4
Du ve au xe siècle : la Gaule et ses dynasties ... 5
L'établissement et l'expansion de la féodalité ... 6
Le christianisme, fondement de l'Occident médiéval ... 7
Les monastères ... 7
Une Église militante ... 7
L'âge d'or de l'époque médiévale ... 8
Une période de grandes calamités ... 9
**Les courants artistiques au Moyen Âge** ... 10
L'art roman ... 10
L'art gothique ... 11
La réforme de la peinture médiévale ... 11
**La naissance de la langue française** ... 14
**La littérature du Moyen Âge : un continent littéraire de cinq siècles** ... 15
Une poésie épique : la chanson de geste ... 16
*La chanson de Roland – La mort de Roland* ... 18
La littérature courtoise ... 20
La poésie courtoise ... 20
Thibaud de Champagne, *Dame, pitié !* ... 22
Les grands romans courtois ... 23
Chrétien de Troyes, *Un grand débat* ... 25
*Tristan et Iseut – La mort des amants* ... 26
Une littérature satirique : l'inspiration bourgeoise ... 27
Les fabliaux ... 27
Fabliaux des XIIIe et XIVe siècles, *Le vilain et le souricon* ... 28
Les romans satiriques ... 30
*Roman de Renart – La pêche à la queue* ... 30
La naissance d'une authentique poésie lyrique ... 31
Rutebeuf, *Complainte Rutebeuf* ... 32
Léo Ferré, *Pauvre Rutebeuf* ... 33
Christine de Pisan, *Ballade* ... 34
Charles d'Orléans, *Prenez tôt ce baiser...* ... 35
François Villon, *Ballade des pendus ; La ballade des dames du temps jadis* ... 37
Le genre dramatique ... 38
Le théâtre religieux ... 38
Les formes du théâtre profane ... 39
*La farce de maître Pathelin – L'arroseur arrosé* ... 40
La plus belle lettre d'amour du Moyen Âge ... 41
Pierre Abélard, *Lettre d'Héloïse à Abélard* ... 42
**Vue d'ensemble du Moyen âge** ... 43

## Chapitre 2 Le XVIe siècle, La Renaissance et la Réforme ou une nouvelle idée de la grandeur de l'homme


Chapitre 2 Le XVIe siècle, La Renaissance et la Réforme ou une nouvelle idée de la grandeur de l'homme ... 44

**Renaissance et crise religieuse** ... 46

Un mouvement culturel d'une ampleur exceptionnelle ... 47

L'Antiquité revisitée ... 47

L'humanisme et l'émancipation de l'individu ... 48

Une mutation du savoir ... 48

Un monde en expansion ... 48

Le déclin de la Renaissance ... 50

Une mutation sociale et politique ... 50

Crise religieuse : la Réforme ... 51

La Contre-Réforme ... 51

**Les courants artistiques au XVIe siècle** ... 52

L'art classique du début de la Renaissance ... 53

La révolution picturale en Flandre : le réalisme ... 54

Le maniérisme ... 54

**L'évolution de la langue française au XVIe siècle** ... 55

**La littérature du XVIe siècle** ... 56

La poésie ... 56

Naissance de la première école littéraire : la Pléiade ... 56

Clément Marot, *Plus ne suis ce que j'ai été ; Le beau tétin* ... 57

Joachim du Bellay, *Le beau voyage* ... 59

Pierre de Ronsard, *À Cassandre* ... 60

L'École de Lyon ... 60

Louise Labé, *Je vis, je meurs...* ... 61

Une poésie polémique ... 62

Agrippa d'Aubigné, *Je veux peindre la France...* ... 63

La prose narrative ... 64

Marguerite de Navarre, *L'heptaméron* ... 64

François Rabelais, *Gargantua* ... 67

La prose d'idées : l'essai ... 68

Michel Eyquem de Montaigne, *Essais* ... 69

Le théâtre de la Renaissance ... 70

Le grand rayonnement du théâtre italien ... 70

Les plus belles lettres d'amour du XVIe siècle ... 71

*Henri IV à la marquise de Verneuil* ... 72

*Henri IV à la duchesse de Beaufort* ... 72

**Vue d'ensemble de la Renaissance** ... 73


## Chapitre 3 Le XVIIe siècle, le Grand Siècle ou le triomphe de la raison d'État


Chapitre 3 Le XVIIe siècle, le Grand Siècle ou le triomphe de la raison d'État ... 74

**Le Grand Siècle** ... 76

Les libertins ... 77

Le règne de Louis XIV : « L'État, c'est moi. » ... 78

Le persistant contentieux religieux ... 78

Les salons féminins ... 79
Un modèle social : l'honnête homme ... 80
Les premiers temps de la science moderne ... 80
**Les courants artistiques au XVIIe siècle** ... 81
Le baroque ... 81
Le classicisme ... 82
**L'évolution de la langue française au XVIIe siècle** ... 82
**La littérature : naissance des premiers véritables courants littéraires** ... 83
La littérature baroque et la préciosité ... 83
La poésie baroque et la poésie précieuse ... 85
Théophile de Viau, *Le monde à l'envers* ... 86
Marc-Antoine Girard, sieur de Saint-Amant, *Le melon* ... 87
François de Malherbe, *Consolation à Monsieur du Périer*... ... 88
Le roman baroque ... 89
Honoré d'Urfé, *L'Astrée* ... 90
Le théâtre baroque ... 92
Pierre Corneille, *Le Cid* ... 94
Shakespeare, *Hamlet* ... 97
La littérature classique ou le classicisme ... 97
La poésie classique ... 99
Nicolas Boileau, *Vingt fois sur le métier remettez votre ouvrage* ... 100
Jean de La Fontaine, *Les animaux malades de la peste* ... 102
La prose narrative ... 103
Madame de La Fayette, *La princesse de Clèves* ... 105
Charles Perrault, *Le petit chaperon rouge* ... 106
La prose d'idées ou la prose non romanesque ... 108
René Descartes, *Discours de la méthode* ... 108
Blaise Pascal, *Pensées* ... 111
François de La Rochefoucauld, *Réflexions, sentences et maximes morales* ... 112
Jean de La Bruyère, *Les caractères* ... 114
Madame de Sévigné, *Lettres* ... 115
Le théâtre du classicisme ... 116
Jean Racine, *Phèdre* ... 118
Molière, *Dom Juan* ... 121
Molière, *Tartuffe* ... 123
La plus belle lettre d'amour du XVIIe siècle ... 124
Vincent Voiture, *Lettres* ... 124
**Vue d'ensemble du baroque et du classicisme** ... 125

**Chapitre 4** Le XVIIIe siècle ou un siècle entre raison et passion ... 126

**Le siècle des Lumières** ... 126
Un grand basculement ... 129
Le siècle des philosophes ... 130
La philosophie des Lumières ... 130

La philosophie des Lumières 130
La science et les techniques 131
Une rupture politique 132
**Les courants artistiques au XVIIIe siècle** 133
La rocaille ou le rococo 134
Le peintre des Lumières 134
Le néoclassicisme 134
**L'évolution de la langue française au XVIIIe siècle** 136
**La littérature: la raison et le cœur** 137
Littérature d'idées et esprit philosophique 137
La poésie au temps des philosophes 138
Voltaire, *Poème sur le désastre de Lisbonne* 138
La prose d'idées et les formes de l'essai 139
Montesquieu, *De l'esprit des lois* 140
Voltaire, *Traité sur la tolérance* 142
Ouvrage collectif, *L'Encyclopédie* 144
Denis Diderot, *Supplément au voyage de Bougainville* 145
Baron de La Hontan, *Dialogues curieux entre l'auteur et un sauvage de bon sens qui a voyagé* 147
Jean-Jacques Rousseau, *Discours sur l'origine et les fondements de l'inégalité parmi les hommes* 148
Olympe de Gouges, *Déclaration des droits de la femme et de la citoyenne* 149
La prose narrative: le conte et le roman 151
Montesquieu, *Lettres persanes* 152
Voltaire, *Candide ou l'optimisme* 153
Littérature et réhabilitation du cœur 154
La poésie 154
Jean-Jacques Rousseau, *Rêveries du promeneur solitaire* 155
André Chénier, *Iambes* 156
Le roman 157
Abbé Prévost, *Histoire du chevalier des Grieux et de Manon Lescaut* 158
Denis Diderot, *Jacques le fataliste et son maître* 159
Jean-Jacques Rousseau, *Julie ou la nouvelle Héloïse* 160
Bernardin de Saint-Pierre, *Paul et Virginie* 161
Pierre Choderlos de Laclos, *Les liaisons dangereuses* 163
Le théâtre au XVIIIe siècle 164
Le drame bourgeois 164
Marivaux, *Le jeu de l'amour et du hasard* 166
Beaumarchais, *Le mariage de Figaro* 167
La naissance d'un nouveau genre littéraire: le fantastique 168
Le merveilleux et la littérature 168
Le merveilleux répudié par la raison 169
Du merveilleux au fantastique 169
L'évolution de la littérature fantastique 170
Jacques Cazotte, *Le diable amoureux* 171
La plus belle lettre d'amour du XVIIIe siècle 172
Denis Diderot, *Lettres à Sophie Volland* 172
**Vue d'ensemble des Lumières** 173

**Chapitre 5** Le romantisme ou le mal de vivre d'une génération ........ 174

**Un siècle de profonde mutation** ........ 176
L'individualité et la liberté ........ 177
La révolution industrielle ........ 178
L'avènement d'une société nouvelle ........ 178
Le subjectivisme dans l'art ........ 178
Une nouvelle image de l'artiste ........ 179
Le romantisme (1800-1850) ........ 179
**Le romantisme comme courant artistique** ........ 180
Des précurseurs : les peintres fantastiques ........ 180
Les peintres paysagistes ........ 181
Les grands maîtres de la peinture romantique ........ 182
**L'évolution de la langue française au XIX^e siècle** ........ 183
Hugo et la langue argotique ........ 184
Victor Hugo, *Le dernier jour d'un condamné* ........ 184
**La littérature romantique : la raison à l'ombre du cœur** ........ 185
Liberté et cosmopolitisme ........ 185
Les origines du romantisme ........ 186
L'évolution du romantisme français ........ 186
Une exigence de paroxysme ........ 186
Les thèmes privilégiés par le romantisme ........ 187
Une nouvelle conception de la beauté ........ 188
L'écriture romantique ........ 189
La poésie : l'expression privilégiée des romantiques ........ 189
Alphonse de Lamartine, *Le lac* ........ 190
Alfred de Musset, *Le pélican* ........ 193
Alfred de Vigny, *Le cor* ........ 194
Aloysius Bertrand, *Un rêve* ........ 196
Gérard de Nerval, *El desdichado* ........ 197
Victor Hugo, *Fonction du poète ; Melancholia* ........ 198
La prose narrative ........ 200
Le roman autobiographique ........ 200
François René de Chateaubriand, *René* ........ 201
Benjamin Constant, *Adolphe* ........ 202
Alfred de Musset, *La confession d'un enfant du siècle* ........ 204
George Sand, *Indiana* ........ 205
Le roman historique ........ 207
Victor Hugo, *Notre-Dame de Paris* ........ 208
Victor Hugo, *Les Misérables* ........ 209
Prosper Mérimée, *Carmen* ........ 210
La prose d'idées : la littérature au service d'une cause ........ 211
Victor Hugo, *Préface de Cromwell* ........ 211
Madame de Staël, *De la littérature considérée dans ses rapports avec les institutions sociales* ........ 213
Le théâtre : l'éphémère drame romantique ........ 214
Alfred de Vigny, *Chatterton* ........ 215
Alfred de Musset, *Lorenzaccio* ........ 217
Victor Hugo, *Hernani* ........ 218

Le genre fantastique ... 219
La complicité entre le romantisme et le fantastique ... 219
Honoré de Balzac, *La Peau de chagrin* ... 220
Charles Nodier, *Smarra ou les démons de la nuit* ... 222
Théophile Gautier, *La cafetière* ... 223
Prosper Mérimée, *La Vénus d'Ille* ... 225
Les plus belles lettres d'amour du XIXe siècle ... 226
*De Victor Hugo à Juliette Drouet* ... 226
*De Juliette Drouet à Victor Hugo* ... 226
**Vue d'ensemble du romantisme** ... 227

**L'analyse littéraire** ... 228

**1. Repérage des éléments** ... 229
1.1 Approche générale ... 229
1.1.1 Situation de l'œuvre ... 229
1.1.2 Organisation et propos ... 230
1.2 Examen détaillé ... 231
1.2.1 Énonciation ... 231
1.2.2 Procédés lexicaux ... 232
1.2.3 Procédés grammaticaux ... 234
1.2.4 Procédés syntaxiques ... 235
1.2.5 Procédés stylistiques ... 236
1.2.6 Procédés musicaux ... 241
1.2.7 Tonalités ... 242
1.2.8 Exemple d'annotation d'un extrait ... 243

**2. Organisation du travail** ... 246
2.1. Élaboration du plan ... 246
2.1.1 Principes généraux ... 246
2.1.2 Organisation et hiérarchisation ... 247
2.1.3 Exemple de plan ... 247
2.2 Rédaction de l'analyse : exemple d'analyse commentée ... 249
2.3. Révision de l'analyse ... 250
2.3.1 Révision du contenu et de la structure ... 250
2.3.2 Révision linguistique ... 251
2.3.3 Exemple de fiche d'autocorrection ... 252

**3. Approche par genre** ... 252
3.1 Genre narratif ... 252
3.2 Genre dramatique ... 254
3.3 Genre poétique ... 256

**Bibliographie** ... 257
**Index des auteurs** ... 259
**Index des œuvres** ... 260
**Index des notions théoriques** ... 261
**Sources iconographiques** ... 262

# 1 Le Moyen Âge

## OU L'ÂGE DES (RE)COMMENCEMENTS

# Auteurs et œuvres à l'étude


Auteur inconnu
- *La chanson de Roland – La mort de Roland* ..... 18

Thibaud de Champagne
- *Dame, pitié !* ..... 22

Chrétien de Troyes
- *Un grand débat* ..... 25

Auteur inconnu
- *Tristan et Iseut – La mort des amants* ..... 26

Fabliaux des XIIIe et XIVe siècles
- *Le vilain et le souricon* ..... 28

Auteur inconnu
- *Roman de Renart – La pêche à la queue* ..... 30

Rutebeuf
- *Complainte Rutebeuf* ..... 32

Léo Ferré
- *Pauvre Rutebeuf* ..... 33

Christine de Pisan
- *Ballade* ..... 34

Charles d'Orléans
- *Prenez tôt ce baiser…* ..... 35

François Villon
- *Ballade des pendus* ..... 37
- *La ballade des dames du temps jadis* ..... 38

Auteur inconnu
- *La farce de maître Pathelin – L'arroseur arrosé* ..... 40

Pierre Abélard
- *Lettre d'Héloïse à Abélard* ..... 42

# Le Moyen Âge

## OU L'ÂGE DES (RE)COMMENCEMENTS

*Seigneurs, vous plaît-il d'entendre un beau conte d'amour et de mort? C'est de Tristan et d'Iseut la reine. Écoutez comment à grand-joie, à grand deuil ils s'aimèrent, puis en moururent un même jour, lui par elle, elle par lui.*

*Tristan et Iseut*

## Un aperçu sociohistorique de l'époque médiévale

Après l'éclatement, en 301 avant notre ère, de l'Empire grec d'Alexandre le Grand, l'Empire romain va compter à son apogée quelque 70 millions d'habitants répartis en Europe, en Afrique du Nord, en Asie et au Moyen-Orient. Cet immense territoire est unifié par une monnaie, une législation et une religion communes, par la libre circulation des marchandises et des hommes, ainsi que par l'usage du latin et du grec, ce dernier étant parlé dans la Méditerranée orientale. La ville de Rome règne au cœur de cet empire jusqu'en 324, année où l'empereur Constantin lui préfère Byzance, qu'il nommera Constantinople, comme siège de son autorité. Cela entraîne

**Le Moyen Âge**

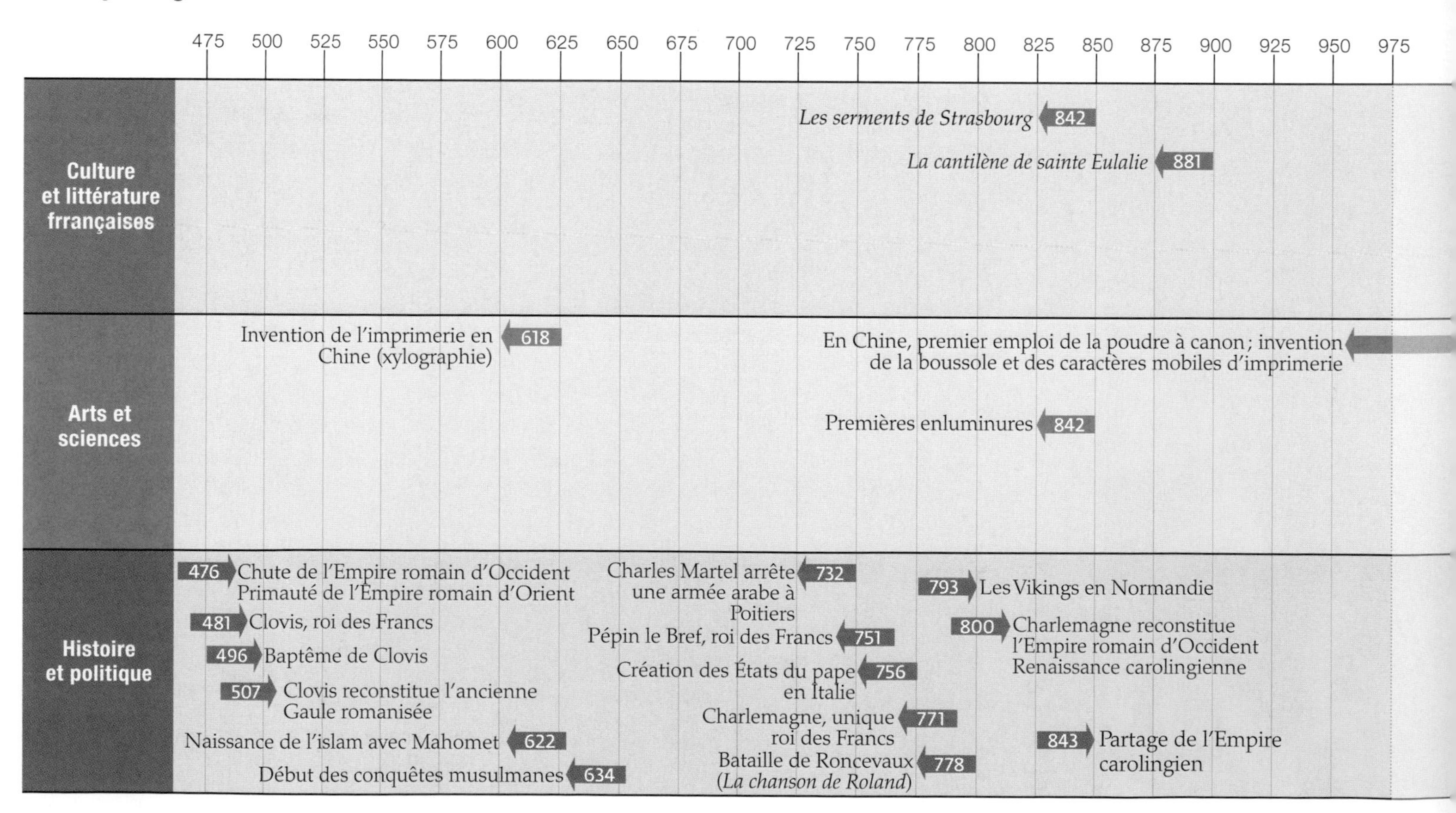

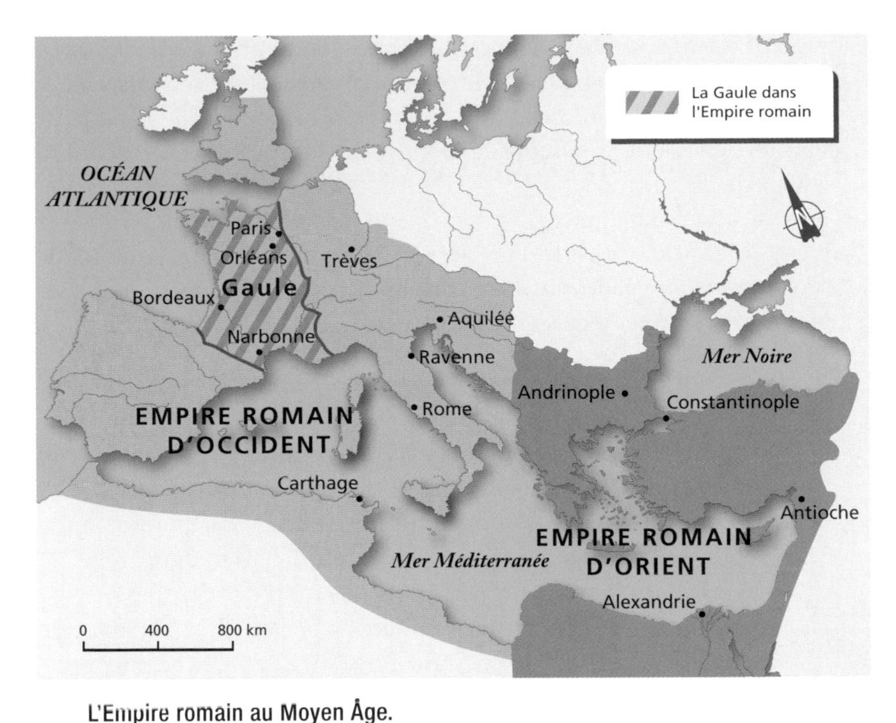


**L'Empire romain au Moyen Âge.**

bientôt la scission de son empire en deux unités, l'une latine dite Empire romain d'Occident orientée vers Rome, et l'autre hellénisée, appelée l'Empire romain d'Orient, gravitant autour de Constantinople. L'Empire romain d'Occident prend fin en 476, année où le dernier empereur est déposé par ceux que l'Histoire appelle les Barbares (tribus venues à l'origine des steppes d'Asie). Pour sa part, l'Empire romain d'Orient ne connaîtra sa fin qu'en 1453, avec la chute de Constantinople (l'actuelle Istanbul) aux mains des Turcs musulmans. Succédant à l'Antiquité romaine et à son empire qui a exercé son autorité sur le monde occidental pendant 5 siècles, le Moyen Âge recouvre les 10 siècles, fort disparates, qui séparent 476 de 1453.

## Du ve au xe siècle : la Gaule et ses dynasties

Au temps de l'Empire romain, Jules César, par sa victoire sur le Gaulois Vercingétorix en 52 avant notre ère, soumet la Gaule et impose les lois et la langue latines. Cette nouvelle civilisation gallo-romaine se développe jusqu'à ce que, à partir du IIIe siècle, diverses tribus d'envahisseurs déferlent en vagues destructrices pour la maîtrise de son territoire ;

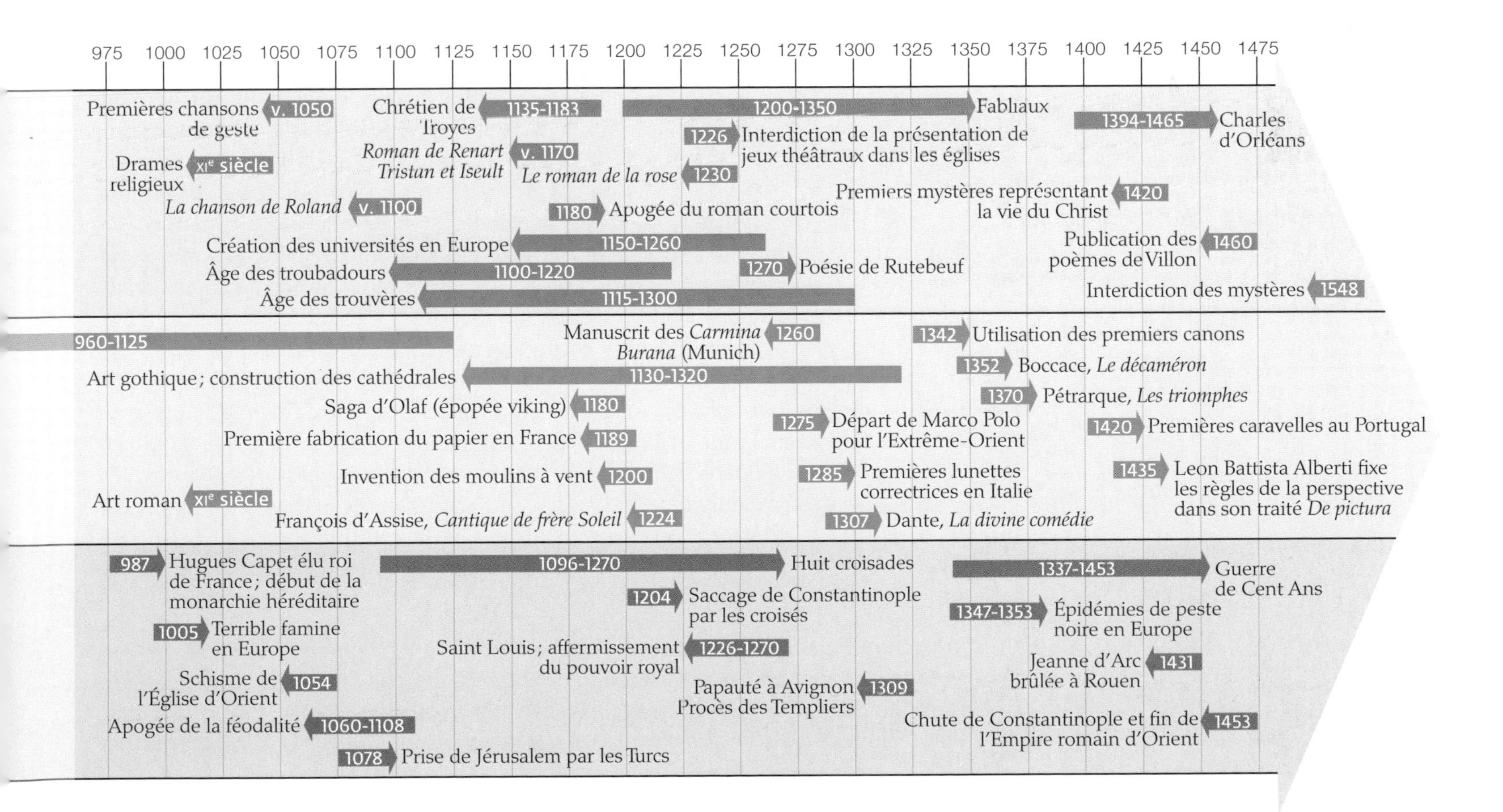

celui-ci est bientôt fracturé, morcelé en une multitude de petits royaumes placés sous l'autorité de chefs belliqueux, constamment en guerre les uns contre les autres. De ces nombreuses tribus, celle des Francs, installée en Gaule dès 406, en vient à s'imposer. Son chef, Mérovée, fonde alors la dynastie mérovingienne (481-751). Par des guerres, des alliances et particulièrement grâce à sa conversion au christianisme, le petit-fils de Mérovée, Clovis (466-511), réussit l'unification presque totale du territoire gallo-romain. Au début du VIe siècle, Paris est choisie comme capitale de ce royaume.

Aux Mérovingiens succède la dynastie carolingienne (751-987). Son principal représentant, le roi franc Charlemagne (742-814), développe l'administration, encourage un renouveau intellectuel et artistique, et favorise l'essor du commerce et du christianisme. Reconnu dans l'entourage du pape comme le successeur des empereurs romains, Charlemagne rêve de reconstituer l'Empire romain, mais à sa mort des conflits successifs et de nouvelles invasions minent ce projet. Suivra la dynastie capétienne qui règnera en France de 987 à 1848, avec une interruption lors de la Révolution et du Premier Empire : le premier roi élu, Hugues Capet, sacré en 987, permet l'affermissement du pouvoir de l'État. Mais l'action du premier Capétien n'est guère poursuivie par ses successeurs immédiats, et le pouvoir royal devient très fragile.

**Frères de Limbourg, *Très riches heures du duc de Berry*, v. 1410.**

À la base du régime féodal se trouve la classe la plus productive et la plus pauvre : les paysans.

## L'établissement et l'expansion de la féodalité

À partir du IXe siècle, la faiblesse et l'instabilité du pouvoir royal favorisent la mise en place progressive d'une organisation politique et sociale dite féodale. La féodalité suppose des rapports de subordination entre les multiples détenteurs du pouvoir, et repose sur la fidélité jurée de l'inférieur à son supérieur immédiat. Dans ce système, le roi, suzerain suprême installé au sommet de cette hiérarchie, délègue de ses pouvoirs et de ses terres à de grands seigneurs issus de la noblesse, à l'origine des membres de sa famille, ducs, marquis et comtes, qui ont la charge d'administrer le territoire et de prélever une armée pour le défendre. Ces vassaux du roi concèdent à d'autres vassaux qui leur sont subordonnés et fidèles, de petits seigneurs appelés « barons » ou « chevaliers », une partie des terres de leur seigneurie. Ces terres prêtées à des hommes libres, appelés « vilains », ont le nom de « fiefs », mot à l'origine du terme « féodalité ». Pour faire fructifier le sol et obtenir des revenus, les vilains engagent des paysans appelés « serfs » (du latin *servus*, « esclave »), à qui il est interdit de quitter leur terre. Précisons que, jusqu'à la Révolution française, la société sera divisée en trois classes : le clergé (ceux qui prient), la noblesse (ceux qui combattent) et les roturiers (ceux qui travaillent).

Ce système entraîne bientôt le morcellement politique du territoire en de multiples domaines, des comtés et des duchés séparés par les forêts, qui pullulent dans les campagnes. C'est ainsi que, face à un pouvoir royal très faible, une aristocratie de grands propriétaires, devenue héréditaire au Xe siècle, s'approprie les droits et les profits au détriment du roi. Les châteaux seigneuriaux deviennent alors les véritables centres du pouvoir.

## La chevalerie

Au XI^e^ siècle, certains vassaux d'une grande bravoure s'engagent à servir leur suzerain l'épée ou la lance à la main: c'est l'essor de la chevalerie. On attend du chevalier – son nom vient du fait qu'il possède un cheval de bataille – des actes de courage qui en feront un personnage hors de l'ordinaire. Envers et contre tout, le chevalier, mû par un idéal à la fois militaire et religieux, demeure fidèle à son seigneur et à son Dieu. Sa bravoure, ses vertus guerrières, sa noblesse d'esprit, son sens de l'honneur et sa foi trouveront bientôt leur expression littéraire dans la chanson de geste. Au siècle suivant, le chevalier courtois se mettra au service de sa dame, qu'il servira comme un vassal sert son suzerain.

***Chevalier se préparant à partir en croisade*, v. 1250.**

Les croisades mettent en relief les facettes de l'idéal chevaleresque, qui prône la bravoure, l'attachement à la patrie et la piété.

## Le christianisme, fondement de l'Occident médiéval

Après que les invasions barbares ont balayé les structures politiques et sociales de la civilisation romaine, une institution a pu revendiquer l'héritage de cet empire: l'Église catholique. À la suite du baptême de Clovis, en peu de temps la conversion gagne tous les royaumes, de sorte que l'Église réussit, dès le milieu du VII^e^ siècle, à attirer dans son giron l'ensemble des tribus barbares. Cela constitue l'un des épisodes clés de l'histoire de l'Occident.

Ces événements expliquent le fait que, si le monde romain a connu la fin de son empire, étonnamment, ce dernier n'est pas disparu mais s'est plutôt métamorphosé. Succédant aux empereurs, les papes deviendront leurs doubles religieux, empruntant jusqu'à leur titre de pontife[1]. Et en se ralliant à la nouvelle foi, les membres des classes supérieures romaines fourniront au haut clergé une partie notable de ses effectifs. L'organisation de la nouvelle Église chrétienne, avec ses cellules locales subordonnées à une hiérarchie ecclésiastique, se modèle sur celle de l'administration romaine. Ainsi, après l'effondrement des structures municipales romaines, l'évêque, chef de la cité, homme de charisme et homme de droit, permet à l'Église de devenir le principal organe de gestion de la ville. Communauté civile et communauté de croyance sont maintenant les deux versants d'une même réalité. Grâce à son influence sur la vie politique et culturelle, l'Église devient ainsi le nouveau centre de gravité du monde occidental, en même temps qu'elle élabore de nouvelles normes de civilisation.

### Les monastères

Les premières églises chrétiennes sont édifiées au IV^e^ siècle; dès lors, leurs constructions n'auront de cesse. Très tôt, des missionnaires sillonnent l'Europe pour enseigner la «bonne nouvelle» à toutes les nations. Plusieurs ordres de moines sont fondés (bénédictins, cisterciens, dominicains…). Les monastères constituent les principaux foyers du savoir et de l'activité artistique de même que les éléments organisateurs du progrès: on y enseigne la lecture et l'écriture, dans la langue maintenue par l'Église, le latin; on y pratique le chant grégorien; les manuscrits anciens, sur lesquels reposent la science et la philosophie gréco-latines, y sont minutieusement copiés. Ces lieux verront naître l'art roman. Les moines excellent également dans les domaines agricoles: l'exploitation de nouvelles zones défrichées produit un meilleur rendement, pendant que le moulin à eau connaît une grande diffusion.

### Une Église militante

Pour encourager la spiritualité, l'Église introduit le culte des reliques dont la renommée attire les fidèles désireux de faire pénitence ou de voir des miracles. L'usage de déposer les reliques dans des autels appelle la construction de vastes églises qui deviennent des lieux

1. En 12 avant notre ère, au faîte de son pouvoir, l'empereur Auguste avait reçu le titre de *pontifex maximus*, qui faisait de lui le chef religieux de l'Empire romain.

de pèlerinage, tout en favorisant un renouveau des échanges culturels. À partir de la fin du XIe siècle, l'Église organise des expéditions tant politiques et militaires que religieuses pour défendre les lieux saints de Jérusalem, aux mains des musulmans. Ces croisades, au nombre de huit (de 1096 à 1270), vont rapidement se transformer en entreprises de conquête. Elles donneront l'occasion aux chevaliers de réaliser leurs rêves de gloire et de mysticisme à travers une aventure extraordinaire.

***Jean de Berry partant en voyage*, extrait des *Petites heures du duc de Berry*, v. 1412.**

L'art gothique exprime l'importance de la vie spirituelle tout en rapprochant l'humain du divin.

En 1054, l'Église catholique, consciente de son caractère original et de son rôle dominant dans la société et dans la culture, rompt avec l'Église d'Orient. Son influence sur la vie culturelle européenne est telle que c'est par l'entremise de son livre de vérités, la Bible, que pendant des siècles les écrivains, les poètes et les artistes voudront interpréter le monde.

## L'âge d'or de l'époque médiévale

L'âge d'or de l'Occident médiéval se situe entre 1170 et 1250. Le pouvoir féodal est devenu tellement atomisé que l'anarchie a fini par le miner. Patiemment, la royauté amorce une lente reconquête de son pouvoir. C'est le début d'un long processus vers l'absolutisme royal (qui connaîtra son apogée au XVIIe siècle sous Louis XIV, qui centralisera toute l'autorité autour de sa personne). Parallèlement, un dédoublement des pouvoirs s'établit entre le roi et le pape, ce qui évite à l'Occident une théocratie semblable à celle de la société musulmane. Cette séparation pave en même temps la voie à une lointaine démocratie.

Un climat favorable, le défrichement des forêts et des progrès métallurgiques favorisent une augmentation de la production agricole. S'ensuivent une baisse de la mortalité infantile, un recul des maladies et des famines de même qu'un accroissement démographique sans précédent. Les serfs, qui viennent d'acquérir leur liberté, se constituent en petits villages autour des églises. Du XIe au XIIIe siècle, les villes, appelées «bourgs», se développent. L'urbanisation de la société s'accompagne de la valorisation du travail et d'une multiplication des métiers. Certains urbains, enrichis par le commerce, obtiennent des privilèges juridiques et économiques pour eux et leur ville, ce qui leur évite de payer des redevances à un seigneur: c'est l'émergence d'une bourgeoisie de négociants (en particulier dans l'industrie textile). L'essor des bourgs engendre un regroupement des artisans en corporations professionnelles qui réglementent les métiers, d'où la naissance de puissantes confréries. Ces nouvelles conditions de productivité favorisent les échanges commerciaux qui prennent place en particulier dans les foires des plus importantes communautés urbaines.

Lieu des activités de production et des échanges marchands, la ville devient aussi le lieu du savoir. Au XIIe siècle, l'enseignement qu'on appelle aujourd'hui primaire et secondaire fait son apparition dans les villes; ni général ni obligatoire, il s'adresse surtout aux garçons qui apprennent à lire dans un psautier. Quant à l'enseignement supérieur, d'abord dispensé dans des églises et des monastères, on le prodigue maintenant dans des maisons d'enseignement, les universités. En plus de témoigner d'une nouvelle curiosité intellectuelle, nourrie des sciences arabes et de l'héritage grec, ces centres du savoir propagent une culture laïque, plus tard associée à l'expansion de la langue romane.

Au début du XIVe siècle, alors que la féodalité est de plus en plus limitée au profit du pouvoir royal, la prospérité de la France est si remarquable que son mode de vie et sa pensée sont dominants en Europe.

**Un moine enseigne la lecture à des enfants. Enluminure tirée de la bible historiale de Guyart des Moulins.**

L'enseignement, transmis oralement, connaît un réel essor au Moyen Âge, favorisant la création d'universités et la diversification des domaines d'études.

## L'enseignement au Moyen Âge

Du IVe au Xe siècle, l'essentiel de l'activité littéraire se concentre dans les abbayes et les écoles qui leur sont rattachées. Dans ces écoles monastiques, les clercs (membres du clergé) enseignent, à partir du Ve siècle, trois arts dits libéraux ou arts de la parole (grammaire, rhétorique et dialectique) et quatre sciences supérieures (arithmétique, géométrie, musique et astronomie). Ils ont simplement adopté la classification des sciences en usage chez les Romains de l'Antiquité.

Au début du Xe siècle, on crée des écoles cathédrales dans les villes. Deux siècles plus tard, certaines de ces écoles prennent de l'ampleur et adoptent le nom d'universités (*universus,* « toutes les branches du savoir »). L'enseignement qui se donne oralement se fonde sur la scolastique, une méthode de savoir et de réflexion que l'on peut résumer comme suit :

1. le maître lit, puis commente un texte ancien (extrait de la Bible ou de l'œuvre d'un père de l'Église ou d'un philosophe de l'Antiquité) ;
2. de ce texte, on retient une question ;
3. les élèves débattent la question ;
4. à la fin se dégage une conclusion.

Au XIIIe siècle, quatre facultés se disputent la faveur des élèves :

1. la faculté des arts libéraux, qui dispense les sciences de base (grammaire, rhétorique et dialectique ; arithmétique, musique, géométrie et astrologie) ;
2. la faculté de droit, divisée en deux parties : droit civil et droit religieux ;
3. la faculté de médecine, où sont enseignés les ouvrages de science médicale ;
4. la faculté de théologie, qui entend approfondir de plus en plus un savoir de Dieu.

À la fin du XVe siècle, plus de 60 universités rayonnent en Europe. Chacune revendique sa spécialisation : ainsi Montpellier a la médecine, Bologne le droit et Paris la théologie. La langue d'enseignement est le latin, et les maîtres de même que les élèves voyagent fréquemment d'une université à l'autre.

## Une période de grandes calamités

Au milieu du XIVe siècle, l'essor s'infléchit. La société et le pouvoir se montrent à la merci de crises qui viennent jeter un voile noir sur l'Occident pendant un siècle. Comme si une série de catastrophes et de mutations importantes des mentalités étaient en train de mettre un terme à la civilisation médiévale.

Des hivers froids et des pluies diluviennes se révèlent catastrophiques ; la surpopulation et de mauvaises récoltes entraînent la famine. Disparue depuis le VIe siècle, la peste noire, qui suit les voies commerciales et chemine avec les riches cargaisons, survient en 1347, par terre et par mer. Elle touche en particulier les villes, insalubres : le tiers de la population d'Europe est décimée, et toutes les activités s'en trouvent désorganisées. En même temps, une guerre de succession entre les royaumes de France et d'Angleterre, la guerre de Cent Ans (1337-1453), ruine le royaume de

**Tombeau de Philippe, grand sénéchal de Bourgogne, provenant de la chapelle Saint-Jean-Baptiste de l'abbaye de Cîteaux, fin du XVe siècle.**

En ce temps marqué par les calamités, on ne manque pas de glorifier le courage des puissants en accordant tout le soin possible aux rituels funéraires qui leur sont destinés.

France et provoque de nouveaux troubles sociaux: émeutes parisiennes et révoltes des paysans affamés (jacqueries). Même une crise religieuse, le Grand Schisme (1378-1417), divise la chrétienté: deux papes (parfois trois), l'un à Rome et l'autre à Avignon, président simultanément aux destinées de l'Église.

Dépassées par ces diverses crises, les sensibilités sont enclines à l'inquiétude. S'ensuit une modification des mentalités collectives. Des tentatives pour conjurer ces fléaux, qu'on croit dus à la colère divine, transforment les peurs en haines et engendrent des comportements qui relèvent de l'hystérie: processions de flagellants, persécution des Juifs et des sorcières, danses macabres dans les cimetières... Au moyen de son tribunal de l'Inquisition, institué au XIIIe siècle, même l'Église encourage l'intolérance et la répression contre les esprits indépendants, appelés «hérétiques». Il faudra attendre la Renaissance pour trouver des réponses et des issues à cette période de crise.

## Les courants artistiques au Moyen Âge

**La statue-reliquaire *Majesté de Sainte Foy*, église Sainte-Foy de Conques.**

*La fonction de l'art est de démontrer l'invisible par le visible.*

*Pape Grégoire II*

Dans l'Occident du Ve au IXe siècle se diffuse l'art des Barbares, habitués à des objets ornementaux facilement transportables grâce à leur taille réduite. Leur conversion au christianisme permet l'amalgame des traditions germaniques, celtiques et orientales issues de l'art des steppes asiatiques avec l'art chrétien. Habiles à travailler le métal et excellents sculpteurs sur bois, fascinés par l'or et l'ivoire de même que par les pierres étincelantes et les métaux précieux, les Barbares produiront dorénavant des croix, des objets du culte, des tiares et des reliquaires en or sertis de pierres précieuses et d'émaux. Leurs motifs aux mystérieux entrelacs inspireront les enluminures des manuscrits.

### L'art roman

À partir du XIe siècle, l'influence de l'Église chrétienne déclenche un renouveau de l'architecture, de la sculpture et de la peinture. On construit de nombreuses églises qui empruntent des aspects de l'ancienne architecture romaine, d'où son nom d'art «roman». Phénomène à l'origine monastique, ce premier style à témoigner de l'autonomie culturelle acquise par l'Occident médiéval voit l'architecture de pierre s'élever vers de nouveaux sommets. En recourant à des arcs qui forment une demi-circonférence, l'art roman remplace les anciennes charpentes de bois fréquemment soumises aux incendies. Pendant que la sculpture envahit les chapiteaux, la peinture éclaire les églises de fresques. La cathédrale et la tour penchée de Pise sont de beaux exemples de l'art roman.

**La cathédrale et la tour penchée de Pise.**

La pureté de l'architecture romane, qui privilégie la pierre, rappelle l'art des Romains, tout comme les arcs qui soutiennent des bâtiments de plus en plus hauts.

## L'art gothique

À partir du XIIe siècle, associé au développement des villes et à l'accroissement de la puissance royale, l'art gothique trouve son plein épanouissement dans les cathédrales. Des prouesses techniques permettent de combiner l'ogive, l'arc-boutant et le contrefort pour soutenir le poids des toits et élancer vers le ciel des églises toujours plus vastes et plus hautes, où la lumière pénètre à flots grâce à l'allégement des murs. Cette verticalité entend exprimer un monde tout entier ordonné de bas en haut, de vie terrestre à vie spirituelle. La statuaire et la peinture prennent plus de souplesse. Elles montrent un Dieu beaucoup plus près des hommes, un Dieu humanisé. La Sainte-Chapelle de Paris, avec la prouesse de ses verrières, fournit un remarquable exemple de cette architecture qui réussit obstinément à résister à l'avance du temps.

**La Sainte-Chapelle, à Paris.**

Grâce aux innovations techniques, l'architecture gothique s'érige vers le ciel et laisse pénétrer la lumière, pour refléter l'ordre du monde et l'élévation propre à la vie spirituelle.

## La réforme de la peinture médiévale

Pendant que les artistes de France habitent un pays dévasté par la guerre, ceux de Flandre (la Belgique et les Pays-Bas actuels) et d'Italie, deux pays pourtant de civilisations et de cultures totalement différentes, sont à l'origine d'un élan créateur qui donnera le coup de grâce à l'art médiéval. Les voies empruntées sont divergentes : les artistes flamands, qui se sont laissé séduire par la plastique du gothique, font évoluer ce style vers un réalisme où d'innombrables détails tirés de l'observation du quotidien rendent dans ses moindres nuances l'aspect extérieur des choses, faisant ainsi du tableau un miroir du monde visible ; les représentations du monde terrestre commencent à prendre la place de celles de l'au-delà. Parmi eux, les frères Hubert et Jan Van Eyck, considérés comme les initiateurs de la révolution picturale flamande, sont parmi les premiers peintres de leur temps à utiliser un chevalet et la peinture à l'huile.

Par ailleurs, emportée par un dynamisme étranger au Moyen Âge, l'Italie connaît une époque passionnée et passionnante. Les artistes italiens, qui ont toujours tenté de résister au gothique, trouvent plutôt leur inspiration dans le monde antique. Conscients de la richesse de leurs talents, ils cherchent à cultiver leur originalité, ce qui a pour conséquence de produire un art de plus en plus profane. Ils ne se contentent pas d'enregistrer les apparences, mais s'intéressent avant tout à l'espace. Ils veulent comprendre la structure du monde et en pénétrer les lois afin de pouvoir les recréer, ce qui conduira à l'invention de la perspective. Giotto sera le grand passeur du monde médiéval au monde de la Renaissance. Sa peinture effectue un retour au réel en s'inscrivant dans la lignée gréco-latine, que le christianisme et l'art byzantin avaient rompue. À partir de ce révolutionnaire, l'histoire de l'art devient l'histoire des grands artistes.

La peinture novatrice des Van Eyck et de Giotto se démarque des structures du monde médiéval, qui enserraient les artistes dans un ensemble de modèles imposant reproduction et conformité. Partis à la conquête de la nature, ces peintres témoignent déjà de la force créatrice et du renouvellement culturel qui caractériseront la Renaissance, en même temps qu'ils jettent les prémices d'une longue épopée réaliste qui s'affirmera jusqu'à la fin du XIX^e^ siècle.

**Jan Van Eyck, *Les époux Arnolfini*, 1434.**

La peinture flamande évolue vers un réalisme, fruit d'une observation minutieuse révélant avec justesse les conditions matérielles de l'époque.

**Duccio di Buoninsegna, *La Maestà*, 1308-1311.**

Sacré et profane se côtoient dans les représentations d'un monde où l'accroissement de l'influence de l'Église coïncide avec le développement urbain.

## Quelques personnalités du Moyen Âge

- En Islande, la saga (ou épopée) viking d'Erik le Rouge (v. 940-v. 1010) décrit la découverte du Groenland et de l'Amérique du Nord. Elle relate les tentatives de colonisation de ce qui sera plus tard le Canada et l'arrivée, en 1008, du premier « Canadien d'avant les Canadiens ».

**Domenico Peterlini, *Dante en exil*, v. 1860.**

Figure de proue de l'idéal intellectuel du Moyen Âge en Italie, Dante s'illustre sur les plans politique autant que littéraire.

- Vers 1025, le moine italien Guido d'Arezzo propose pour chaque note de la gamme un nom emprunté à la première syllabe de chaque vers d'un poème[1] à la gloire de saint Jean-Baptiste :

  *UT queant laxis*
  *REsonare fibris*
  *MIra gestorum*
  *FAmuli tuorum*
  *SOLve poluti*
  *LAbii reatum*
  *Sancte Iohannes*

- En Allemagne, Hildegarde von Bingen (1098-1179), abbesse bénédictine et femme de qualité exceptionnelle, est l'auteure de récits mystiques et d'un traité de médecine, en plus d'être la compositrice de nombreuses œuvres musicales d'une prodigieuse charge poétique.

- En Angleterre, en 1215, le roi Jean sans Terre concède à ses barons la Grande Charte (*Magna Carta*), qui réforme la monarchie. C'est le rejet du pouvoir absolu du roi et l'énonciation du régime parlementaire que nous connaissons encore au Canada.

- En Italie, empruntant la route de la soie, le marchand vénitien Marco Polo (1254-1324) est le premier Européen à pénétrer en Chine et à s'y installer. À son retour, il dicte le *Livre des merveilles du monde* (1298). À la même époque, le Florentin Durante Alighieri, dit Dante (1265-1321), figure emblématique du renouveau littéraire médiéval, donne à la langue italienne et à l'Occident une œuvre considérée comme l'un des sommets littéraires de l'humanité, *La divine comédie*. Un autre poète italien, Pétrarque (1303-1374), exerce, par le degré élevé du réalisme psychologique de sa poésie, une immense influence sur la littérature de son époque.

- En France, la vie d'une jeune paysanne de 19 ans se transforme en épopée. Jeanne d'Arc (1412-1431), qui a pourtant inversé le cours de la guerre de Cent Ans au profit de sa patrie, est brûlée pour sorcellerie en 1431, puis réhabilitée en 1456. L'Église, responsable de sa mort par les soins de son Inquisition qui a accusé Jeanne d'hérésie et de magie, la canonisera en 1920.

1. Dans le cas du *si*, il s'agit de la première lettre des deux premiers mots du vers concerné.

# La naissance de la langue française

## *Les serments de Strasbourg* (extrait)

Pro Deo amur et pro christian poblo et nostro commun salvament, d'ist di in avant, in quant Deus savir et podir me dunat, si salvarai eo cist meon fradre Karlo et in aiudha et in cadhuna cosa, si cum om per dreit son fradra salvar dift, in o quid il mi altresi fazet et ab Ludher nul plaid nunquam prindrai qui, meon vol, cist meon fradre Karle in damno sit.

## Sa traduction en français courant

Pour l'amour de Dieu et pour le salut du peuple chrétien et notre propre salut, de ce jour en avant (dorénavant), autant que Dieu m'en donnera le savoir et le pouvoir, je défendrai mon frère Charles, et l'aiderai en toute circonstance, comme on doit selon l'équité défendre son frère, pourvu qu'il en fasse autant à mon égard. Et jamais je ne prendrai avec Lothaire aucun arrangement qui, de ma volonté, puisse être nuisible à mon frère Charles.

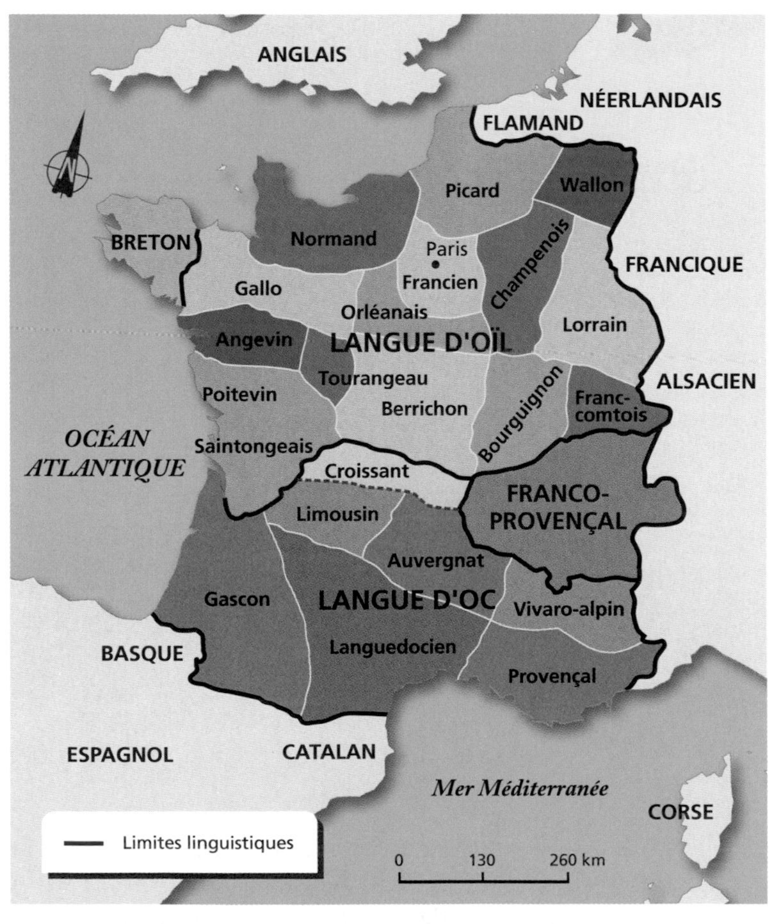


**Les principaux dialectes au xe siècle.**

Le Moyen Âge a commencé au ve siècle, mais ce n'est qu'au début du xie qu'une littérature pouvant être dite de langue française apparaît et commence à remplacer les œuvres en latin.

Le latin avait été imposé à la Gaule en 52 avant notre ère, après la défaite du Gaulois Vercingétorix aux mains de César. Cette langue allait devenir avec les siècles celle des gens d'Église et des hommes cultivés. Ce sera la langue des études, de la philosophie et des sciences, ainsi que la langue internationale des communications. Le latin demeurera d'ailleurs la langue des gens cultivés dans toute l'Europe au moins jusqu'au xviie siècle, et la langue de l'Église jusqu'à il y a peu.

Jusqu'au ixe siècle, le latin est donc le véhicule de la foi. Mais la langue parlée par les fidèles, issue de ce même latin, s'est si profondément transformée que le peuple, littéralement, en perd son latin ! Le parler de la masse, déformé par un usage strictement oral, s'est différencié de sa forme originelle, en plus d'emprunter des mots aux langues des différents envahisseurs aussi bien qu'à celles des marins et commerçants transitant par les ports. Si bien que, en 813, les évêques recommandent à leurs prêtres de prêcher en langue vulgaire (du latin *vulgus,* « peuple »), la langue du peuple, pour s'assurer d'être compris. On donne le nom de roman à cette langue intermédiaire entre le latin et ce qui deviendra le français. Quand des textes seront rédigés en cette langue, ils seront connus sous le nom de « romans ». C'est précisément avec eux que commence l'histoire de la littérature française.

Le premier texte qui nous soit parvenu en langue romane est un traité de loi, *Les serments de Strasbourg* (842), un pacte d'alliance de deux petits-fils de Charlemagne contre leur frère. Ce premier embryon qui préfigure le français nous apparaît teinté de latin et d'allemand.

Quant au premier texte considéré comme « littéraire », il date de 881. *La cantilène de sainte Eulalie* est un poème de 229 vers (des décasyllabes : 10 pieds) qui rappelle le martyre d'une sainte morte à 14 ans, en 304, pour avoir refusé de renier sa foi. Il marque le début de la littérature française parce qu'il en est le premier exemple conservé.

Au xe siècle, sur le territoire de la France actuelle, les multiples dialectes locaux d'origine romane peuvent

### *La cantilène de sainte Eulalie* (extrait)

Buona pulcella fut Eulalia,
Bel avret corps, bellezour anima.
Voldrent la veintre li Deo inimi,
Voldrent la faire Diaule servir.
Elle no'nt eskoltet les mals conseilliers
Qu'elle Deo raneiet chi maent sus en ciel,
Ne por or ne argent ne paramenz,
Por manatce regiel ne preiement [...]
In figure de Colomb volat a ciel.

### Sa traduction en français courant

Eulalie était une bonne jeune fille,
Elle avait beau le corps, plus belle l'âme.
Les ennemis de Dieu voulurent la vaincre,
Ils voulurent lui faire servir le diable.
Elle n'écoute pas les mauvais conseillers,
Qui l'engagent à renier Dieu, qui habite en haut au ciel,
Ni pour or, ni pour argent, ni pour parures,
Pour menaces venant du roi, ni pour prières [...]
Sous forme de colombe, elle s'envola au ciel.

être classés en deux groupes correspondant à deux espaces culturels différents: les parlers du sud, proches du latin, appelés «langue d'oc», et les parlers du nord, très différents, marqués par le germanique et plus proches du français actuel, appelés «langue d'oïl». Oc et oïl sont les deux manières différentes de dire «oui» au sud et au nord de la France. C'est à cette époque que ces langues commencent à être utilisées pour écrire, remplaçant progressivement le latin.

Autour de l'an 1300, un dialecte du nord de la France, qu'on appellera plus tard le «français», marque sa suprématie. C'est celui de la capitale du royaume, Paris, où séjourne principalement la cour royale. Pour cette raison politique et historique, ce dialecte d'oïl parlé dans l'Île-de-France finit par s'imposer: les langues d'oïl s'unifient bientôt, absorbées par ce parler. Progressivement, la plupart des dialectes du sud feront de même, à quelques exceptions près, comme le provençal et l'occitan. Et c'est ainsi que le français, né de la langue romane, finit par rayonner sur toute la France. Il ne faut cependant pas perdre de vue que la langue française ne sera tout à fait établie que bien après le Moyen Âge.

## La littérature du Moyen Âge: un continent littéraire de cinq siècles

Au Moyen Âge, l'analphabétisme généralisé oblige à une communication directe et orale avec la population. C'est ainsi que devant le public noble des châteaux comme devant les gens du peuple, sur les places publiques, sur les routes de pèlerinage ou dans les foires, des artistes itinérants, appelés «jongleurs» ou «ménestrels», chantent et parfois miment des histoires et des légendes issues de la tradition locale, en s'accompagnant à la vielle ou au tambour. Jusqu'au XIVe siècle, ces œuvres littéraires, qu'ils se permettent de remanier à leur gré, sont toujours de la poésie; les jongleurs connaissent souvent par cœur des milliers de vers.

Pour permettre à l'auditoire de s'y repérer, ces longs poèmes, dont la présentation peut s'étendre sur plusieurs jours, comportent des marques particulières. Un exposé initial annonce l'action, certaines reprises donnent du poids à un fait particulier, alors que des formules de refrain ponctuent les grands épisodes. Constamment, le rythme et l'œil narquois du jongleur viennent marquer sa connivence avec le public. Il faut préciser que ces jongleurs, qui détourneraient l'homme de son salut, n'ont pas la faveur de l'Église.

Comme la notion de propriété littéraire est alors inexistante, dès qu'une œuvre obtient quelque succès, elle est plagiée, adaptée de multiples manières. Après avoir été récitées et transmises oralement pendant des décennies voire des siècles, ces œuvres ont commencé à être écrites.

**Jean de Meung, *Le roman de la rose*, v. 1370.**

La littérature du Moyen Âge s'articule autour des thèmes de la mort, de l'amour et de l'accomplissement personnel.

La traditionnelle classification des genres littéraires n'est pas applicable à cette époque. Néanmoins, si l'on souhaite parler de genres, il est possible de distinguer les plus importantes marques thématiques et formelles de ce vaste continent littéraire : l'épopée ou la chanson de geste ; la littérature courtoise et le roman ; la littérature satirique ; une poésie qui se fait de plus en plus lyrique ; le théâtre. Trois thèmes proprement dits sont particulièrement récurrents : l'amour, la mort et l'accomplissement de soi.

Héritages des traditions bibliques, antiques ou celtiques, de fabuleux récits du Moyen Âge ont traversé les siècles sans perdre de leur magie. Animés par des personnages de valeureux chevaliers, d'amoureux passionnés et d'intrépides voyageurs, ils proposent des modèles de conduite (le héros martyr qu'est Roland, ou les chevaliers de la Table ronde et le roi Arthur dans leur quête du Graal, que nous poursuivons toujours). Ils alimentent encore nos rêves et ne cessent de nourrir un art cinématographique particulièrement avide de l'imaginaire médiéval.

## Une poésie épique : la chanson de geste

À compter du milieu du XIe siècle, les jongleurs développent une forme poétique, conçue à la manière des épopées antiques et considérée aujourd'hui comme le fonds de la littérature française : ce sont les chansons de geste (du latin *gesta,* « hauts faits » de nobles personnages) qui chantent les exploits de héros du passé, plus particulièrement ceux de l'époque de Charlemagne (VIII^e siècle). Ce genre littéraire typiquement médiéval a donné naissance à l'épopée française : des récits poétiques qui mêlent la légende à l'histoire et célèbrent des aventures héroïques. C'est l'histoire revue et corrigée par la légende et le merveilleux, particulièrement apte à faire oublier les maux d'un présent moins glorieux.

Composées au moment des croisades, ces œuvres pouvaient être narrées aussi bien dans les cours princières que sur les lieux mêmes des conflits. Destinées à chanter la guerre dans laquelle se sont engagés des rois et des seigneurs, pour la défense du droit de la sainte chrétienté, et à encourager la lutte contre les infidèles, les chansons de geste véhiculent des idéaux exaltant les valeurs chevaleresques et l'obéissance à un souverain juste et bon. Ces récits à intention politique affirment la mission sacrée du roi à un moment où, en réalité, son autorité est souvent contestée.

**Anonyme, *La mort de la belle Aude*, miniature, XIV^e siècle.**

Selon la légende, la belle Aude, fiancée de Roland, meurt au moment où on lui annonce la mort de son bien-aimé.

On trouve des constantes dans le fleuve épique des quelque 80 chansons de geste qui ont pu être conservées. Ces œuvres qui magnifient les vertus guerrières de la chevalerie, telles que l'honneur et la bravoure, se plaisent à jouer sur la tension entre le bien et mal, l'honneur et le déshonneur. L'intrigue avance grâce à cette opposition entre les bons et les méchants ; aussi apparaissent souvent des traîtres, des menteurs et de vilains chevaliers pour persécuter le héros. Quant à ce dernier, la démesure est son lot, la légende épique s'alliant à la légende hagiographique (la vie des saints) et le réalisme composant avec le surnaturel.

Sur le plan formel, la trame des chansons de geste est faite de nombreux épisodes, dont la variété et l'agencement n'excluent pas la cohérence du sujet. Aboutissement littéraire d'une longue tradition orale, ces poèmes épiques conservent quelques caractères du récit oral, comme des répétitions de vers et d'épithètes, pour faciliter l'effort de la mémoire, ainsi que des retours en arrière et des variations sur un même thème. Chaque début de strophe reprend un vers de la strophe précédente, le premier ou le dernier ; des formules d'enchaînement et d'autres formules toutes faites de conclusion sont aussi reprises. Quant au style épique, il est caractérisé par des groupements de vers en strophes irrégulières assonancées appelées « laisses » : d'inégales longueurs, le nombre de leurs vers peut aller de sept à quelques centaines, et ces vers se terminent par une voyelle récurrente. Chaque laisse correspond à un mouvement du récit, à un épisode.

## La chanson de Roland

*Sur l'herbe verte il est tombé: là il s'est évanoui, car la mort pour lui est proche.*

La poésie épique culmine avec le chef-d'œuvre *La chanson de Roland* (vers 1070), la plus illustre, la plus ancienne et la plus achevée chanson de geste, devenue l'archétype du genre. Le canevas de ce poème de 4 002 vers est fort simple : sous l'impulsion de Charlemagne, une expédition de Francs est partie combattre les Sarrasins en Espagne ; mais le courageux neveu de l'empereur, Roland, qui transporte le butin à l'arrière-garde, tombe dans une embuscade dans les Pyrénées, au col de Roncevaux, et y trouve la mort.

Si certains personnages et péripéties renvoient au VIIIe siècle, à l'époque de Charlemagne, les armes, les mots et la description des modes de vie correspondent bien davantage au monde des seigneurs du XIe siècle. Ainsi, l'empereur « à la barbe fleurie » n'a jamais porté que la moustache tombante des Francs : la barbe n'allait devenir symbole de la sagesse et apanage de la royauté que plus tard. Même le prétendu rôle des infidèles qui sont portés responsables du massacre de l'arrière-garde et de la mort de Roland est une réécriture de l'Histoire : ce piège n'est pas le fait des Sarrasins mais a en réalité été tendu par une milice basque. Nous touchons ici à l'aspect idéologique de l'œuvre.

Le récit tragique de la mort du héros, le 15 août 778, constitue l'apothéose de l'œuvre. Avec l'énergie du désespoir, avant de mourir, Roland tente de briser son épée Durendal afin de la soustraire à la convoitise d'un infidèle. Mais il n'y parvient pas et meurt avant l'arrivée de Charlemagne. Plus loin dans le récit, quand ce dernier va annoncer la mort de Roland à sa fiancée, la belle Aude, elle en tombe morte dans l'instant.

Roland, chevalier d'une grande vertu et d'une droiture sans faille, témoigne des valeurs les plus célébrées dans le monde féodal : son sens de l'honneur, son courage exemplaire et sa piété chrétienne empruntent à la démesure mythique. Ce héros trouvera de nombreux échos en littérature, comme dans *Le cor* d'Alfred de Vigny : *Roncevaux ! Roncevaux ! dans ta sombre vallée / L'ombre du grand Roland n'est donc pas consolée !* (*voir* p. 194)

# La mort de Roland

169

Hautes sont les montagnes et les arbres très hauts. Il y a là quatre perrons de marbre, mais c'est sur l'herbe verte que Roland le comte s'est affaissé. Un Sarrasin non loin de là l'épie : il feint d'être mort et gît parmi
5 les autres. Son corps et son visage sont ruisselants de sang, mais il se dresse sur ses pieds et accourt en toute hâte. Il est beau et fort et d'un très grand courage. Dans son orgueil il conçoit soudain une mortelle rage, se saisit de Roland, de son cor, de ses armes et laisse
10 tomber ces mots : « Le neveu de Charles est vaincu ! Et cette épée, je la ramènerai en Arabie ! » Mais comme il la tirait, le comte reprit un peu sa connaissance.

170

Roland sent bien qu'on lui retire son épée. Il ouvre les yeux et dit ces mots : « À ce qu'il me semble, vous
15 n'êtes point des nôtres ! » Il tient son olifant qu'il ne voudrait jamais perdre. Il en frappe le païen sur son heaume gemmé d'or, et lui fracasse l'acier, la tête, les os et lui fait jaillir les deux yeux hors de tête. Puis à ses pieds il le renverse mort en disant : « Culvert de païen,
20 comment as-tu donc osé me saisir ainsi, à tort ou à raison ? Qui entendra conter ton aventure te tiendra pour un fou ! Mon olifant en est tout fendu par le milieu, et l'or en est tombé ainsi que le cristal. »

171

Roland sent bien qu'il va perdre la vie : il s'efforce de
25 se tenir debout du mieux qu'il peut. Sur son visage la couleur est livide. Devant lui se trouve une pierre grise : de douleur et de colère il y frappe dix coups. L'acier crisse[1] mais ne se brise ni ne s'ébrèche. « Ah, dit le comte, sainte Marie, venez à mon aide ! Ah,
30 Durendal, ma bonne épée, pitié sur vous ! Car je vais mourir et ne pourrai plus me charger de vous ! Tant de batailles avec vous remportées sur les champs ! tant de grandes terres conquises où règne aujourd'hui Charles à la barbe chenue[2] ! Que jamais ne vous possède
35 l'homme qui fuirait devant un autre ! C'est un très bon vassal[3] qui vous a longtemps tenue ! Jamais il n'y en aura une pareille en terre libre de France ! »

**Achille-Etna Michallon, *La mort de Roland*, 1819.**

À l'instar de sa vie, la mort tragique de Roland souligne le sens de l'honneur de ce héros extraordinairement valeureux et fidèle.

172

Roland frappe sur le rocher de sardoine[4]. L'acier crisse mais ne se brise ni ne s'ébrèche. Quand 40 il voit qu'il ne peut faire éclater son épée, sur elle il se met à gémir: «Ah, Durendal, comme tu es belle et claire et blanche! Et contre le soleil, comme tu luis et flamboies! Charles jadis se trouvait aux vallées de Moriane quand du 45 ciel Dieu lui manda par un ange de te remettre à l'un de ses comtes capitaines. C'est alors qu'il m'en ceignit[5], le bon roi, le Magne. Puis je lui conquis l'Anjou et la Bretagne, le Poitou et le Maine; je lui conquis la franche Normandie 50 et la Provence et l'Aquitaine, la Lombardie et la Romagne entière. Je lui conquis aussi la Bavière et toutes les Flandres, la Bourgogne et la Pologne, et Constantinople dont il reçut le serment d'hommage, et la Saxe qui fait ce que le roi lui commande. Je lui conquis encore l'Écosse, le pays de Galles, 55 l'Irlande et l'Angleterre qu'il a fait son bien propre. Je lui conquis tant de pays et tant de terres où règne Charles aujourd'hui, à la barbe blanchie! Pour cette épée j'ai douleur et regret. Et mieux me vaut mourir que la laisser tomber aux mains des païens. Dieu, Père! n'abandonnez surtout pas la France à cette honte!»

173

Puis Roland frappe à nouveau sur une pierre grise. Il frappe même davantage 60 que je ne sais vous dire. L'épée crisse toujours, mais ne se brise ni ne s'ébrèche: contre le ciel très haut elle rebondit. Quand le comte voit bien qu'il ne la brisera jamais, très doucement il s'en plaint en lui-même: «Ah, Durendal, comme tu es belle et très sainte! Dans ton pommeau d'or se trouvent maintes reliques[6]: une dent de saint Pierre, du sang de saint Basile, des cheveux de mon seigneur saint 65 Denis et une pièce du vêtement de sainte Marie. Il n'est pas juste que les païens t'acquièrent. Par des chrétiens seuls dois-tu être servie! Que jamais ne te possède l'homme qui serait lâche! Avec toi j'aurai conquis de très vastes terres où règne Charles à la barbe fleurie, et l'Empereur en est riche et puissant.»

174

Roland sent bien que la mort va le prendre tout entier: elle circule en lui de 70 la tête jusqu'au cœur. Sous un pin il est allé trouver refuge; sur l'herbe verte il s'est étendu de tout son long et sous lui il a placé l'épée et l'olifant[7]. Puis il tourne son regard vers la gente païenne pour que Charles et les siens puissent dire: «Il est mort en vainqueur, le noble comte!» Il bat sa coulpe[8] faiblement mais sans relâche; pour ses fautes il offre à Dieu son gant[9].

Jean Marcel, *La chanson de Roland*, version en prose moderne, Montréal, VLB éditeur, 1980, p. 73-75.

**1.** Produit un bruit de frottement. **2.** Blanche de vieillesse. **3.** Au Moyen Âge, homme lié à un seigneur qui lui concédait la possession d'un fief. **4.** Pierre de couleur brunâtre. **5.** «Ceindre l'épée»: se préparer au combat. **6.** Fragments du corps d'un saint ou objets lui ayant appartenu. **7.** Cor d'ivoire, taillé dans une défense d'éléphant, dont les chevaliers se servaient à la guerre ou à la chasse. **8.** «Battre sa coulpe»: se repentir. **9.** Rendre son gant à Dieu est un signe de soumission.

VERS L'ANALYSE

## La mort de Roland

1. *La chanson de Roland* est une chanson de geste, une épopée. Expliquez pourquoi en rattachant le contexte historique aux faits racontés dans l'extrait.
2. La description du personnage de Roland met l'accent sur son héroïsme et ses exploits. Pour chaque procédé* suivant, relevez un passage et commentez-en l'effet.

| Procédé | Citation | Effet |
|---|---|---|
| Vocabulaire mélioratif* | | |
| Hyperbole* | | |
| Adverbe d'intensité* ou forme exclamative* | | |
| Accumulation*, gradation* ou répétition* | | |

3. Comment la piété de Roland, caractéristique essentielle d'un bon chevalier, est-elle mise en valeur dans l'extrait?
4. Décrivez la relation qu'entretient Roland avec son épée. Expliquez pourquoi Roland ne la considère pas comme un objet ordinaire. Justifiez votre propos en décrivant les effets de deux procédés d'écriture*.

### Sujet d'analyse littéraire

**Faites l'étude des thèmes* en faisant ressortir le courage du personnage de Roland.**

## Célèbres épopées du monde entier

*L'épopée de Gilgamesh*, vers le XVIII^e siècle avant notre ère, en Mésopotamie.

*L'Iliade* et *L'Odyssée*, vers le VIII^e siècle avant notre ère, attribuées au Grec Homère.

Le *Mahabharata*, livre sacré de l'Inde, derniers siècles avant notre ère.

L'*Énéide*, écrite par le Romain Virgile entre 29 et 19 avant notre ère.

## La littérature courtoise

*J'ai tant d'amour au cœur*
*De joie et de douceur*
*Que la glace me semble fleur.*
*Bernard de Ventadour*

Quand les combattants reviennent des croisades, ils ont encore à l'esprit l'aisance et le luxe qu'ils ont découverts dans les cours princières. Ces nobles prétendent alors à un meilleur art de vivre, plein d'élégance et de raffinement, dans leur propre cour. Progressivement, la déférence du chevalier qui hier encore revenait au seigneur se porte sur sa dame. Ainsi apparaît un nouvel idéal à la fois moral et social, qui entend renverser les valeurs habituelles de la société féodale : l'homme, si souvent dominateur, s'efforce d'extirper le rustre en lui pour se mettre au service de la dame, dont il se fait le servant et le vassal. Il s'exerce donc à la politesse et aux bonnes manières, à la finesse de l'esprit, à la fidélité et au contrôle de soi. Cet idéal amoureux lui demande de se montrer tendre et sensible, raffiné dans l'art de la conversation, patient en conquête et d'une loyauté sans faille. On appelle « esprit courtois » ce nouvel art de la cour.

***L'offrande du cœur*, tapisserie d'Arras, v. 1400-1410.**

Patience, raffinement et tendresse guident le chevalier dans la conquête de sa dame.

Quant à la dame désirée, seule maîtresse du jeu, elle se fait inaccessible par fidélité à son mari. C'est la naissance d'un idéal de passion amoureuse éduquée, où le soupirant souhaite atteindre le cœur de sa belle plutôt que de s'emparer de son corps. On nomme *fine amor* cette manifestation essentielle de la courtoisie, où deux partenaires illégitimes, condamnés à une tension perpétuelle entre le désir et l'interdit, repoussent sans cesse l'assouvissement de leur désir pour mieux l'accroître.

Ce nouveau code de civilité, qui renverse la misogynie de l'époque des chansons de geste et permet à l'amour d'acquérir une dignité inédite, trouve son expression dans une poésie galante et raffinée aussi bien que dans certains romans d'aventures et d'amour, lesquels décrivent des jeux amoureux où nous puisons encore notre façon d'aimer.

### La poésie courtoise

Les cours du pays d'oc, donc du sud de la France, témoignent les premières, au début du XII^e siècle, de ce renouvellement radical de l'idéal chevaleresque : des poètes appelés « troubadours » parcourent les châteaux et y chantent des poèmes qui célèbrent les vertus d'être au service de la dame. Une cinquantaine d'années plus tard, cet art se propage dans les cours du nord : des trouvères diffusent alors une poésie en

langue d'oïl. Dans cette toute première forme de poésie lyrique, un homme s'enamoure d'une dame mariée de condition supérieure à la sienne et lui voue un véritable culte ; il s'efforce d'obtenir son acquiescement et de mériter son amour en se soumettant à d'exigeantes épreuves. Les poèmes, par leurs figures et leurs métaphores, illustrent la quête du désir vers une femme idéale ; ils ne disent rien des pratiques amoureuses mais, au contraire, tout des frustrations émotionnelles, sublimées par l'art courtois. À partir du XIIIe siècle, le chevalier s'abîme en admiration moins devant sa dame que devant la Dame suprême, la Vierge Marie.

Les troubadours, contrairement aux jongleurs, composent les œuvres qu'ils chantent en s'accompagnant à la vielle ; ils ont sans doute été les premiers écrivains médiévaux à se considérer comme de véritables auteurs. Leurs poèmes, qui vont précipiter le déclin du latin au profit de la langue romane, finiront par se passer de musique et s'enfermer dans les livres. La préciosité du XVIIe siècle devra beaucoup à cet idéal amoureux, qui a par ailleurs profondément marqué la sensibilité poétique occidentale.

**Le Maître du Livre de Raison, *Les amoureux*, v. 1480.**

Par son caractère illégitime, la courtoisie suppose davantage l'expression d'un désir que son assouvissement.

## Thibaud de Champagne (1201-1253)

*De tous les maux, nul n'est plaisant*
*Sauf celui d'aimer.*

Issu d'une famille d'artistes, Thibaud IV, comte de Champagne et bientôt roi de Navarre, prend part à la croisade de 1235, mais c'est à sa réputation de poète qu'il doit sa gloire : ses contemporains le désignent d'ailleurs comme le « prince des poètes ». Thibaud de Champagne compte parmi les derniers représentants de la tradition courtoise. Il a laissé une soixantaine de chansons, dont le tiers traite de l'amour. L'auteur s'y conforme aux conventions de l'amour courtois, malgré sa tendance à conjuguer l'amour et l'humour. Le poème se fait ici dialogue.

***Thibaud Ier de Navarre et la bergère*, XIIIe siècle.**

# Dame, pitié !

Dame, pitié ! Je vous demande une chose,
Répondez-moi sincèrement (Que Dieu vous bénisse) :
Quand vous mourrez et moi aussi (ce sera avant vous,
Car je ne vous survivrai pas),
5 Que deviendra Amour, ce désemparé ?
Car vous avez tant de sens et de valeur et je vous aime tant
Qu'après nous, j'en suis sûr, Amour aura disparu.

– Par Dieu, Thibaud, à ma connaissance
Aucune mort ne portera atteinte à Amour
10 Et je me demande si vous ne plaisantez pas,
Car vous n'êtes pas encore tellement maigre !
Quand nous mourrons (Que Dieu nous donne longue vie !),
Je crois qu'Amour en recevra grand dommage,
Mais il ne perdra rien de sa valeur.

Thibaud de Champagne, *Poésies*,
1742 (œuvre posthume).

VERS L'ANALYSE

## Dame, pitié !

1. En quoi le titre du poème reflète-t-il l'idéal courtois ?
2. Relevez et commentez deux procédés d'écriture* qui montrent que le poète se languit et qu'il se place en position d'infériorité par rapport à la dame.
3. Le dialogue oppose le propos du chevalier à celui de la dame. Qu'est-ce qui les distingue l'un de l'autre ?
4. Expliquez pourquoi et comment le mot « amour » est personnifié par le poète.

**Maître des Cleres femmes, *Le livre de messire Lancelot du Lac, apparition du Saint-Graal.***

Les aventures des chevaliers de la Table ronde alimentent l'imaginaire médiéval et ne cessent de susciter l'admiration, notamment dans leur quête du Saint-Graal.

## D'où viennent nos chansons ?

Certains poètes de cette époque, qui exercent leur art surtout dans les milieux urbains, sont à l'origine d'une tradition toujours vivante aujourd'hui, celle des chansons traitant également de l'amour, mais dans un registre beaucoup plus populaire que celui de l'amour courtois. Déjà, au XIIIe siècle, on dénote une multitude de genres qui se raccordent à ce thème intemporel.

1. Le planh : complainte à la mémoire d'une personne aimée disparue.
2. La pastourelle : dialogue où une bergère résiste aux avances d'un chevalier.
3. Le jeu parti : deux amoureux se répondent en défendant des points de vue différents.
4. La chanson d'aube : un couple d'amants est prévenu, à l'aube, qu'il lui faut se séparer.
5. L'estampie, la carole, la ballette, le rondeau : des chansons à danser.
6. La chanson de toile : une femme chante une histoire d'amour en filant.
7. La romance : chanson relatant les malheurs de la mal-mariée.
8. La reverdie : chanson relatant la naissance de nouvelles amours au printemps.

Toutes ces formes serviront de modèles à bien des chansons qui nous seront léguées, tel un précieux héritage, de génération en génération et de siècle en siècle.

## Les grands romans courtois

Parallèlement à la poésie des troubadours et des trouvères, l'amour courtois allait donner naissance à une forme de littérature narrative, également écrite en vers : le roman courtois. Il faut rappeler ici que le terme « roman » ne désigne pas encore un genre littéraire, mais une œuvre écrite en langue romane plutôt qu'en latin ; ce n'est que plus tard que le mot s'appliquera à une œuvre narrative.

Toujours situés à la cour, ces récits d'aventures chevaleresques et amoureuses, qui empruntent au riche fonds de la mythologie celtique, se tissent autour d'Arthur, un chef de guerre celte qui, vers 450, aurait réussi à rassembler les petits royaumes bretons dans leur lutte contre les envahisseurs angles et saxons. Ce souverain mythique est souvent représenté alors qu'il préside une réunion de preux chevaliers, les chevaliers de la Table ronde, qui n'est pas sans évoquer la dernière Cène du Christ. Entouré de ce conseil, le roi Arthur se serait engagé devant Dieu à retrouver un mystérieux vase, la coupe sacrée ayant contenu le sang du Christ, le Saint-Graal. La légende veut que, blessé et sur le point de mourir, Arthur ait jeté son épée Excalibur dans un étang où elle fut repêchée par la fée Morgane. Cette histoire sera célébrée six siècles plus tard dans ce qu'on nomme le cycle arthurien, en plus d'inspirer abondamment tant la littérature que le cinéma du XXe siècle.

Tout en incarnant les valeurs ancestrales d'un Occident profondément chrétien, ces romans au goût prononcé de merveilleux respectent soigneusement les traditions de l'amour courtois. Pour mériter la bienveillance de sa dame, le chevalier doit affronter sans hésiter les dangers les plus périlleux, accomplir les plus hauts faits d'armes, vaincre d'épouvantables géants. Tels sont les romans de Chrétien de Troyes ainsi qu'une histoire tempétueuse et tragique venue du fond des âges, *Tristan et Iseut.*

C'est la première fois dans la littérature française que la passion amoureuse s'exprime d'une façon si brûlante. Ce « beau conte d'amour et de mort » fusionnant l'amour et le malheur a fixé et immortalisé l'image occidentale de l'amour fou et malheureux, qui ne peut être résolu que dans la mort. Ces deux amants dont la seule occupation est de s'aimer ont tellement marqué l'imaginaire qu'ils auraient servi d'inspiration à la création de très nombreux autres couples mythiques : Roméo et Juliette, Paul et Virginie, Manon et le chevalier des Grieux, Phèdre et Hippolyte, pour n'en nommer que quelques-uns.

Ici, Iseut la blonde arrive trop tard pour sauver Tristan : trahi par une autre femme, Iseut aux blanches mains, l'amoureux vient de se laisser mourir.

## Chrétien de Troyes (v. 1135-v. 1190)

*Tant de joie dans ma douleur que je suis malade avec délice.*

On ne connaît presque rien de la vie de Chrétien de Troyes, le grand romancier de l'époque courtoise, pourtant d'aucuns le considèrent comme le premier auteur réellement signataire de ses œuvres (homme de lettres clairement identifié). Dans ses cinq romans, devenus très populaires et qui exposent chacun un problème sentimental et courtois, Chrétien de Troyes élabore un véritable code de l'amour courtois, au sein duquel la perfection chrétienne devient un idéal. L'auteur s'intéresse au moins autant aux états d'âme et à la vie amoureuse de ses personnages qu'à leurs exploits guerriers. Et contrairement à la poésie courtoise ou au récit de *Tristan et Iseut*, dans ses récits l'amour, ne sombrant pas nécessairement dans le tragique, cesse d'être toujours impossible; bien au contraire, l'amour conjugal heureux est au cœur de l'œuvre de Chrétien de Troyes. C'est ainsi qu'*Yvain ou le chevalier au lion* décrit les aventures d'un chevalier qui, pour la consoler, épouse la femme qu'il a rendue veuve.

Après s'être rendu dans la forêt de Brocéliande, où se trouve une fontaine magique défendue par un seigneur réputé invincible, Yvain est attaqué par ce gardien. Il se bat contre lui et le blesse mortellement. Rendu au château de son assaillant, il y découvre la veuve, Laudine, et en tombe amoureux. Plus tard, la suivante de Laudine tente de la convaincre de se remarier avec un vaillant chevalier, qui ne peut être qu'Yvain. La veuve rejette vigoureusement ses conseils en l'invectivant violemment. Toute la nuit, cependant, elle ne peut s'empêcher de penser à celui qui fut plus fort que son mari.

**Clive Owen dans le rôle-titre du film *Le roi Arthur*, réalisé par Antoine Fuqua, 2004.**

# Un grand débat

Mais la dame eut toute la nuit un grand débat avec elle-même, car elle se faisait beaucoup de souci pour la défense de sa fontaine. Ainsi elle commence à se repentir au sujet de celle qu'elle avait blâmée, et maltraitée et grondée, car elle est tout à fait sûre et certaine que ce n'était ni pour salaire ni pour récompense ni pour une affection quelconque qu'elle aurait envers le chevalier, que celle-ci avait engagé la discussion avec elle en faveur de ce dernier. D'ailleurs, la demoiselle l'aime, elle, plus que lui, et elle ne lui conseillerait jamais une chose déshonorante ou dommageable, car c'est une amie trop loyale. Voilà la dame transformée : en ce qui concerne celle qu'elle avait injuriée, elle ne croit pas que celle-ci, à aucun prix, puisse l'aimer encore de bon cœur ; et quant à celui qu'elle a rejeté, elle l'a disculpé en toute équité, ayant basé sur son raisonnement et sur une juste plaidoirie la conclusion qu'il ne lui avait fait aucun tort. C'est ainsi qu'elle soutient sa cause, exactement comme s'il s'était présenté devant elle : elle commence alors à plaider contre lui :

« Va, dit-elle, peux-tu nier que mon mari soit mort à cause de toi ?

– Cela, je ne peux le démentir ; au contraire, je vous concède ce point.

– Dis-moi pour quelle raison ! L'as-tu fait parce que tu m'en voulais, par haine ou par mépris ?

– Que je meure sur-le-champ si jamais je le fis pour vous affliger.

– Donc tu n'as commis aucun crime envers moi ; envers lui également tu n'as eu aucun tort, car s'il l'avait pu, il t'aurait tué. Voilà pourquoi, par ma foi, je crois que j'ai bien jugé, et à bon droit. »

Ainsi s'est-elle prouvé à elle-même qu'elle n'a pas le droit de le haïr, car elle y trouve parfait bon sens et raison. Elle dit donc ce qu'elle voudrait et elle s'enflamme elle-même, comme la bûche qui fume jusqu'au moment où la flamme s'y est mise, sans que personne ne souffle sur elle ni ne l'attise. Et si la demoiselle venait maintenant, elle gagnerait la cause pour laquelle elle a tant plaidé devant elle, et pourtant elle a été copieusement injuriée. Elle revint au matin et recommença son discours là où elle l'avait laissé. Et l'autre tenait la tête baissée, elle qui savait bien qu'elle avait commis une faute en la rudoyant. Mais maintenant elle a l'intention de réparer la faute et de demander le nom, la condition et le lignage du chevalier. Elle a la sagesse de s'humilier, et dit :

« Je veux vous demander pardon pour les paroles insultantes et outrageantes que j'ai proférées contre vous comme une insensée ; je me range de votre côté. Mais dites-moi, si vous le savez, ce chevalier au sujet duquel vous m'avez fait un si long plaidoyer, quel genre d'homme est-il et de quelle famille ? [...] »

Chrétien de Troyes,
*Yvain ou le chevalier au lion*, 1177.

## VERS L'ANALYSE

### Un grand débat

1. Résumez le débat intérieur auquel se livre Laudine. En quoi cette situation est-elle déchirante ? Rattachez votre réponse aux caractéristiques de l'amour courtois.
2. Quelles valeurs propres à l'idéal chevaleresque sont véhiculées dans cet extrait ?
3. Expliquez les sentiments contradictoires de la dame à l'égard de sa suivante dans le premier paragraphe en décrivant l'effet de la forme négative*, de la gradation* et des oppositions présentes dans le vocabulaire*.
4. Commentez la comparaison* aux lignes 37-38. Que révèle-t-elle à propos des sentiments de la dame ?

## Tristan et Iseut

*Iseut, amie, et vous, Tristan, c'est votre mort que vous avez bue!*

*Tristan et Iseut*, le plus beau fleuron de la littérature romane, est la plus célèbre et la plus féconde légende du Moyen Âge. Ce grand mythe de la littérature courtoise, reçu aujourd'hui comme une œuvre d'une grande unité, est pourtant le fruit de plumes diverses: les versions que nous nous plaisons à lire sont la synthèse d'une mosaïque de récits mutilés, riches d'une tradition orale transmise de génération en génération et rédigés au XIIe siècle.

Cette histoire d'un amour illicite chargé de délices et d'effroi relate la descente aux enfers de deux jeunes amoureux: le chevalier Tristan, prêt à tout pour rejoindre Iseut, une reine irlandaise, même à manquer à ses devoirs de vassal envers Marc, son suzerain et père adoptif. Les amants font fi de leur raison et brûlent d'une passion toute charnelle[1] qui les mène à la mort, comme si amour et malheur étaient indissociables. Même morts, ils donnent naissance à deux plantes aussitôt entrelacées, comme naguère les courbes de leurs corps abandonnés aux joies de leur amour tragique.

1. À la différence de l'amour courtois, le philtre impose à Tristan et Iseut de s'aimer charnellement.

# La mort des amants

Au même moment, le vent se leva sur la mer: il conduisit sans tarder jusqu'au rivage la nef de Kaherdin. Avant tous les autres, Iseut la blonde est descendue à terre. Elle entend de grandes plaintes s'élever dans les rues de Karhaix et le glas qui tinte aux clochers des églises. Elle demande aux passants pourquoi sonnent ces cloches, pour qui s'émeut tout ce peuple. Un vieillard lui répond: « Belle dame, que Dieu m'assiste! nous avons en ce lieu un grand malheur: Tristan le preux, le franc, est mort! Il vient de trépasser en son lit d'une blessure dont nul médecin n'a pu le guérir. » À cette nouvelle, Iseut la blonde reste muette de douleur. Elle court par les rues, telle une folle, sa robe dégrafée, car elle veut devancer tous les autres au château. Les Bretons l'admirent sur son passage: jamais ils n'avaient vu femme d'une pareille beauté, mais ils ne savent ni qui elle est, ni d'où elle vient.

Iseut franchit la porte du château et gagne aussitôt la chambre où reposait le corps de son ami. Iseut aux blanches mains se lamentait devant le corps, pleurant et poussant de grands cris. La nouvelle venue, blême et sans une larme, s'approche d'elle et lui dit: « Femme, relève-toi et laisse-moi seule en ce lieu. J'ai plus le droit de m'affliger que toi. Crois-m'en: je l'ai plus aimé! » Elle se tient debout devant la couche funèbre, la tête tournée vers l'Orient, les mains levées vers le ciel, et elle prie en silence; puis elle s'adresse à lui pour déplorer son trépas: « Ami Tristan, tu es mort pour mon amour. Puisque tu n'es plus en vie, je n'ai plus moi-même aucune raison de vivre. Tout désormais me sera sans douceur, sans joie, sans plaisir. Maudit soit l'orage qui m'a retardée sur la mer! Si j'avais pu venir à temps, je t'aurais rendu la santé et nous aurions doucement parlé du tendre amour qui nous unit. Mais, puisque je n'ai pu te guérir, puissions-nous du moins mourir ensemble! » Elle s'approche du lit et s'étend de tout son long sur le corps de Tristan, visage contre visage, bouche contre bouche. Dans cette étreinte suprême, elle succombe à la violence de sa douleur et expire dans un sanglot.

*Tristan et Iseut*, vers 1200.

## La mort des amants

VERS L'ANALYSE

1. Quels sont les thèmes* principaux de cet extrait? Trouvez-en deux qui s'opposent et illustrez-les au moyen de champs lexicaux*.
2. Quelle est la conception de l'amour proposée par cet extrait? Justifiez votre réponse en vous appuyant sur des passages de l'œuvre.
3. La description des deux femmes montre clairement leur opposition. Relevez pour chacune un passage éloquent et nommez un trait de leur personnalité qui s'en dégage.
4. Que révèle l'emploi de l'impératif* dans le passage où Iseut la blonde s'adresse à Iseut aux blanches mains?
5. Relevez deux passages dans lesquels l'écriture illustre bien l'état dans lequel l'annonce de la mort de Tristan plonge Iseut la blonde. Pour chacun, déduisez le sentiment du personnage, nommez un procédé d'écriture* associé à ce sentiment et expliquez-en l'effet.

| Citation | Sentiment | Procédé | Effet |
|---|---|---|---|
| | | | |
| | | | |

## Une littérature satirique : l'inspiration bourgeoise

*La vérité et le mensonge se confondent ;*
*aucune parole n'est bien sûre.*

*Roman de Renart*

Au XIII^e^ siècle, une économie en pleine expansion est à l'origine de l'accroissement de la population et du développement des villes. Dans ces dernières, une classe se distingue particulièrement, la bourgeoisie (les habitants des bourgs). Les attentes de ce nouveau public en ce qui a trait à la littérature sont tout à fait étrangères à celles qui ravissent les cours princières. Contrairement à l'idéal moral et religieux de l'aristocratie, les bourgeois cultivent le réalisme et la franche gaieté, d'où leur propension à une littérature satirique et malicieuse. On la trouve plus particulièrement dans les fabliaux et dans les romans satiriques. Sans oublier le théâtre, qui sera abordé plus loin.

**Luce de Gast, *Le roman de Tristan*, v. 1450.**

## Les fabliaux

Les fabliaux, contes à rire en vers et généralement brefs, se développent aux XIII^e^ et XIV^e^ siècles. S'ils se bornent à une seule anecdote, une situation ramassée dans le temps et l'espace, leurs thèmes sont cependant nombreux : l'argent et le plaisir (souvent charnel), le vin et la gourmandise ainsi que les querelles de ménage. Tous les tabous sont ici transgressés, ce qui marque un décalage entre un comportement et la norme. Cette grande liberté de contenu n'épargne même pas la religion. Les fabliaux mettent en scène sur un mode ludique des personnages de condition modeste truculents et hautement stéréotypés : des femmes délurées et infidèles, constamment à la recherche d'un stratagème pour tromper leur mari stupide – tout à fait à l'inverse de l'amour courtois –, et des moines avides, lubriques et paillards, qui lutinent la femme d'un paysan.

Comme il s'agit de faire rire, ces aventures cocasses font appel à une langue crue, qui ne répugne pas à employer des termes grivois voire obscènes, et un ton burlesque. Le comique est manifeste également dans les interventions du narrateur qui ironise sur ses personnages et ménage d'abondants jeux de mots et calembours. C'est le triomphe de la gauloiserie.

**Maître de Rohan, *Les grandes heures de Rohan*, v. 1430.**

L'esprit d'exploration propre à la pensée médiévale, qui se manifeste tant dans le traitement des thèmes que sur le plan technique, conduira à l'établissement des règles de la perspective.

# Le vilain et le souricon

Ensuite, je vous raconterai l'aventure d'un paysan sot qui venait de prendre une femme. Il ignorait tout, ne savait rien de ce que pouvaient être les délices d'une femme tenue dans ses bras, car il n'avait jamais essayé. Mais la mariée avait déjà découvert tout ce que les hommes savent faire, car pour dire la vérité, le prêtre en faisait sa volonté quand il la désirait et cela lui plaisait, jusqu'au jour où elle se maria.

Ce jour-là le prêtre lui dit :

– Douce amie, ne vous déplaise, je veux vous voir avant que le vilain ne vous touche.

Et celle-ci dit :

–Volontiers, Sire. Je n'ose vous cacher ici, mais dépêchez-vous quand vous saurez qu'il est l'heure. Alors, venez vite, avant que mon mari ne fasse l'homme, car je ne voudrais pas manquer votre bénédiction.

Ainsi le projet fut arrêté.

Après cela, le vilain ne tarda guère à se coucher.

Mais sa dame estimait fort peu, lui, sa joie et son plaisir. Il la prend dans ses bras, la serre de toutes ses forces, car c'est tout ce qu'il sait faire, de sorte qu'elle se trouve tout aplatie sous lui. Elle se défend de son mieux et dit :

– Mais, qu'est-ce que vous voulez faire ?

– Je veux, dit-il, faire dresser mon vit et puis je vous foutrai, si jamais je peux et si j'arrive à trouver votre con.

– Mon con, se hâte-t-elle de répondre, mon con, vous ne le trouverez pas.

– Où est-il donc ? ne me le cachez pas !

– Sire, puisque vous voulez savoir, je vous dirai où il est, par mon âme. Il est caché au pied du lit de ma mère où je l'ai laissé ce matin.

– Je vais le chercher, par saint Martin !

Pendant que le paysan fut parti au con, le chapelain se coucha dans son lit avec joie et délice et là, fit tout ce qui lui plut.

Mais je n'ai pas encore fini de vous raconter comment le vilain fut trompé. On n'a jamais vu un homme plus sot. Quand il arriva chez la mère de sa femme, il lui dit :

– Ma chère dame, votre fille m'envoie ici pour son con, qu'elle a caché, à ce qu'elle dit, au pied de votre lit.

La dame réfléchit un peu et puis se rendit compte que sa fille le trompait pour lui jouer quelque mauvais tour. Là-dessus, elle descend dans la chambre et trouve un panier plein de chiffons. Quoi qu'elle voulût en faire, elle les découpe à présent.

– Ce panier fera l'affaire.

Alors elle saisit le panier, mais dans les chiffons s'était enfouie, si bien qu'elle était tout entortillée... une souris. Oui, sans aucun doute... une souris.

La dame lui donne le paquet et il le fourre vite sous son manteau et aussitôt qu'il peut se sauve pour retourner sur ses pas. Quand il arrive sur la lande, il dit une chose bien étonnante.

– Je ne sais, dit-il, s'il dort ou veille, le con de ma femme, par saint Paul, mais, par saint Vol, je le foutrais bien avant de rentrer, si je ne craignais pas qu'il m'échappe dans la nature. Oui ! Je le foutrai tout de même, pour savoir si c'est vrai ou non, ce qu'on dit, que le con est une très douce et suave bête.

À ces mots, la tête de son vit se dresse droit comme une lance et se plonge dans les étoffes. Là il commence à fureter et la souris saute du panier et s'enfuit au beau milieu des prés. Le paysan lui court après à toutes jambes.

[...]

Le paysan se tord les mains pour cette souris qui braille et pipe. Qui l'aurait vue faire la lippe et se mordre la joue en regardant le vilain se souviendrait de la moue moqueuse du singe.

Le vilain a beau crier :

– Beau con, doux con, revenez vite ! Vous avez ma parole que je ne vous toucherai plus avant que nous ne soyons de retour et que je vous aie livré à ma femme. Si seulement j'arrive à vous délivrer de la rosée. Je serai la risée de tout le monde s'il est su que vous m'avez échappé. Aïe ! Vous serez noyé dans une telle rosée. Venez, entrez dans mon gant, je vous mettrai ici dans mon sein.

Ainsi il se fatigue en vain. Il ne peut assez appeler pour qu'elle revienne, et elle se perd dans l'herbe menue.

Le paysan devient triste et pensif, se met en route et continue sans repos jusqu'à la maison. Sans un seul mot, sans explication, il s'assit sur un banc et se déshabilla. Sachez qu'il n'était point gai.

Sa femme lui dit :

– Beau Sire, qu'y a-t-il ? Je n'entends pas un mot. Vous n'êtes pas content ? Vous n'êtes pas bien ?

– Moi, Dame, non, fait le vilain qui continue à se déchausser et se déshabiller.

Elle soulève la couverture et lui fait une place. Le vilain y saute à côté d'elle, se couche et lui tourne le dos. Il ne parle pas plus qu'un moine voué au silence, mais reste ainsi, tout allongé. Elle le vit muet et silencieux et lui dit :

– Sire, vous n'avez donc pas mon con ?

– Moi... non, Dame, non, Dame... non. C'est un malheur que je sois jamais allé le chercher, car il m'est tombé là dehors à terre et maintenant il est noyé dans le pré.

– Ah ! fait-elle, vous vous moquez de moi.

– Certes, non, Dame, dit-il. Je ne plaisante pas.

Alors elle le prend dans ses bras.

– Sire, dit-elle, ne vous tracassez pas. Il avait peur de vous, sans doute, car il ne vous connaissait point. J'ai idée que vous deviez faire quelque chose qui lui déplaisait. Si maintenant vous le teniez, qu'en feriez-vous ? Dites-le-moi.

– Je le foutrais, par ma foi ! Je lui en enverrais un à crever l'œil, pour tout le chagrin qu'il m'a fait.

Elle lui répond de suite :

– Sire, il est là, maintenant entre mes jambes. Mais comme il est revenu dans vos mains si doux et gentiment, je ne voudrais, par saint Étampes, qu'il soit malheureux.

Le vilain y tend la main, le prend et dit :

– Je l'ai dans la main !

– Apprivoisez-le bien, des deux mains, dit-elle, pour qu'il ne se sauve pas. Et n'ayez pas peur qu'il vous morde. Tenez-le bien qu'il ne vous échappe pas.

– C'est vrai, dit-il, car à ce que je pense, notre chat, que Dieu nous en garde, le mangerait bien s'il le rencontrait.

Alors, il commence à le caresser et sent bien qu'il est tout mouillé.

– Hélas ! Il est encore tout trempé de la rosée où il est tombé. Petit con, vous m'avez beaucoup vexé aujourd'hui. Il ne sera jamais grondé par moi pour s'être arrosé. Alors, dormez et reposez-vous, car je ne veux plus vous troubler. Vous êtes à bout de souffle, épuisé.

Je veux enseigner par cette fable

Qu'une femme sait plus que le diable.

Vous pouvez bien mes yeux arracher

Si la vérité je parais cacher.

Plus elle le trompe, et plus l'affole

(Si elle veut tromper) par une parole,

Que ne peut l'homme le plus malin.

À ma fable je fais cette fin :

*Que chacun prenne garde de sa mie*

*Qu'elle ne lui mène pareille vie.*

Ci fenit de la Sorisete des estopes[1].

Fabliaux des XIIIe et XIVe siècles.

1. Ici se terminent les frayeurs de la petite souris.

VERS L'ANALYSE

## Le vilain et le souricon

1. Ce texte est un fabliau. Conformément aux caractéristiques du genre, qui en est le narrateur ? Relevez les marques d'énonciation* qui dénotent sa présence.
2. Comment s'exerce la critique des religieux dans ce fabliau ?
3. Quel aspect de la personnalité du mari révèle la recherche à laquelle il se livre ?
4. Citez ou résumez un passage reflétant chacune des caractéristiques de l'écriture satirique* énumérées ci-dessous et expliquez comment ce passage met en relief la caractéristique en question.

| Caractéristique | Citation | Mise en relief |
|---|---|---|
| Ton grivois, érotisme | | |
| Ton humoristique, jeux de mots, etc. | | |

5. Formulez en vos propres mots la morale de ce conte.

**Jérôme Bosch, *Le portement de croix*, 1514-1515.**

Les tourments politiques, sociaux et religieux du Moyen Âge transparaissent dans les représentations caricaturales d'un monde où la cohabitation du sacré et du damné se veut effrayante.

## Les romans satiriques

D'inspiration bourgeoise également, les romans satiriques cultivent l'art de se moquer de l'aristocratie, en parodiant les valeurs fondamentales propagées par les chansons de geste autant que par la littérature courtoise. Les anecdotes et les épisodes comiques abondent, tout au service d'une satire de la société féodale où la grandeur chevaleresque est transmuée en fourberie et en égoïsme. Pour mener à cette fin, les personnages incarnent des types d'hommes ou des caractères humains dépourvus de complexité.

Le *Roman de Renart*, la plus célèbre de ces œuvres, est un récit héroïcomique de 25 000 vers, créé entre 1174 et 1250. Cette épopée parodique pose un regard amusé et critique sur les usages chevaleresques et courtois en donnant vie à des animaux qui personnifient des traits de caractère humain: la société animale, faite à l'image d'une société humaine, incarne des types d'humains, comme plus tard dans l'œuvre du fabuliste La Fontaine. En fait, ce roman dépeint au moyen de la satire une autre facette de la vie au Moyen Âge, celle, moins glorieuse, des inégalités sociales, de l'égoïsme des possédants et des puissants. C'est le triomphe du rire et de la ruse sur la force: le puissant, dont on révèle les ruses et les vices cachés, est ridiculisé alors que l'homme du peuple compense sa faiblesse par l'astuce et la supériorité intellectuelle.

Le succès de ce roman qui cultive les traits pittoresques fut si considérable que le nom propre du personnage principal, Renart, en vint à supplanter dans l'usage courant le mot « goupil ».

# La pêche à la queue

C'était un peu avant Noël, au temps où l'on sale les porcs. Le ciel était clair, étoilé et le vivier où Ysengrin devait pêcher était si gelé qu'on aurait pu danser dessus; les vilains avaient seulement ouvert dans la glace un trou où chaque jour ils menaient boire leurs bêtes. Ils avaient laissé auprès un seau; c'est là que vint Renart en toute hâte. Il regarda son compère: « Sire, fait-il, approchez par ici! L'endroit est riche en poissons et voici l'engin avec lequel nous pêchons les anguilles, les barbeaux et d'autres poissons bons et beaux. – Frère Renart, dit Ysengrin, prenez-le et attachez-le-moi bien à la queue! » Renart lui attache donc de son mieux le seau à la queue. « Frère, dit-il, il vous faut faire sage contenance pour que les poissons viennent. » Alors il alla se coucher près d'un buisson et, le museau allongé entre les pattes, attendit ce qui arriverait à l'autre. Ysengrin est sur la glace et le seau plonge dans le trou; de glaçons il s'emplit à volonté. L'eau en se gelant enserre le seau attaché à la queue et la scelle dans la glace. Notre loup songe à se soulever, à tirer le seau à lui. Il essaie de bien des façons, ne sait que faire, s'inquiète. Il commence à appeler Renart; impossible de se cacher maintenant, car l'aube déjà pointait. Renart releva la tête, ouvrit les yeux: « Frère, fait-il, quittez donc le travail; allons-nous-en, beau doux ami; nous avons assez pris de poissons. » Ysengrin lui cria: « Renart, il y en a trop! J'en ai tant pris que je ne sais comment faire. » Renart s'est mis à rire et lui a dit sans feindre davantage: « Qui convoite le tout

perd le tout. » La nuit passe, l'aube perce, le soleil du
30 matin se lève. Les chemins étaient tout blancs de neige. Messire Constant des Granges, un vavasseur bien à son aise, qui demeurait près de l'étang, s'était levé, ainsi que sa maisonnée, en menant grande joie. Il saisit un cor, appelle ses chiens, fait seller son cheval ; sa maison-
35 née pousse cris et huées. Renart entend, prend la fuite jusqu'à sa tanière où il se tapit. Ysengrin resta sur place en bel embarras : de toutes ses forces, il tire, il tire, au risque de se déchirer la peau. Mais, s'il veut partir de là, il lui faudra renoncer à sa queue.

40 Tandis qu'Ysengrin se secoue, voilà qu'arrive au trot un valet tenant deux lévriers en laisse ; il voit le loup tout gelé sur la glace, avec son crâne pelé, et il s'écrie : « Le loup ! le loup ! au secours ! au secours ! » Les chasseurs en l'entendant sortirent de la maison avec tous leurs
45 chiens. Alors Ysengrin est en détresse : messire Constant venait le dernier sur un cheval au grand galop ; il s'écrie : « Laisse, laisse les chiens aller. » Les valets découplent les chiens, et les braques s'élancent sur le loup. Ysengrin, tout hérissé, se défend bien et les mord de ses crocs :
50 il n'en peut mais, il aimerait mieux la paix. Messire Constant a tiré l'épée, il s'apprête à bien frapper. Il met pied à terre, et vient au loup sur la glace. Il l'attaque par derrière ; il veut le frapper, mais il manque son coup. Il frappe de travers, et messire Constant tombe en arrière :
55 la nuque lui saigne. Il se relève non sans peine. En colère il retourne à l'attaque : quelle terrible guerre ! Il crut frapper le loup à la tête, mais c'est ailleurs que porte le coup. L'épée glisse vers la queue, et la coupe rasibus, sans faute. Ysengrin se sent libre, saute de côté et détale,
60 mordant l'un après l'autre les chiens qui le poursuivent et s'accrochent à sa croupe. Il a laissé sa queue en gage : le cœur lui crève de rage et de tristesse.

[...] Vers le bois il fuit à grande allure ; il y parvient et jure qu'il se vengera de Renart et que jamais il ne l'aimera.

*Roman de Renart*, 1174-1250.

## VERS L'ANALYSE

### La pêche à la queue

1. En quoi le propos* de cet extrait s'inscrit-il dans le courant de la littérature satirique ?
2. Expliquez comment le choix des animaux et leurs caractéristiques (Renart le goupil, Ysengrin le loup) contribuent à dénoncer les inégalités présentes dans la société féodale.
3. Renart parvient facilement à berner Ysengrin. Comment arrive-t-il à ses fins ? Commentez l'écriture en tenant compte de la façon dont Renart s'adresse à son interlocuteur.
4. Relevez et commentez les effets de deux procédés d'écriture* illustrant l'embarras dans lequel se trouve le loup. Expliquez comment ces éléments mettent en relief le contraste entre la finesse d'esprit de Renart et la bêtise d'Ysengrin.

## La naissance d'une authentique poésie lyrique

À la fin du XIII^e siècle commence à se confirmer une nette distinction entre l'art de la prose et celui de la poésie, cette dernière s'affranchissant peu à peu de son accompagnement musical. La poésie se définit de plus en plus comme une forme d'expression particulière, un art qui exploite toutes les ressources formelles de la langue et de la composition. En même temps, un lyrisme nouveau se développe, caractérisé par la peinture du moi. Apparaissent donc les thèmes inédits d'un registre plus populaire, près de la réalité du poète, qui expriment les émois du cœur et trahissent l'angoisse devant la précarité d'un monde en pleine mutation.

**Le codex Manesse, *Chevalier faisant la cour à sa dame*, première moitié du XIV^e siècle.**

Habituellement réservée au seigneur, la déférence du chevalier s'oriente vers la dame, adorée et vénérée selon l'esprit de l'amour courtois.

## Rutebeuf (v. 1230-v. 1285)

*L'espérance du lendemain, ce sont mes fêtes.*

C'est avec Rutebeuf, dont le nom est de fait un surnom («rude bœuf»), le plus grand poète de son siècle, que la littérature mondaine et courtoise des troubadours cède définitivement le pas à une poésie beaucoup plus personnelle et plus proche de la vie quotidienne. Trouvère parisien et poète errant, cet étudiant attardé, éternel bohème, fait défiler, avec un humour attendrissant, les moments d'une existence aux prises avec les contingences de la vie. Sa poésie fait ainsi écho aux drames qui ont ponctué son existence: son mariage malheureux, sa pauvreté matérielle et ses multiples mésaventures, évocations transcendées par la qualité littéraire.

Rutebeuf sait surtout faire partager au lecteur ses émotions et ses états d'âme: sa solitude intérieure et son sentiment d'exclusion, son mal de vivre, son espoir de guérison. Poète marginal à la force évocatrice exceptionnelle, premier d'une lignée de «poètes maudits» qui s'étend de Villon à Verlaine et de Rimbaud à Nelligan, Rutebeuf réussit, par sa versification dépouillée, aussi tendre qu'écorchée, à faire souffler un vent de liberté dans la poésie lyrique.

En témoigne précisément ce poème sur la solitude inhérente à la condition humaine et jamais totalement apprivoisée. Son vers *Que sont mes amis devenus* est une plainte amère qui jamais ne vieillira. Le poète et son poème seront chantés par Léo Ferré en 1956.

# Complainte[1] Rutebeuf

Les maux ne savent seuls venir;
Tout ce m'était à advenir,
S'est advenu,
Que sont mes amis devenus
5 [Eux] que j'avais si près tenus
Et tant aimés?
Je crois qu'ils sont trop clairsemés,
Ils ne furent pas bien fumés
Si sont faillis[2];
10 Itels amis m'ont mal bailli[3]
Qu'oncques, tant comm(e) Dieu m'assaillit
En maint côté,
N'en vis un seul en mon hôtel[4].
Je crois le vent les a ôtés[5],
15 L'amour est morte:
Ce sont amis que vent emporte,
Et il ventait devant ma porte,
Les emporta,
Qu'oncques nul ne m'en conforta[6],
20 Ni du sien rien ne m'apporta.
Ceci m'apprend
Qui de quoi a, privé le prend[7];
Mais cil trop à tard se repent[8]
Qui trop a mis[9]
25 De son avoir pour faire amis,
Qu'il n'en trouve entier ni demi[10]
À son secours[11].

Rutebeuf, *Œuvres*.

**1.** Même si le titre porte le nom de «complainte», il ne s'agit pas de la forme fixe du même nom. **2.** Partis. **3.** Maltraité. **4.** Chez moi. **5.** Dispersés. **6.** Si bien que nul ne me réconforte. **7.** Quand on a quelque chose, on le garde pour soi. **8.** Mais on se repent trop tard. **9.** D'avoir trop investi. **10.** Car bien peu acceptent, en tout ou en partie. **11.** À nous aider.

VERS L'ANALYSE

## Complainte Rutebeuf

1. Expliquez en quoi le titre du poème en annonce le ton.
2. Dégagez le thème* principal de ce poème et dressez-en le champ lexical*.
3. Examinez la forme* et les rimes du poème. Comment les effets rythmiques* et musicaux* corroborent-ils le propos*?
4. La poésie lyrique se caractérise par l'expression de sentiments personnels. Comment cette caractéristique transparaît-elle dans les thèmes* abordés et la posture d'énonciation*?

### Sujet d'analyse littéraire

En tenant compte de la progression, de la structure et du choix des mots, analysez le thème* des regrets et ses ramifications dans ce poème.

## La ballade

Poème composé de 3 à 5 strophes de 8 vers et d'une demi-strophe qui lui sert de conclusion; le dernier vers de chaque strophe constitue un refrain.

## Le rondeau

Généralement 13 vers composés sur 2 rimes et comportant un refrain.

Cette nouvelle poésie, qui permet de mieux exprimer les émotions en ayant recours aux ressources et aux techniques linguistiques, se structure à l'intérieur de formes fixes, qui seront codifiées au XIVe siècle: lai, chant royal, ballade, rondeau, virelai, pastourelle (jeu de séduction). Les plus récurrentes sont la ballade et le rondeau.

Rutebeuf, Christine de Pisan, Charles d'Orléans et François Villon sont parmi les premiers poètes à imposer un thème qui réapparaîtra régulièrement dans la littérature française, et de manière particulière avec les romantiques au XIXe siècle: celui, lyrique, de la mélancolie associée à la fuite du temps, à la solitude et à la mort.

# Pauvre Rutebeuf

Que sont mes amis devenus,
Que j'avais de si près tenus
Et tant aimés?
Ils ont été trop clairsemés.
5 Je crois, le vent les a ôtés.
L'amour est morte.
Ce sont amis que vent emporte.
Et il ventait devant ma porte.
Les emporta...

10 Avec le temps, qu'arbre défeuille,
Quand il ne reste en branche feuille
Qui n'aille à terre.
Avec pauvreté qui m'atterre.
Qui de partout me fait la guerre
15 Au vent d'hiver.
Ne convient pas que vous raconte
Comment je me suis mis à honte.
En quelle manière...

Que sont mes amis devenus,
20 Que j'avais de si près tenus
Et tant aimés?
Ils ont été trop clairsemés.
Je crois, le vent les a ôtés.
L'amour est morte.
25 Le mal ne sait pas seul venir.
Tout ce qui m'était à venir
M'est avenu...

Pauvre sens et pauvre mémoire
M'a Dieu donné, le roi de gloire,
30 Et pauvre rente,
Et droit au cul quand bise vente.
Le vent me vient, le vent m'évente.
L'amour est morte.
Ce sont amis que vent emporte.
35 Et il ventait devant ma porte.
Les emporta.

L'espérance de lendemain
Ce sont mes fêtes...

Léo Ferré, *Mes grands succès*, Disque EPM musique, 1990.

VERS L'ANALYSE

## Pauvre Rutebeuf

1. Comparez cette version avec la précédente. Quel procédé d'écriture* propre à la mise en musique est employé par Léo Ferré? Commentez son effet sur le rythme* et sur le traitement thématique.
2. Le ton de cette chanson est légèrement différent de celui du poème d'origine. Qu'est-ce qui diffère d'un texte à l'autre sur ce plan? Quel sentiment absent du poème se trouve dans la chanson de Ferré?

# Ballade

Seulette suis et seulette veux être,
Seulette m'a mon doux ami laissée
Seulette suis, sans compagnon ni maître,
Seulette suis, dolente[1] et courroucée,
5 Seulette suis en langueur malmenée,
Seulette suis plus que tout autre égarée,
Seulette suis sans ami demeurée.

Seulette suis à huis ou à fenêtre,
Seulette suis en un angle cachée,
10 Seulette suis pour rassasier de pleurs,
Seulette suis, dolente ou apaisée,
Seulette suis, rien n'est qui tant me sied,
Seulette suis en ma chambre enserrée,
Seulette suis sans ami demeurée.

15 Seulette suis partout et en tout lieu.
Seulette suis où que j'aille ou me tienne,
Seulette suis plus que quiconque au monde,
Seulette suis de chacun délaissée,
Seulette suis durement abaissée,
20 Seulette suis souvent tout épleurée,
Seulette suis sans ami demeurée.

Prince, voici que ma douleur commence :
Seulette suis de tout deuil[2] menacée,
Seulette suis, plus noire que la mûre,
25 Seulette suis sans ami demeurée.

Christine de Pisan, *Ballades*.

**1.** Malheureuse. **2.** Chagrin.

***Christine de Pisan présentant son livre* [La cité des dames] *à Isabeau de Bavière*, v. 1410.**

## Christine de Pisan (1365–v. 1430)

*À qui dira-t-elle sa peine*
*La fille qui n'a point d'ami ?*

L'une des toutes premières femmes de lettres françaises et la première femme auteure à pouvoir vivre de sa plume, Christine de Pisan fut l'un des écrivains les plus féconds de son temps : poésie, traités, textes d'intervention dans le domaine politique et d'autres consacrés aux femmes, dont un sur Jeanne d'Arc en qui elle célèbre l'« honneur au féminin sexe ». Veuve et mère de 3 enfants à 26 ans, ce personnage hors du commun puise dans l'écriture sa raison de vivre et d'espérer ; quantité d'aristocrates lui commandent des œuvres, ce qui lui permet de subsister.

Sa touchante poésie, qui développe les thèmes de la solitude et de la condition féminine, exprime avec élégance et sincérité le désarroi et la peine qui furent son lot après la mort de son mari. Son œuvre fait ressentir douloureusement la relative rareté des femmes dans la littérature française médiévale et montre surtout que ce n'est pas faute de talent. En témoigne cette complainte pour le moins acrobatique où l'auteure nous emporte tant par sa sensibilité que par un rythme accentué par la ponctuation.

### VERS L'ANALYSE

## Ballade

1. Commentez l'effet de l'anaphore* présente dans l'ensemble du poème en la rattachant au thème* de la solitude. Comment ce procédé contribue-t-il au lyrisme de l'œuvre ?
2. Le poème aborde différents aspects de la solitude et de ses effets. Nommez deux états que traverse la poète en lien avec la solitude.
3. Relevez les termes de négation* et expliquez l'effet de leur récurrence.
4. Malgré la douleur qu'elle paraît causer chez la poète, la solitude semble s'accompagner d'une certaine sérénité, du moins d'une forme de résignation. Relevez et commentez deux vers mettant en évidence l'ambivalence de son sentiment.
5. Le poème explore maintes facettes de la solitude, mais il les rattache toujours au thème* du deuil. Expliquez comment la forme* de la ballade* met l'accent sur l'importance de ce thème*.

## Charles d'Orléans (1394-1465)

*Je meurs de soif auprès d'une fontaine.*

Héritier de l'une des plus hautes lignées du royaume, Charles d'Orléans fut, pour des raisons politiques, tenu captif dans les prisons d'Angleterre pendant 25 ans. Pour tromper son ennui, ce prince-poète a décrit avec sincérité, dans une poésie délicate de forme et de pensée, la tristesse et l'émotion qui l'étreignaient. Une fois libéré, il se retire en son château et s'entoure d'artistes et de poètes, dont Villon, concourant avec eux en des joutes sur des thèmes à la mode.

La fine plainte qui se dégage généralement de ses vers se rattache à la partie la plus fragile et la plus essentielle de la poésie française, la musique. Debussy mettra ses poèmes en musique alors que Matisse les ornera de magnifiques enluminures.

L'apparente légèreté et la brièveté de ce rondeau écrit vers 1450 contribuent ici à créer la grande vivacité de ce poème.

# Prenez tôt ce baiser...

Prenez tôt ce baiser, mon cœur,
Que ma maîtresse vous présente,
La belle, bonne, jeune et gente,
Par sa très grande grâce et douceur.

5 Bon guet ferai, sur mon honneur,
Afin que Danger rien n'en sente
Prenez tôt ce baiser, mon cœur,
Que ma maîtresse vous présente.

Danger, toute nuit, en labeur,
10 A fait guet; or gît en sa tente.
Accomplissez brief[1] votre entente,
Tandis qu'il dort: c'est le meilleur.
Prenez tôt ce baiser mon cœur.

Charles d'Orléans, *Choix de Poésies de Charles d'Orléans*, 1778, adaptation de Michel Laurin.

1. Brièvement.

### VERS L'ANALYSE

### Prenez tôt ce baiser...

1. Des thèmes* apparemment contradictoires cohabitent dans ce poème. Quels sont-ils? Pour chaque thème*, relevez un passage éloquent et expliquez l'effet d'un procédé d'écriture* qui s'y trouve.
2. La régularité de la forme* et du rythme* ainsi que la douceur des sonorités* du poème créent un effet d'apaisement. Expliquez comment.
3. Quel effet crée l'emploi de l'impératif* dans ce poème?
4. Relevez une accumulation* et commentez-en l'effet.

**Charles d'Orléans et Marie de Clèves, v. 1460.**

## François Villon (v. 1431-apr. 1463)

*Rien ne m'est sûr que la chose incertaine.*

Le plus grand auteur médiéval et l'un des plus grands poètes de la langue française, François Villon ne cesse, bien des siècles après sa mort, d'être une source d'inspiration. De nombreux chansonniers du xxe siècle, dont Georges Brassens et Félix Leclerc, se sont reconnus en lui. C'est dire que, loin des jeux savants des poètes de cour, Villon est parvenu, en décrivant sincèrement les expériences de sa vie de réprouvé, à exprimer les douleurs de la condition humaine.

La vie et l'œuvre de ce poète révolté se sont constamment fécondées l'une l'autre. Étudiant turbulent, buveur impénitent, trousseur de filles, marginal ayant trempé dans des histoires louches, Villon a pourtant laissé une œuvre majeure à la littérature française. Tour à tour drôle et pathétique, tendre et triviale, cette âme tourmentée confesse sans relâche au lecteur ses regrets, dans une langue dépouillée et poignante, malgré la place qu'y tient fréquemment l'humour. D'une voix simple et sans emphase, Villon célèbre ses compagnons miséreux et délinquants, regrette sa pauvreté matérielle, et surtout sa jeunesse perdue. Comment ne pas goûter, encore aujourd'hui, la simplicité et le réalisme des sentiments exprimés dans ces vers?

*Hé! Dieu, si j'eusse étudié*
*Au temps de ma jeunesse folle,*
*Et à bonnes mœurs dédié*[1]*,*
*J'eusse maison et couche molle.*
*Mais quoi? Je fuyais l'école,*
*Comme fait le mauvais enfant.*
*En écrivant cette parole,*
*À peu*[2] *que le cœur ne me fend*[3]*.*

**1.** Adonné. **2.** Peu s'en faut. **3.** Félix Leclerc a mis en musique cet extrait du poème *Le testament* (1462).

## Quelques citations de Villon

« En grande pauvreté ne gît pas grande loyauté. »

« Autant en emporte le vent. »

« Il n'est trésor que de vivre à son aise. »

« Il n'est bon bec que de Paris. »

« Je ris en pleurs et attends sans espoir. »

« En mon pays suis en terre lointaine. »

« Deux étions et n'avions qu'un cœur. »

Le spectre de la mort est omniprésent dans la *Ballade des pendus* qui se fait pathétique confidence. Elle est le suprême rachat qui permet au poète d'expier ses erreurs et de se libérer de sa peine. On ne s'étonnera pas que Villon ait écrit une danse macabre, genre littéraire pratiqué au Moyen Âge, qui rappelle combien les corps humiliés par la torture étaient chose courante à cette époque. Puisque la mort est la seule issue, chacun est ici convié à la danse de sa propre fin, ce qu'illustre cette œuvre.

Condamné à mort, Villon s'attend à souffrir le supplice de la pendaison, d'où les images réalistes de cette déchirante épitaphe composée vers 1463 qui en appelle, par-delà la mort, à la fraternité humaine. Villon confère ici une portée universelle à son cas personnel. Sa peine sera ultimement commuée en exil; après quoi on perd la trace du poète.

# Ballade des pendus

Frères humains qui après nous vivez,
N'ayez les cœurs contre nous endurcis,
Car se pitié de nous pauvres avez,
Dieu en aura plus tôt de vous mercis.
5 Vous nous voyez ci attachés, cinq, six;
Quant de la chair que trop avons nourrie,
Elle est pièça[1] dévorée et pourrie,
Et nous, les os, devenons cendre et poudre.
De notre mal personne ne s'en rie,
10 Mais priez Dieu que tous nous veuille absoudre.

Se frères vous clamons, pas n'en devez
Avoir dédain, quoique fûmes occis
Par justice. Toutefois vous savez
Que tous hommes n'ont pas le sens rassis.
15 Excusez nous, puisque sommes transis[2],
Envers le fils de la Vierge Marie,
Que sa grâce ne soit pour nous tarie,
Nous préservant de l'infernale foudre.
Nous sommes morts, âme ne nous harie[3],
20 Mais priez Dieu que tous nous veuille absoudre.

La pluie nous a et bués[4] et lavés,
Et le soleil desséchés et noircis;
Pies, corbeaux nous ont les yeux cavés[5],
Et arraché la barbe et les sourcils.
25 Jamais nul temps nous ne sommes assis[6]:
Puis çà, puis là, comme le vent varie,
À son plaisir, sans cesser, nous charrie,
Plus becquetés d'oiseaux que dés à coudre.
Ne soyez donc de notre confrérie,
30 Mais priez Dieu que tous nous veuille absoudre.

Prince Jésus, qui sur tous a maîtrie[7],
Garde qu'Enfer n'ait de nous seigneurie[8].
À lui n'ayons que faire ne que soudre[9]!
Humains, ici n'a point de moquerie,
35 Mais priez Dieu que tous nous veuille absoudre.

François Villon, *Œuvres*, 1489 (œuvre posthume).

**1.** Depuis longtemps. **2.** Trépassés. **3.** Harcèle. **4.** Trempés. **5.** Crevés. **6.** En repos. **7.** Pouvoir. **8.** Ne devienne notre seigneur. **9.** Acquitter.

## VERS L'ANALYSE

### Ballade des pendus

1. Dégagez le thème* principal de ce poème et dressez-en le champ lexical*. Faites de même pour deux thèmes* secondaires.
2. Villon s'inspire de sa propre histoire pour écrire sa ballade*, mais son écriture traduit la dimension collective de son œuvre. Expliquez comment la posture d'énonciation* renforce cette idée.
3. Relevez et expliquez deux procédés d'écriture* dont se sert le poète pour attendrir le lecteur, conférant du même coup au destin qu'il évoque une portée universelle.
4. Comment Villon décrit-il les pendus? Quelles impressions se dégagent des descriptions de leur état? Commentez les effets de deux procédés d'écriture* qui appuient vos constats.
5. Relevez et expliquez, en vous appuyant sur les procédés d'écriture* de Villon, une contradiction présente dans le propos de l'auteur.
6. Comment la forme* de la ballade* met-elle en valeur les thèmes* et le ton lyriques du poème?
7. Montrez que Villon s'intéresse davantage à la vie terrestre qu'à la vie éternelle promise par la religion chrétienne.

Le thème de la mort est encore présent dans *La ballade des dames du temps jadis.* Le poète évoque, sur le ton élégiaque et mélancolique d'une litanie funèbre, les belles dames de jadis et naguère qui, de son temps, pointent des doigts squelettiques en direction des vivants. Que reste-t-il de tous ces corps, beaux et célèbres, qui se sont consumés de passion? Pas davantage que des neiges tombées l'an passé. Le pouvoir évocateur du refrain et la musicalité lancinante de l'ensemble servent particulièrement bien le thème de la fuite du temps.

# La ballade des dames du temps jadis

Dites-moi où, n'en quel pays
Est Flora la belle Romaine,
Archipiades, ne Thaïs
Qui fut sa cousine germaine,
5 Écho, parlant quand bruit on mène
Dessus rivière ou sur étang,
Qui beauté eut trop plus qu'humaine ?
Mais où sont les neiges d'antan ?

Où est la très sage Héloïs ?
10 Pour qui fut châtré et puis moine
Pierre Abélard à Saint-Denis ?
Pour son amour eut cette essoine[1].
Semblablement, où est la royne
Qui commanda que Buridan
15 Fût jeté en un sac en Seine ?
Mais où sont les neiges d'antan ?

La reine Blanche comme lis
Qui chantait à voix de seraine[2],
Berthe au grand pied, Bietris, Alis,
20 Haremburgis qui tint le Maine,
Et Jeanne, la bonne Lorraine
Qu'Anglais brûlèrent à Rouen ;
Où sont-ils, où, Vierge souveraine ?
Mais où sont les neiges d'antan ?

25 Prince, n'enquérez de semaine
Où elles sont, ni de cet an,
Qu'à ce refrain ne vous remaine :
Mais où sont les neiges d'antan ?

François Villon, *Œuvres*, 1489 (œuvre posthume).

1. Épreuve. 2. Sirène.

VERS L'ANALYSE

## La ballade des dames du temps jadis

1. La fuite du temps est très présente dans la poésie lyrique. Expliquez, en vous basant sur les thèmes* du poème, comment Villon l'aborde ici.
2. Qu'ont en commun les dames auxquelles le poète fait référence ? Justifiez votre réponse au moyen d'un champ lexical*.
3. Quelle métaphore* évoque le caractère éphémère de la vie, la disparition des femmes ? Expliquez comment.
4. Attardez-vous à la musicalité* du poème. Comment le rythme* et les sonorités* corroborent-ils le propos* ?
5. Comment le choix des temps verbaux* contribue-t-il à la mélancolie et à la nostalgie dans cette œuvre ?
6. Expliquez l'effet de l'omniprésence de la forme interrogative* dans ce poème.
7. Relevez les mots et expressions qui évoquent le passé. Quel sentiment fait naître leur abondance ?

## Le genre dramatique

C'est au Moyen Âge que naquit le théâtre français, dans les églises et les abbayes au cours des offices religieux. Afin de faire comprendre les vérités du christianisme, la cérémonie liturgique était entrecoupée de petites scènes racontant des épisodes de la Bible. Ainsi, à Noël, deux chantres se détachaient du chœur pour présenter, sous forme de dialogues et plus tard de mime, les prophètes qui ont annoncé la venue du Sauveur. Puis, peu à peu, ces premières ébauches de dramatisation allaient prendre plus d'importance.

### Le théâtre religieux

Du X^e^ au XII^e^ siècle, des mises en scène vont transformer le texte sacré en drame liturgique joué par un nombre d'acteurs de plus en plus imposant, ce qui exigera qu'on se déploie dorénavant sur le parvis de l'église. Quant à la langue romane, après avoir cohabité un temps avec le latin, elle finira par s'en émanciper totalement.

De nouvelles formes dramatiques plus élaborées font leur apparition au XIII^e^ et surtout au XIV^e^ siècle. Dans les grandes villes, des confréries se créent pour célébrer la Vierge Marie : on y représente des miracles de Notre-Dame, pièces d'inspiration réaliste et familière qui mettent en scène un épisode marquant de la vie de la Vierge. Le diable y est généralement fort présent. Les miracles sont bientôt supplantés par les mystères, des représentations spectaculaires de la vie du Christ, en particulier de sa Passion, qui semblent prendre le relais de la tragédie antique. Ces pièces, qui peuvent s'étaler sur plusieurs jours, se déplacent du parvis à la place publique du marché, entraînant l'abolition de la frontière entre l'espace théâtral et celui de la vie; cette transformation est souvent l'occasion d'une dramaturgie à scènes multiples. Interprétations libres des textes sacrés, les mystères aménagent, dans les entractes, des scènes quotidiennes et comiques, qui se détacheront bientôt pour former le théâtre comique. Les mystères seront interdits en 1548 à cause des abus qu'ils occasionnent. Aux frontières de ce théâtre religieux existe la moralité, qui fait dialoguer des allégories; c'est un genre didactique et sentencieux qui se veut une leçon de morale.

## Les formes du théâtre profane

Parallèlement au théâtre religieux, un théâtre profane burlesque, où paganisme et christianisme font bon ménage, se constitue dans les foires. Interprété par des groupe d'étudiants et de clercs facétieux, il se caractérise par une inspiration franchement comique, à visée parodique et satirique. L'unité de ce théâtre festif et éphémère tient à la large part faite aux spectateurs, sans cesse interpellés.

Pour leur part, influencés par les fabliaux, les jeux mettent en scène des personnages naïfs, souvent bernés par plus malins qu'eux. Enracinées dans les mœurs du temps, leurs scènes mimées ou dialoguées cultivent l'humour, tournant même en dérision certains sermons.

Théâtre contestataire qui masque sa visée moralisatrice sous le burlesque, la sotie est une pièce satirique jouée par des «sots» qui portent habits à grelots et se permettent toutes les fantaisies: elle met en cause la société dans ses institutions politiques et religieuses, et cherche à provoquer une prise de conscience par le rire.

Enfin, un autre genre dramatique, la farce, connaît beaucoup de succès aux XIVe et XVe siècles. Il s'agit d'un divertissement comique, à l'origine intégré à un spectacle sérieux comme une moralité ou un mystère, et destiné à faire rire en «farcissant» ce dernier d'éléments comiques. Dans une atmosphère proche de celle des fabliaux, on y trouve une prédilection pour les scènes de ménage, les bastonnades et les situations où les trompeurs sont trompés, comme dans la plus longue des farces médiévales, *La farce de maître Pathelin* (1464), qui compte 1600 vers, contre une moyenne de 200 à 500. La grande popularité de ces farces annonce la venue prochaine d'un grand théâtre comique.

**Mathias Grünewald, *La crucifixion*, v. 1512.**

L'exploitation libre des perspectives, associée à la rigueur technique, traduit avec intensité l'étonnante cohabitation de la spiritualité mystique et de la cruauté.

## La farce de maître Pathelin

*La farce de maître Pathelin* est considérée par plusieurs comme la meilleure œuvre du comique français d'avant Molière. Elle puise dans plusieurs ressources du comique – de situation, de langage et effet satirique – pour faire écho à la réalité quotidienne du XVe siècle. À vrai dire, les quiproquos d'une langue imagée, les personnages typés et caricaturés de même que les rebondissements de l'intrigue permettent déjà d'y voir une comédie.

Au cours d'un procès intenté par le drapier à son berger Agnelet qui lui a volé des moutons, l'avocat du berger, maître Pathelin, conseille à son client de répondre « Bée » à chaque question du juge, comme s'il se prenait pour un mouton. Le berger gagne son procès. Mais quand l'avocat réclame ses émoluments, le client lui sert la même astuce pour se défiler.

**Anonyme, *Pathelin et le drapier.***
*La farce de maître Pathelin.* Maître Pathelin rencontre le drapier qui a intenté un procès au berger Agnelet.

# L'arroseur arrosé

PATHELIN. – Dis donc, Agnelet ?

AGNELET. – Bée.

PATHELIN. – Viens ici, viens. Est-ce que j'ai bien réglé ton affaire ?

AGNELET. – Bée.

PATHELIN. – Ta partie[1] s'en est allée, tu n'as plus besoin de dire « bée ». Est-ce que je te l'ai bien entortillée ? Et mes conseils, ils étaient bons ?

AGNELET. – Bée.

PATHELIN. – Sapristi ! Personne ne t'entendra. Parle sans crainte. N'aie pas peur.

AGNELET. Bée.

PATHELIN. – Il est l'heure que je m'en aille. Paie-moi.

AGNELET. – Bée.

PATHELIN. – À vrai dire, tu as très bien tenu ton rôle, tu t'es bien comporté. Ce qui l'a fait tomber dans le panneau, c'est que tu t'es retenu de rire.

AGNELET. – Bée.

PATHELIN. – Comment « bée » ? Il ne faut plus dire « bée ». Paie-moi gentiment.

AGNELET. – Bée.

PATHELIN. – Comment « Bée » ? Parle-moi raisonnablement, et paie-moi. Alors, je m'en irai.

AGNELET. – Bée.

PATHELIN. – Sais-tu quoi ? Je vais te dire une chose : sans continuer à me bêler après, il faut songer à me payer. J'en ai assez de tes bêlements. Allez, vite. Paie-moi.

AGNELET. – Bée.

PATHELIN. – Est-ce que tu plaisantes ? C'est tout ce que tu vas en faire ? Je te le jure, tu vas me payer, tu as compris ? À moins qu'il ne te pousse des ailes ! Allons, l'argent, tout de suite.

AGNELET. – Bée !

PATHELIN. – Tu te moques de moi ? Alors quoi ? Je n'obtiendrai rien de plus ?

AGNELET. – Bée.

PATHELIN. – Monsieur fait l'extravagant ! Et à qui vends-tu tes excentricités ? Vas-tu comprendre à la fin ? Ne me rabats plus les oreilles avec ton « bée », et paie-moi.

AGNELET. – Bée.

PATHELIN. – Je n'en tirerai pas un denier. Et de qui crois-tu te moquer, s'il te plaît ? Dire que je devrais me féliciter de toi ! Eh bien, arrange-toi pour que je puisse le faire !

AGNELET. – Bée.

45 PATHELIN. – Ah, tu te paies ma tête ! Grand Dieu ! Je n'aurai donc tant vécu que pour voir un berger, un bouseux, un mouton habillé, me tourner en ridicule !

AGNELET. – Bée.

PATHELIN. – Je n'en tirerai pas une parole ? Si tu le fais pour 50 t'amuser, dis-le, ne me force pas à discuter. Viens souper à la maison.

AGNELET. – Bée.

PATHELIN. – Ma foi, tu as raison : c'est Gros-Jean qui veut en remontrer à son curé[2]. Je me croyais le maître des fourbes, le roi 55 des faiseurs de discours, des payeurs en belles paroles… et un simple berger me surpasse ! (*Au berger.*) Je te préviens, si jamais je trouve un sergent, je te fais arrêter !

AGNELET. – Bée.

PATHELIN. – Bée, bée ! Le diable m'emporte ! Si je ne fais pas 60 venir un bon sergent. Malheur à lui s'il ne te renvoie pas en prison.

AGNELET, s'enfuyant. – S'il me trouve, je lui pardonne[3].

**1.** Celui avec lequel tu étais en procès ; ici, Guillaume. **2.** Il s'agit d'un proverbe : celui qu'on croit naïf, sans instruction, domine celui qui est plus instruit. Gros-Jean est un surnom attribué au paysan un peu sot. **3.** Si un sergent parvient à m'attraper, je ne lui en voudrai pas ! Il peut toujours courir !

VERS L'ANALYSE

## L'arroseur arrosé

1. Qu'est-ce qui fait de cette farce une œuvre satirique ? Expliquez comment s'opère la critique sociale en décrivant sa tonalité* et en tenant compte du titre *L'arroseur arrosé*.
2. Résumez l'évolution psychologique du personnage de maître Pathelin. Quels états traverse-t-il ?
3. Expliquez, en vous appuyant sur des passages de l'extrait, les effets de deux procédés du comique* mis en œuvre dans ce texte.
4. L'impatience et l'exaspération transparaissent dans plusieurs aspects de l'écriture. Relevez un procédé* lié à chacun des aspects suivants et expliquez-en l'effet.

| Aspect | Procédé | Effet |
|---|---|---|
| Types de phrases* | | |
| Rythme* : longueur* des phrases, agencements*, etc. | | |
| Choix des temps et modes verbaux* | | |
| Figures d'insistance* | | |
| Choix du lexique*, jeux de mots, etc. | | |

### Sujet d'analyse littéraire

**Analysez les éléments de la critique sociale exprimée dans cette œuvre en mettant en relief son caractère satirique*.**

## La plus belle lettre d'amour du Moyen Âge

Pierre Abélard (1079-1142) fut le maître de philosophie et de théologie le plus célèbre de son temps et l'un des plus brillants esprits du XIIe siècle : il attira à ses cours des milliers d'étudiants en provenance de tous les pays. Vers 1120, ce grand théologien, qui a 40 ans, prend pension à Paris chez un chanoine de la cathédrale Notre-Dame, Fulbert, et tombe amoureux de sa nièce de 17 ans, Héloïse (1101-1164). Quand elle devient enceinte, il veut l'épouser mais elle refuse, craignant de briser la carrière d'Abélard. Ce dernier l'envoie en Bretagne où elle met au monde un fils, Astrolabe. Furieux, l'oncle de la jeune femme, croyant qu'Abélard a violé et répudié sa nièce, engage des hommes de main qui le châtrent, le châtiment alors réservé aux violeurs.

**Tombeau d'Héloïse et Abélard au cimetière du Père-Lachaise, à Paris, 1817.**

Couple mythique, Héloïse et Abélard incarnent la passion aussi bien que la souffrance, et leur correspondance pose un regard singulier sur l'amour en explorant la complexité des sentiments.

Entrée au couvent, Héloïse dirige bientôt la communauté religieuse du Paraclet et continue jusqu'à sa mort d'entretenir avec son amant, qui a survécu, une chaleureuse correspondance où elle n'hésite pas à opposer mariage et amour. À la mort de son amant, elle fait graver cette épitaphe sur son tombeau: « Ci-gît Pierre Abélard, le seul qui connut tout ce qui pouvait être su. » Trois siècles plus tard, Villon se souvient encore de cet amour qui donna un visage à l'idée de la passion, comptant Héloïse au nombre des « dames du temps jadis ». Et le promeneur d'aujourd'hui peut se recueillir devant le gisant d'Héloïse et Abélard au cimetière du Père-Lachaise, à Paris.

Les lettres qui nous restent portent témoignage de cette histoire à la fois profondément humaine et révolutionnaire, quel que soit le temps.

## Lettre d'Héloïse à Abélard

Tu sais, mon bien-aimé, et tous le savent, combien j'ai perdu en toi; tu sais dans quelles terribles circonstances l'indignité d'une trahison publique m'arracha au siècle en même temps que toi; et je souffre incomparablement plus de la manière dont je t'ai perdu que de ta perte même. Plus grand est l'objet de la douleur, plus grands doivent être les remèdes de la consolation. Toi seul, et non un autre, toi seul, qui seul es la cause de ma douleur, m'apporteras la grâce de la consolation. Toi seul, qui m'as contristée, pourras me rendre la joie, ou du moins soulager ma peine. Toi seul me le dois, car aveuglément j'ai accompli toutes tes volontés, au point que j'eus, ne pouvant me décider à t'opposer la moindre résistance, le courage de me perdre moi-même, sur ton ordre. Bien plus, mon amour, par un effet incroyable, s'est tourné en tel délire qu'il s'enleva, sans espoir de le recouvrer jamais, à lui-même l'unique objet de son désir, le jour où pour t'obéir je pris l'habit et acceptai de changer de cœur. Je te prouvai ainsi que tu règnes en seul maître sur mon âme comme sur mon corps. [...] Je n'attendais ni mariage, ni avantages matériels, ne songeais ni à mon plaisir ni à mes volontés, mais je n'ai cherché, tu le sais bien, qu'à satisfaire les tiennes. Le nom d'épouse paraît plus sacré et plus fort; pourtant celui d'amie m'a toujours été plus doux. J'aurais aimé, permets-moi de le dire, celui de concubine et de fille de joie, tant il me semblait qu'en m'humiliant davantage j'augmentais mes titres à ta reconnaissance et nuisais moins à la gloire de ton génie.

[...] Quel roi, quel philosophe, pouvait égaler ta gloire? Quel pays, quelle ville, quel village n'aspirait à te voir? Qui donc, je le demande, lorsque tu paraissais en public, n'accourait pour te regarder et, quand tu t'éloignais, ne te suivait du regard, le cou tendu? Quelle femme mariée, quelle jeune fille, ne te désirait en ton absence, ne brûlait quand tu étais là? Quelle reine, quelle grande dame, n'a pas envié mes joies et mon lit?

Pierre Abélard, *Lettres d'Abélard et d'Héloïse*, 1864 (œuvre posthume).

### Lettre d'Héloïse à Abélard

1. Résumez le propos* et qualifiez le ton d'Héloïse. Quels sentiments cherche-t-elle à exprimer? Que demande-t-elle à Abélard?
2. Relevez une figure d'insistance* présente dans la première moitié de la lettre et expliquez-en l'effet.
3. Examinez la construction* des phrases (longueur*, agencement*, etc.) dans l'ensemble de la lettre. Que remarquez-vous? Décrivez le rythme* ainsi produit en lien avec le ton et les thèmes* de la lettre.
4. Comment s'expriment dans l'écriture l'abnégation et le renoncement d'Héloïse?
5. Quels procédés d'écriture* traduisent l'admiration d'Héloïse pour Abélard dans le dernier paragraphe?

#### Sujet d'analyse littéraire

**Dégagez les sentiments liés à l'amour dans cet extrait et montrez-en la complexité en vous appuyant sur les procédés d'écriture*.**

## VUE D'ENSEMBLE DU MOYEN ÂGE

Le Moyen Âge couvre une longue période marquée, au début, par d'importants bouleversements dans l'organisation sociale et politique. Ce n'est qu'au XI$^{e}$ siècle que l'on voit poindre les premières manifestations artistiques et littéraires.

- Début du Moyen Âge : chute de l'Empire romain d'Occident (Rome) en 476.
- Dynastie mérovingienne (481-751) : unification du territoire gallo-romain, conversion du roi Clovis, essor du pouvoir religieux.
- IX$^{e}$ siècle : l'affaiblissement du pouvoir royal crée un contexte propice à l'établissement du système féodal :
  Suzerain → Seigneur (vassal du roi) → Vassal (petit seigneur) → Vilain (homme libre) → Serf (paysan)
- La société s'organise autour des axes suivants : religieux (prière) ; nobles (combat) ; roturiers (travail ; majeure partie de la population).

| Contexte sociohistorique | Courants artistiques et littéraires : principales caractéristiques | Genres littéraires, auteurs, œuvres marquantes |
|---|---|---|
| **X$^{e}$ siècle**<br>Pouvoir concentré entre les mains de l'aristocratie : essor de la chevalerie (du XI$^{e}$ au XIII$^{e}$ siècle).<br>**Croisades (1095-1291)**<br>Expéditions dans lesquelles prouesses militaires et foi religieuse se trouvent intimement liées. | **Émergence de l'art roman (XI$^{e}$ siècle)**<br>Reflet de l'importance de l'Église, influence de l'architecture romaine, chapiteaux, fresques, etc.<br>**Littérature épique (XI$^{e}$-XIV$^{e}$ siècle)**<br>Reconstitution mythique des faits historiques des croisades.<br>Péripéties soulignant les hauts faits d'armes et l'héroïsme des chevaliers. | **Chanson de geste, épopée**<br>Œuvre narrée, récit de guerre faisant l'éloge des valeurs chevaleresques et de l'obéissance au roi. P. ex. : *La chanson de Roland.* |
| **XII$^{e}$ siècle**<br>Urbanisation, retour graduel vers la puissance royale.<br>**Émergence de la bourgeoisie**<br>Développement du commerce et du système d'éducation.<br>**Vers le XIV$^{e}$ siècle**<br>Déclin de la féodalité.<br>**Dernière partie du Moyen Âge, bouleversements sociaux et politiques**<br>Guerre de Cent Ans (1337-1453) : émeutes.<br>Peste noire (1347) : décès d'environ le tiers de la population, crise économique et sociale.<br>Impuissance devant les calamités : montée de l'intolérance religieuse, de l'Inquisition.<br>**Fin du Moyen Âge**<br>Chute de l'Empire romain d'Orient en 1453 (Constantinople). | **Art gothique (XII$^{e}$ siècle)**<br>Verticalité, souplesse, humanisation de Dieu, innovations : ogive, arc-boutant, etc.<br>**Littérature courtoise (XII$^{e}$ et XIII$^{e}$ siècles)**<br>Adaptation des mœurs chevaleresques à la présence féminine.<br>Amour courtois : primauté du désir, dévouement du chevalier à sa dame, politesse exquise.<br>**Littérature satirique (fin XII$^{e}$ siècle – milieu XIV$^{e}$ siècle)**<br>Critique virulente des bourgeois à l'endroit des institutions, de la religion et de l'aristocratie.<br>Humour grinçant et plein d'esprit : jeux de mots, calembours, etc. | **Poème courtois**<br>Première forme de poésie lyrique. Les troubadours illustrent les principes de la *fine amor* en chantant le culte de la dame.<br>**Roman en vers**<br>Aventures chevaleresques ou amoureuses, dépeignant l'idéal de l'amour courtois. P. ex. : *Tristan et Iseut*, Chrétien de Troyes : cycle des romans de la Table ronde.<br>**Fabliau**<br>Conte à rire, cru et grivois, illustrant la vie de gens de condition modeste en mettant en scène des personnages stéréotypés.<br>**Roman satirique**<br>Récit comique faisant ressortir les travers humains. Il ridiculise les valeurs courtoises et chevaleresques, proposant une critique de la féodalité. P. ex. : *Roman de Renart.*<br>**Théâtre : farce**<br>Divertissement moralisateur dont l'humour ressemble à celui du fabliau. P. ex. : *La farce de maître Pathelin.* |
| | **Poésie lyrique (à partir du XIII$^{e}$ siècle)**<br>Lyrisme personnel fondé sur l'expression des sentiments et de l'individualité du poète : « peinture du moi ». | **Ballade et rondeau**<br>Poèmes de forme fixe exploitant les ressources formelles de la langue pour dépeindre les préoccupations des poètes devant les mutations du monde. P. ex. : Rutebeuf, Christine de Pisan, Charles d'Orléans, François Villon. |

# 2 Le XVI^e siècle, la Renaissance et la Réforme

## OU UNE NOUVELLE IDÉE DE LA GRANDEUR DE L'HOMME

# Auteurs et œuvres à l'étude


Clément Marot

- *Œuvres – Plus ne suis ce que j'ai été* ..... 57
- *Œuvres – Le beau tétin* ..... 58

Joachim du Bellay

- *Les regrets – Le beau voyage* ..... 59

*Pierre de Ronsard*

- *Amours de Cassandre – À Cassandre* ..... 60

Louise Labé

- *Œuvres – Je vis, je meurs...* ..... 61

Agrippa d'Aubigné

- *Les tragiques – Je veux peindre la France...* ..... 63

Marguerite de Navarre

- *L'heptaméron – Une femme, étant aux abois...* ..... 64

François Rabelais

- *Gargantua – Comment instruire un géant* ..... 67

Michel Eyquem de Montaigne

- *Essais – Au lecteur* ..... 69

Henri IV

- *Henri IV à la duchesse de Beaufort* ..... 72
- *Henri IV à la marquise de Verneuil* ..... 72

# Le XVIe siècle, la Renaissance et la Réforme

## OU UNE NOUVELLE IDÉE DE LA GRANDEUR DE L'HOMME

*Le monde se ressaisit comme s'il se réveillait d'un long sommeil.*

*Érasme*

## Renaissance et crise religieuse

La Renaissance est un vaste mouvement culturel englobant la littérature, les arts, l'enseignement universitaire, les sciences et, plus globalement, le social et le politique. Elle débute en Italie vers 1380, s'étend rapidement à l'Europe entière, avant de se terminer à la fin du XVIe siècle. Cette époque charnière entre le Moyen Âge et les temps modernes entraîne la décomposition de la culture et de la vision du monde médiévales, au profit d'un nouvel humanisme qui transforme les attitudes et les mœurs.

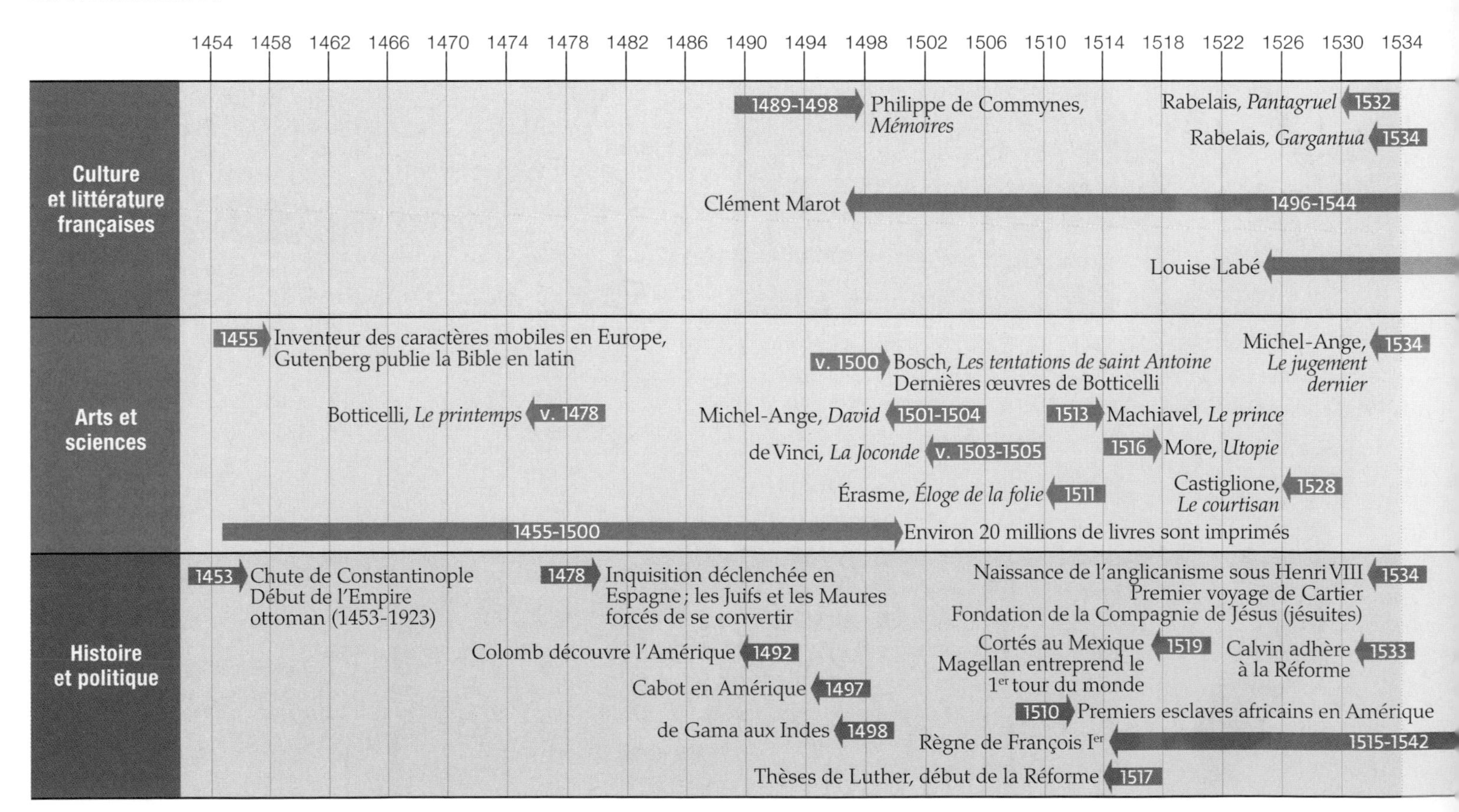

## Un mouvement culturel d'une ampleur exceptionnelle

*L'homme est né pour être utile à l'homme.*

*Alberti*

Issu des cours princières et des milieux lettrés des cités-États du nord de l'Italie, et plus particulièrement de Florence, un mouvement d'une radicale nouveauté propage l'idée que l'action politique, l'art, la gloire et la richesse sont plus utiles et plus conformes à la dignité de l'homme que l'ascèse stérile ou la solitude monastique. Le faste des cours incite les cercles humanistes à donner le meilleur d'eux-mêmes, pendant que le mécénat devient la source d'un essor artistique sans précédent.

### L'Antiquité revisitée

Désireuse de tourner le dos aux pratiques médiévales basées sur l'étude de règles logiques et purement intellectuelles, l'élite entend établir un nouveau rapport au temps, au monde et au savoir en faisant appel aux héritages latins et grecs. On fait alors renaître le patrimoine intellectuel et artistique de l'Antiquité (d'où le terme « Renaissance ») afin d'y trouver des leçons de vie pour le présent. Il ne s'agit pas d'établir un rapport au passé qui soit perpétuation ou répétition sans fin d'un savoir immuable qu'on estime parfait. On interroge plutôt la sagesse, la morale, les arts et la littérature des Anciens afin d'y trouver matière qui puisse rénover le présent.

**Masaccio, *Adam et Ève chassés du paradis*, v. 1525.**

L'art de la Renaissance vise à faire du réel non plus une simple représentation, mais bien une interprétation, pour exprimer les nuances des émotions humaines.

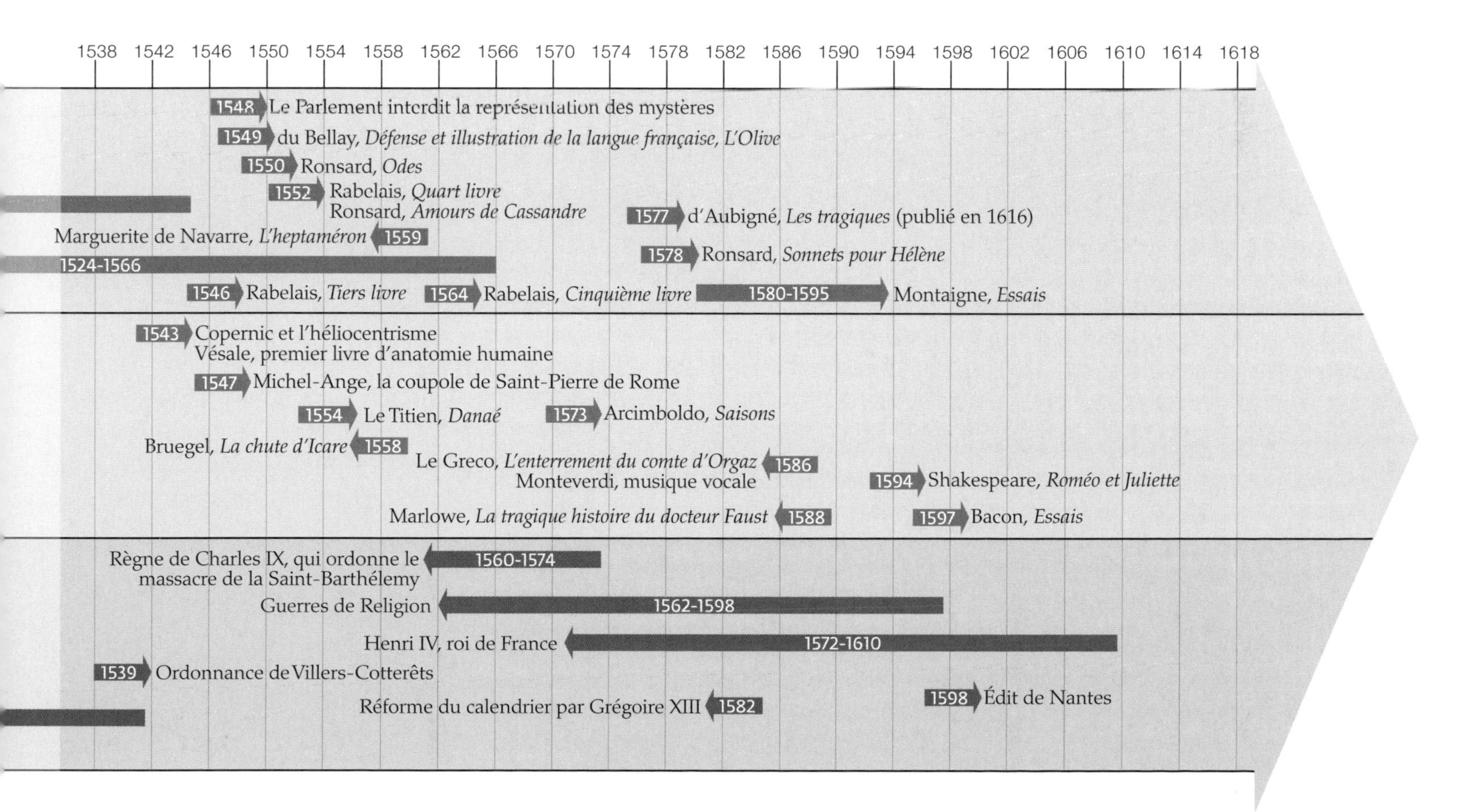

**Titien, *Le jeune Anglais ou l'homme aux yeux gris*, 1540.**

Le portrait s'intéresse à l'intériorité de l'homme autant qu'à son aspect extérieur, tout comme l'émancipation humaniste, qui passe aussi bien par le culte du corps que par celui de l'esprit.

Ces novateurs s'intéressent moins à l'analyse métaphysique et théologique du monde qu'à la compréhension de l'action humaine et du progrès humain. On appelle « humanistes » les propagateurs de ce changement.

## L'humanisme et l'émancipation de l'individu

*Chaque homme porte la forme entière de l'humaine condition.*

*Montaigne*

Tout en étant soucieux de conserver un équilibre entre les connaissances et compétences de la tradition antique et les croyances chrétiennes, les humanistes souhaitent voir s'édifier un monde laïque, pacifique et équilibré, et à la mesure d'un humain autonome à qui on demande de développer une pensée critique. Un monde que le savoir devrait sauver. On fait la promotion de l'être humain, appelé à devenir désormais l'artisan de sa destinée : il lui revient de s'épanouir et d'acquérir les pleins pouvoirs sur lui-même, sur son propre destin, et de trouver sa place et la liberté dans la société.

Les humanistes se prononcent sur des questions qui prennent alors un caractère d'urgence : le renouvellement de la pédagogie, le rôle de la conversation et du dialogue dans la formation de l'homme accompli, la dignité des langues vernaculaires jusque dans la traduction des Écritures. La générosité des pensées humanistes attise les appétits intellectuels des penseurs, qui se montrent confiants dans la destinée de l'homme, et se prolonge dans l'art, où le vrai est cherché à travers le beau. Déjà à Florence, Filippo Brunelleschi, sculpteur, architecte et récent inventeur de la perspective linéaire telle que nous la connaissons, achève la grande coupole du dôme de la cathédrale, véritable prouesse architecturale et incarnation dans la pierre d'un art et d'un esprit nouveaux.

## Une mutation du savoir

La révolution du savoir déclenchée par les humanistes fait entrer l'humanité dans une ère nouvelle. Dans un premier temps, l'invention de l'imprimerie dans les années 1460, par l'Allemand Johannes Gutenberg, donne naissance à ce qu'il convient aujourd'hui d'appeler la civilisation du livre, qui allait permettre une très large diffusion de la connaissance.

La nature, maintenant observée d'un œil neuf et sans idées préconçues, est passée au crible de l'expérimentation et de la raison par ceux qui veulent en comprendre et en expliquer les lois : l'exploration scientifique et l'exploitation technique de la réalité marquent le début des sciences modernes. La médecine approfondit sa connaissance du corps humain et l'astronomie propose une nouvelle conception, où la Terre n'est plus le centre de l'Univers. Ces découvertes créent les conditions d'un authentique renouveau de la civilisation, le système des valeurs traditionnel se lézardant profondément de toutes parts.

## Un monde en expansion

*Il n'est de mer qui soit innavigable, de terre qui soit inhabitable.*

*Robert Thorne*

Cette époque est aussi celle des grandes explorations maritimes. Alors que l'homme médiéval vivait dans un monde limité et connu, alors qu'une mappemonde du XIVe siècle présentait encore la Terre comme un territoire circulaire ayant en son centre Jérusalem et entouré d'un grand océan infranchissable, l'amélioration des techniques de la navigation (boussole, caravelle, etc.) et une meilleure connaissance des vents permettent à des explorateurs de

**Fresque d'un marché public, château d'Issogne, v. 1490.**

L'humanisme s'intéresse aux détails du quotidien qui révèlent le talent et la beauté de l'homme aussi bien que le font les réalisations de son esprit.

parcourir les océans. Certes, le commerce[1] et le désir d'enrichissement des pays de la chrétienté motivent principalement cette entreprise maritime. Néanmoins les grands découvreurs mettent bientôt en interaction, pour la première fois, l'Europe, l'Amérique, l'Asie et l'Afrique, laissant entrevoir les dimensions réelles de la planète – une extension du monde connu qui ne peut que favoriser la diffusion des idées et des coutumes.

Le commerce en mer Méditerranée, prépondérant depuis l'Antiquité, est surpassé par celui de l'océan Atlantique, au bénéfice des pays côtiers européens qui voient leurs capitales drainer les richesses des autres continents. Ces pays acquièrent ainsi les moyens d'une politique de puissance, pendant que la foi chrétienne y puise une force renouvelée pour imposer le principe et la réalité d'une religion universelle. En plus de stimuler les innovations techniques dans le domaine de la marine, des armes à feu – surtout de l'artillerie embarquée sur les navires – et des fortifications, ces grandes missions d'exploration dessinent de nouveaux réseaux de routes commerciales internationales où, bientôt, les peuples commenceront à se déplacer, amorçant un processus migratoire qui va s'amplifiant encore aujourd'hui. Au cours du seul XVI^e^ siècle, quelque 250 000 Européens de la péninsule ibérique auraient émigré en Amérique du Sud.

## Quelques grandes expéditions maritimes

v. 1000 : L'Islandais Leif Erikson serait le premier Européen à explorer des terres de l'Amérique du Nord.

1405-1433 : L'amiral eunuque chinois Zheng He atteint l'Inde, le golfe Persique et les côtes orientales d'Afrique.

1434 : Le Portugais Henri le Navigateur part découvrir et évangéliser les populations noires du Sahara.

1487 : Le Portugais Bartolomeu Dias double le cap de Bonne-Espérance.

1492 : Au service de l'Espagne, Christophe Colomb atteint le « Nouveau Monde ».

1497 : Jean Cabot s'empare du Labrador au nom de l'Angleterre ; il serait le premier Européen à débarquer en Amérique du Nord depuis les expéditions vikings.

1498 : Le Portugais Vasco de Gama relie le Portugal à l'Inde.

1499-1504 : Amerigo Vespucci aurait effectué quatre voyages dans le continent qui porte maintenant son nom.

1519 : Fernand Cortez commence sa conquête de la Mésoamérique.

1522 : Fernand de Magellan rentre en Espagne après son premier voyage autour du monde.

1530 : Le conquistador espagnol Francisco Pizarro conquiert le Pérou.

1534 : Jacques Cartier prend possession du Canada au nom du roi de France.

1. Le commerce maritime est favorisé par le grand besoin d'épices pour relever la saveur des plats ou pour préparer médicaments, parfums et teintures, qu'on ne trouve qu'en Orient et qu'il est de plus en plus difficile de se procurer, puisque les routes caravanières sont monopolisées par des marchands musulmans.

## Le déclin de la Renaissance

Ce qui est considéré comme l'un des creusets fondamentaux où s'est forgée la civilisation occidentale contemporaine[1] aura cependant des conséquences dévastatrices. La découverte de l'altérité, la rencontre avec les «peuples nus», provoque de multiples interrogations qui opposent historiens, théologiens et humanistes: ces «sauvages» sont-ils bons ou méchants? Ont-ils une âme? L'expansion européenne aboutit rapidement à l'écroulement des civilisations amérindiennes, les Européens ne tardant pas à donner des explications logiques à leur prétendue supériorité raciale et religieuse dans le but de justifier leur comportement asservissant.

Par des massacres et un long travail sur les esprits, on cherche à christianiser les habitants de l'Amérique. L'imposition de la foi chrétienne est le théâtre d'horribles guerres, qui mènent à l'extermination des civilisations maya et aztèque. Devant la richesse des nouvelles contrées, les navigateurs ne s'intéressent plus qu'à faire fructifier leurs marchandises, se demandant ce qu'ils emporteront à l'aller et ce qu'ils rapporteront au retour. Et quand la main-d'œuvre n'arrive plus à satisfaire les besoins des plantations, on appelle en renfort des esclaves africains. Certes, en Afrique, le commerce des esclaves existe depuis plus d'un millénaire, mais la demande croissante de main-d'œuvre en Amérique internationalise cette pratique dont l'intensité sera sans précédent: certaines études estiment à plus de 12 millions le nombre d'individus qui ont effectué une traversée de l'Atlantique dans les cales de bateaux européens, au prix d'une mortalité considérable. C'est ainsi que l'on en vient à considérer la couleur de la peau comme l'indicateur du statut d'esclave, statut qui sera aussi celui des descendants, et que l'esclavage devient une part jugée essentielle de la vie économique. Les colonisateurs viennent de mettre en place l'une des plus néfastes opérations de haine de toute l'histoire de l'humanité.

**Sigismondo Caula, *Saint Charles Borromée fait communier les pestiférés*, XVIIe siècle.**

Le décalage entre la morale religieuse et l'application corrompue de ses principes ébranle l'équilibre humaniste et instille le conflit entre catholiques et protestants.

### Une mutation sociale et politique

Ces bouleversements sont les indices d'une profonde mutation sociale et politique. Tous les territoires conquis sont assujettis aux pays d'Europe, qui se constituent ainsi d'immenses empires coloniaux. L'afflux des richesses spoliées – les métaux précieux pour le Portugal et l'Espagne, la fourrure pour la France – transforme les économies nationales. En profitent surtout le pouvoir politique, qui restreint les prérogatives de la noblesse, et la bourgeoisie, dont l'achat de charges ouvre des perspectives de promotion sociale. En France, le pouvoir politique centralisé autour de la personne du roi, à partir de l'avènement de François Ier (1515), devient le garant de l'unité nationale et annonce la naissance de l'État moderne.

1. À peu près à la même époque, il y a formation de vastes empires musulmans: l'Empire ottoman, qui capte à son profit l'héritage de Constantinople, et l'Empire moghol, construit aux dépens des royaumes hindous.

**Botticelli, *L'adoration des mages*, v. 1475.**

Les ressources de la perspective permettent aux peintres de la Renaissance d'accorder aux éléments de décor une importance relative, afin de mettre l'accent sur le caractère narratif de leur art, plaçant du même coup l'homme au centre de leurs préoccupations.

## Crise religieuse : la Réforme

L'esprit de confiance qui avait caractérisé le début de la Renaissance s'estompe au cours du XVIe siècle, qui s'achèvera dans un bain de sang résultant d'un conflit entre les catholiques et les protestants.

Les humanistes valorisent toutes les capacités de l'homme, y compris celles du domaine religieux. Or, le mécontentement provoqué par l'autoritarisme et la corruption de l'Église catholique, qui en est venue à vendre, pour garnir ses coffres, des indulgences censées écourter le temps passé au purgatoire, ainsi que la possibilité nouvelle de se procurer des bibles traduites amènent une nouvelle conception de la foi. Aussi certains militent-ils pour une rénovation religieuse qui reposerait sur une nouvelle compréhension de Dieu, de l'homme, de la société, de la morale, estimant qu'ils pourraient ainsi renouer avec l'esprit véritable du christianisme.

Ce changement serait rendu possible par une relation directe du croyant avec la parole de Dieu pendant sa lecture des Saintes Écritures, plutôt que dans le cadre des dogmes et des pratiques traditionnelles. Cette interprétation personnelle et immédiate des Évangiles ne manquerait cependant pas de changer le lieu de l'autorité, qui échapperait à la hiérarchie de l'Église, pour se trouver dans la parole reçue par le seul croyant. Ce mouvement de rupture et de recomposition, désigné comme la Réforme (1517-v. 1550), est surtout porté par Martin Luther (1483-1546), un ancien prêtre catholique allemand.

Après avoir mis en évidence la contradiction entre le message évangélique et la puissance temporelle de l'Église, entre la morale religieuse et les mœurs d'un clergé souvent dépravé, après avoir dénoncé la matérialité cupide et corrompue de l'Église catholique, Martin Luther propose, en 1517, les thèses d'une véritable réforme d'ordre spirituel : il prône une lecture solitaire ou familiale de la Bible et une totale liberté de culte, et il rejette l'autorité du pape ainsi qu'un grand nombre de dogmes de l'Église. Grâce à l'imprimerie, cette révolution religieuse, qui aboutira à la création des Églises protestantes, connaît une large diffusion dans toute l'Europe. La scission entre les catholiques et les réformés – Luther a entraîné à sa suite l'essentiel de l'Europe du Nord et de l'Est, de l'Angleterre à la Bohème – est consommée en 1520. C'est la fin de l'unité de la chrétienté occidentale.

*Plus jamais la bouche altérée de ce pays ne doit barbouiller ses lèvres du sang de ses enfants.*
*Shakespeare*

## La Contre-Réforme

À la suite de la vague de protestantisme qui a envahi l'Europe, l'Église catholique, ébranlée, veut récupérer l'espace perdu et renforcer son influence dans les régions restées fidèles. En réponse à la mise en cause de l'hégémonie de l'Église catholique, le pape convoque le Concile de Trente (1545-1563), qui condamne les réformes protestantes et met en place une Contre-Réforme catholique, mouvement appelé à donner un nouvel élan au catholicisme. L'ordre des jésuites, fer de lance de la Contre-Réforme, est fondé ; l'Inquisition, tribunal religieux chargé de traquer toute forme de pensée hétérodoxe, est réorganisée ; la Congrégation de l'Index, commission de censure chargée d'interdire la lecture de livres jugés dangereux, est instituée. La Contre-Réforme appelle aussi une plus grande pudeur dans l'art : elle décrète l'apposition sur les statues d'une feuille de figuier, là où la Renaissance avait fait disparaître la feuille de vigne.

**François Dubois,** ***Le massacre de la Saint-Barthélemy*****, v. 1572-1584.**

Jusqu'à la promulgation de l'édit de Nantes, le fanatisme et l'intransigeance inhérents aux guerres de Religion conduisent à des massacres d'une violence inouïe.

Cette mésentente entre catholiques et protestants est surtout l'occasion d'une terrible histoire d'intransigeance et de fanatisme. Huit guerres civiles d'une extrême virulence, entrecoupées de trêves, ensanglantent la France de 1562 à 1598. Des « guerriers de Dieu », comme notre époque en connaît encore, déchaînent une violence collective qui conduit à des massacres, tels que celui de la Saint-Barthélemy (1572) où des milliers de protestants sont sauvagement assassinés en une seule nuit. Ces guerres de Religion ne cesseront qu'en 1598, lorsque le roi Henri IV promulguera l'édit de Nantes, qui impose la concorde entre les confessions déchirées.

Ce siècle des extrêmes, qui avait commencé dans l'enthousiasme et l'euphorie, se termine donc dans la confusion et la désillusion des humanistes, qui voient leurs certitudes s'effondrer.

## Les courants artistiques au XVIe siècle

*La sculpture est simple, il suffit de creuser jusqu'à la peau et de s'arrêter à temps.*

*Michel-Ange*

Durant le Moyen Âge, l'art était considéré comme une empreinte ou un réceptacle du sacré. À la Renaissance, l'œuvre d'art s'émancipe : elle est rendue à son créateur véritable, l'homme, et offerte à un nouveau culte, celui du génie et de la virtuosité ; le temps n'est pas loin où elle sera promise à de « nouveaux temples », les musées.

Durant près de trois cents ans, du XVe au XVIIIe siècle, deux visions de la beauté se relaieront, se chevaucheront et s'opposeront, l'une de tendance réaliste ou classique, et l'autre, irréaliste ou baroque. Ainsi se succèdent les grandes étapes de l'histoire de l'art, faites de contrastes et d'oppositions, d'alternance entre un repliement sur soi et une expansion vers l'infini.

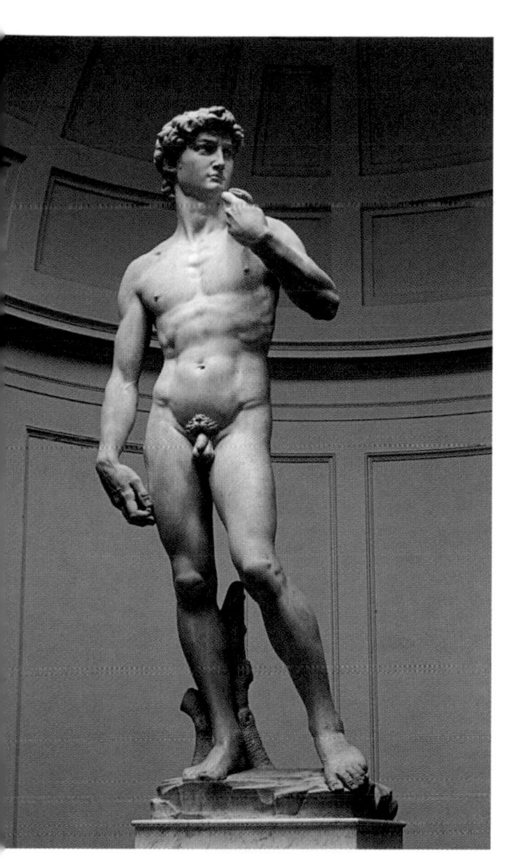

**Michel-Ange, *David*, 1501-1504.**

L'art du début de la Renaissance propose une vision paisible de la beauté inspirée des Grecs, selon laquelle la fusion du réel et de l'idéal crée l'impression d'un équilibre rassurant.

L'art renaissant des XVe et XVIe siècles, qui nous intéresse particulièrement ici, est marqué par trois grandes tendances : l'art de la Renaissance proprement dit – celui de ses débuts –, la révolution picturale que connaît la Flandre et, enfin, le maniérisme. Dans cette période, la libre circulation des artistes et des hommes de lettres, tout comme du livre et des estampes, joue un rôle important dans le triomphe des nouvelles idées et des nouvelles règles de l'art.

## L'art classique du début de la Renaissance

*La Renaissance est l'art de la beauté paisible. Elle nous offre cette beauté libératrice que nous ressentons comme un bien-être général et un accroissement régulier de notre force vitale.*

*Heinrich Wölfflin*

Au XVe siècle, l'Italie est au cœur d'une des plus grandes mutations qu'ait connues l'art occidental, qui orientera celui-ci pour les siècles à venir. Né de la redécouverte des principes de l'architecture antique et de la quête de l'idéal artistique, ce renouveau est surtout l'époque d'une formidable éclosion de talents, dont le retentissement sera sans pareil.

Les artistes du début de la Renaissance adoptent l'idée de la beauté que se faisaient les Grecs ; pour eux aussi, la connaissance du monde visible est un moyen d'appréhender une réalité suprasensible, puisque la beauté divine se diffuse dans la créature humaine et dans la nature. Ils cherchent moins à peindre la réalité fidèle des choses, que l'idée de l'équilibre et de l'harmonie à laquelle elles font écho, liant d'une manière indissoluble le réel et l'idéal.

Tout en s'inspirant de l'Antiquité grecque, ils complètent la connaissance des Anciens par une démarche théorique et intellectuelle qui leur procure de nouveaux outils pour accéder à la beauté. Dorénavant, leur imitation des personnages et des paysages – car c'est l'époque où la nature réelle acquiert tous ses droits dans la création de paysages – se fait selon des règles scientifiquement prouvées. Les études mathématiques permettent la découverte d'une technique qui donne l'illusion du volume et de la profondeur dans un tableau ; avec la perspective linéaire, l'espace n'est plus ordonné empiriquement en réduisant les proportions d'un objet vu à distance, comme dans l'Antiquité, mais organisé selon une succession de fonds rigoureusement intégrés.

À l'humanisation gothique du divin succède la divinisation de l'homme. Peut alors s'épanouir un art aux tendances profanes basé sur l'harmonie, la symétrie et l'exactitude géométrique. Les Vénus et les Marie des tableaux sont avant tout des femmes ; l'époque voit aussi les peintres multiplier les portraits, jusqu'aux autoportraits. C'est à Florence, au début du XVe siècle, que les peintres jettent les bases de la nouvelle approche picturale : parmi d'autres, Uccello, Fra Angelico et Botticelli font du dessin le vecteur de leur création. Puis vient le tour de Rome d'exercer sa prépondérance : Léonard de Vinci découvre une nouvelle forme de liberté par la création de la perspective dite atmosphérique, le *sfumato*. Michel-Ange peint des musculatures influencées par la sculpture grecque[1] – la noblesse sereine et spirituelle de sa colossale statue du *David* est considérée comme un des symboles majeurs de la Renaissance –, alors que Raphaël s'exerce à la grâce angélique. Enfin, la lumière de Venise amènera la prépondérance de la couleur sur le dessin. Retenons simplement les noms de Titien, Giorgione et Véronèse.

### Quelques compositeurs de la Renaissance

Joaquin Deprez (v. 1440-1521)

Giovanni de Palestrina (1526-1594)

Roland de Lassus (1532-1594)

1. Le *Groupe du Laocoon*, une sculpture du IIe siècle avant Jésus-Christ, a été repêchée près de l'Italie en 1506.

## La réalité de l'artiste

Au Moyen Âge, les ateliers étaient généralement ambulants. À partir de la Renaissance, la peinture et la sculpture sont pratiquées au cœur des villes dans des ateliers artisanaux (associés en guildes ou corporations), par une équipe de travail hiérarchisée entre les maîtres, les apprentis et les compagnons. Le maître, qui travaille souvent pour un riche mécène, a généralement fait la preuve d'un talent individualisé. Quant aux apprentis, ils sont confiés au maître par leurs parents, souvent dès l'âge de sept ans ; logés et nourris, ils effectuent de menus travaux dans l'atelier – l'entretien du feu, la préparation des couleurs — avant d'apprendre les techniques du métier. Enfin, les compagnons, des artisans accomplis, louent leurs services au maître. Avant la création des académies, au XVIIe siècle, les peintres, tout comme les sculpteurs, ne pouvaient parfaire leur art que par un long apprentissage chez des maîtres confirmés.

## La révolution picturale en Flandre : le réalisme

La Flandre, qui comprend alors la Belgique, la Hollande et le nord de la France, connaît une époque de grande splendeur, même si elle est demeurée fidèle au gothique durant tout le XVe siècle, mais à un gothique transfiguré, en particulier grâce à la technique de la peinture à l'huile et du glacis. Jérôme Bosch et Pieter Bruegel sont les principaux artisans de ce renouveau. La crise religieuse de la Réforme protestante, qui n'admet dans les églises ni peintures ni sculptures reproduisant l'image des saints, y a grandement limité l'influence des artistes italiens. L'humanisme et l'art prennent ici une autre forme en se donnant pour principal objectif de peindre méticuleusement les détails de la vie quotidienne. En Allemagne, Albrecht Dürer, Lucas Cranach et Hans Holbein sont les artisans d'une semblable révolution.

## Le maniérisme

Courant dominant des 70 dernières années du XVIe siècle, le maniérisme est le prolongement décadent de l'art glorieux du début de la Renaissance. Cet art exprime le désarroi qui saisit l'homme aux prises avec les crises politiques, les révolutions économiques, les guerres, le retour de la peste et la découverte qu'il n'est plus le centre de l'Univers. Comme si tout concordait à renforcer l'idée que le monde n'a pas été créé à la mesure humaine. Le maniérisme est la réponse à ces blessures infligées à l'homme. Cette nouvelle étape de l'art pousse la Renaissance à sortir de ses normes. Semblant imiter les modèles de la beauté classique, les maniéristes – des peintres comme Pontormo, le Corrège, le Parmesan, Arcimboldo et le Greco – remettent en cause les règles définies au début de la Renaissance. Laissant leur imagination s'attaquer à la rigueur de la forme, ils en modifient les canons habituels, en l'étirant ou en la disloquant, pour lui donner une élégance artificielle. La simplicité, l'équilibre et la dignité de la Renaissance cèdent leur place à la complexité, au culte de l'étrange et aux effets de surprise. Cette virtuosité dénature l'idéal de beauté classique atteint par les grands maîtres.

**Le Corrège, *Io*, 1530.**

Bien qu'ils s'inspirent des Anciens et de la mythologie, les artistes de la Renaissance envisagent la beauté dans toute sa complexité et dans tous ses contrastes, ce qui donnera lieu au courant baroque.

# L'évolution de la langue française au XVIe siècle

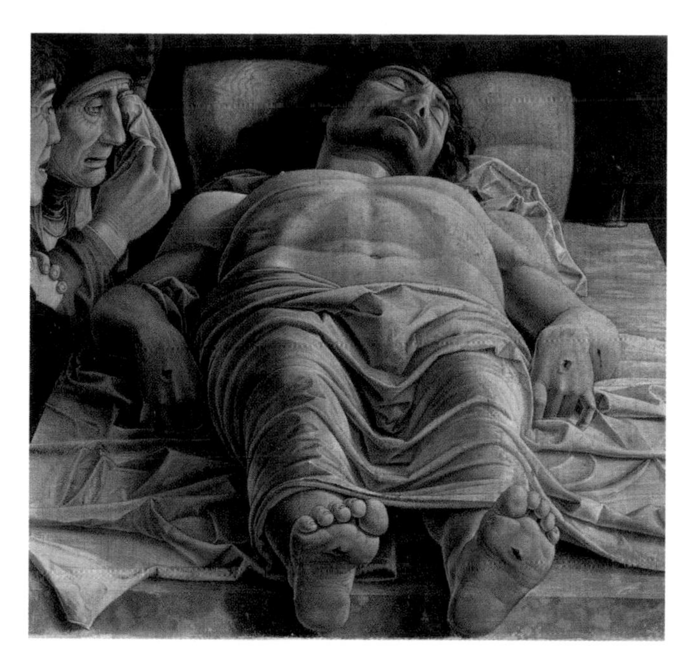

**Andrea Mantegna, *Christ mort*, v. 1480-1490.**

Grâce à la perspective, les artistes poussent leurs explorations de l'illusion du réel à l'exacerbation des effets et des émotions.

La Renaissance donne des normes à l'idiome national des différents pays issus de l'ancien Empire romain, pour lui conférer le plus de grandeur et de dignité possible. En France, le territoire est de plus en plus unifié et, en 1539, le français, défendu par les plus grands poètes et écrivains, est proclamé, par l'ordonnance de Villers-Cotterêts, la nouvelle langue officielle. Cette langue détrône le latin dans les cours de justice, les registres de l'état civil et les actes notariés. Elle commence même à être employée dans les écoles. L'imprimerie, qui reproduit beaucoup de textes en français, favorise grandement sa diffusion.

L'orthographe n'est pas encore fixée. Et comme les typographes sont payés en fonction de la longueur des mots, ils ont tendance à écrire d'une façon savante et complexe, modelant la graphie sur l'étymologie plutôt que sur la prononciation, en plus de recourir aux techniques des accents, de la cédille et de l'apostrophe.

Déplorant la pauvreté lexicale de l'époque médiévale, on décide d'enrichir la langue par l'apport de mots nouveaux : emprunt à d'autres langues, en particulier à l'italien (cabinet, balcon, campanile, mousquet, escorte, etc.) ; création de mots par préfixation (re-affiner pour raffiner, re-boutonner) et suffixation (jardin/jardinage, savant/savamment) ; multiplication des doublets (un mot représente l'évolution savante des copistes et un autre, l'évolution populaire d'un mot latin : hôtel/hôpital, captif/chétif, penser/peser, grief/grave, etc.). La langue de Rabelais qui abonde en termes dialectaux ou régionaux (grafigner pour égratigner, badigoinces pour lèvres) est un témoignage éloquent de cet enrichissement du vocabulaire qui permet à la langue française de garder plus d'un millénaire d'expérience et de pratique.

Et au moment où le français commence à s'imposer dans les ouvrages scientifiques, Robert Estienne publie, en 1539, le premier dictionnaire français-latin. Pendant ce temps, des érudits établissent des normes en matière d'écriture, normes à l'origine de la grammaire : on se penche la plupart du temps sur le problème du bon usage grammatical et du meilleur style.

## L'humanisme n'a ni patrie ni frontières

Les marchands et banquiers florentins Côme de Médicis (1389-1464) et Laurent de Médicis (1449-1492) utilisent leur fortune pour exercer le mécénat ; les œuvres d'art commandées par des laïcs plutôt que par les autorités religieuses constituent une nouveauté. La famille des Médicis joue un rôle considérable dans l'art de la Renaissance.

Le philosophe hollandais Didier Érasme (1467-1536) publie, en 1511, son *Éloge de la folie*, exposé pédagogique tentant de démontrer que ce qui paraît folie aux yeux de la majorité peut être sagesse pour l'homme éclairé.

Le philosophe florentin Nicolas Machiavel (1469-1527) prend pour modèle le fils du pape Alexandre VI, César Borgia, lorsqu'il rédige l'écrit politique le plus influent des XVIe et XVIIe siècles : *Le prince* (1513). Ces leçons de réalisme politique valent à leur auteur le titre de fondateur de la science politique moderne.

L'Anglais Thomas More (1478-1535) fait paraître l'*Utopie* (1516), description du bonheur collectif auquel aspirent les humanistes, grâce au progrès social, à la tolérance, à la paix et à l'ouverture aux autres.

L'Italien Léonard de Vinci (1452-1519) peut être considéré comme celui qui incarne le mieux l'idéal humaniste. Homme de science, il excelle aussi en peinture, en sculpture, en architecture et en musique.

L'astronome polonais Nicolas Copernic (1473-1543) révolutionne l'astronomie : la Terre n'est pas le centre de l'Univers, comprend-il, mais tourne autour du Soleil.

# La littérature du XVIe siècle

**Fra Angelico, *L'annonciation*, 1455.**

Lumineuses et colorées, les scènes religieuses de la Renaissance évoquent souvent le bonheur et la sérénité.

Désormais favorisée par l'imprimerie qui permet un accès moins privilégié au texte devenu produit commercial, par l'émancipation des institutions laïques et par la promotion de la langue française en tant que langue littéraire, la littérature connaît un essor. Grâce aux contacts renforcés avec l'Italie, elle se renouvelle : émerveillé par l'éclat des lettres et des arts qu'il découvre lors des guerres d'Italie (1494-1559), François Ier (1494-1547) prône le modèle humaniste italien et, avec sa sœur Marguerite de Navarre, devient le protecteur des écrivains et des artistes.

La littérature est l'objet d'une rénovation profonde : la tradition chrétienne et chevaleresque du Moyen Âge s'efface au profit d'un nouvel idéal puisé dans les grands écrivains de l'Antiquité, dont on essaie de s'approprier les qualités artistiques, tant sur le plan du style que de la pensée. Cette influence explique la grande abondance de références mythologiques dans la littérature de ce siècle.

Jusqu'à la génération de la Pléiade, dans les années 1550, la littérature tente de transmettre au plus grand nombre une vision humaniste remplie d'espoir. Clément Marot et François Rabelais témoignent de cet optimisme. La seconde moitié du siècle est cependant beaucoup moins heureuse, bien davantage marquée par l'intensification des conflits religieux qui font naître une littérature militante à esprit polémique. Alors que Pierre de Ronsard se voit réquisitionné par les catholiques, Agrippa d'Aubigné se porte à la défense de la cause protestante. En cette période de scepticisme et de désabusement, Montaigne, dans le premier grand texte philosophique en langue française, propose plutôt la voie de la sagesse.

## La poésie

Les poètes de la Renaissance abandonnent les genres poétiques médiévaux au profit de nouveaux, dont la forme est précisée par les poètes de la Pléiade. À la suite de Villon, ils écartent l'éloquence au profit de la sincérité et de la justesse. Mais le mécénat du roi et des princes soumet les poètes à une nouvelle servitude : ils doivent célébrer les exploits du monarque, tenir sa chronique et rédiger des pièces de circonstance.

### Le sonnet

Le sonnet, qui s'impose comme le genre le plus noble, compte 14 vers, formés en 2 quatrains sur 2 rimes embrassées (ABBA/ABBA), suivis de 2 tercets à rimes plates ou croisées (CCD/EDE ou EED).

D'abord lié au thème de l'amour, le sonnet pourra aussi se faire humoristique, satirique, nostalgique...

### Naissance de la première école littéraire : la Pléiade

Autour de 1550, un groupe de sept jeunes hommes de lettres se fixent pour but de défendre la langue française et de renouveler la poésie : ce sont les poètes de la Pléiade. Leurs idées communes sont mises en forme par Joachim du Bellay dans le manifeste *Défense et illustration de la langue française* (1549). En voici les grands principes :

1. imiter les auteurs anciens, non pour les copier, mais pour y puiser des sources d'inspiration qu'on pourra adapter à sa propre sensibilité ;

2. prouver que le français n'est en rien inférieur au latin comme langue littéraire, et définir des règles pour éviter un développement anarchique et illogique de la langue;
3. promouvoir la mission du poète dont l'inspiration, plus importante que l'érudition et le travail, serait d'origine divine, faisant du poète l'équivalent d'un prophète;
4. renouveler les formes poétiques: rejeter des genres médiévaux comme le rondeau et la ballade, pour leur préférer les grands genres issus de l'Antiquité (épigramme, ode, élégie, épître, comédie, tragédie) et de l'Italie moderne (sonnet); ces poètes affichent par ailleurs une préférence pour l'alexandrin (vers de 12 syllabes).

Leurs poèmes, qui portent fréquemment sur l'amour épicurien et la grâce féminine, obtiennent un réel succès. Ces jeunes, travailleurs et enthousiastes, unis par un esprit novateur commun et par l'amour de la poésie, ont jeté les bases de la poésie classique française.

## Quelques citations de Clément Marot

« D'être content sans vouloir davantage,
C'est un trésor qu'on ne peut estimer. »

« La mort est fin et principe de vie. »

« Petit feu ne peut jeter grand lustre. »

« Cœur sans amour toujours loyer demande. »

## Clément Marot (1496-1544)

*Fâché d'ennui, consolé d'espérance.*

Un protégé de la reine Marguerite de Navarre, le poète Clément Marot s'enthousiasme rapidement pour le mouvement humaniste. Suspecté d'hérésie pour ses sympathies envers la Réforme, ce précurseur des poètes de la Pléiade doit s'exiler à de nombreuses reprises: ses manuscrits sont brûlés et il finira par être condamné à mort par contumace.

Il profite de ses exils pour écrire des épîtres, lettres fictives qui relatent des étapes de sa propre vie, car cette forme épistolaire permet une grande liberté d'expression. En plus d'être responsable de l'introduction du sonnet en France, ce poète a mis au goût du jour le blason: des pièces composées de petits vers à rimes plates qui font l'éloge des différentes parties du corps féminin. Marot, qui vise toujours un accord parfait entre les contraintes formelles, le sens du poème et les jeux du langage, y excelle avec une verve toute gauloise.

# Plus ne suis ce que j'ai été

Plus ne suis ce que j'ai été,
Et ne le saurais jamais être;
Mon beau printemps et mon été
Ont fait le saut par la fenêtre.

5 Amour, tu as été mon maître:
Je t'ai servi sur tous les Dieux.
Ah si je pouvais deux fois naître,
Comme je te servirais mieux!

Clément Marot, *Œuvres*, 1538.

### VERS L'ANALYSE

### Plus ne suis ce que j'ai été

1. Le titre annonce le désarroi qu'exprime le poète dans la première strophe. Qu'a-t-il perdu?
2. Expliquez le sens à donner à la personnification* *Mon beau printemps et mon été / Ont fait le saut par la fenêtre.* Quel thème* met-elle en lumière? Quel en est l'effet?
3. Comment le thème* de l'amour est-il abordé dans ce poème? Quels aspects de ce sentiment le poète exprime-t-il?
4. Observez les temps verbaux*. Quelles émotions corroborent-ils?
5. Relevez un passage mettant en relief les regrets du poète et commentez un procédé d'écriture* qui s'y rattache.

# Le beau tétin

Tétin refait[1], plus blanc qu'un œuf,
Tétin de satin blanc tout neuf,
Tétin qui fais[2] honte à la rose,
Tétin plus beau que nulle chose,
5 Tétin dur, non pas Tétin, voire[3]
Mais petite boule d'ivoire,
Sur le milieu duquel est assise
Une fraise, ou une cerise
Que nul ne voit, ne touche aussi,
10 Mais je gage qu'il est ainsi :
Tétin donc au petit bout rouge,
Tétin qui jamais ne se bouge,
Soit pour venir, soit pour aller,
Soit pour courir, soit pour baller[4] :
15 Tétin gauche, Tétin mignon,
Toujours loin de son compagnon,
Tétin qui portes témoignage
Du demeurant du personnage,
Quand on te voit, il vient à maint[5]
20 Une envie dedans les mains
De te tâter, de te tenir :
Mais il se faut bien contenir
D'en approcher, bon gré ma vie,
Car il viendrait une autre envie.
25 Ô Tétin, ne[6] grand, ne petit,
Tétin meur[7], Tétin d'appétit,
Tétin qui nuit et jour criez :
Mariez-moi tôt, mariez !
Tétin qui s'enfles, et repousses
30 Ton gorgias[8] de deux bons pouces,
À bon droit heureux on dira
Celui qui de lait t'emplira,
Faisant d'un tétin de pucelle,
Tétin de femme entiere et belle.

Clément Marot, *Œuvres*, 1538.

**1.** Nouvellement fait, formé. **2.** Le narrateur s'adresse au tétin. **3.** À vrai dire. **4.** Référence au bal ou au jeu de balle. **5.** À un grand nombre. **6.** Ni. **7.** Mûr. **8.** Échancrure de la robe.

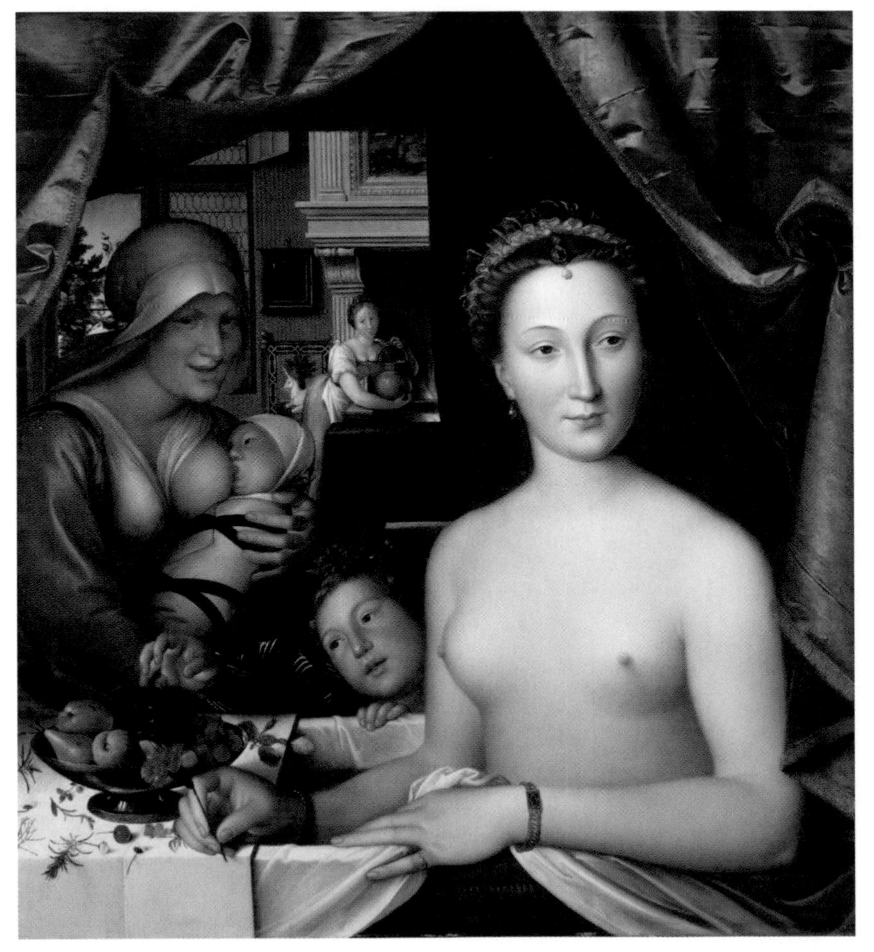

**François Clouet, *Diane au bain*, v. 1528.**

L'humanisme célèbre le corps sous toutes ses facettes, sans négliger la sensualité et le plaisir charnel.

## VERS L'ANALYSE

### Le beau tétin

1. Résumez la situation d'énonciation* de ce poème. À qui le poète s'adresse-t-il ? Relevez les marques d'énonciation* qui éclairent votre compréhension.
2. Quel est le propos* du poème ?
3. Le poète décrit le sein selon différentes perspectives, qui en explorent les divers aspects, les fonctions ou encore les émotions qu'il suscite. Dégagez trois facettes du sein tel que l'a décrit Marot et citez, pour chacune, une métaphore* qui la représente.
4. La musicalité* interne du poème s'inscrit en parfaite adéquation avec le thème*.
   a) Relevez les assonances* et les allitérations* qui dominent le poème et expliquez-en les effets.
   b) Comment le rythme* du poème renforce-t-il les sensations créées par les sonorités* ? Commentez deux procédés rythmiques* et décrivez-en les effets.
   c) Quelle anaphore* domine ce poème ? Quel est son effet ?

# Le beau voyage

Heureux qui, comme Ulysse, a fait un beau voyage
Ou comme celui-là qui conquit la toison,
Et puis est retourné, plein d'usage et raison,
Vivre entre ses parents le reste de son âge!

5 Quand reverrai-je, hélas! de mon petit village
Fumer la cheminée, et en quelle saison
Reverrai-je le clos de ma pauvre maison,
Qui m'est une province, et beaucoup davantage?

Plus me plaît le séjour qu'ont bâti mes aïeux,
10 Que des palais Romains le front audacieux,
Plus que le marbre dur me plaît l'ardoise fine;

Plus mon Loire gaulois que le Tibre latin,
Plus mon petit Lyré que le mont Palatin,
Et, plus que l'air marin la douceur angevine.

Joachim du Bellay, *Les regrets*, 1558.

## Joachim du Bellay (1522-1560)

*Je me plains à mes vers si j'ai quelque regret,*
*Je me ris avec eux, je leur dis mon secret.*

Joachim du Bellay est l'auteur du manifeste *Défense et illustration de la langue française*, qui trace dans ses grandes lignes le projet de la nouvelle école littéraire.

Accompagnant à Rome son oncle nommé ambassadeur de la France auprès du Vatican, le poète s'attend, au contact des humanistes les plus célèbres, à plonger dans la culture antique. Son enthousiasme fait vite place à une grande désillusion qui sera à la source de ses principaux recueils de sonnets. Du Bellay, un être naturellement mélancolique, a montré que le sonnet ne servait pas seulement à exprimer un sentiment amoureux. La sincérité émouvante de ses aveux, la limpidité du style, la pureté de la langue et l'exquise musicalité qui se dégage de l'ensemble arrivent à métamorphoser le malheur en ritournelle.

*Le beau voyage*, dont l'écriture d'une grande simplicité témoigne d'un art consommé, exprime la plainte de l'exilé qui évoque avec nostalgie son pays natal.

## VERS L'ANALYSE

### Le beau voyage

1. Dégagez les principales caractéristiques de ce poème.
2. Répondez aux questions suivantes en faisant les recherches qui s'imposent, au besoin.
   a) À qui du Bellay fait-il référence lorsqu'il écrit: *celui-là qui conquit la toison* (v. 2)?
   b) Quels aspects du voyage le poète souligne-t-il en évoquant ce personnage et celui d'Ulysse?
   c) Plusieurs indices permettent de situer le village du poète. Relevez-les et précisez l'espace géographique auquel ils se rapportent. Expliquez ces références dans le contexte de la culture de la Renaissance.
3. Les deux quatrains marquent une progression dans les sentiments qu'éprouve le poète. Pour chacune de ces strophes, nommez le sentiment dominant, citez deux vers qui appuient votre propos et expliquez l'effet d'un procédé d'écriture* important pour chaque citation.

| Sentiment | Citation | Procédé et effet créé |
|---|---|---|
| Premier quatrain: | 1:<br>2: | |
| Deuxième quatrain: | 1:<br>2: | |

4. Examinez le vocabulaire* employé par le poète pour décrire son village. Nommez la caractéristique qui le représente le mieux et dressez-en le champ lexical*.
5. Comment, dans les deux tercets, le poète affirme-t-il clairement son attachement à son pays natal? Commentez les oppositions et décrivez ce qu'elles permettent de déduire sur la nature de son sentiment. Qu'est-ce qui émeut du Bellay? À quoi est-il prêt à renoncer?
6. Commentez le rythme* et la forme* du poème. Comment sa musicalité* est-elle mise au service du propos*?

## Pierre de Ronsard (1524-1585)

*Qu'est-ce parler d'Amour sans point faire l'amour,*
*Sinon voir le Soleil sans aimer sa lumière?*

Ancien page à la cour de François Ier, Pierre de Ronsard devient le poète officiel de la cour sous Henri II. C'est dire que, contrairement à Marot,il a pris le parti des catholiques dans les guerres de Religion. Ce chef incontesté de la Pléiade reste le poète le plus fécond et le plus célébré de son époque. Inspirés de l'épicurisme, ses vers témoignent d'une grande érudition marquée par l'inspiration mythologique.

Chez Ronsard, les harmonies de la nature composent avec les sentiments de l'amour et du plaisir pour rappeler, face à la jeunesse et à la vie qui fuient trop vite, la nécessité de jouir du présent alors que c'est encore possible. Le *carpe diem*[1] se fait ici philosophie de vie. Dans le recueil *Amours de Cassandre* (1552), une langue brillante et sonore rappelle avec une émouvante mélancolie ce thème du temps qui passe.

1. « Profite du jour qui passe » (latin).

## À Cassandre

Mignonne, allons voir si la rose
Qui ce matin avait déclose
Sa robe de pourpre au soleil,
A point perdu, cette vêprée,
5 Les plis de sa robe pourprée
Et son teint au vôtre pareil.

Las ! voyez comme en peu d'espace,
Mignonne, elle a dessus la place,
Las ! las ! ses beautés laissé choir ;
10 Ô vraiment marâtre Nature,
Puisqu'une telle fleur ne dure
Que du matin jusques au soir !

Donc, si vous me croyez, mignonne,
Tandis que votre âge fleuronne
15 En sa plus verte nouveauté,
Cueillez, cueillez votre jeunesse :
Comme à cette fleur, la vieillesse
Fera ternir votre beauté.

Pierre de Ronsard,
*Amours de Cassandre*, 1552.

### VERS L'ANALYSE

### À Cassandre

1. En quoi le thème* principal du poème est-il lié à la philosophie de vie du *carpe diem*, à laquelle adhère Ronsard?
2. Quelle métaphore filée* permet à Ronsard d'étayer sa réflexion ? Nommez-la et trouvez trois points de convergence* entre l'élément comparant* et l'élément comparé*.
3. Relevez une antithèse* dans chaque strophe et expliquez sa fonction.
4. Décrivez l'effet de la répétition* et de la forme exclamative* dans la deuxième strophe.
5. Quel sentiment traduit l'emploi de verbes à l'impératif* dans ce poème ?
6. La morale de ce poème prend aussi la forme d'une imploration. Expliquez comment l'écriture permet de le ressentir.

### L'École de Lyon

Au XVIe siècle, Lyon, une ancienne capitale des Gaules et un important carrefour commercial et culturel entre l'Italie, l'Allemagne et la Suisse, jouit d'une grande notoriété. Ses imprimeurs produisent les plus beaux livres de l'époque ; ils sont à l'origine de l'*in-octavo*, format obtenu en pliant une feuille de papier en huit, qui est l'ancêtre de notre livre de poche. L'intense activité économique permet aussi la circulation des idées et l'épanouissement de cercles poétiques qui font un contrepoids intellectuel à la domination parisienne. C'est le cas de l'École de Lyon, un regroupement de poètes qui ne forment pas véritablement une école, mais sont associés par une grande ouverture d'esprit autour de l'animateur Maurice Scève.

## Louise Labé (1524-1566)

*Rien fors la mort ne désire;*
*Je ne sais comment je dure.*

Femme libre et émancipée, Louise Labé se met en scène pour exprimer, dans le cadre nouveau du sonnet, la passion amoureuse et l'ardeur des plaisirs charnels. Ses poèmes chauds de désir comptent parmi les plus brûlantes pages de la poésie amoureuse universelle. Sur le ton de la confidence, la poète dit l'allégresse de ses amours en même temps que la douleur d'être privée d'une présence masculine, l'homme aimé étant toujours subordonné à l'amour qu'elle lui porte. Cette représentation d'un «homme objet», par une femme qui ne se reconnaît pas de limites, lui attirera les malveillances de certains poètes masculins.

Différentes études parues depuis une cinquantaine d'années[1] tendent à prouver que cette «Sapho française» aurait été inventée de toutes pièces par les poètes de l'École de Lyon réunis autour de Maurice Scève, qui auraient travesti leurs écrits pour les prêter à une auteure fictive. Si tel est bien le cas, il n'en demeure pas moins que leur géniale imposture a produit un personnage poétique hors pair.

**1.** Notamment, voir Mireille Huchon, *Louise Labé, une créature de papier*, Genève, Droz, coll. «Titre courant», 2006, 483 p.

# Je vis, je meurs...

Je vis, je meurs; je me brûle et me noie;
J'ai chaud extrême en endurant froidure;
La vie m'est et trop molle et trop dure;
J'ai grands ennuis entremêlés de joie.

5 Tout à coup je ris et je larmoie,
Et en plaisir maint grief tourment j'endure;
Mon bien s'en va, et à jamais il dure;
Tout en un coup je sèche et je verdoie.

Ainsi Amour inconstamment me mène;
10 Et quand je pense avoir plus de douleur,
Sans y penser je me trouve hors de peine.

Puis quand je crois ma joie être certaine
Et être au haut de mon désiré heur,
Il me remet en mon premier malheur.

Louise Labé, *Œuvres*, 1555.

### VERS L'ANALYSE

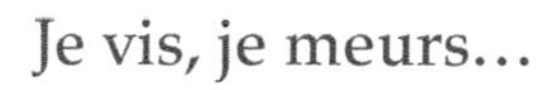

## Je vis, je meurs...

1. À quelle forme* correspond ce poème constitué de deux quatrains et de deux tercets?
2. a) Dégagez le thème* principal et résumez le propos* de ce poème.
   b) Qu'est-ce qui distingue les quatrains des tercets? Attardez-vous à l'aspect concret ou abstrait du langage et aux types de verbes*.
3. Quelle vision de l'amour ce poème propose-t-il? Portez une attention particulière à la dernière strophe.
4. a) Quelle figure de style* abondamment utilisée dans les deux premières strophes met en relief l'ambivalence des sentiments décrits? Relevez deux occurrences significatives de cette figure* et expliquez les oppositions qu'elles créent.
   b) Comment la structure de ces strophes renforce-t-elle l'effet de cette figure sur le rythme* du poème?
5. Qu'est-ce qui laisse transparaître l'impuissance de la poète? Dressez le champ lexical* de ce thème* et attardez-vous aux catégories de verbes* (voix active, voix passive) pour étayer votre propos.

### Sujet d'analyse littéraire

**En vous appuyant sur les procédés d'écriture* et leurs effets, faites l'étude des thèmes* en insistant sur le déchirement intérieur de la poète.**

## Une poésie polémique

Les drames sanglants des guerres de Religion atteignent de plein fouet l'optimisme manifesté au début du siècle. Cela entraîne une poésie polémique où des écrivains se voient contraints de prendre parti. Aux thèmes généreux de l'humanisme succèdent alors ceux de la souffrance, de la mort, de la fragilité et de l'inconscience de l'homme. Cette poésie excessive et angoissée donnera bientôt naissance au courant baroque.

**Le Greco, *L'enterrement du comte d'Orgaz*, 1586-1588.**

Reflet des déchirements qui ébranlent les humanistes à partir de 1530, le maniérisme présente le monde selon une perspective distordue qui remet en cause la foi en l'être humain.

## Agrippa d'Aubigné (1552-1630)

*Le riche a la vengeance, et le pauvre a la mort.*

Agrippa d'Aubigné est un homme d'épée autant qu'un homme de plume. Né dans une famille calviniste, à 8 ans, devant des corps décapités de conjurés, il jure fidélité à la cause protestante ; à 10 ans, il est arrêté, emprisonné mais réussit à s'évader. La vie entière de celui qui sera condamné à mort à quatre reprises est vouée à la défense des protestants et à la lutte contre les persécutions dont ils sont victimes.

Marquée par son engagement passionné, sa poésie semble inspirée des dieux. Son œuvre phare et touffue, *Les tragiques* (plus de 9 000 vers ; commencée en 1577, elle ne paraît qu'en 1616), est une épopée de la foi protestante. Une langue précise, exaltée et luxuriante, qui refleurira dans le baroque, porte la violence au cœur même de la tendresse. D'Aubigné, qui écrit moins pour être vrai que pour émouvoir, multiplie les images apocalyptiques en se référant constamment à la mythologie, à l'histoire ancienne et à la Bible.

Dans l'extrait présenté, il décrit la France comme la grande victime des guerres de Religion, déchirée entre les protestants (Jacob) et les catholiques (Ésaü) – surtout, en fait, déchirée par ces derniers.

# Je veux peindre la France...

Je veux peindre la France une mère affligée,
Qui est, entre ses bras, de deux enfants chargée.
Le plus fort, orgueilleux, empoigne les deux bouts
Des tétins nourriciers ; puis, à force de coups
5 D'ongles, de poings, de pieds, il brise le partage
Dont nature donnait à son besson[1] l'usage ;
Ce voleur acharné, cet Ésaü malheureux
Fait dégât du doux lait qui doit nourrir les deux
Si que, pour arracher à son frère la vie,
10 Il méprise la sienne et n'en a plus d'envie.
Mais son Jacob, pressé d'avoir jeûné meshui[2],
Ayant dompté longtemps en son cœur son ennui,
A la fin se défend, et sa juste colère
Rend à l'autre un combat dont le champ est la mère.
15 Ni les soupirs ardents, les pitoyables cris,
Ni les pleurs réchauffés ne calment leurs esprits ;
Mais leur rage les guide et leur poison les trouble,
Si bien que leur courroux par leurs coups se redouble.
Leur conflit se rallume et fait si furieux
20 Que d'un gauche malheur ils se crèvent les yeux.
Cette femme éplorée, en sa douleur plus forte,
Succombe à la douleur, mi-vivante, mi-morte ;
Elle voit les mutins, tout déchirés, sanglants,
Qui, ainsi que du cœur, des mains se vont cherchant.
25 Quand, pressant à son sein d'une[3] amour maternelle
Celui qui a le droit et la juste querelle,
Elle veut le sauver, l'autre, qui n'est pas las,
Viole, en poursuivant, l'asile de ses bras.
Adonc se perd le lait, le suc de sa poitrine ;
30 Puis, aux derniers abois de sa proche ruine,
Elle dit : « Vous avez, félons, ensanglanté
Le sein qui vous nourrit et qui vous a portés ;
Or, vivez de venin, sanglante géniture,
Je n'ai plus que du sang pour votre nourriture ! »

Agrippa d'Aubigné, *Les tragiques*, I,
« Misères », vers 97 à 130.

**1.** Jumeau. **2.** Aujourd'hui. **3.** Mot féminin à l'époque.

**Raphaël, *La belle jardinière*, 1507.**

La confiance en l'être humain transparaît dans des représentations d'une beauté simple et naturelle des scènes du quotidien.

VERS L'ANALYSE

## Je veux peindre la France...

1. Résumez le propos* de cet extrait en le rattachant au contexte sociohistorique dans lequel il s'inscrit.
2. L'auteur construit l'allégorie* de la mère nourricière pour décrire la France. Relevez les éléments constituant le champ lexical* de ce thème*.
3. En quoi l'expression « mère affligée » employée dans le premier vers paraît-elle contradictoire ? Examinez les connotations* associées à chacun de ces deux mots pour justifier votre réponse.
4. Expliquez comment les sonorités* du poème traduisent la violence et le déchirement.
5. Comment la forme* du poème contribue-t-elle à son caractère grave et solennel ? Examinez la longueur des vers et les procédés rythmiques* tels que les enjambements* pour étayer votre réponse.
6. L'auteur a recours à plusieurs procédés d'amplification*. Relevez un passage éloquent et décrivez l'effet de l'un de ces procédés*.

## Quelques citations de Marguerite de Navarre

« Un malheureux cherche l'autre. »

« L'abandon fait le larron. »

« On donne son opinion selon sa condition. »

« Les hommes recouvrent leur diable du plus bel ange qu'ils peuvent trouver. »

« Ne pensez pas que ceux qui poursuivent les dames prennent tant de peine pour l'amour d'elles ; car c'est seulement pour l'amour d'eux et de leur plaisir. »

« Elle pensait que l'occasion faisait le péché, et ne savait pas que le péché forge l'occasion. »

### Marguerite de Navarre (1492-1549)

*Jamais homme n'aimera parfaitement Dieu qu'il n'ait parfaitement aimé quelque créature en ce monde.*

Femme du roi de Navarre, conseillère de son frère le roi François Ier, bientôt grand-mère d'Henri IV, Marguerite de Navarre, humaniste et soutien des réformateurs, entretient les poètes et les protège contre leurs ennemis. Cette femme cultivée a composé un recueil de 72 récits, *L'heptaméron*, des histoires réalistes où la morale et la vertu se mêlent à la galanterie et à l'impudeur. Ce recueil s'inspire fortement de la forme du *Décaméron* (v. 1350-1353) de l'Italien Boccace. Afin de fuir l'épidémie de peste qui ravage Florence comme le reste de l'Europe, en 1348, 10 jeunes gens (7 femmes et 3 hommes) se réfugient à la campagne l'espace de quelques jours. Pour se divertir, tous doivent raconter une histoire sur un thème choisi. Ces nouvelles tournent autour de l'amour.

Même si elle prétend vouloir amuser son entourage, l'auteure vise moins le comique que la précision et une clarté d'expression, propres à traduire la complexité du cœur humain. En plus de la finesse de l'observation psychologique, l'auteure innove en adoptant le ton crédible de la conversation, ce qui permet d'avoir recours à plusieurs narrateurs.

## La prose narrative

Le XVIe siècle voit se propager une vogue de courts récits en prose dont les sujets peuvent s'inspirer de la vie quotidienne : les contes prennent forme, dans le prolongement des fabliaux médiévaux. Se voulant réalistes, ils décrivent les humains et en tirent une morale, sans perdre de vue qu'il s'agit d'amuser autant que d'instruire. Leur forme généralement simple n'empêche pas un travail sur la langue qui cherche à reproduire le langage quotidien, ou la langue savante pour s'en moquer. Marguerite de Navarre est la figure exemplaire de ce genre de récit. Quant au roman, Rabelais lui fait définitivement perdre sa forme versifiée. Poursuivant lui aussi la tradition des fabliaux du Moyen Âge, ce genre se cherche encore, entre le conte et ce qu'il est appelé à devenir.

## Une femme, étant aux abois de la mort, se courrouça en sorte, voyant que son mari accolait sa chambrière, qu'elle revint en santé

En la ville d'Amboise, il y avait un sellier[1] nommé Brimbaudier, lequel était sellier de la Reine de Navarre, homme duquel on pouvait juger la nature, à voir la couleur du visage, être plus serviteur de Bacchus que des
5 prêtres de Diane. Il avait épousé une femme de bien qui gouvernait son ménage très sagement, dont il se contentait. Un jour, on lui dit que sa bonne femme était malade et en grand danger, dont il montra être autant courroucé[2] qu'il était possible. Il s'en alla en grande diligence
10 pour la secourir, et trouva sa pauvre femme si bas qu'elle avait plus besoin de confesseur que de médecin. Dont il fit un deuil le plus piteux du monde. Mais pour bien le représenter, faudrait parler gras comme lui, et encore serait-ce plus qui pourrait peindre son visage et sa con-
15 tenance. Après qu'il lui eut fait tous les services qu'il lui fut possible, elle demanda la croix, qu'on lui fit apporter. Quoi voyant, le bonhomme s'alla jeter sur un lit, tout désespéré, criant et disant avec sa langue grasse : « Hélas, mon Dieu, je perds ma pauvre femme ! Que ferai-je, moi,
20 malheureux », et plusieurs telles complaintes. À la fin, regardant qu'il n'y avait personne en la chambre qu'une jeune chambrière[3], assez belle et en bon point, l'appela tout bas à lui en lui disant : « M'amie, je me meurs, je suis pis que trépassé de voir ainsi mourir ta maîtresse ! Je ne
25 sais que faire ni que dire, sinon que je me recommande à toi, et te prie de prendre soin de ma maison et de mes enfants. Tiens les clefs que j'ai à mon côté. Donne ordre au ménage, car je n'y saurais plus entendre. »

La pauvre fille, qui en eut pitié, le réconforta, le priant de ne se vouloir désespérer et que, si elle perdait sa maîtresse, elle ne perdît son bon maître. Il lui répondit : « M'amie, il n'est possible, car je me meurs. Regarde comme j'ai le visage froid, approche tes joues des miennes, pour les me réchauffer. » Et en ce faisant, il lui mit la main au tétin, dont elle cuida[4] faire quelque difficulté ; mais la pria n'avoir point de crainte, car il faudrait bien qu'ils se vissent de plus près. Et sur ces mots la prit entre ses bras, et la jeta sur le lit. Sa femme, qui n'avait compagnie que de la croix et de l'eau bénite, et n'avait parlé depuis deux jours, commença avec sa faible voix de crier le plus haut qu'elle put : « Ha, ha, ha ! je ne suis pas encore morte ! » Et en le menaçant de la main, disait : « Méchant, vilain, je ne suis pas morte ! » Le mari et la chambrière, oyant[5] sa voix, se levèrent ; mais elle était si dépite contre eux que la colère consuma l'humidité du catarrhe[6] qui la gardait de parler, en sorte qu'elle leur dit toutes les injures dont elle se pouvait aviser. Et depuis cette heure-là commença de guérir. Qui ne fut sans souvent reprocher à son mari le peu d'amour qu'il lui portait.

« Vous voyez, mesdames, l'hypocrisie des hommes : comme pour un peu de consolation ils oublient le regret de leurs femmes !

– Que savez-vous, dit Hircan, s'il avait ouï dire que ce fut le meilleur remède que sa femme pouvait avoir ? Car, puisque par son bon traitement il ne la pouvait guérir, il voulait essayer si le contraire lui serait meilleur. Ce que très bien il expérimenta. Et m'ébahis comme vous, qui êtes femme, avez déclaré la condition de votre sexe, qui plus amende par dépit que par douceur !

– Sans point de faute, dit Longarine, cela me ferait bien non seulement saillir du lit, mais d'un sépulcre tel que celui-là.

– Et quel tort lui faisait-il, dit Saffredent, puisqu'il la pensait morte, de se consoler ? Car l'on sait bien que le lien de mariage ne peut durer sinon autant que la vie ; et puis après, on est délié.

– Oui, délié, dit Oisille, du serment et de l'obligation ; mais un bon cœur n'est jamais délié de l'amour. Et était bien tôt oublié son deuil de ne pouvoir attendre que sa femme eût poussé le dernier soupir !

– Mais ce que je trouve le plus étrange, dit Nomerfide, c'est que, voyant la mort et la croix devant ses yeux, il ne perdait la volonté d'offenser Dieu.

– Voilà une belle raison ! dit Simontaut ; vous ne vous ébahiriez donc pas de voir faire une folie, mais qu'on soit loin de l'église et du cimetière ?

– Moquez-vous tant de moi que vous voudrez, dit Nomerfide ; si est-ce que la méditation de la mort rafroidit bien fort un cœur, quelque jeune qu'il soit.

– Je serais de votre opinion, dit Dagoucin, si je n'avais ouï dire le contraire à une princesse.

– C'est donc à dire, dit Parlamente, qu'elle en raconta quelque histoire. Parquoi, s'il est ainsi, je vous donne ma place pour la dire. »

Dagoucin commença ainsi.

Marguerite de Navarre, *L'heptaméron*,
1559 (œuvre posthume).

**1.** Fabricant et marchand de selles. **2.** Fâché. **3.** Femme de chambre. **4.** Pensa. **5.** Entendant. **6.** Inflammation des muqueuses donnant lieu à une hypersécrétion.

### VERS L'ANALYSE

## Une femme, étant aux abois...

1. Dans cette nouvelle, Marguerite de Navarre brosse un portrait peu flatteur des hommes. Citez un passage qui résume le propos* de l'œuvre à cet égard.
2. Dites ce que révèle le passage suivant sur le mode de vie de Brimbaudier : *homme duquel on pouvait juger la nature, à voir la couleur du visage, être plus serviteur de Bacchus que des prêtres de Diane* (l. 3-5).
3. Examinez le vocabulaire* employé par l'auteure pour décrire les protagonistes. Pour Brimbaudier et sa femme, ciblez une caractéristique dominante et dressez-en le champ lexical*.
4. L'écriture de Marguerite de Navarre se caractérise par la pluralité des tons. Expliquez comment cohabitent deux tonalités textuelles* différentes en vous appuyant sur les principaux procédés d'écriture* au service de chacune.
5. Qu'est-ce que ce texte nous apprend sur les mœurs de la Renaissance ?
6. La discussion qui suit la nouvelle en corrobore-t-elle le propos* ou apporte-t-elle un nouvel éclairage ? Justifiez votre réponse en vous fondant sur les arguments proposés.

## François Rabelais (v. 1494-1553)

*Mieux est de rire que de larmes écrire,*
*parce que le rire est le propre de l'homme.*

François Rabelais devient moine franciscain avant d'entrer chez les bénédictins; il fait des études à l'université de Paris puis à celle de Montpellier, où il apprend la médecine. Il risquera la potence pour avoir fait des dissections. Grand voyageur, cet être impétueux aux multiples talents, doté d'une soif insatiable de nouvelles connaissances, est perçu aujourd'hui comme l'un des écrivains les plus inventifs de la littérature française.

Son amour effréné de la vie et du savoir éclate dans une œuvre originale et puissante. Il a écrit un gigantesque roman, composé de cinq livres, à mi-chemin, par l'esprit, des fabliaux médiévaux et des romans de chevalerie. L'œuvre s'étale sur trois générations d'une même famille de géants paillards et rigolards: le grand-père, Grandgousier, y incarne les valeurs du passé; son fils, Gargantua, celles du début de la Renaissance; le petit-fils, Pantagruel, celles de l'auteur. La fertile imagination de Rabelais y rend le monde fantastique aussi présent que la réalité.

Cette œuvre essentiellement satirique dénonce par le rire tout ce qui empêche l'homme de s'épanouir. Ni les textes sacrés, ni les institutions, ni les personnes n'échappent au ridicule. Véritable épopée burlesque, ce roman privilégie le comique de la dérision et du gigantisme. Ainsi, pour allaiter l'un de ses géants aux proportions colossales, Gargantua, il faut au moins *dix et sept mille neuf cent treize vaches*. Mais ces exagérations ne sont pas gratuites: Rabelais affirme plutôt par elles la grandeur de l'être humain telle que véhiculée par l'humanisme. Il invite le lecteur à dépasser le burlesque des apparences pour trouver la vérité cryptée, la sagesse qui se dissimule derrière l'apparence de la folie: *Rompre l'os et sucer la substantifique moelle*. À travers ses énormités, le romancier fait ainsi passer en finesse et en éclats de rire une critique de tous les fanatismes.

Comme tout le reste chez Rabelais, la taille physique est symbolique: elle en évoque une autre, intérieure, celle du savoir qui permet de s'approprier le monde entier. L'humaniste invite à se libérer des entraves d'ordre religieux, moral ou tout autre, afin d'arriver à saisir la vie dans sa totalité, dans une intime fusion du charnel et du spirituel. Tout doit servir au bonheur et à l'épanouissement de l'être humain. C'est l'apologie des potentialités créatrices de l'homme.

Cette vision du monde d'une exceptionnelle richesse est servie par une écriture sans égale dans la littérature française. Une prose carnavalesque, gaillarde fête des sens, multiplie à plaisir les styles, qui se ressentent de la démesure des héros et de leurs prouesses, et les tons qui se juxtaposent: comique et satirique, héroïque et tragique, vulgaire et descriptif, réaliste et ironique, parodique et absurde, lyrique et impudique. Une extraordinaire puissance verbale engendre un déferlement de mots: interminables énumérations, mots inventés, recours au lexique des langues étrangères... Cette créativité verbale exceptionnelle aura fortement contribué à libérer la prose de la poésie.

## Expressions que l'on doit à Rabelais

« Un malheur ne vient jamais seul. »

« Ignorance est mère de tous les maux. »

« L'habit ne fait pas le moine. »

« Autant vaut l'homme comme il s'estime. »

« Revenons à nos moutons. »

« Science sans conscience n'est que ruine de l'âme. »

« Toujours apprendre, fût-ce d'un sot. »

« En leur règle n'était que cette clause: Fais ce que voudras. »

« L'appétit vient en mangeant, la soif s'en va en buvant. »

« Tirez le rideau, la farce est jouée. »

« Les nerfs de la bataille sont les pécunes [l'argent]. »

« Par le monde, il y a plus de couillons que d'hommes. »

« Courez tous après le chien, jamais il ne vous mordra;
buvez toujours avant la soif, et jamais elle ne vous adviendra. »

# Comment instruire un géant

Il disposait donc son temps en telle façon qu'ordinairement il s'éveillait entre huit et neuf heures, qu'il fût jour ou non. Ainsi l'avaient ordonné ses régents antiques, alléguant ce que dit David : *Vanum est vobis ante lucem surgere*[1].

Puis il gambadait, penadait et paillardait[2] parmi le lit quelque bonne demi-heure, pour mieux ébaudir ses esprits animaux, et s'habillait selon la saison ; après quoi il se peignait des quatre doigts et du pouce, car ses précepteurs disaient qu'autrement se peigner, laver et nettoyer, c'était perdre son temps en ce monde.

Puis il fientait, pissait, toussait, crachait, rotait, etc., finalement se mouchait en archidiacre[3], et déjeunait, pour abattre la rosée et mauvais-air, belles tripes frites, belles carbonnades, beaux jambons, belles cabirotades[4] et force soupe de prime[5]. [...]

Après avoir bien à point déjeuné, il allait à l'église, où on lui portait dans un panier un gros bréviaire enveloppé, pesant, tant en graisse que fermoirs et parchemin, environ onze quintaux et six livres. Là il entendait vingt-six ou trente messes. Son diseur d'heures venait, l'estomac très bien antidote de sirop vignolat[6]. Il marmottait avec lui toutes ses kyrielles, et les épluchait si bien qu'il n'en tombait un seul grain à terre. Au sortir de l'église, on lui apportait sur une traîne de bœufs[7] une charge de grosses patenôtres[8], et, se promenant par les cloîtres, par les galeries ou jardins, il en disait plus que seize ermites.

Enfin, il étudiait quelque méchante demi-heure, les yeux sur son livre ; mais, comme dit le comique, son âme était à la cuisine. [...]

Après cela, nouveau repas, pendant lequel quatre de ses gens lui jetaient en la bouche, l'un après l'autre, continuellement, moutarde à pleines pelletées ; puis il buvait un horrifique trait de vin blanc. Il ne cessait de manger que lorsque le ventre lui tirait, et n'avait pour le boire ni fin, ni mètre[9], ni canon[10] [...]

François Rabelais, *Gargantua*, 1534.

**1.** « Il est vain de vous lever avant le soleil ». Citation tronquée d'un psaume. **2.** Gambadait, bondissait, se vautrait. **3.** D'abondance. **4.** Autres sortes de grillades. **5.** Morceaux de pain trempés mangés par les moines à prime (6 heures). **6.** Vin. **7.** Char à bœufs. **8.** Chapelets. **9.** Limites. **10.** Règle.

**Gustave Doré, *L'enfance de Pantagruel*, v. 1873.**

La figure du géant incarne la démesure des humanistes dans leur quête de l'épanouissement de l'homme.

VERS L'ANALYSE

## Comment instruire un géant

1. Résumez, en une ou deux phrases, le propos* de cet extrait. Quelle en est la tonalité* dominante ?
2. Comment le personnage de Gargantua incarne-t-il les valeurs de la Renaissance ? Comment Rabelais célèbre-t-il la grandeur de l'être humain ?
3. Comment l'écriture de Rabelais fait-elle ressortir le caractère excessif et démesuré de Gargantua ?
   a) Attardez-vous à la construction des phrases* et aux figures de style* pour étayer votre réponse.
   b) Relevez quelques verbes d'action* éloquents et expliquez l'effet de leur abondance.
4. Le style de Rabelais verse dans l'exubérance et dans le burlesque. Choisissez et commentez un passage dans lequel le choix des termes provoque le rire.

### Sujet d'analyse littéraire

**Analysez cet extrait en montrant comment le personnage de Gargantua correspond à la pensée humaniste.**

**Jan Massys, *Joyeuse compagnie*, 1562.**

Malgré sa recherche de mesure et d'équilibre, la pensée humaniste privilégie les réjouissances et le plaisir sous toutes ses formes.

## La prose d'idées : l'essai

*Il se faut prêter à autrui et ne se donner qu'à soi-même.*

*Montaigne*

Grâce à Montaigne, la prose d'idées prend, au XVIe siècle, son véritable essor. Cet écrivain innove en créant une œuvre qui deviendra le tout premier monument de la littérature du moi en même temps que le véhicule privilégié de la pensée humaniste. On appellera « essai » ce genre littéraire qui s'écarte des productions de l'époque, le nom même qu'a donné Montaigne à son ouvrage.

Un essai est caractérisé par la manière singulière de sa conception autant que par son contenu, qui peut aborder tous les sujets se prêtant à une réflexion critique. L'essayiste ne prétend pas à l'exhaustivité ou à l'exemplarité de son ouvrage. Ainsi, Montaigne a constamment repris ses premiers écrits, développé ses premiers thèmes, « s'essayant » à pousser plus avant sa réflexion, ce qui ne signifie pas que ses *Essais* soient incomplets. Au contraire, la grande modestie et l'ouverture d'esprit qu'ils requièrent de leur auteur de même que leur appel à l'intelligence du lecteur (*Un parler ouvert ouvre un autre parler et tire hors, comme fait le vin et l'amour*) en font l'un des textes les plus vivants de toute la littérature française.

### Michel Eyquem de Montaigne (1533-1592)

*Le vrai miroir de nos discours est le cours de nos vies.*

Tout à la fois au cœur du monde et retiré dans la solitude de sa tour, réfugié dans les vertus privées de la modération et de l'amitié, dialoguant avec lui-même autant qu'avec les auteurs qui l'ont précédé, Michel de Montaigne écrit un livre qui, quatre siècles plus tard, demeure inépuisable, nécessaire et actuel. L'écrivain se contente pourtant d'y consigner des digressions sur des événements de sa vie. Il ne parle à peu près que de lui-même : *Je veux qu'on m'y voie en ma façon simple, naturelle et ordinaire, sans tromperie ni artifice : car c'est moi que je peins* [...] *Ainsi, lecteur, je suis moi-même la matière de mon livre.* Ce patient travail de déchiffrement de soi et de la condition humaine décrit des expériences et des sentiments communs à tous les humains. C'est que, comme l'écrit Montaigne, *tout homme porte la forme entière de l'humaine condition*. En mariant une vaste culture humaniste avec l'observation des mouvements contradictoires de son moi, l'écrivain inaugure donc un nouveau genre littéraire : l'essai.

Montaigne philosophe sur la nature humaine, qu'il décrit en ce qu'elle a de mouvant : *Je ne peins pas l'être. Je peins le passage : non un passage d'âge en un autre,* [...] *mais de jour en jour, de minute en minute.* La conscience éclairée de Montaigne rejette les vérités toutes faites et les systèmes organisés ; c'est dire que la littérature se dépouille ici de toute portée moralisante : l'introspection, qui mène à la découverte de la vie pour en jouir pleinement, est strictement d'ordre laïque. Importent plus que tout la lucidité de l'esprit critique afin de se bien connaître et la sobriété d'une existence en accord avec la nature : *Nous ne saurions faillir à suivre la nature ; le souverain précepte consiste à se conformer à elle.* Montaigne, qui s'intéresse moins à la pensée qu'à la vie, propose comme art de vivre une sagesse qui n'est rien d'autre que la conscience de vivre, une conscience qui lève le voile sur nos « fautes ordinaires » : la cruauté, la trahison, la déloyauté, l'ambition, la jalousie, l'envie, le désir de vengeance, la superstition... Nietzsche écrira à son propos : *Qu'un tel homme ait écrit, vraiment la joie de vivre sur terre a été augmentée.*

La sagesse de Montaigne puise à différentes sources de l'Antiquité : le stoïcisme, le scepticisme et l'épicurisme. Il adhère d'abord au stoïcisme : pour vivre en harmonie avec son identité propre, il faut refuser la vanité et assumer sa condition humaine, avoir le courage d'accepter la souffrance et l'idée de sa propre mort : *Nous n'allons pas : on nous emporte*. Puis, il se tourne vers le scepticisme, qui lui procure un sens aigu de la relativité des pensées et du doute : *Que sais-je ?* et l'impossibilité de porter des jugements définitifs. Enfin, l'épicurisme l'amène à goûter les choses simples, à accroître la connaissance de soi et à cultiver l'amitié. En cette époque marquée par les guerres de Religion, Montaigne fait confiance aux ressources de l'esprit humain ; il invite à adopter une éthique de tolérance, émancipée des préjugés barbares, une sagesse toute simple, applicable au quotidien.

Montaigne aborde tous les grands thèmes de la condition humaine : la mort, l'amitié, l'éducation, la solitude... Son œuvre se présente comme une causerie libre et familière, sans composition rigoureuse, mais toujours riche en observations et en renseignements. Comme un dialogue de Montaigne avec lui-même. La phrase souple et substantielle, qui associe les hypothèses intellectuelles, les anecdotes désinvoltes et les éléments autobiographiques, est nourrie par un style vif et imagé, remarquable d'entrain et de mobilité, toujours au service de la pensée. Les expressions qui font image y sont nombreuses. Par son écriture, Montaigne oriente la littérature vers l'observation de l'âme humaine et, par sa sagesse, il annonce l'idéal classique de l'honnête homme du XVIIe siècle.

Dans ses *Essais*, Montaigne tente de se saisir lui-même dans l'acte d'écriture, ce qu'il affirme dans son préambule, « Au lecteur ».

# Au lecteur

C'est ici un livre de bonne foi, lecteur. Il t'avertit dès l'entrée que je ne m'y suis proposé aucune fin, que domestique et privée. Je n'y ai eu nulle considération de ton service, ni de ma gloire : mes forces ne sont pas
5 capables d'un tel dessein. Je l'ai voué à la commodité particulière de mes parents et amis, à ce que m'ayant perdu (ce qu'ils ont à faire bientôt) ils y puissent retrouver aucuns traits de mes conditions et humeurs, et que par ce moyen ils nourrissent plus entière et plus
10 vive la connaissance qu'ils ont eue de moi. Si c'eût été pour rechercher la faveur du monde, je me fusse mieux paré et me présenterais en une marche étudiée. Je veux qu'on m'y voie en ma façon simple, naturelle et ordinaire, sans tromperie et artifice : car c'est moi que je
15 peins. Mes défauts s'y liront au vif, et ma forme naïve, autant que la révérence publique me l'a permis. Que si j'eusse été parmi ces nations qu'on dit vivre encore sous la douce liberté des premières lois de nature, je t'assure que je m'y fusse très volontiers peint tout entier, et tout
20 nu. Ainsi, lecteur, je suis moi-même la matière de mon livre : ce n'est pas raison que tu emploies ton loisir en un sujet si frivole et si vain. Adieu, donc.

De Montaigne, ce premier de mars 1580.

Michel Eyquem de Montaigne, *Essais*, 1580.

## VERS L'ANALYSE

### Au lecteur

1. En quoi ce texte correspond-il au genre littéraire de l'essai, à la prose d'idées telle qu'elle existe au XVIe siècle ?
2. Dans ce préambule, Montaigne semble vouloir établir avec son lecteur une relation basée sur l'authenticité. Expliquez comment il s'y prend par l'étude des champs lexicaux*.
3. Comment les marques de l'énonciation* laissent-elles entrevoir le rapport d'intimité que l'auteur cherche à établir avec le lecteur ?
4. Quel passage est une référence aux peuples amérindiens découverts par les Européens à la Renaissance ?
5. En quoi le projet de Montaigne semble-t-il marqué par l'ambivalence ? Relevez les paradoxes qui mettent en lumière la difficulté de porter un regard sur soi-même tout en s'adressant à un lecteur.
6. Comment s'exprime la modestie de Montaigne ? Justifiez votre réponse en vous appuyant sur deux procédés d'écriture* au service du propos*.

#### Sujet d'analyse littéraire

Faites l'analyse de cet extrait en insistant sur le caractère introspectif de la démarche de Montaigne, qui fait de lui un « philosophe de la nature humaine ».

## Expressions que l'on doit à Montaigne

« À chaque pied son soulier. »

« Je donne mon avis non comme bon mais comme mien. »

« Il n'y a pas une idée qui vaille qu'on tue un homme. »

« Il n'y a pas de vent favorable pour celui qui ne sait où aller. »

« Savoir par cœur n'est pas savoir. »

« Le profit de l'un est le dommage de l'autre. »

« Qui craint de souffrir, il souffre déjà de ce qu'il craint. »

« Au plus élevé trône du monde, ne sommes assis que sur notre cul. »

« Quand je pourrais me faire plaindre, j'aimerais encore mieux me faire aimer. »

« Il nous faut réserver une arrière-boutique toute nôtre, toute franche, en laquelle nous établissons notre vraie liberté et principale retraite et solitude. »

« On construit des maisons de fous pour faire croire à ceux qui n'y sont pas enfermés qu'ils ont encore la raison. »

« L'une des plus grandes sagesses de l'art militaire, c'est de ne pas pousser son ennemi au désespoir. »

« Le gain de notre étude, c'est en être devenu meilleur et plus sage. »

« Les lois se maintiennent non parce qu'elles sont justes, mais parce qu'elles sont lois. »

« Le monde n'est qu'une branloire pérenne. »

« Je veux que ma mort me trouve plantant mes choux, mais nonchalant d'elle, et encore plus de mon jardin imparfait. »

« Philosopher, c'est apprendre à mourir. »

## Le théâtre de la Renaissance

Même si subsistent, durant pratiquement tout le siècle, des formes médiévales de théâtre, l'humanisme contribue à transformer le théâtre français en mettant à l'honneur les formes inspirées des grands auteurs grecs et romains. C'est ainsi que la tragédie en vient à remplacer le mystère chrétien : c'est la mise en scène de personnages de condition élevée, confrontés à un malheur exemplaire, qui vivent un moment de crise dont le dénouement sera une catastrophe. Quant à la farce, elle s'oriente vers des préoccupations plus psychologiques et aboutit à la comédie. Apparaît alors la comédie d'intrigue, faite de rebondissements et qui affectionne l'imbroglio. Mais dans la France de la Renaissance, ces pièces valent surtout pour leurs qualités virtuelles : leurs règles vont bientôt régir le théâtre classique du XVIIe siècle. En fait, le théâtre français de cette époque est surtout marqué par l'influence des troupes italiennes qui sillonnent son territoire.

### Le grand rayonnement du théâtre italien

En effet, c'est plutôt d'Italie que vient le renouveau théâtral. Dans ce pays, l'intérêt croissant pour le jeu scénique et la variété des genres de représentation nécessitent une nouvelle architecture pour l'art de l'illusion. Se servant des ressources de la perspective, l'architecte Andrea Palladio met fin à la complicité médiévale entre les acteurs et les spectateurs qui entouraient l'aire de jeu, et dessine un théâtre fermé à vision frontale. C'est le premier théâtre « à l'italienne ».

Par ailleurs, probablement dérivé des bonimenteurs de foire et perpétuant la vieille tradition latine de la pantomime, une forme de théâtre populaire, la *commedia dell'arte*, émerge au XVe siècle, pour devenir extrêmement populaire dans l'Italie de la Renaissance avant de se propager dans toute l'Europe ; son influence sur la comédie se fait sentir encore aujourd'hui.

Véhiculée par des troupes itinérantes, la *commedia dell'arte* se caractérise par de courtes improvisations

**Théâtre de Vicence, conçu par Palladio.**

Les avancées architecturales italiennes répondent aux exigences du renouveau théâtral de la Renaissance, qui privilégie désormais l'art de l'illusion au détriment de l'échange entre acteurs et spectateurs.

**Philippe Mercier, *Pierrot et Harlequin*, XVIII^e siècle.**

Forme populaire explorant la vie de tous les jours à travers des personnages stéréotypés, la *commedia dell'arte* entraîne une effervescence du théâtre italien dès le XV^e siècle.

basées sur des scènes de la vie quotidienne, un grossier canevas servant de fil conducteur à la représentation. Portant le demi-masque (sauf pour le rôle des jeunes premiers) qui ne cache que le haut du visage et permet ainsi de percevoir la mobilité des traits, une douzaine de comédiens professionnels, réunis sous l'autorité d'un chef de troupe, se sont chacun spécialisés dans des rôles bien définis : vieux barbon, valet balourd, soldat fanfaron, jeune première (pour la première fois les femmes sont présentes sur les scènes européennes), jeune premier... Ce jeu, basé sur la virtuosité verbale et gestuelle, exige un rigoureux apprentissage : à partir de techniques apprises et d'un répertoire de scènes types consignées dans des cahiers sous forme de canevas, l'acteur qui improvise doit donner au spectateur l'impression que ses gestes jaillissent spontanément. La *commedia dell'arte* a ainsi introduit dans le théâtre européen des types comiques immuables : le zanni, prototype de tous les valets de comédie, donnera naissance à Arlequin et à Scapin, alors que Pantalon, dont la richesse contraste avec la pauvreté du zanni, est l'ancêtre des vieux avares des comédies de Molière.

## Les plus belles lettres d'amour du XVI^e siècle

Peu de lettres d'amour du XVI^e siècle sont parvenues jusqu'à nous. Heureusement, on a pu en conserver quelques-unes du petit-fils de Marguerite de Navarre, le roi Henri IV (1553-1610), appelé le « bon roi Henri » par ses sujets. Une vie sentimentale très mouvementée a valu à ce séducteur impénitent le surnom de « Vert Galant ». Élevé dans le protestantisme, et un temps chef du parti calviniste, il n'hésite cependant pas à abjurer sa foi, affirmant d'une manière cynique : *Paris vaut bien une messe*. Ce geste de tolérance lui permet d'unifier et de pacifier la France.

De sa plume alerte et louangeuse, retenons des extraits de lettres qu'il adresse à la marquise de Verneuil et à Gabrielle d'Estrées, duchesse de Beaufort, dont il a eu trois enfants adultérins.

**Giorgione, *Vénus endormie*, 1508-1510.**

Le sujet mythologique ainsi que le traitement tout en subtilité et en retenue introduisent dans la peinture un érotisme voilé qui se veut avant tout une célébration de la féminité.

**Lucas Cranach, *Adam et Ève*, 1537.**

L'art de la Renaissance vise à faire du réel non plus une simple représentation, mais bien une interprétation, pour exprimer les nuances des émotions humaines.

## Henri IV à la duchesse de Beaufort

Mes belles amours, deux heures après l'arrivée de ce porteur, vous verrez un cavalier qui vous aime fort, que l'on appelle roi de France et de Navarre, titre certainement honorable, mais bien pénible. Celui de 5 votre sujet est bien plus délicieux. Tous trois ensemble sont bons, à quelque sauce que l'on les puisse mettre, et n'ai résolu de les céder à personne. J'ai vu par votre lettre la hâte qu'avez d'aller à Saint-Germain. Je suis fort aise qu'aimiez bien ma sœur; c'est un des plus 10 assurés témoignages que vous me pouvez rendre de votre bonne grâce, que je chéris plus que ma vie, encore que je m'aime bien. Bonjour, mon tout. Je baise vos beaux yeux un million de fois.

Le 12 septembre 1598

### VERS L'ANALYSE

### Henri IV à la duchesse de Beaufort

1. À qui s'adresse cette lettre? Relevez les marques d'énonciation* qui renseignent le lecteur quant au destinataire.
2. À quelle figure de style* associe-t-on le fait que le roi se désigne lui-même « sujet » dans sa lettre?

## Henri IV à la marquise de Verneuil

Cette lettre sera bien plus heureuse que moi, mon cher cœur, car elle couchera avec vous, jugez si je lui porte envie. Le sommeil m'a fait arrêter ici et par conséquent est cause de vous faire savoir de mes nouvelles. Voyez 5 comme dormant et veillant toutes mes actions se rapportent à vous plaire. Je m'en vais à Fontainebleau d'où à votre réveil vous saurez ce que je me résoudrai de faire. Bonsoir mon tout, je baise vous et les petits garçons un million de fois.

Le 21 octobre 1601

### VERS L'ANALYSE

### Henri IV à la marquise de Verneuil

1. Relevez une figure d'analogie* ou de substitution* (personnification*, métonymie*, etc.) et expliquez comment elle traduit les sentiments de l'auteur.
2. Commentez le choix des temps et modes verbaux* en les rattachant aux sentiments qu'ils permettent d'exprimer.
3. Relevez une hyperbole* et expliquez-en l'effet sur la destinatrice de cette lettre.

### Questions communes aux deux lettres

1. Ces deux lettres comportent des éléments propres à la pensée humaniste. Lesquels?
2. Comment, dans les deux cas, Henri IV désigne-t-il la femme aimée?

## VUE D'ENSEMBLE DE LA RENAISSANCE

### Contexte sociohistorique

**Renaissance**

Période d'effervescence et de progrès.

- Chute de Constantinople (1453), début de l'Empire ottoman.
- Désir de repousser les limites du monde, avec les grandes explorations.
  - Colomb, puis Cabot en Amérique, de Gama en Inde (1492-1498).
- Soif de connaissance, désir de diffusion :
  - perfectionnement de l'imprimerie ;
  - début des sciences modernes : médecine (intérêt pour le corps humain), astronomie (la Terre n'est pas le centre du monde).

**Déclin de la Renaissance**

Importants bouleversements sociaux et politiques liés à la colonisation et à l'assujettissement des peuples conquis.

- Règne de François Ier (1515-1542) : importants empires coloniaux, centralisation des pouvoirs, début de l'État moderne.
- Réforme, Contre-Réforme : crise religieuse marquée par la désillusion devant la corruption et la gestion douteuse de l'Église ; désir de retrouver les bases du christianisme.
- Guerres de Religion (1562-1598).
- Règne d'Henri IV (1572-1610).
  - Édit de Nantes (1598) : reconnaissance de la liberté de culte des protestants, fin des guerres de Religion.

### Courants artistiques et littéraires : principales caractéristiques

**Humanisme**

Courant qui s'affirme d'abord en Italie, au XVe siècle, en peinture : art glorieux, éclosion de talents, expression d'une beauté paisible.

- Principes généraux de l'humanisme :
  - confiance en l'être humain, en ses talents ;
  - célébration du corps ;
  - retour aux sources, imitation des Anciens ;
  - curiosité accrue, ouverture, soif de savoir, goût du voyage ;
  - idéalisme paradoxal, rêve d'une société pacifique, culte de l'équilibre et de la mesure qui n'exclut pas la recherche du bonheur, de la jouissance et du plaisir.
- Révolution picturale en Flandre : réaction à la Réforme, qui limite l'influence des artistes italiens.
- Souci du détail dans la représentation de scènes du quotidien.

**Maniérisme en peinture**
(70 dernières années du XVIe siècle)

Reflet de la crise sociale et politique qui marque le XVIe siècle : art décadent, expression de la désillusion, distorsions remettant en cause les principes établis au début de la Renaissance.

### Genres littéraires, auteurs, œuvres marquantes

**Poésie : ode et sonnet**

Désir de renouveler les formes poétiques, rejet des formes médiévales, préférence pour l'alexandrin. P. ex. : Louise Labé, Clément Marot, Joachim du Bellay, Pierre de Ronsard, Agrippa d'Aubigné.

**Contes et nouvelles**

Récits réalistes inspirés de la vie quotidienne, porteurs d'une morale et d'une réflexion sur l'humain. P. ex. : *L'heptaméron,* Marguerite de Navarre.

**Roman**

Rejet de la forme versifiée. P. ex. : *Pantagruel, Gargantua,* Rabelais.

**Essai**

Essor considérable de la prose d'idées. P. ex. : *Essais,* Montaigne.

# 3 Le XVII^e siècle, le Grand Siècle

## OU LE TRIOMPHE DE LA RAISON D'ÉTAT

# Auteurs et œuvres à l'étude


Théophile de Viau

- *Œuvres poétiques – Le monde à l'envers* ........ 86

Marc-Antoine Girard, sieur de Saint-Amant

- *Œuvres poétiques – Le melon* ........ 87

François de Malherbe

- *Consolation à Monsieur du Périer, gentilhomme d'Aix-en-Provence, sur la mort de sa fille* ........ 88

Honoré d'Urfé

- *L'Astrée – Une conception mythique de l'amour* ........ 90

Madeleine de Scudéry ........ 92

Pierre Corneille

- *Le Cid – Je dois tout à mon père avant qu'à ma maîtresse* ........ 94

William Shakespeare

- *Hamlet – Être ou ne pas être* ........ 97

Nicolas Boileau

- *Art poétique – Vingt fois sur le métier remettez votre ouvrage* ........ 100

Jean de La Fontaine

- *Fables – Les animaux malades de la peste* ........ 102

Madame de La Fayette

- *La princesse de Clèves – Vous le connaissiez sans jamais l'avoir vu* ........ 105

Charles Perrault

- *Le petit chaperon rouge* ........ 106

René Descartes

- *Discours de la méthode – Je pense, donc je suis* ........ 108

Blaise Pascal

- *Pensées – Le divertissement* ........ 111

François de La Rochefoucauld

- *Réflexions, sentences et maximes morales – L'orgueil se dédommage toujours* ........ 112

Jean de La Bruyère

- *Les caractères – À plus de onze cents lieues de mer des Iroquois et des Hurons* ........ 114

Madame de Sévigné

- *Lettres – La Brinvilliers est en l'air* ........ 115

Jean Racine

- *Phèdre – Je m'abhorre encor plus que tu ne me détestes* ........ 118

Molière

- *Dom Juan – Je crois que deux et deux sont quatre* ........ 121
- *Tartuffe – Ah ! pour être dévot, je n'en suis pas moins homme* ........ 123

Vincent Voiture

- *Lettres – Un honnête homme ne devrait pas vivre après avoir été dix jours sans vous voir* ........ 124

# Le XVIIe siècle, le Grand Siècle

## OU LE TRIOMPHE DE LA RAISON D'ÉTAT

*Ce n'est pas assez d'avoir l'esprit bon, mais le principal est de l'appliquer bien.*

*René Descartes*

## Le Grand Siècle

En 1610, Henri IV, qui avait réussi à mettre un terme aux guerres de religion en France, est assassiné par un catholique fanatique. Malgré sa popularité, le roi n'avait jamais pu faire oublier aux radicaux ses origines protestantes. Après les conflits, les massacres des guerres de Religion au siècle précédent et ce régicide, le peuple espère qu'un pouvoir royal fort et stable puisse établir une paix durable. Aussi, quand le fils d'Henri IV, Louis XIII (1610-1643), accède au trône, les catholiques sont rassurés de constater que la nouvelle politique limitera les droits des protestants en France.

Pour autant, ce siècle n'échappera pas aux heurts et aux malheurs susceptibles de survenir en tout siècle, dans n'importe quel pays occidental: tensions et haines religieuses, agitations sociales qui opposent nobles et bourgeois se liguant contre l'abus de pouvoir de la monarchie,

**Le baroque et le classicisme**

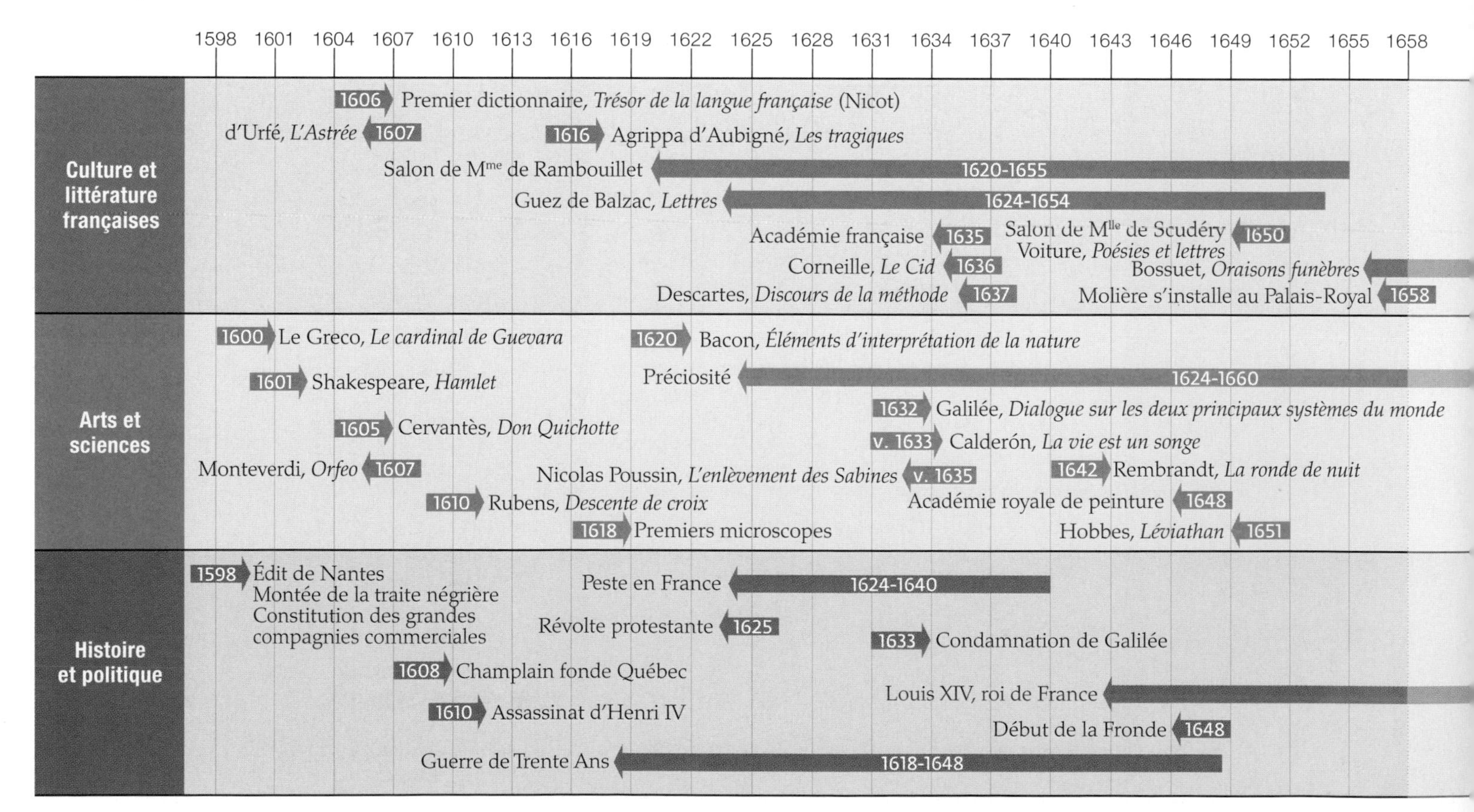

soulèvements populaires à cause des disettes et de la lourdeur des impôts, troubles politiques de tous ordres, guerres contre les pays limitrophes qui « siphonnent » l'économie nationale...

## Les libertins

Grâce à la Contre-Réforme, l'Église catholique a pu imposer son autorité dans différents domaines. Certains refusent pourtant le carcan d'une Église désormais triomphante. S'inscrivant dans le prolongement du bouillonnement intellectuel de la Renaissance, ceux qu'on appelle les « libertins » (à ne pas confondre avec ceux qui pratiqueront un libertinage de mœurs au XVIII^e^ siècle), affranchis des croyances traditionnelles, prônent plutôt la liberté de réflexion et de conduite et expriment un doute extrême sur le monde et les certitudes qu'on peut en avoir. Ces libres penseurs dénoncent la stricte orthodoxie religieuse imposée par l'Église – à leurs yeux une imposture au service du pouvoir politique, tout juste bonne à maintenir le peuple dans la sujétion, une garantie de morale et d'ordre – et contestent le pouvoir d'une monarchie prétendument « de droit divin ».

Cette conception philosophique, qui remet en cause les croyances et le fonctionnement de toute une société, leur vaudra de nombreuses attaques; le poète Théophile de Viau sera même condamné à mort en 1626. Le recul du temps permet d'affirmer que ces rationalistes qui dénoncent la crédulité et refusent d'admettre sans discussion l'irrationnel sont les semeurs d'un germe qui fleurira au Siècle des Lumières, alors que s'amorcera une contestation systématique de la religion.

***Louis XIV costumé en roi soleil dans le ballet « La nuit », 1653.***

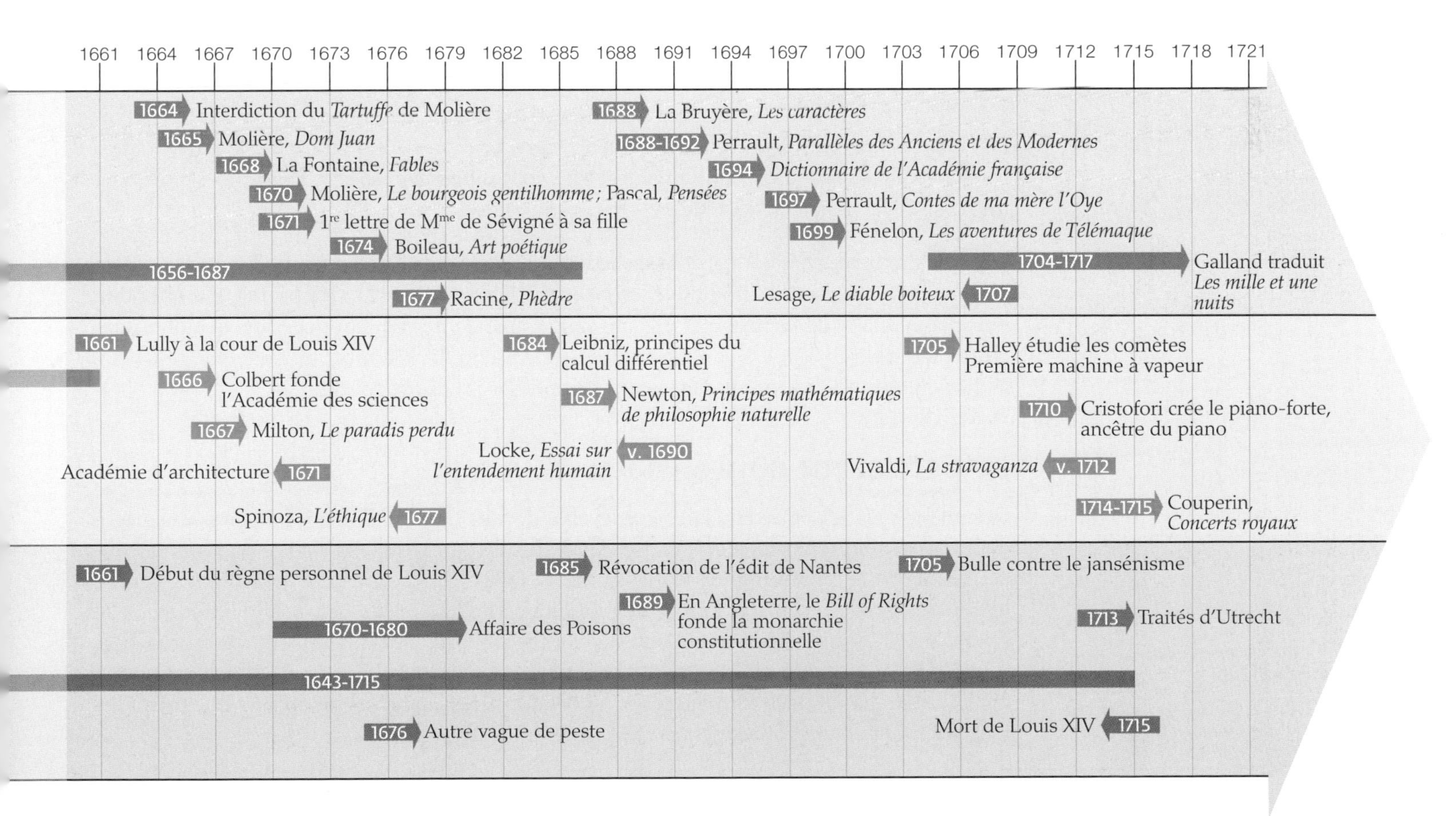

## Le XVIIe siècle en Amérique du Nord

1604 : Après une première habitation à l'île Sainte-Croix (Maine actuel), Samuel de Champlain (v. 1567-1635) se transporte à Port-Royal (Nouvelle-Écosse), premier établissement français en Amérique du Nord.

1607 : Des émigrés forment le premier établissement anglais à Jamestown, en Virginie.

1608 : Champlain fonde Québec. La France affirme sa volonté de s'implanter en Amérique en y établissant ses premiers colons.

1620 : Cent vingt protestants (ou puritains) anglais, persécutés pour leur foi, s'embarquent sur le *Mayflower*. Ces « pères pèlerins » vont fonder Plymouth, première colonie anglaise en Nouvelle-Angleterre.

1627 : Fondation de la Compagnie de la Nouvelle-France, chargée de faire fructifier la colonie.

1642 : Fondation du bourg de Ville-Marie (Montréal).

1663 : La Nouvelle-France devient une colonie royale. Au XVIIe siècle, environ dix mille Français quitteront leur pays pour venir s'établir au Canada.

1682 : L'explorateur Cavelier de La Salle (1643-1687) découvre le Mississippi et prend possession de la contrée qu'il nomme Louisiane, en l'honneur de son roi. Également maître du Saint-Laurent, l'Empire français contrôle désormais les deux principales voies fluviales donnant accès à tout le continent nord-américain.

## Le règne de Louis XIV : « L'État, c'est moi. »

Néanmoins, le XVIIe siècle se distingue de tous les autres. Jamais la France n'a connu auparavant ni ne connaîtra par la suite un prestige égal à celui qui est alors le sien. Un nom explique ce rayonnement : le nouveau roi, Louis XIV (1643-1715), l'archétype du monarque absolu, qui s'est lui-même désigné comme le Roi-Soleil. À l'instar des planètes gravitant autour du Soleil, la France se doit de graviter autour de sa personne dans sa demeure, Versailles, devenue le « théâtre du monde ».

L'intelligence de ce monarque lui permet d'exercer seul l'autorité sur le royaume, en centralisant entre ses mains tous les pouvoirs, qu'ils soient d'ordre politique, économique, militaire, religieux, culturel ou artistique[1]. Louis XIV, qui ne s'estime responsable que devant Dieu, souhaite l'existence d'une seule religion, la sienne, ce qui ne l'empêche pas de faire perdre des privilèges à l'Église. Il réduit les pouvoirs du Parlement, reléguant les ministres au rang de simples exécutants. Écope également la noblesse, qui perd son indépendance en étant domestiquée à la cour, devenue le centre indiscutable du royaume. *Rien ne plaisait plus* [au roi] *que la flatterie*, écrivit le duc de Saint-Simon. Louis XIV impose aux artistes de chanter sa gloire et ses mérites : les arts sont encouragés dans la mesure où ils sont conçus pour mettre en valeur l'autorité et la grandeur de sa royale personne.

La France jouit à cette époque d'un ascendant sur tous les pays d'Europe, qui envient son génie créateur et civilisateur. Néanmoins, la soif du pouvoir de Louis XIV, qui le pousse à mener des guerres expansionnistes contre ses voisins jusqu'à obtenir en partie l'hégémonie en Europe, fera de son long règne une suite ininterrompue de guerres aussi coûteuses en argent qu'en vies humaines ; elles vont ruiner la trésorerie française et provoquer une crise de la monarchie absolue.

Aussi, la fin de ce siècle verra-t-elle ses bases politiques et culturelles complètement remises en question ; une sensibilité nouvelle aux inégalités sociales viendra porter une attention neuve à la réalité de la misère et des inégalités, changement qui appelle une évolution des croyances et des mœurs. Quand le Grand Siècle prend fin à la mort de Louis XIV, en 1715, le Siècle des Lumières viendra tenter de répondre à ces nouvelles attentes.

## Le persistant contentieux religieux

Cumulant tous les pouvoirs, le roi, redevable devant Dieu seul, n'a pas à se soumettre à l'autorité des représentants de l'Église. Même les évêques, qu'il se charge de nommer lui-même, sont ses représentants. Dans les faits, l'Église est sous la tutelle du roi. En retour, le roi se donne pour mission de protéger la foi catholique et de poursuivre la lutte contre l'hérésie protestante. Il révoque l'édit de Nantes (1685), pourtant signé par son prédécesseur Henri IV, ce qui rend les protestants pratiquement hors la loi. Il en résulte de nouveaux épisodes sanglants entre catholiques et protestants. Des centaines de milliers de huguenots (surnom donné aux protestants) sont alors contraints de s'expatrier.

1. En arts, Louis XIV impose le classicisme.

**Adam Frans Van der Meulen, *Le passage du Rhin en 1672*, XVII^e^ siècle.**
Équilibrée et sensible, l'œuvre classique corrobore la puissance du Roi Soleil par la glorification de ses victoires.

Une nouvelle crise menace bientôt ce monolithisme religieux: deux groupes s'affrontent à l'intérieur même de l'Église catholique: les jésuites et les jansénistes. Les premiers, tolérants et libéraux, croient à la liberté de l'homme dans la recherche de son salut. Les seconds proposent au contraire une vision de l'homme enchaîné au péché dans un monde corrompu; malgré ses efforts pour obtenir sa rédemption, Dieu peut lui refuser le secours de la grâce. Cette forme austère du catholicisme sera condamnée par l'Église, et les jansénistes (dont le nom vient de l'évêque hollandais Jansénius) seront bientôt pourchassés et persécutés au même titre que les protestants.

Malgré la mise au ban des jansénistes, leur vision pessimiste de l'homme tourmenté par ses désirs et par les forces du mal triomphera dans la société aussi bien que dans la littérature (entre autres chez Pascal et Racine). Même ces catholiques rigoristes et intransigeants que sont les dévots[1], qui pratiquent une piété ostentatoire et une morale scrupuleuse et qui seront si puissants à la fin du règne de Louis XIV, partagent la tragique vision janséniste de la nature humaine.

## Les salons féminins

Parallèlement à ces querelles religieuses, la cour de Versailles, où se rencontre une société choisie de beaux esprits et de gens de lettres, adopte les anciens codes de courtoisie comme instruments de coercition et de contrôle au service de l'absolutisme royal. Afin de se soustraire à ce diktat, de grandes dames de l'aristocratie se retirent de la cour, préférant un espace privé où elles accueillent leurs familiers. Ce phénomène semble naître vers 1618 avec la marquise de Rambouillet (1588-1655), qui fait construire, près du Louvre, le splendide hôtel de Rambouillet: tout ce que Paris compte d'influent dans le monde des idées s'y retrouvera.

1. Molière se moque d'eux dans sa pièce *Tartuffe* (1664).

## L'apport scientifique du XVII^e siècle

1609 : Johannes Kepler (1571-1630) formule les deux premières lois du mouvement des planètes autour du Soleil.

1610 : Galilée conçoit un télescope qui fait reculer les bornes de l'Univers ; il soutient les idées coperniciennes et définira bientôt les lois mathématiques de la nature.

1628 : William Harvey (1578-1657) explique le mécanisme de la circulation du sang.

1651 : Thomas Hobbes (1588-1679) fait paraître le *Léviathan*, la première analyse de la nature humaine et de la société élaborée en dehors de toute perspective théologique, sous un angle strictement rationaliste et matérialiste.

1651 : Harvey affirme que tout être vivant provient d'un œuf.

1654 : Baruch Spinoza (1632-1677) affirme que la Bible et la science ne seront jamais conciliables.

1661 : John Evelyn (1620-1706) dénonce la pollution de l'air qui met en danger la santé des Londoniens.

1677 : Publication de *L'éthique*, de Spinoza, qui justifie la séparation du raisonnement philosophique, basé sur la raison, et de la théologie, fondée sur la révélation.

1684 : Gottfried Wilhelm Leibniz (1646-1716) publie ses principes du calcul différentiel.

1684 : Isaac Newton (1643-1727) formule la théorie de la gravitation universelle, qui explique l'ordre de l'Univers.

Ces dames animent des salons qui s'efforcent de tenir à distance la violence du siècle autant que la tutelle de l'Église, préférant de beaucoup discuter de littérature. Elles en viennent à établir un savoir-vivre et une nouvelle civilité liée à l'art de la conversation : l'intuition psychologique et l'improvisation comptent désormais autant que les connaissances. Subtilement décliné, l'esprit définit une nouvelle politesse et les limites de l'humour toléré de même que de l'éloquence du corps (regard et gestes). Ces nouveaux usages, qui supposent l'égalité des partenaires, font découvrir à la noblesse, bridée à la cour, une nouvelle civilité où l'épée est échangée contre la rhétorique.

## Un modèle social : l'honnête homme

Ces assemblées en viennent à promouvoir un idéal moral et social d'homme du monde, l'*honnête homme*, qui incarne avec l'élégance de ses manières et de son esprit les valeurs du classicisme français. Il prend la relève de l'humaniste de la Renaissance, de l'idéal chevaleresque du Moyen Âge et de l'*homme de bien* des Anciens. Parfait mondain, l'honnête homme fuit les excès et cultive l'art de plaire. Il fréquente la bonne société, où il brille par sa conversation et fait bonne figure en toutes circonstances. Ouvert et cultivé, sociable et élégant, dandy avant la lettre, courageux et intelligent, réfléchi et partisan du juste milieu, il cumule toutes les qualités souhaitables.

Compte tenu de la nature humaine, bien peu réalisent cet idéal. Et quand des moralistes décriront leurs contemporains, tel François de La Rochefoucauld (1613-1680), on comprendra que l'idéal de l'honnête homme est difficilement atteignable.

## Les premiers temps de la science moderne

*Les sciences disent comment va le ciel et la religion dit comment on va au ciel.*

*Galilée*

Bien loin de ces préoccupations mondaines, durant tout le XVII^e siècle, une révolution se trame en sourdine. Des progrès technologiques, comme l'invention du microscope et du télescope, offrent de nouvelles manières d'observer le monde. L'astronome Galilée (1564-1642) est de ceux qui propagent l'idée que la science et la théologie relèvent de formes de raisonnement et de démonstration différentes. L'Écriture sainte, qui parle par images et paraboles pour irréfutablement révéler les lois de l'Univers, établir le géocentrisme et dresser une chronologie de la création du monde, ne doit pas être tenue pour un livre de physique ou de sciences naturelles. Condamné en 1633 par le tribunal de l'Inquisition pour avoir contredit le texte de l'Ancien Testament, selon lequel le Soleil tournerait autour de la Terre, Galilée a tout de même fondé, avec d'autres, la science moderne. En s'appuyant sur les preuves fournies par ses propres sens pour tirer des conclusions au sujet de la nature de l'Univers, il a transformé les rapports entre science et religion. Ainsi s'est amorcé un très long processus dans lequel se sont engagés astrologues et mathématiciens, naturalistes et chimistes, théologiens et historiens, où prime le désir de la science de raisonner et d'arraisonner le monde, de l'explorer et de l'exploiter.

# Les courants artistiques au XVII^e siècle

*Le classique, tendant à la définition fixe, est de type architectural ; le baroque, excitant des perceptions émotives et mouvantes, est de type musical.*
*René Huyghe*

Le XVII^e siècle voit la naissance de deux courants artistiques aux idéaux apparemment opposés, mais indissociables dans une relation de continuité et d'échange : le baroque et le classicisme, tous deux héritiers de l'idéal humaniste de la Renaissance.

Ces deux visions originales du monde dominent successivement, mais non exclusivement, la première et la seconde moitié du siècle. D'ailleurs, davantage que des courants artistiques, il s'agit de deux grandes tendances qui, siècle après siècle, semblent imposer à tour de rôle leur façon d'envisager l'œuvre créatrice.

**Le Caravage, *La mort de la Vierge*, v. 1601-1606.**

Le recours au clair-obscur confère aux êtres une profondeur dramatique qui célèbre la vie à travers la mort.

## Le baroque

Le baroque se développe en Europe à partir de la fin du XVI^e siècle. En peinture, ce style marque moins un changement d'école qu'une évolution du maniérisme, l'expression d'une dramatisation de la vie, étroitement liée à la recherche de nouvelles expressions de la beauté : l'étonnant, le surprenant, l'apparemment disproportionné. Il multiplie les équilibres instables, les lignes courbes, les trompe-l'œil, les illusions ; mieux, il entend dire le beau à travers le laid, la vie à travers la mort. Le peintre baroque exprime une multiplicité de détails et de formes et s'oblige à combler l'espace qu'il déploie devant lui. Dans le but de retrouver les coloris matériellement exacts des choses, cette peinture accorde une grande importance aux recherches lumineuses.

La lumière perd ici sa limpidité au profit de clairs-obscurs propres à rendre l'irradiation chaude de la chair ou la souplesse des étoffes. Une palette privilégiant des couleurs sombres, des gris terreux, des noirs opaques et des bruns mats crée des contrastes brusques et saisissants d'ombre et de clarté. Ces alternances de lumière et de nuit, cette irruption de la nuit dans la lumière colorent les êtres et les choses sous un éclairage qui se veut dramatique, les diluant fréquemment dans les mystérieuses profondeurs des ombres. Ces peintres qui souhaitent exprimer la vie dans la nature même de son élan ont produit de nombreuses natures mortes, dites vanités, qui rappellent la brièveté de la vie. Le Caravage, Rubens, Rembrandt, Vermeer, Vélasquez et de La Tour sont de ces peintres éminemment subjectifs qui s'adressent à la sensibilité et à l'imagination de celui qui regarde leurs toiles.

## Quelques compositeurs de musique

**Baroque**

Claudio Monteverdi (1567-1643)

Antonio Vivaldi (1678-1741)

Jean-Sébastien Bach (1685-1750)

**Classique**

Jean-Baptiste Lully (1632-1687)

Joseph Haydn (1732-1809)

Wolfgang Amadeus Mozart (1756-1791)

### Le classicisme

*L'ordre de l'État exige une certaine uniformité des conduites.*

*Richelieu*

L'autre tendance, le classicisme, correspond à l'apogée de la puissance de Louis XIV. Elle se détourne de l'inspiration débridée et de la fantaisie du baroque pour puiser son inspiration dans les grands maîtres de l'Antiquité et de la Renaissance. Contre la menace d'incohérence du baroque, le classicisme vient imposer ses compositions marquées par le sens de la mesure. À la beauté de la Renaissance, le classicisme du XVIIe siècle substitue une beauté stylisée, condensée. Plus que dans la nature réelle, ces artistes perçoivent la beauté idéale dans l'essence de cette nature, les vérités immuables derrière les apparences. Aussi soumettent-ils cette dernière à des normes où la rigueur formelle estompe les éléments expressifs.

Leurs compositions visent à tout soumettre au principe de l'ordre et de la raison : symétrie, centre, forme fermée, perspective convergente. Les formes sont dorénavant rendues précises grâce à la primauté du contour du dessin : au sfumato de Léonard de Vinci, on préfère la pureté de la ligne raphaélique. Cet art aux représentations rationnelles entend exalter les bons sentiments, développer des sujets nobles à la gloire de l'action humaine. Le classicisme purge donc la réalité de toute sa part de contingence en l'obligeant à épouser les contours d'une forme parfaite et spiritualisée tout en semblant imiter le réel. Charles Le Brun, Nicolas Poussin et Claude Gellée, dit le Lorrain, figurent parmi ses principaux représentants.

## L'évolution de la langue française au XVIIe siècle

**Laurent de La Hyre, *Allégorie de la Grammaire*, 1650.**

Tout comme la grammaire permet l'énonciation claire dans la transmission du savoir, l'œuvre classique privilégie mesure et précision par une composition dépouillée, à la perspective irréprochable.

Après les élans d'enthousiasme des écrivains qui, au XVIe siècle, avaient enrichi le vocabulaire en accueillant le plus de mots possible, le XVIIe siècle décide de procéder à un tri, de mettre de l'ordre dans une langue jugée trop luxuriante et souvent imprécise. C'est qu'en ce siècle, ordre des mots et ordre des choses vont de pair ; la raison impose dans tous les domaines des exigences de clarté et de rigueur.

En 1635, le pouvoir royal fonde l'Académie française, une assemblée d'académiciens chargés d'établir les règles du bien-dire et du bien-écrire en français. Rédigé sous la direction du théoricien de la langue Claude Favre de Vaugelas (1585-1650), le premier dictionnaire de l'Académie française paraît en 1694 : un lexique de 24 000 mots usuels et 15 000 termes techniques. D'autres dictionnaires plus démocratiques viendront s'ajouter à ce premier ouvrage officiel et élitiste. Le même Vaugelas avait

## Des mots à odeur de soufre

Qu'ont en commun les mots «morbleu», «jarnibleu», «palsambleu», «ventrebleu», «parbleu» et autres «corbleu»?

Puisqu'il était interdit aux fidèles – et sévèrement punissable par la loi – de jurer et d'employer à tort et à travers des mots du vocabulaire religieux, et au plus haut point le nom de Dieu, nombre de jurons sont nés par déformation ou substitution afin de voiler la référence à Dieu ou à la religion: «par la mort de Dieu» (morbleu), «je renie Dieu» (jarnibleu), «par le sang de Dieu» (palsambleu), «ventre de Dieu» (ventrebleu), «par Dieu» (parbleu), «par le corps de Dieu» (corbleu).

Ces euphémismes blasphématoires sont fort révélateurs de l'écart pouvant exister entre la volonté de l'autorité politique ou religieuse et ce que peut se permettre le peuple.

déjà publié, en 1647, *Remarques sur la langue française*, qui codifie le «bon usage» du français, fondé sur le «bon goût» de la cour. Il définit ainsi ce qu'il faut entendre par le bon usage:

> *Le mauvais* [usage] *se forme du plus grand nombre de personnes, qui presque en toutes choses n'est pas le meilleur, et le bon au contraire est composé non pas de la pluralité, mais de l'élite des voix, et c'est véritablement celui que l'on nomme le maître des langues. Voici donc comment on définit le bon usage: c'est la façon de parler de la plus saine partie de la Cour.*

L'usage de la cour, qui tient la pureté de la langue pour une forme de politesse, décide donc de l'emploi correct d'un mot, d'une expression ou d'une forme grammaticale. La *Grammaire générale et raisonnée de Port-Royal* complétera en 1660 la démarche de Vaugelas en faisant triompher le purisme grammatical.

Quant aux salons mondains, qui voient du même œil élégance des mœurs et élégance des propos, ils contribuent également au raffinement de la langue, qui se fait plus spirituelle. Ils mettent de l'avant un style qui donne l'impression du naturel, mais d'un naturel tempéré par un certain idéal de noblesse et même de solennité dans l'expression.

En littérature, des poètes militent pour des normes linguistiques plus rigoureuses. François de Malherbe (1555-1628), qui a fixé les règles du vers français, condamne à son tour les innovations de la génération qui l'a précédé; il revendique une langue simple, dont chaque mot a un sens déterminé (*un mot pour une idée, un seul sens pour un mot*). Nicolas Boileau (1636-1711) poursuivra sa démarche en vue d'une langue plus resserrée et plus efficace: *Ce que l'on conçoit bien s'énonce clairement / Et les mots pour le dire arrivent aisément.* Ces deux vers, parmi les plus célèbres de son *Art poétique* (1674), font de la raison le point de départ d'une communication efficace et pertinente. Dorénavant codifié et anobli, le français gagne tous les domaines du savoir dans les frontières du pays en même temps qu'il devient la langue de l'élite européenne, de Londres à Moscou. Il demeurera la langue diplomatique jusqu'à la guerre de 1914-1918. C'est, à quelques différences mineures près, la langue que l'on écrit encore aujourd'hui.

# La littérature: naissance des premiers véritables courants littéraires

Les deux courants artistiques abordés précédemment, le baroque et le classicisme, sont tout aussi présents dans la littérature du XVII^e^ siècle.

## La littérature baroque et la préciosité

> *Le baroque parle la même langue que la Renaissance, mais à la manière d'un dialecte sauvage.*
> *Jacob Burckhardt*

Le baroque ne peut exprimer que par un art excessif les excès d'un monde et d'un ciel sentis comme démesurés et infinis. Comme ce monde est sans vérité absolue, les écrivains baroques manifestent un grand esprit de tolérance dans leur vie comme dans leur art. Ils s'octroient une totale liberté, refusent les règles contraignantes, mélangent les styles, les genres et les tonalités. Certains auteurs rejettent jusqu'aux articulations logiques, leur préférant le procédé

**Claude Deruet, *L'air*, v. 1640.**

La composition touffue, l'abondance de détails et les jeux saisissants d'ombre et de lumière soulignent les excès d'un monde démesuré, infini.

d'accumulation. Le baroque privilégie comme thèmes le provisoire, la perpétuelle transformation, l'inconstance amoureuse, la métamorphose et la succession des saisons. L'illusion l'emporte sur la réalité, et s'ensuit une rhétorique du trompe-l'œil, de l'ornementation, jusqu'à la démesure. Ce qui compte est ce qui impressionne. Cette littérature tente de saisir le monde dans ses contrastes. Exubérante, elle se plaît à fusionner les opposés, ne distinguant plus le vrai du faux, l'amour de la haine, l'attraction de la répulsion, le réel du fantastique, la veille du rêve, la vie de la mort.

Cette esthétique au service de l'imaginaire et du sensible, constamment à la recherche de l'effet théâtral, se colorera, sous l'influence des salons féminins devenus le centre de la vie culturelle à partir des années 1630, de particularités nouvelles pour engendrer ce qu'on appelle la *préciosité*, l'affirmation extrême des tendances baroques. La manière précieuse cherche à impressionner en se montrant excessive ; elle est caractérisée par un style encore plus imagé qui recourt à la périphrase, un langage recherché et des métaphores inattendues alliant concret et abstrait :

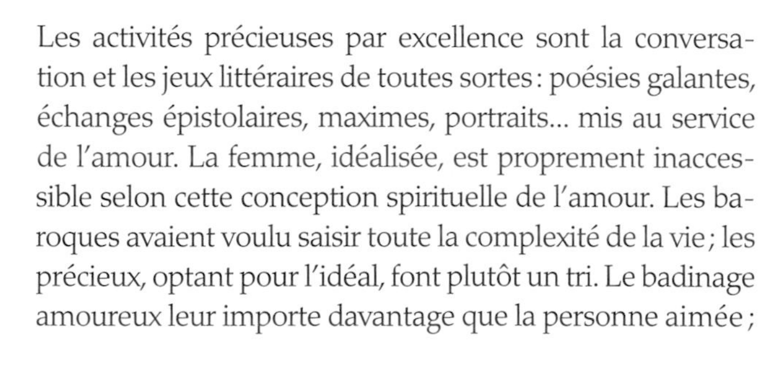

*Ses yeux jetaient un feu dans l'eau [...]*
*Et l'eau trouve ce feu si beau*
*Qu'elle n'oserait l'éteindre.*

*Théophile de Viau*

Les activités précieuses par excellence sont la conversation et les jeux littéraires de toutes sortes : poésies galantes, échanges épistolaires, maximes, portraits... mis au service de l'amour. La femme, idéalisée, est proprement inaccessible selon cette conception spirituelle de l'amour. Les baroques avaient voulu saisir toute la complexité de la vie ; les précieux, optant pour l'idéal, font plutôt un tri. Le badinage amoureux leur importe davantage que la personne aimée ;

**Juan de Valdés Leal, *La mort entourée des emblèmes de la vanité humaine*, XVII^e^ siècle.**

Les contrastes de la peinture baroque permettent l'expression d'une beauté singulière, dans laquelle vie et mort cohabitent.

**Hans Baldung, dit Grien, *Les âges de la vie et la mort*, 1541-1544.**

Dans un esprit de liberté et de tolérance, l'esthétique baroque illustre la perpétuelle transformation de la vie, le mouvement vers la mort.

ils sont à la recherche d'un monde épuré où le cœur et l'esprit échappent à la trivialité du réel, où toute forme de grossièreté est gommée. C'est le règne des civilités affectées et des virtuosités verbales; les subtilités langagières traduisent les subtilités des sentiments. Le raffinement de la langue et les jeux de l'esprit confèrent de l'importance aux choses les plus banales. Dans *Les précieuses ridicules*, Molière a stigmatisé les excès de cette langue ornée, métaphorique, étincelante à outrance.

Malgré ses excès, la préciosité a contribué à donner sa précision à la langue française et a orienté la littérature vers l'analyse du cœur humain, ouvrant ainsi la voie à la psychologie de la prochaine période classique.

## La poésie baroque et la poésie précieuse

*L'amour est une fumée faite de la vapeur des soupirs.*
*Shakespeare*

Exprimant le changement inscrit en l'homme et autour de lui, les poètes baroques disent les déchirements de la nature humaine. Pour ce faire, ils se plaisent à recourir à des images surprenantes dans des compositions souvent denses et touffues. Pour produire leurs effets, ils usent de tous les ornements de la langue, de tous les déguisements rhétoriques: antithèses qui soulignent le contraste, voire la contradiction au cœur de la réalité; comparaisons-chocs et métaphores hardies qui superposent des univers distincts, introduisent la confusion entre le comparant et le comparé; accumulations et hyperboles pour accentuer les traits et produire un effet de démesure; personnifications qui donnent vie aux objets et aux notions pour signifier que rien n'est simple, que tout se transforme, se métamorphose. L'imaginaire privilégie les thèmes de l'eau – élément mouvant et insaisissable par excellence, image même du changement – et du feu aux formes éphémères, sans oublier ceux de la nature en constant renouvellement et de la mort, dernier passage effectué par le corps. Le sentiment amoureux est lui aussi décrit comme un passage. C'est dire que l'amour, surpris dans ses ivresses sensuelles, n'est pas tenu pour exclusif ni définitif. Avec lyrisme, les poètes disent leur soif de vivre des sensations.

La poésie galante et précieuse utilise les mêmes ressources, mais en les actualisant encore davantage afin de ciseler chaque poème comme un objet précieux. C'est le règne des civilités affectées et des virtuosités verbales. Le raffinement de la langue et les jeux de l'esprit confèrent de l'importance aux choses les plus banales. Les périphrases se déroulent comme des volutes et suggèrent plutôt que de dire prosaïquement. Ces poètes usent et abusent de l'hyperbole pour exalter la perfection de la femme aimée. Ils accordent un soin particulier à terminer leur poème de façon brillante, par une pointe, de manière à créer un effet de surprise, voire de paradoxe.

## Théophile de Viau (1590-1626)

*Prête-moi ton sein pour y boire*
*Des odeurs qui m'embaumeront.*

Esprit insoumis, Théophile de Viau est un temps l'inspirateur du groupe libertin et il est même condamné au bûcher pour crime de lèse-majesté : il avait osé écrire des vers licencieux. La peine a été commuée en bannissement perpétuel. Poète le plus lu de son époque, Théophile de Viau est né protestant et est mort catholique.

Quand Théophile de Viau se laisse aller à des épanchements lyriques, l'élan passionnel et sensuel qui anime ses poèmes d'amour emporte le lecteur loin des poésies galantes usuelles :

*Quand tu me vois baiser tes bras,*
*Que tu poses nus sur tes draps,*
*Bien plus blancs que le linge même ;*
*Quand tu sens ma brûlante main*
*Se promener dessus ton sein,*
*Tu sens bien, Cloris, que je t'aime.*

Le poète refuse d'être asservi à quelque règle ou contrainte ; sa poésie, qui donne dans le réalisme autant que dans la préciosité, se permet même quelques percées du côté du fantastique, comme l'illustre *Le monde à l'envers*.

# Le monde à l'envers

Un Corbeau devant moi croasse,
Une ombre offusque mes regards[1],
Deux belettes et deux renards
Traversent l'endroit où je passe :
5 Les pieds faillent à mon cheval[2],
Mon laquais tombe du haut mal[3].
J'entends craqueter le tonnerre,
Un esprit se présente à moi,
J'ois[4] Charon[5] qui m'appelle à soi,
10 Je vois le centre de la terre.

Ce ruisseau remonte en sa source,
Un bœuf gravit sur un clocher,
Le sang coule de ce rocher,
Un aspic s'accouple[6] d'une ourse,
15 Sur le haut d'une vieille tour
Un serpent déchire un vautour,
Le feu brûle dedans la glace,
Le Soleil est devenu noir,
Je vois la Lune qui va choir[7],
20 Cet arbre est sorti de sa place.

Théophile de Viau, *Œuvres poétiques*, 1621.

**1.** Trouble ma vue. **2.** Le pied se dérobe. **3.** Épilepsie. **4.** J'entends. **5.** Personnage qui conduit la barque des enfers. **6.** S'accouple avec. **7.** Tomber.

### VERS L'ANALYSE

## Le monde à l'envers

1. Étudiez la forme* du poème.
2. Tant sur le plan thématique que sur le plan formel, ce poème comporte plusieurs caractéristiques propres à l'esthétique baroque.
   a) Comment le titre annonce-t-il une thématique baroque ?
   b) Attardez-vous aux images, à ce qu'elles évoquent et à leur abondance dans le poème. Quel lien pouvez-vous établir entre ces images et le titre du poème ?
   c) Comment la construction* des phrases et la forme du poème recréent-elles le vertige qui caractérise le baroque ?
   d) Repérez deux autres thèmes* baroques présents dans ce poème.
3. L'univers irréel décrit par le poète est inquiétant à maints égards.
   a) Repérez une référence mythologique et analysez sa portée symbolique selon cette perspective.
   b) Comment les sonorités* ajoutent-elles à l'inquiétude qui se dégage du poème ?
4. Relevez deux antithèses* et expliquez leurs effets.
5. Le renversement des perspectives s'exprime par la verticalité, par l'opposition constante entre l'ascension et la chute. Relevez les mots qui contribuent à cet effet.
6. Qu'est-ce qui permet de déduire que le poète est un observateur, qu'il ne prend pas part à l'action qu'il décrit ?
7. Au moyen de trois adjectifs distincts, qualifiez le monde décrit par Théophile de Viau dans ce poème.

## Marc-Antoine Girard, sieur de Saint-Amant (1594-1661)

*J'écoute, à demi transporté,*
*Le bruit des ailes du Silence,*
*Qui vole dans l'obscurité.*

Toute la vie de Saint-Amant s'inscrit sous le sceau d'un perpétuel mouvement : grand voyageur, il est marin puis soldat et sillonne les mers jusqu'en Amérique. Cet aventurier poète, qui sait apprécier et chanter les plaisirs de la table aussi bien que ceux de l'amour, fréquente les salons mondains. Sa poésie, marquée par une grande liberté de ton, décrit la nature dans sa diversité et son caractère éphémère. C'est ainsi que, à l'époque où les peintres hollandais peignent avec le souci du détail des natures mortes, cet épicurien livre un hymne très charnel aux saveurs d'un melon.

# Le melon

Quelle odeur sens-je en cette chambre ?
Quel doux parfum de musc et d'ambre
Me vient le cerveau réjouir
Et tout le cœur épanouir
5 Ha ! bon Dieu ! j'en tombe en extase :
[...]
Qu'est-ce donc ? Je l'ai découvert
Dans ce panier rempli de vert :
C'est un melon, où la nature,
Par une admirable structure,
10 A voulu graver alentour
Mille plaisants chiffres d'amour[1],
Pour claire marque à tout le monde
Que d'une amitié sans seconde
Elle chérit ce doux manger
15 Et que, d'un souci ménager,
Travaillant aux biens de la terre
Dans ce beau fruit seul elle enserre
Toutes les aimables vertus
Dont les autres sont revêtus.
20 Baillez-le-moi[2], je vous en prie,
Que j'en commette idolâtrie :
Oh ! Quelle odeur ! Qu'il est pesant !
Et qu'il me charme en le baisant !
Page, un couteau, que je l'entame ;
[...]

Marc-Antoine Girard, sieur de Saint-Amant, *Œuvres poétiques*, 1643.

1. Messages ou signes gravés sur l'écorce des arbres. 2. Donnez-le-moi.

## Le melon

VERS L'ANALYSE

1. En quoi le thème* de ce poème et la façon dont le poète le traite correspondent-ils aux critères de l'esthétique baroque ?
2. Le poète fait montre de beaucoup de variété sur le plan syntaxique. Commentez les types*, la forme* et l'agencement des phrases*. Quelle est l'impression qui s'en dégage ?
3. L'expérience multisensorielle de la découverte du melon se fait progressivement. Dans quel ordre les sens sont-ils sollicités ?
4. Le plaisir associé au melon est décrit d'une manière à la fois lyrique et sensuelle. Citez, pour chacun des procédés* suivants, un passage éloquent et expliquez l'effet créé.

| Procédé | Passage | Effet |
|---|---|---|
| Interjection*/forme exclamative* | | |
| Hyperbole* | | |
| Métaphore* | | |
| Vocabulaire mélioratif* | | |

5. Quels sentiments l'emploi de l'impératif* peut-il évoquer dans la dernière partie du poème ?

**Pierre Paul Rubens, *L'enlèvement des filles de Leucippe*, v. 1617.**

Éminemment dramatique, l'esthétique baroque oppose à l'idéal épuré du XVIe siècle un torrent de somptuosité et de sensualité.

## François de Malherbe (1555-1628)

*La moisson de nos champs lassera les faucilles,*
*Et les fruits passeront la promesse des fleurs.*

Ce notable provincial s'est hissé dans les hautes sphères de l'entourage royal. Contemporain des poètes baroques dont il utilise l'esthétique, il en tempère le flamboiement, ce qui en fait le passeur du baroque au classicisme. Le premier, il a voulu soumettre le vers français à la modération et à la raison : sa poésie, parfois austère, se veut moins le fruit de l'inspiration que d'une technique. La rigueur de la versification, la clarté de l'expression et la simplicité de l'inspiration lui importent plus que tout. Il a régularisé le rythme de la strophe et du vers en établissant la césure à l'hémistiche :

> *Vos yeux ont des appas / que j'aime et que je prise,*
> *Et qui peuvent beaucoup / dessus ma liberté ;*
> *Mais pour me retenir, / s'ils font cas de ma prise,*
> *Il leur faut de l'amour / autant que de beauté.*

Malherbe a apporté à la poésie un dépouillement et une rigueur inconnus jusqu'à lui.

S'il a guindé le poème en lui faisant perdre la liberté et l'audace, il a par contre eu le mérite de donner une plus grande précision à la langue française. Pour lui, le poète est avant tout « un bon arrangeur de syllabes » qui emploie des mots du langage ordinaire.

Dans *Consolation à Monsieur du Périer, gentilhomme d'Aix-en-Provence, sur la mort de sa fille*, Malherbe adresse un poème d'amitié et de consolation à un ami dont la fille de cinq ans vient de mourir.

# Consolation à Monsieur du Périer, gentilhomme d'Aix-en-Provence, sur la mort de sa fille

Ta douleur, du Périer, sera donc éternelle,
Et les tristes discours
Que te met en l'esprit l'amitié paternelle
L'augmenteront toujours ?

5 Le malheur de ta fille au tombeau descendue
Par un commun trépas,
Est-ce quelque dédale, où ta raison perdue
Ne se retreuve[1] pas ?
Je sais de quels appas son enfance était pleine,

10 Et n'ai pas entrepris,
Injurieux[2] ami, de soulager ta peine
Avecque son mépris[3].

Mais elle était du monde, où les plus belles choses
Ont le pire destin :
15 Et rose elle a vécu ce que vivent les roses,
L'espace d'un matin.
[...]

La mort a des rigueurs à nulle autre pareilles :
On a beau la prier,
La cruelle qu'elle est, se bouche les oreilles,
20 Et nous laisse crier.

Le pauvre en sa cabane, où le chaume le couvre,
Est sujet à ses lois :
Et la garde qui veille aux barrières du Louvre
N'en défend point nos rois.

25 De murmurer contre elle, et perdre patience,
Il est mal à propos :
Vouloir ce que Dieu veut est la seule science,
Qui nous met en repos.

François de Malherbe, 1598-1599.

**1.** Retrouve. **2.** De t'injurier mon ami. **3.** De soulager ta peine par le mépris.

VERS L'ANALYSE

**Vélasquez, *Les ménines*, 1656.**

L'impression de disproportion exprime l'instabilité d'un monde dans lequel la cohabitation de la beauté et de la laideur étonne ou inquiète.

### Consolation à Monsieur du Périer…

1. Divisez le poème en trois parties pour dégager trois thèmes* principaux qui s'y déploient. Dressez, pour chacun, le champ lexical*.
2. Expliquez comment la régularité du rythme* et la forme* du poème s'approchent de la rigueur habituellement associée au classicisme.
3. Malgré une forme* classique et une sobriété dans l'expression, on trouve dans ce poème des éléments baroques. Quels sont-ils?
4. Le message de Malherbe est-il porteur d'espoir? Justifiez votre réponse.
5. a) Quelle est la figure de style* utilisée dans les vers *Et rose elle a vécu ce que vivent les roses / L'espace d'un matin* (v. 15-16)?
   b) De quelle figure de style* s'agit-il?
6. La dernière strophe peut prendre la forme d'un conseil que le poète adresse à son ami endeuillé. Que lui recommande-t-il de faire? En quoi ce conseil est-il empreint de raison?
7. Relevez une personnification* qui évoque la mort et décrivez l'effet qu'elle crée.

## Le roman baroque

Au XVII^e siècle, le roman comme genre littéraire se précise; il commence à prendre la forme et le sens qu'on lui connaît aujourd'hui. L'outrance baroque se déploie avec aisance dans l'écriture romanesque, livrant une vision idéalisée du monde. Ce type de roman multiplie les intrigues, souvent d'une grande complexité. Les débordements narratifs se manifestent en d'innombrables digressions aux inventions aussi étonnantes que foisonnantes. En même temps, le roman devient un instrument d'analyse privilégié: on peut y explorer toutes les nuances et les raffinements de la galanterie et de l'amour.

L'imagination et l'illusion étant reines, elles produisent des personnages et des intrigues fort éloignés de la vie quotidienne. Tel est le cas du roman le plus populaire de l'époque, *L'Astrée* (1607-1627), d'Honoré d'Urfé, une sorte de pastorale qui a connu de belles heures au salon de M^lle^ de Scudéry et dont on pourrait reconnaître les personnages, leurs satins et leurs madrigaux, dans les peintures d'un Watteau.

## Honoré d'Urfé (1567-1625)

*Il faut aimer si l'on veut être aimé.*

Dans *L'Astrée*, Honoré d'Urfé dépeint les difficultés et les revirements de la passion. Il situe son roman-fleuve de plus de 5 000 pages, peuplé de quelque 300 personnages et rédigé sur une période de 20 ans, dans le cadre bucolique de la Gaule druidique du ve siècle de notre ère. Cet immense roman pastoral et sentimental d'un lyrisme exacerbé, aussi touffu qu'invraisemblable, décrit les amours de la bergère Astrée et du berger Céladon épris l'un de l'autre même s'ils sont issus de familles ennemies. Autour d'eux gravitent de nombreux couples qui distraient de l'action principale : le roman compte plus de 45 intrigues secondaires. Et même si son action se situe en un siècle bien antérieur à son écriture, ce récit prête aux différents personnages des préoccupations, notamment amoureuses, que le lecteur contemporain de l'auteur peut sur-le-champ reconnaître comme de son temps.

*L'Astrée*, qui valorise la tendresse et la douce amitié, connaît un vif succès dans les salons des précieuses. Il présente des situations propices à exposer les règles d'un code des sentiments et des valeurs, qui contribue à fixer l'idéal moral du xviie siècle mondain. Certains voudront y reconnaître le code médiéval de l'amour courtois transposé au xviie siècle. Un critique du xxe siècle, Georges Jean, a décrit ce roman, où l'amour est présenté dans toute sa complexité, comme *le plus long et le plus aimable suspense érotique de toute la littérature universelle*. Il n'en demeure pas moins que le style d'une belle sobriété pave déjà la voie aux romans classiques qui vont suivre.

Céladon, qui vient d'être recueilli dans un palais après avoir tenté de se suicider, disserte ici sur l'amour.

# Une conception mythique de l'amour

Il dit que, quand le grand Dieu forma toutes nos âmes, il les toucha chacune avec une pièce d'aimant, et qu'après il mit toutes ces pièces dans un lieu à part, et que de même celles des femmes, après les avoir touchées, il les serra en un autre magasin séparé. (5) Que depuis quand il envoie les âmes dans les corps, il mène celles des femmes où sont les pierres d'aimant qui ont touché celles des hommes, et celles des hommes à celles des femmes, et leur en fait prendre une à chacune. (10) S'il y a des âmes larronnesses[1], elles en prennent plusieurs pièces qu'elles cachent. Il advient de là qu'aussitôt que l'âme est dans le corps et qu'elle rencontre celle qui a son aimant, il lui est impossible qu'elle ne l'aime, et d'ici procèdent tous les effets de l'amour ; (15) car quant à celles qui sont aimées de plusieurs, c'est qu'elles ont été larronnesses et ont pris plusieurs pièces. Quant à celle qui aime quelqu'un qui ne l'aime point, c'est que celui-là a son aimant, et non pas elle le sien.

(20) On lui fit plusieurs oppositions, quand il disait ces choses, mais il répondit fort bien à toutes. Entre autres je lui dis : Mais que veut dire que quelquefois un berger aimera plusieurs bergères ? – C'est, dit-il, que la pièce d'aimant qui le toucha, étant entre les autres, (25) lorsque Dieu les mêla, se cassa, et étant en diverses pièces, toutes celles qui en ont attirent cette âme. Mais aussi prenez garde que ces personnes qui sont éprises de diverses amours n'aiment pas beaucoup : c'est d'autant que ces petites pièces séparées n'ont pas tant (30) de force qu'étant unies.

De plus, il disait que d'ici venait que nous voyons bien souvent des personnes en aimer d'autres qui, à nos yeux, n'ont rien d'aimable, que d'ici procédaient aussi ces étranges amours, qui quelquefois faisaient qu'un Gaulois nourri entre toutes les plus belles dames viendra à aimer une barbare étrangère. Il y eut Diane qui lui demanda ce qu'il dirait de ce Timon Athénien qui n'aima jamais personne, et que jamais personne n'aima. L'aimant, dit-il, de celui-là ou était encore dans le magasin du grand Dieu quand il vint au monde, ou bien celui qui l'avait pris mourut au berceau, ou avant que ce Timon fût né ou en âge de connaissance. De sorte que depuis, quand nous voyons quelqu'un qui n'est point aimé, nous disons que son aimant a été oublié. – Et que disait-il, dit Silvie, sur ce que personne n'avait aimé Timon ? – Que quelquefois, répondit Céladon, le grand Dieu comptait les pierres qui lui restaient, et trouvant le nombre failli[2], à cause de celles que quelques âmes larronnesses avaient prises de plus, comme je vous ai dit, afin de remettre les pièces en leur nombre égal, les âmes, qui alors se rencontraient pour entrer au corps, n'en emportaient point, que de là venait que nous voyons quelquefois des bergères assez accomplies, qui sont si défavorisées que personne ne les aime.

Mais le gracieux Corilas lui fit une demande selon ce qui le touchait pour lors : Que veut dire qu'ayant aimé longuement une personne, on vient à la quitter et à en aimer une autre ? – Silvandre répondit à cela que la pièce d'aimant de celui qui venait à se changer avait été rompue, et que celle qu'il avait aimée la première en devait avoir une pièce plus grande que l'autre pour laquelle il la laissait, et que tout ainsi que nous voyons un fer entre deux calamites[3] se laisser tirer à celle qui a plus de force, de même l'âme se laisse emporter à la plus forte partie de son aimant. – Vraiment, dit Silvie, ce berger doit être gentil d'avoir de si belles conceptions ; mais dites-moi, je vous supplie, qui est-il ? – Il serait bien malaisé que je vous le dise, répondit Céladon, car lui-même ne le sait pas.

Honoré d'Urfé, *L'Astrée*, 1607-1627.

1. Voleuses. 2. Inégal. 3. Pierres d'aimant.

*Le monde entier est une scène,*
*Hommes femmes, tous, n'y sont que des acteurs,*
*Chacun fait ses entrées, chacun fait ses sorties,*
*Et notre vie durant, nous jouons plusieurs rôles.*

*Shakespeare*

VERS L'ANALYSE

## Une conception mythique de l'amour

1. Dans cet extrait, en quoi le traitement du thème* de l'amour correspond-il à l'esthétique baroque ?
2. Expliquez comment cette conception mythique de l'amour illustre concrètement la notion d'attirance.
3. Comment l'auteur explique-t-il les cas de non-réciprocité de l'amour ?
4. Citez un passage qui laisse entendre que l'exclusivité amoureuse vaut mieux que les attirances multiples.
5. Choisissez un court passage qui illustre la force de l'amour et commentez-le.

*Clélie*, ***La Carte du Tendre***, **estampe, 1659.**

Dans un style précieux et galant, l'œuvre de Mlle de Scudéry file une métaphore des trajectoires et des écueils de l'amour.

## Madeleine de Scudéry (1607-1701)

*L'amour est un je ne sais quoi, qui vient de je ne sais où et qui finit je ne sais comment.*

Madeleine de Scudéry tient à Paris un salon littéraire qui va devenir le lieu de la préciosité. Cette femme éclairée, qui refuse le mariage et revendique le droit à l'instruction pour les femmes, écrit un roman en 10 volumes, *Clélie* (1654-1660), où elle présente des personnages parmi lesquels les lecteurs prennent plaisir à reconnaître leurs contemporains. Cet ouvrage romanesque est surtout célèbre par sa *Carte du Tendre*, qui élabore une géographie amoureuse. Sont disposés sur cette carte les parcours, méandres et haltes de l'itinéraire symbolique de l'Amant. Pour aller de l'une à l'autre des trois villes de Tendre (Tendre sur Inclination, Tendre sur Estime et Tendre sur Reconnaissance), il faut passer par Grand Esprit et les villages de Jolisvers, Billet galant et Billet doux, et contourner le lac d'Indifférence. Un fleuve nommé Inclination est rejoint à son embouchure par deux rivières, Estime et Reconnaissance. Une illustration des multiples nuances que la préciosité établit entre les sentiments.

## Le théâtre baroque

En France, même si les dévots s'acharnent contre le théâtre, qu'ils estiment nuisible à la morale, et si l'Église prive les comédiens de tout sacrement depuis le concile d'Arles en 314, leur reprochant de renier la nature que Dieu leur a donnée pour revêtir celle de divers personnages, le théâtre français connaît néanmoins lui aussi son siècle d'or. Le mécénat royal et aristocratique y contribue largement en subventionnant les troupes, qui deviennent permanentes à partir de 1630, et en dotant la France de théâtres comme le Palais-Royal et la Comédie-Française, ce qui permet aux troupes, d'abord ambulantes, de se fixer. Il est vrai que, en échange, l'État contrôle tout, censure et interdit.

Au début du XVIIe siècle, le théâtre baroque est marqué par l'invraisemblance et la démesure : action complexe et souvent peu vraisemblable, lieux multiples et pluralité des tons, cohabitation de tensions dramatiques et d'épisodes comiques, représentation de scènes brutales et recherche du spectaculaire. C'est l'heure de gloire de la tragicomédie qui refuse toute règle. Mais bientôt s'atténuent les outrances de ce théâtre, qui accepte de se plier aux règles précises des unités qui caractériseront le théâtre classique. Corneille, héritier de la tradition baroque, donnera au théâtre une orientation plus rigoureuse ; il éclipsera bientôt par sa gloire tous les autres dramaturges de cette période.

## Pierre Corneille (1606-1684)

*L'amour est un tyran qui n'épargne personne.*

Le père de Pierre Corneille espérait que son fils deviendrait avocat; peu doué pour l'éloquence, Corneille choisit plutôt l'écriture dramatique. Auteur polyvalent, il écrit sa première comédie à 23 ans, triomphe ensuite avec sa tragicomédie *Le Cid* (1637) et affermit sa renommée avec de grandes tragédies inspirées de l'Antiquité latine, comme *Horace* (1640), *Cinna* (1641) et *Polyeucte* (1642).

Corneille puise ses sujets dans l'histoire, la vraisemblance cédant parfois au sublime, au spectaculaire. Initiateur du renouveau de la comédie, il peut traiter des sujets de la vie quotidienne, le comique tenant essentiellement aux caractères souvent extravagants des jeunes héros. Résolument baroque, il a écrit une pièce qui donne à voir l'inconstance, l'ambiguïté des identités, l'importance du déguisement et de la feinte, *L'illusion comique* (1636) qu'il présente ainsi: *Voici un étrange monstre* [...]. *Le premier acte n'est qu'un prologue, les trois suivants font une comédie imparfaite, le dernier est une tragédie; et tout cela cousu ensemble fait une comédie.*

Figure d'exception, le héros cornélien refuse de se laisser écraser par le destin. Même s'il obéit à des motivations individuelles, sa démarche s'inscrit généralement dans une perspective collective. Aussi ne se laisse-t-il pas déborder par ses passions. Le désir amoureux lui apparaît comme une dépendance, une tyrannique pulsion irrationnelle qui peut troubler sa volonté. Immanquablement, il fait taire son cœur et laisse s'exprimer son sens du devoir et de l'honneur; il met son abnégation et son courage au service d'une grande et noble cause politique, morale ou religieuse. Son renoncement prend alors des accents sublimes. Il accomplit ainsi ce dont le commun des mortels se croit incapable. Maître de lui-même, il domine les autres.

On appelle «dilemme cornélien» un cas de conscience qui se pose lorsque honneur et passion s'opposent: le héros doit choisir entre l'honneur et l'amour, la gloire et le désir, *l'impétuosité des passions* et *les lois du devoir* [...], *les tendresses du sang*. Dans la souffrance, le héros affronte une situation d'une extrême intensité qui l'oblige à un choix. Se laissera-t-il dominer par ses impulsions ou les surmontera-t-il en se conformant à l'image idéale qu'il se fait de lui-même? Être généreux et magnanime, il arrive à se sortir de ce dilemme qui semblait pourtant insoluble à l'origine.

Ce héros en quête d'absolu, qui par la seule force de la raison place l'honneur au-dessus de toutes les autres valeurs, sait ce qu'il doit faire pour être conforme à son idéal et agit en conséquence. Il touche invariablement le spectateur, qui éprouve pour lui de l'admiration tout en s'étonnant de son comportement. Mû par une éthique de la générosité et une ambition inébranlable, le héros cornélien soulève, sur la grandeur de l'homme, des questions d'une portée universelle.

*Le Cid* a valu la renommée à Corneille. Dans cette pièce, le sens de l'honneur le dispute à l'amour. Rodrigue vient d'entendre son père lui demander de combattre en duel le père de celle qu'il aime. Il fait face à un «dilemme cornélien»: doit-il, pour venger son père, tuer le père de sa fiancée, Chimène? Dans un lyrisme que désavouera le classicisme, la force de la raison insuffle au héros sa détermination. Plaçant son honneur plus haut que son amour, Rodrigue se réalise dans le dépassement héroïque.

**Georges de La Tour, *La Madeleine à la veilleuse*, v. 1640-1645.**

La fusion de sujets apparemment incompatibles crée un effet théâtral qui ouvre une réflexion sur le caractère provisoire de la vie.

# Je dois tout à mon père avant qu'à ma maîtresse

Don Rodrigue :
Percé jusques au fond du cœur
D'une atteinte imprévue aussi bien que mortelle,
Misérable vengeur d'une juste querelle,
5 Et malheureux objet d'une injuste rigueur,
Je demeure immobile, et mon âme abattue
Cède au coup qui me tue.
Si près de voir mon feu[1] récompensé,
Ô Dieu, l'étrange peine !
10 En cet affront mon père est l'offensé,
Et l'offenseur le père de Chimène !

Que je sens de rudes combats !
Contre mon propre honneur mon amour s'intéresse[2] :
Il faut venger un père, et perdre une maîtresse.
15 L'un m'anime le cœur, l'autre retient mon bras.
Réduit au triste choix ou de trahir ma flamme,
Ou de vivre en infâme,
Des deux côtés mon mal est infini.
Ô Dieu, l'étrange peine !
20 Faut-il laisser un affront impuni ?
Faut-il punir le père de Chimène ?

Père, maîtresse, honneur, amour,
Noble et dure contrainte, aimable tyrannie,
Tous mes plaisirs sont morts, ou ma gloire ternie.
25 L'un me rend malheureux, l'autre indigne du jour.
Cher et cruel espoir d'une âme généreuse,
Mais ensemble amoureuse,
Digne ennemi de mon plus grand bonheur,
Fer qui causes ma peine,
30 M'es-tu donné pour venger mon honneur ?
M'es-tu donné pour perdre ma Chimène ?

Il vaut mieux courir au trépas.
Je dois à ma maîtresse aussi bien qu'à mon père ;
J'attire en me vengeant sa haine et sa colère ;
35 J'attire ses mépris en ne me vengeant pas.
À mon plus doux espoir l'un me rend infidèle,
Et l'autre indigne d'elle.
Mon mal augmente à le vouloir guérir ;
Tout redouble ma peine.
40 Allons, mon âme ; et puisqu'il faut mourir,
Mourons du moins sans offenser Chimène.

Mourir sans tirer ma raison[3] !
Rechercher un trépas si mortel à ma gloire,
Endurer que l'Espagne impute à ma mémoire
45 D'avoir mal soutenu l'honneur de ma maison !
Respecter un amour dont mon âme égarée
Voit la perte assurée !
N'écoutons plus ce penser suborneur[4],
Qui ne sert qu'à ma peine.
50 Allons, mon bras, sauvons du moins l'honneur,
Puisqu'après tout il faut perdre Chimène.

Oui, mon esprit s'était déçu[5].
Je dois tout à mon père avant qu'à ma maîtresse ;
Que je meure au combat, ou meure de tristesse,
55 Je rendrai mon sang pur comme je l'ai reçu.
Je m'accuse déjà de trop de négligence ;
Courons à la vengeance ;
Et, tout honteux d'avoir tant balancé,
Ne soyons plus en peine,
60 Puisqu'aujourd'hui mon père est l'offensé,
Si l'offenseur est père de Chimène.

Pierre Corneille, *Le Cid*, Acte I, scène 6.

**1.** Ma passion. **2.** Prend parti. **3.** Obtenir satisfaction. **4.** Trompeur. **5.** Trompé.

## Je dois tout à mon père avant qu'à ma maîtresse

1. Le théâtre* de Corneille se situe à la frontière entre le baroque et le classicisme. Illustrez cette affirmation en tenant compte du fond* et de la forme* de l'œuvre.
2. La situation de Rodrigue est sans issue.
   a) Dressez le champ lexical* de la douleur et expliquez l'effet de deux procédés d'écriture* qui mettent l'accent sur ce sentiment.
   b) De quel vers la répétition* souligne-t-elle le malheur auquel Rodrigue ne peut échapper?
   c) Relevez un parallélisme* qui montre que Rodrigue est condamné à une mort douloureuse.
3. Pourquoi peut-on dire que les motivations de Rodrigue comportent une dimension collective? Justifiez votre réponse en vous appuyant sur le sentiment dominant de l'extrait.
4. Expliquez l'effet de la forme exclamative* ainsi que de l'emploi de l'impératif* présent et du futur simple de l'indicatif dans la deuxième partie de l'extrait.
5. Par quel mot se terminent toutes les strophes? Qu'est-ce que cela signifie?
6. a) Dressez le champ lexical* des thèmes* suivants, dont l'opposition permet de cerner le conflit intérieur du personnage: amour-honneur; impuissance-désir de vengeance.
   b) Citez un passage mettant en relief les contrastes de chacun des procédés* de la colonne de gauche. Expliquez, dans l'autre colonne, comment ces procédés* font ressortir les contrastes.

| Procédé | Citation | Effet des oppositions |
|---|---|---|
| **Opposition amour et honneur** | | |
| Antithèse* ou oxymore* | | |
| Parallélisme* ou chiasme* | | |
| Anaphore* | | |
| Ponctuation* expressive | | |
| **Opposition impuissance et désir de vengeance** | | |
| Antithèse* ou oxymore* | | |
| Parallélisme* | | |
| Anaphore* | | |
| Ponctuation* expressive | | |

***Le menteur*, de Corneille, avec Krystel Descary et Lucien Ratio, au théâtre La Bordée.**

Sans effacer complètement l'exubérance baroque, le théâtre cornélien s'approche de la rigueur classique.

## Quelques vers célèbres de Corneille

« Cette obscure clarté qui tombe des étoiles. »

« Je suis jeune, il est vrai; mais aux âmes bien nées
La valeur n'attend pas le nombre des années. »

« À vaincre sans péril, on triomphe sans gloire. »

« Qui veut mourir ou vaincre est vaincu rarement. »

« Et le combat cessa faute de combattants. »

« – Que vouliez-vous qu'il fît contre trois?
– Qu'il mourût.
Ou qu'un beau désespoir alors le secourût. »

« À raconter ses maux, souvent on les soulage. »

« La façon de donner vaut mieux que ce qu'on donne. »

« L'amour n'est qu'un plaisir, l'honneur est un devoir. »

« Il faut bonne mémoire après qu'on a menti. »

## Le théâtre baroque européen

Quelle époque faste pour le théâtre baroque européen qui connaît alors son âge d'or ! En France, en Angleterre et en Espagne, on apprécie ce théâtre qui privilégie l'émotion, multiplie les intrigues et promeut l'illusion.

Ce courant présidera à la naissance de l'opéra, pour lequel on recommencera, après les toutes premières réalisations de la fin de la Renaissance, à construire de nouvelles salles de théâtre : d'abord à Venise en 1654, puis à Rome en 1671, avant de se répandre dans toute l'Italie, puis en France dans la seconde moitié du XVIIIe siècle.

En Espagne, Tirso de Molina (1583-1648), Cervantès (1547-1616), Lope de Vega (1562-1635 – on lui attribue 1 800 pièces !) et Pedro Calderón de la Barca (1600-1681) composent l'ossature de ce qu'on appellera plus tard le Siècle d'or du théâtre espagnol.

L'Angleterre produit, dans la seconde moitié du XVIe siècle, un génie extraordinaire. William Shakespeare sera l'âme de ce que l'on nommera le théâtre élisabéthain (1558-1642), qui recouvre la partie la plus brillante du théâtre anglais et comprend, entre autres, les créations de Christopher Marlowe (1564-1593), Ben Jonson (1572-1637) et Cyril Tourneur (1575-1626).

En Italie, où le théâtre baroque est décalé d'un siècle, Carlo Goldoni (1707-1793) transmet sa passion pour un nouveau théâtre. Avec sa façon unique de mettre en scène les quiproquos, la parodie, le théâtre dans le théâtre, les retournements de situation, les jeux de mots et les conflits de ses personnages, il propose un jeu théâtral fondé sur l'observation directe de la vie. De ses 150 pièces, plusieurs sont encore jouées, tel son chef-d'œuvre *La locandiera* (1753).

**Claude Gillot, *Les deux carrosses*, v. 1707.**

Dans sa volonté de plaire et d'instruire, l'œuvre classique revêt une dimension narrative qui transparaît dans l'aspect théâtral de la réalité qu'elle met en scène.

### William Shakespeare (1564-1616)

*Nous sommes de l'étoffe dont on fait les rêves, et notre brève vie s'achève par un sommeil.*

Auteur exemplaire, William Shakespeare ne connaît pas de frontière entre le théâtre et le monde ; le monde est pour lui un théâtre et la scène devient le théâtre du monde. Rien de ce qui est humain ne peut être étranger à cette esthétique de la démesure qui incorpore le lyrisme à la vision épique ou au drame. Acteur lui-même, poète et dramaturge, Shakespeare aborde tous les genres, drames historiques, tragédies, comédies et féeries. Il puise ses sujets un peu partout, dans l'histoire de l'Angleterre, dans l'histoire antique aussi bien que dans les légendes italiennes, transfigurant tout ce qu'il touche avec la vigueur de son imagination et la fraîcheur de ses sentiments. Son théâtre baroque se plaît à allier, souvent dans le même mouvement, le réalisme populaire et la vision poétique, la cruauté et les éléments burlesques, à la manière des peintres baroques qui associent l'ombre et la lumière. Ce langage d'une exceptionnelle profondeur philosophique permet de hausser l'anecdote au niveau du destin. L'œuvre de ce dramaturge, qui a l'ampleur et la diversité de la vie, atteint une universalité qui fait de Shakespeare notre contemporain.

# Être ou ne pas être

Être, ou ne pas être, telle est la question.
Est-il plus noble pour l'esprit de souffrir
Les coups et les flèches d'une injurieuse fortune,
Ou de prendre les armes contre une mer de tourments,
5 Et, en les affrontant, y mettre fin ? Mourir, dormir,
Rien de plus, et par un sommeil dire : nous mettons fin
Aux souffrances du cœur et aux mille chocs naturels
Dont hérite la chair ; c'est une dissolution
Ardemment désirable. Mourir, dormir,
10 Dormir, rêver peut-être, ah ! c'est là l'écueil.
Car dans ce sommeil de la mort les rêves qui peuvent surgir,
Quand nous aurons quitté le tourbillon de vivre,
Arrêtent notre élan. C'est la pensée
Qui donne au malheur une si longue vie.
15 Car qui voudrait supporter les fouets et la morgue du temps,
Les outrages de l'oppresseur, la superbe de l'orgueilleux,
Les affres de l'amour dédaigné, la lenteur de la loi,
L'insolence du pouvoir, et les humiliations
Que le patient mérite endure des médiocres,
20 Quand il pourrait lui-même s'en rendre quitte
D'un coup de dague ? Qui voudrait porter ces fardeaux,
Pour grogner et suer sous une vie harassante,
Si la terreur de quelque chose après la mort,
Contrée inexplorée dont, la borne franchie,
25 Nul voyageur ne revient, ne déroutait la volonté
Et ne nous faisait supporter les maux que nous avons
Plutôt que fuir vers d'autres dont nous ne savons rien ?
Ainsi la conscience fait de nous tous des lâches,
Et ainsi la couleur première de la résolution
30 S'étiole au pâle éclat de la pensée,
Et les entreprises de grand essor et de conséquence
Se détournent de leurs cours
Et perdent le nom d'action. Mais silence,
La belle Ophélie ! Nymphe, dans tes prières,
35 Souviens-toi de tous mes péchés.

William Shakespeare, *Hamlet*, 1601.

VERS L'ANALYSE

## Être ou ne pas être

1. Résumez le propos* de cet extrait.
2. Expliquez les effets de trois caractéristiques de l'écriture de Shakespeare qui montrent l'ambivalence du personnage dans la première moitié de l'extrait.
3. Citez deux passages qui laissent entendre que lucidité et clairvoyance peuvent être sources de souffrance.
4. Commentez la longue accumulation* des vers 15 à 18. Quelle importance revêt-elle dans l'argumentation d'Hamlet ?
5. Hamlet parvient-il à résoudre son dilemme dans cet extrait ? Justifiez votre réponse en examinant les raisons pour lesquelles il souhaite mourir et celles pour lesquelles il juge que la vie en vaut la peine.

## La littérature classique ou le classicisme

Coexistant un temps avec la profusion et l'exubérance du baroque, le mouvement classique affirme progressivement sa prépondérance. Le classicisme répond à une forme d'organisation sociale, à une vision centralisée du monde : celle du tout-puissant Louis XIV, de sa volonté de classifier, de codifier, de normaliser et d'unifier la société française, une volonté clairement énoncée dans sa devise « une foi, une loi, un roi ». Dans les domaines de la politique, de l'économie, de la religion, de la morale, de la vie mondaine, des arts et de la littérature, Louis XIV a voulu que des règles soient formulées et appliquées.

L'art littéraire est donc lui aussi discipliné, normalisé, codifié. On édicte des règles fondées sur la raison, génératrices de beauté par leurs contraintes mêmes, afin que tout auteur puisse les reproduire : au théâtre, règle des unités de temps, de lieu et d'action ; dans le roman, règles de la vraisemblance, de la bienséance et du refus des outrances métaphoriques et hyperboliques ; même la poésie est soumise à un code. L'écrivain classique s'exprime en une langue pure, sobre, élégante. Il contrôle les

**Gaspard Dughet, dit le Guaspre Poussin, *Paysage d'orage*, v. 1650.**

Malgré une composition classique et ordonnée, un lyrisme inquiétant se dégage du portrait que fait l'artiste d'une nature en perpétuel mouvement, à la fois lumineuse et obscure.

débordements de l'imagination et de la sensibilité, respecte la vraisemblance et évite toute faute contre le bienséant et le bon goût.

S'attachant à l'étude de l'homme, le classicisme fonde le modèle du beau sur l'ordre physique des choses, sur la nature mais une nature améliorée, reconstruite pour être conforme aux exigences de la Raison. L'humain y est présenté et analysé dans sa vérité idéalisée, invariable et universelle, plutôt que dans une incarnation particulière. Derrière les apparences, on a voulu chercher une vérité universelle, unique et immuable; en se concentrant ainsi sur l'essentiel, la littérature propose une étude de la nature profonde et universelle de l'homme. Ce mouvement classique se réclame de l'esthétique des Anciens, qui furent animés par cette même recherche de l'universel et dont les qualités, estime-t-on, n'ont jamais été surpassées: le succès à travers les siècles de ces œuvres inscrites dans le marbre du temps prouve leur perfection.

Autre règle importante: l'œuvre classique doit plaire et instruire, puisque perfection formelle et élévation des vues vont de pair. Plaire par les qualités esthétiques de son écriture: une forme variée qui évite la lassitude et un style sobre mais élégant. Instruire en faisant réfléchir le lecteur sur les comportements humains. La littérature de cette période, qui voit fleurir l'œuvre exceptionnelle des Molière, Racine et La Fontaine parmi tant d'autres, a constamment posé le problème de la littérature et de ses rapports avec la morale. Quand l'écrivain peint des passions excessives ou des vices, le dénouement de l'œuvre expose nécessairement le châtiment du « méchant ».

Dans cette société hautement hiérarchisée, on classe jusqu'aux genres littéraires en fonction des règles auxquelles ils sont soumis. Plus un genre est codifié, plus il s'enrichit de lettres de noblesse. L'épopée et la tragédie sont les genres les plus nobles, la comédie et l'art épistolaire viennent derrière, aux plus bas échelons se trouvent le roman et la poésie de salon. Il n'en demeure pas moins que cet art a emprunté ou créé une foule d'autres genres littéraires: récits, anecdotes, portraits, maximes, jeux d'esprit, contes, fables...

## La doctrine classique

Nul n'a mieux que Boileau formulé la doctrine classique:

1. L'écrivain, qui a une connaissance approfondie des mythologies et des littératures grecque et latine, doit imiter les Anciens, qui ont atteint la perfection.
2. Il faut viser la vraisemblance: pas tant le vrai que l'illusion de réalisme; la vérité idéale, universelle, permanente, qui aurait pu être. À cette fin, on peint moins l'individu que la nature humaine, on recherche l'exemplaire et non le particulier. Il importe surtout de saisir l'homme de tous les temps et de tous les lieux. L'écriture classique, faite d'abord pour ses lecteurs contemporains, se donne toutes les chances, en visant l'essentiel et le durable, de rejoindre la postérité et d'être appréciée en toute époque.
3. L'auteur classique doit se soucier de la bienséance: ne peindre que ce qui est conforme à l'opinion publique et au consensus social, rejeter tout excès qui pourrait choquer le bon goût et la décence, éviter l'impudique étalage des émotions.
4. Il obéit à l'autorité de la raison, ce bon sens partagé par la majorité. C'est la raison qui impose un besoin de rigueur assuré par le respect de règles précises, strictes, codifiées, garantes de simplicité, de sobriété et de clarté dans l'expression.
5. Il évite de mélanger les tons.

**Nicolas Poussin, *L'inspiration du poète*, v. 1629.**

Les peintres classiques privilégient l'imitation de la nature et des Anciens.

La littérature classique a exercé dans la France du XVIIe siècle une fonction qu'elle n'aura exercée dans aucun autre État européen. Elle a fortement contribué à fixer les traits de la nation française tels que nous nous plaisons à les reconnaître encore aujourd'hui.

## La poésie classique

L'esthétique de la poésie classique a commencé à prendre forme avec le poète Malherbe qui, le premier, a codifié ses valeurs de simplicité, de clarté et d'élégance. Le courant s'affirmera vraiment en 1635, au moment de la création de l'Académie française chargée de déterminer la norme en matière de langue et de création artistique. Un autre poète doctrinaire, Boileau, assujettira à son tour la littérature au règne de la raison; il a véritablement codifié les règles de cette nouvelle esthétique, qui s'adresse davantage à la raison qu'au cœur et aux sens:

*Aimez donc la raison; que toujours vos écrits*
*Empruntent d'elle seule et leur lustre et leur prix.*

Mais la poésie accepte difficilement les carcans. En fusionnant versification et poésie, l'art laborieux du classicisme, qui multiplie les procédés d'écriture pour bien briller à la cour et dans les salons, aura entraîné une longue désaffectation de la poésie lyrique. Longtemps, la poésie trouvera refuge dans le théâtre ou dans d'autres genres littéraires, comme la fable.

### Nicolas Boileau (1636-1711)

*Qui ne sait se borner ne sut jamais écrire.*

Nicolas Boileau, principal théoricien du classicisme, pousse la rigueur plus loin que Malherbe. Dans ce qui deviendra l'exposé officiel de la doctrine classique, son *Art poétique* (1674), Boileau codifie les principes de cet art, fondés sur des exigences de travail, de rigueur et de clarté. La poésie est présentée comme le plus noble des genres littéraires; elle nécessite donc une haute élévation morale et un rigoureux travail. Pour atteindre au sommet de la vérité et de la beauté, la sensibilité doit se laisser guider par la raison, puisque l'inspiration et l'imagination comptent moins que la technique et le travail du texte.

L'œuvre didactique et satirique de ce poète formaliste est particulièrement remarquable pour son art de la formule. Ne s'embarrassant ni des précautions oratoires ni des soucis de la politesse, ce moraliste n'a cessé de pourfendre les vices et de montrer le chemin de la vérité. Aujourd'hui, cette poésie a davantage une valeur de témoignage qui aide à comprendre une époque qu'une valeur poétique proprement dite.

# Vingt fois sur le métier remettez votre ouvrage

Ce que l'on conçoit bien s'énonce clairement,
Et les mots pour le dire arrivent aisément.

Surtout, qu'en vos écrits la langue révérée[1]
Dans vos plus grands excès vous soit toujours sacrée.
5 En vain vous me frappez d'un son mélodieux,
Si le terme est impropre, ou le tour vicieux;
Mon esprit n'admet point un pompeux barbarisme,
Ni d'un vers ampoulé l'orgueilleux solécisme.
Sans la langue, en un mot, l'auteur le plus divin
10 Est toujours, quoi qu'il fasse, un méchant écrivain.

Travaillez à loisir, quelque ordre qui vous presse,
Et ne vous piquez point d'une folle vitesse;
Un style si rapide, et qui court en rimant,
Marque moins trop d'esprit, que peu de jugement.
15 J'aime mieux un ruisseau qui sur la molle arène[2]
Dans un pré plein de fleurs lentement se promène,
Qu'un torrent débordé qui, d'un cours orageux,
Roule, plein de gravier, sur un terrain fangeux.
Hâtez-vous lentement; et, sans perdre courage,
20 Vingt fois sur le métier remettez votre ouvrage:
Polissez-le sans cesse et le repolissez;
Ajoutez quelquefois, et souvent effacez.
C'est peu qu'en un ouvrage où les fautes fourmillent,
Des traits d'esprit semés de temps en temps pétillent.
25 Il faut que chaque chose y soit mise en son lieu[3];
Que le début, la fin répondent au milieu;
Que d'un art délicat les pièces assorties
N'y forment qu'un seul tout de diverses parties;
Que jamais du sujet le discours s'écartant
30 N'aille chercher trop loin quelque mot éclatant.

Craignez-vous pour vos vers la censure publique?
Soyez-vous à vous-même un sévère critique.
L'ignorance toujours est prête à s'admirer.
Faites-vous des amis prompts à vous censurer;
35 Qu'ils soient de vos écrits les confidens[4] sincères,
Et de tous vos défauts les zélés adversaires.
Dépouillez devant eux l'arrogance d'auteur;
Mais sachez de l'ami discerner le flatteur:
Tel vous semble applaudir, qui vous raille et vous joue.
40 Aimez qu'on vous conseille et non pas qu'on vous loue.

Nicolas Boileau, *Art poétique*, 1674.

**1.** Traitée avec révérence. **2.** Étendue sablonneuse. **3.** À sa place. **4.** Confidents.

## VERS L'ANALYSE

### Vingt fois sur le métier remettez votre ouvrage

1. D'après vous, à qui ce texte s'adresse-t-il? Précisez la posture d'énonciation* de Boileau et les particularités de son destinataire*.
2. a) Boileau énonce des principes généraux à respecter et conseille le lecteur quant à leur mise en application. Résumez le propos* de chaque strophe en fonction de ces principes.
   b) En quoi les enseignements de Boileau correspondent-ils aux valeurs et aux normes esthétiques préconisées à l'époque classique?
3. Quel est le sens du mot « amis » tel qu'employé par l'auteur au vers 34?
4. Boileau insiste sur les dangers de l'orgueil. Repérez, au début et à la fin de l'extrait, des vers qui illustrent ces dangers.
5. Comment l'attitude moralisatrice adoptée par Boileau transparaît-elle dans l'écriture? Commentez le lexique* et le choix des temps et modes verbaux*.
6. Le contraste permet à l'auteur de bien distinguer l'attitude et les comportements qu'il encourage de ceux qu'il désapprouve. Repérez deux passages comportant des procédés distincts et expliquez-en les effets.
7. Quelle est la figure de style* dans l'expression « Hâtez-vous lentement »? Que cherche à exprimer Boileau par cette expression?

## Jean de La Fontaine (1621-1695)

*Nous nous pardonnons tout, et rien aux autres hommes.*

Le nom de La Fontaine est associé à ses fables, écrites de 1668 à 1674. Le poète a porté à un niveau inégalé le genre ancien de la fable, depuis longtemps tombé en désuétude. Il en a fait un genre drôle, animé, rebondissant et plein d'esprit. Dans des histoires d'une grande diversité mais d'une composition rigoureuse, qui s'apparentent tour à tour à de petites comédies, à des poèmes épiques ou à des contes savoureux, le fabuliste crée un univers cruel et savant peuplé d'animaux familiers ou étranges. Se livrant à une analyse minutieuse de la psychologie humaine, La Fontaine fait jouer à ses personnages les grands rôles de la condition humaine : les enjeux de la vie sociale, les rapports de l'homme et du pouvoir, la question du bonheur, celle inépuisable de la mort...

**Rembrandt, *Autoportrait en Saint-Paul*, 1661.**

Labeur, rigueur et sobriété permettent l'expression la plus juste de l'idéal classique.

Sur un ton léger et avec des airs de bonhomie, la fable veut instruire les hommes, leur proposer un idéal de sagesse, en dénonçant la vanité des grands et les injustices dont sont victimes les petits, tout comme les abus de la société de son temps. Chacune se termine par une moralité, qui enseigne la prudence, énonce des leçons de morale pratique fondées sur le bon sens. Une expression singulière du sourire, celui du sens commun. La Fontaine, qui peut être décrit comme l'un des derniers auteurs à avoir eu recours à l'héritage de l'Antiquité, se sert en même temps de ce genre didactique pour exprimer sa conception personnelle de la vie en faisant part de ses sentiments et de ses émotions.

Perçue comme un genre mineur, la fable échappe aux règles classiques de la versification et, de ce fait, le lyrisme y est possible. Le poète prend d'autres libertés avec l'esthétique classique : il mélange les tons, joue sur le rythme et la longueur des vers, mêle vers pairs et impairs, choisissant une versification en fonction de ce qu'il veut exprimer ; il combine aussi régulièrement narration et dialogues. On touche ici à la grande qualité de ces fables impeccablement construites dans un français simple et souple : leur style imaginatif, varié et libre, est d'une grande fluidité en même temps que d'une remarquable force. Dans une atmosphère de fantaisie, le fabuliste multiplie les notations brèves et les traits justes, se met au service de la légèreté du propos et de l'humour. Avec ses dons exceptionnels de naturel, d'élégance et d'harmonie, il déploie une habileté exemplaire pour faire tenir l'universel dans les limites de courtes pièces en vers et rimes. En résultent des chefs-d'œuvre de musicalité et d'invention.

La fable *Les animaux malades de la peste* peut être considérée comme une réflexion d'ordre politique : elle décrit des rapports de pouvoir de même que la connivence des opprimés devant les exactions des oppresseurs. Elle montre que les gouvernants sont plus enclins, dans les moments difficiles, à pointer du doigt des boucs émissaires qu'à assumer leurs responsabilités. La vision pessimiste de cette remarquable peinture de l'âme humaine, servie par les ressources stylistiques d'une langue enchanteresse, rejoint celle de la majorité des auteurs classiques.

# Les animaux malades de la peste

Un mal qui répand la terreur,
Mal que le Ciel en sa fureur
Inventa pour punir les crimes de la terre,
La Peste (puisqu'il faut l'appeler par son nom)
5 Capable d'enrichir en un jour l'Achéron[1],
Faisait aux animaux la guerre.
Ils ne mouraient pas tous, mais tous étaient frappés:
On n'en voyait point d'occupés
À chercher le soutien d'une mourante vie;
10 Nul mets n'excitait leur envie;
Ni Loups ni Renards n'épiaient
La douce et l'innocente proie.
Les Tourterelles se fuyaient;
Plus d'amour, partant[2] plus de joie.
15 Le Lion tint conseil, et dit: «Mes chers amis,
Je crois que le Ciel a permis
Pour nos péchés cette infortune;
Que le plus coupable de nous
Se sacrifie aux traits du céleste courroux,
20 Peut-être il obtiendra la guérison commune.
L'histoire nous apprend qu'en de tels accidents[3]
On fait de pareils dévouements[4]:
Ne nous flattons donc point, voyons sans indulgence
L'état de notre conscience.
25 Pour moi, satisfaisant mes appétits gloutons
J'ai dévoré force moutons;
Que m'avaient-ils fait? nulle offense:
Même il m'est arrivé quelquefois de manger
Le Berger.
30 Je me dévouerai donc, s'il le faut; mais je pense
Qu'il est bon que chacun s'accuse ainsi que moi
Car on doit souhaiter selon toute justice
Que le plus coupable périsse.
– Sire, dit le Renard, vous êtes trop bon Roi;
35 Vos scrupules font voir trop de délicatesse;
Eh bien, manger moutons, canaille[5], sotte espèce,
Est-ce un péché? Non non. Vous leur fîtes Seigneur
En les croquant beaucoup d'honneur.
Et quant au Berger, l'on peut dire
40 Qu'il était digne de tous maux,
Étant de ces gens-là qui sur les animaux
Se font un chimérique empire.»
Ainsi dit Renard, et flatteurs d'applaudir.
On n'osa trop approfondir
45 Du Tigre, ni de l'Ours, ni des autres puissances
Les moins pardonnables offenses.
Tous les gens querelleurs, jusqu'aux simples mâtins,
Au dire de chacun, étaient de petits saints.
L'Âne vint à son tour et dit: «J'ai souvenance[6]
50 Qu'en un pré de Moines passant,
La faim, l'occasion, l'herbe tendre, et je pense
Quelque diable aussi me poussant,
Je tondis de ce pré la largeur de ma langue.
Je n'en avais nul droit, puisqu'il faut parler net.»
55 À ces mots on cria haro[7] sur le baudet.
Un Loup quelque peu clerc[8] prouva par sa harangue
Qu'il fallait dévouer[9] ce maudit animal,
Ce pelé, ce galeux, d'où venait tout le mal.
Sa peccadille fut jugée un cas pendable.
60 Manger l'herbe d'autrui! quel crime abominable!
Rien que la mort n'était capable
D'expier son forfait: on le lui fit bien voir.
Selon que vous serez puissant ou misérable,
Les jugements de Cour vous rendront blanc ou noir.

Jean de La Fontaine, *Fables*, 1678.

**1.** Fleuve des enfers. **2.** Par conséquent. **3.** Malheurs. **4.** Immolations. **5.** Vile populace. **6.** Souvenirs lointains. **7.** Avec indignation. **8.** Instruit, savant. **9.** Immoler.

## VERS L'ANALYSE

### Les animaux malades de la peste

1. Dégagez la structure* de l'extrait en le séparant en sept parties auxquelles vous attribuerez un titre.
2. a) Quel est le thème* principal de cette fable ? Comment La Fontaine le traite-t-il ?
   b) Comment cette fable lui permet-elle de critiquer la société de son époque ?
   c) Cette critique s'appliquerait-elle encore de nos jours ? Justifiez votre réponse.
3. Expliquez comment le Lion et le Renard tentent de manipuler l'Âne.
4. Par l'entremise des animaux, La Fontaine s'attaque non seulement à la société, mais aussi à différents vices et travers de l'âme humaine. Déduisez le rang social des animaux mis en scène et nommez le trait de caractère que La Fontaine cherche à mettre en lumière.

| Animal | Rang social | Trait de caractère |
|---|---|---|
| Lion | | |
| Renard | | |
| Loup | | |
| Âne | | |

5. En quoi l'ordre d'intervention des animaux corrobore-t-il la critique de La Fontaine ?
6. a) Quelle morale doit-on tirer de cette fable ? Commentez cette morale en vous référant à l'universalité de ses sujets : maladie, mort, exercice du pouvoir.
   b) En quoi cette fable est-elle un texte classique ?

### Sujet d'analyse littéraire

**Faites l'étude des thèmes* en illustrant comment La Fontaine dénonce l'iniquité de la société.**

## Quelques morales célèbres de La Fontaine

« Ventre affamé n'a point d'oreilles. »

« Il ne faut pas avoir les yeux plus gros que le ventre. »

« La douleur est toujours moins forte que la plainte. »

« Rien ne sert de courir ; il faut partir à point. »

« On a souvent besoin d'un plus petit que soi. »

« La raison du plus fort est toujours la meilleure. »

« Patience et longueur de temps font plus que force ni que rage. »

« Tout flatteur vit aux dépens de celui qui l'écoute. »

« Tel est pris qui croyait prendre. »

« Petit poisson deviendra grand. »

« Un sot plein de savoir est plus sot qu'un autre homme. »

## La prose narrative

Moins codifié, et de ce fait jugé moins noble que le théâtre et la poésie, le récit romanesque n'en doit pas moins, comme tous les autres genres littéraires, plaire et instruire, intéresser le lecteur tout en lui proposant des modèles de moralité. Après les romans baroques aux actions compliquées et aux rebondissements multiples comme *L'Astrée*, le classicisme privilégie un nouveau type de roman, un récit bref qui rompt avec les grandes fresques du roman pastoral ; une forme dépouillée proche de la réalité quotidienne, qui mêle la fiction au cadre historique d'événements contemporains à son écriture, ce qui lui donne une certaine authenticité et explique son succès, car le lecteur peut s'y reconnaître.

Madame de La Fayette, une adepte des salons parisiens, est dès 1661 à l'origine de ce « nouveau roman » avec *La princesse de Montpensier*. Elle a par la suite écrit le plus remarqué des romans de ce siècle, *La princesse de Clèves* (1678). Renouvelant le genre, elle a inauguré le roman de type psychologique, qui expérimente de l'intérieur le rapport de l'individu à son destin. Cette œuvre signe les débuts du roman moderne.

Les dernières décennies du XVIIe siècle sont marquées par ce que l'histoire littéraire appelle la querelle des Anciens et des Modernes, une remise en question de ce qui, il y a peu, constituait les fondements du classicisme. Reflet de l'éternelle opposition qui se joue entre les anciennes et les nouvelles générations, cette querelle porte initialement sur le rôle du merveilleux en littérature. Les Anciens, comme Boileau et La Fontaine, estiment que les plus hauts sommets ont été atteints par les auteurs de l'Antiquité et qu'il faut s'en tenir au respect absolu des règles et des modèles « parfaits » légués par ces devanciers. Mais les Modernes, comme Perrault, contestent la position de ceux qui

ne croient pas au progrès en art et en littérature. Ils affirment plutôt que l'Antiquité n'est qu'une étape du devenir humain, que l'humanité est en progrès continuel et que l'art doit nécessairement s'adapter à la sensibilité contemporaine. Passant aux actes, Charles Perrault innove en créant un nouveau genre littéraire : le conte merveilleux, qui délaisse les habituelles sources mythologiques. Les Modernes triompheront et consacreront l'idée du progrès ; ce faisant, ils seront les précurseurs immédiats de l'esprit philosophique du XVIIIe siècle.

**Le Lorrain, *Vue d'un port de mer, effet de brume*, 1646.**
L'influence des Anciens et l'importance des figures mythologiques paraissent dans des paysages dont la pureté traduit l'idéal classique de la beauté.

## Madame de La Fayette (1634-1693)

*L'ambition et la galanterie étaient l'âme de cette Cour* [...]; *on songeait à s'élever, à plaire, à servir ou à nuire.*

Femme d'esprit férue de culture et d'écriture, Marie-Madeleine Pioche de La Vergne, comtesse de La Fayette, auteure de nouvelles et de romans historiques, anime tous les samedis un salon mondain à Paris.

Son roman *La princesse de Clèves* (1678) emprunte à l'Histoire pour narrer une tragédie de la passion : campée au XVIe siècle, peu avant les guerres de Religion, son intrigue n'en est pas moins une transposition de la société qui lui est contemporaine, la distanciation qu'assure la fiction permettant une lecture plus cohérente de l'époque où fut écrite l'œuvre.

Ce roman raconte la folle passion qui unit et surtout sépare deux jeunes gens. Après avoir épousé le prince de Clèves, Mlle de Chartres tombe éperdument amoureuse du séduisant duc de Nemours, qui s'éprend d'elle. Mais elle résiste à sa passion, demeurant attachée à l'honneur et à la vertu. Comme chez Racine, l'amour semble frappé de malédiction.

Cette histoire forte et touchante d'un amour malheureux contrarié par l'honneur respecte la vraisemblance et les bienséances de l'esthétique classique. L'auteure y observe et analyse aussi bien les méandres du cœur que les débats de la société. Cette œuvre d'une grande sobriété d'expression, où l'action est ramassée comme dans une tragédie, se prive de toutes les séductions romanesques pour s'attacher uniquement aux mouvants secrets du cœur. L'amour ici n'est plus contraint par la religion ni même par la famille, mais par le seul jeu de la relation entre deux êtres et par ce qui est alors porté au plus haut, la conversation. Pour recréer l'atmosphère de la vie mondaine, un art de la suggestion fait la preuve que lyrisme et classicisme ne sont pas inconciliables. Avec cette remarquable analyse psychologique d'une passion impossible et fatale, Mme de La Fayette fonde le roman d'analyse psychologique et marque de son empreinte et de son style ce qui est appelé à devenir l'une des florissantes lignées du roman français.

Dans la scène de la fatale rencontre des deux protagonistes, tout se passe dans le regard.

# Vous le connaissiez sans jamais l'avoir vu

Elle passa tout le jour des fiançailles chez elle à se parer, pour se trouver le soir au bal et au festin royal qui se faisait au Louvre. Lorsqu'elle arriva, l'on admira sa beauté et sa parure; le bal commença et, comme elle dansait avec M. de Guise, il se fit un assez grand bruit vers la porte de la salle, comme de quelqu'un qui entrait et à qui on faisait place. Mme de Clèves acheva de danser et, pendant qu'elle cherchait des yeux quelqu'un qu'elle avait dessein de prendre, le roi lui cria de prendre celui qui arrivait. Elle se tourna et vit un homme qu'elle crut d'abord ne pouvoir être que M. de Nemours, qui passait par-dessus quelques sièges pour arriver où l'on dansait. Ce prince était fait d'une sorte qu'il était difficile de n'être pas surprise de le voir quand on ne l'avait jamais vu, surtout ce soir-là, où le soin qu'il avait pris de se parer augmentait encore l'air brillant qui était dans sa personne; mais il était aussi difficile de voir Mme de Clèves pour la première fois sans avoir un grand étonnement.

M. de Nemours fut tellement surpris de sa beauté que, lorsqu'il fut proche d'elle, et qu'elle lui fit la révérence, il ne put s'empêcher de donner des marques de son admiration. Quand ils commencèrent à danser, il s'éleva dans la salle un murmure de louanges. Le roi et les reines se souvinrent qu'ils ne s'étaient jamais vus, et trouvèrent quelque chose de singulier de les voir danser ensemble sans se connaître. Ils les appelèrent quand ils eurent fini sans leur donner le loisir de parler à personne et leur demandèrent s'ils n'avaient pas bien envie de savoir qui ils étaient, et s'ils ne s'en doutaient point.

– Pour moi, madame, dit M. de Nemours, je n'ai pas d'incertitude; mais comme Mme de Clèves n'a pas les mêmes raisons pour deviner qui je suis que celles que j'ai pour la reconnaître, je voudrais bien que Votre Majesté eût la bonté de lui apprendre mon nom.

– Je crois, dit Mme la dauphine, qu'elle le sait aussi bien que vous savez le sien.

– Je vous assure, madame, reprit Mme de Clèves, qui paraissait un peu embarrassée, que je ne devine pas si bien que vous pensez.

– Vous devinez fort bien, répondit Mme la dauphine; et il y a même quelque chose d'obligeant pour M. de Nemours, à ne pas vouloir avouer que vous le connaissiez sans jamais l'avoir vu.

La reine les interrompit pour faire continuer le bal: M. de Nemours prit la reine dauphine. Cette princesse était d'une parfaite beauté et avait paru telle aux yeux de M. de Nemours avant qu'il allât en Flandre; mais, de tout le soir, il ne put admirer que Mme de Clèves.

Mme de La Fayette, *La princesse de Clèves*, 1678.

VERS L'ANALYSE

## Vous le connaissiez sans jamais l'avoir vu

1. Comment la posture d'énonciation* permet-elle au lecteur de s'identifier au personnage principal et de saisir l'ambiance et le contexte particulier de cette rencontre?
2. Sur quelle caractéristique l'attirance mutuelle des protagonistes repose-t-elle? Décrivez l'effet de deux procédés d'écriture* qui mettent en valeur cette caractéristique.
3. Comment la fébrilité de la rencontre amoureuse s'exprime-t-elle dans cet extrait? Décrivez comment l'écriture traduit la surprise et l'admiration.
4. La bienséance, caractéristique essentielle de la période classique, est valorisée dans cette œuvre. Expliquez.

## Charles Perrault (1628-1703)

*Trop de bonté dans les parents*
*Cause la perte des enfants.*

Fils d'un parlementaire, avocat de formation et brillant homme de cour, Charles Perrault commence par produire des écrits satiriques et précieux, dont le succès lui vaut d'occuper de hautes fonctions au sein du monde littéraire et artistique. En 1671, il est élu à l'Académie française, mais il perd une bonne part de ces honneurs lorsque meurt Colbert, son protecteur et homme de confiance du roi, et que ses ennemis, Racine et Boileau, s'en prennent à lui. Il commence alors à s'intéresser aux récits populaires colportés de génération en génération et dont le peuple faisait ses délices, mais qu'ignoraient les gens cultivés.

Puisant dans ce fonds culturel plutôt que dans celui de l'Antiquité, Perrault transcrit ces récits en les adaptant aux goûts d'un public de cour. Les *Contes du temps passé* ou *Contes de ma mère l'Oye* (1697) connaissent un succès immédiat auprès des courtisans.

Cette forme nouvelle d'écriture, qui ménage une place de choix à l'imaginaire et à l'invraisemblance, a donné ses lettres de noblesse au conte populaire et en a fait un genre littéraire à part entière. Derrière la simplicité de la narration, ces contes jouent sur un double registre : le jeune public y trouve son compte aussi bien que le lecteur adulte, qui peut y déceler la distance ironique, visible dans la rationalisation du merveilleux ainsi que dans les moralités finales, qui donnent une saveur particulière à ces courts récits apparemment naïfs.

# Le petit chaperon rouge

Il était une fois une petite fille de village, la plus jolie qu'on eût su voir ; sa mère en était folle, et sa mère-grand plus folle encore. Cette bonne femme lui fit faire un petit chaperon rouge, qui lui seyait si bien, que partout on l'appelait le petit chaperon rouge. 5

Un jour sa mère, ayant cuit et fait des galettes, lui dit :

– Va voir comment se porte ta mère-grand, car on m'a dit qu'elle était malade, porte-lui une galette et ce petit pot de beurre.

10 Le petit chaperon rouge partit aussitôt pour aller chez sa mère-grand, qui demeurait dans un autre village. En passant dans un bois elle rencontra compère le loup, qui eut bien envie de la manger ; mais il n'osa, à cause de quelques bûcherons qui étaient dans la forêt. Il lui 15 demanda où elle allait ; la pauvre enfant, qui ne savait pas qu'il était dangereux de s'arrêter à écouter un loup, lui dit :

– Je vais voir ma mère-grand, et lui porter une galette avec un petit pot de beurre que ma mère lui envoie.

20 – Demeure-t-elle bien loin ? lui dit le loup.

– Oh ! oui, dit le petit chaperon rouge, c'est par-delà le moulin que vous voyez tout là-bas, à la première maison du village.

– Eh bien ! dit le loup, je veux l'aller voir aussi ; je m'y en 25 vais par ce chemin-ci, et toi par ce chemin-là ; et nous verrons qui plus tôt y sera.

Le loup se mit à courir de toute sa force par le chemin qui était le plus court, et la petite fille s'en alla par le chemin le plus long, s'amusant à cueillir des noisettes, 30 à courir après les papillons, et à faire des bouquets des petites fleurs qu'elle rencontrait.

Le loup ne fut pas longtemps à arriver à la maison de la mère-grand ; il heurte : Toc, toc.

– Qui est là ?

35 – C'est votre fille le petit chaperon rouge (dit le loup, en contrefaisant sa voix) qui vous apporte une galette et un petit pot de beurre que ma mère vous envoie.

La bonne mère-grand, qui était dans son lit à cause qu'elle se trouvait un peu mal, lui cria:

40 – Tire la chevillette, la bobinette cherra.

Le loup tira la chevillette, et la porte s'ouvrit. Il se jeta sur la bonne femme, et la dévora en moins de rien; car il y avait plus de trois jours qu'il n'avait mangé. Ensuite il ferma la porte, et s'alla coucher dans le lit de la mère-
45 grand, en attendant le petit chaperon rouge, qui quelque temps après vint heurter à la porte. Toc, toc.

– Qui est là?

Le petit chaperon rouge, qui entendit la grosse voix du loup, eut peur d'abord, mais, croyant que sa mère-grand
50 était enrhumée, répondit:

– C'est votre fille le petit chaperon rouge, qui vous apporte une galette et un petit pot de beurre que ma mère vous envoie.

Le loup lui cria, en adoucissant un peu sa voix:

55 – Tire la chevillette, la bobinette cherra.

Le petit chaperon rouge tira la chevillette, et la porte s'ouvrit. Le loup, la voyant entrer, lui dit en se cachant dans le lit sous la couverture:

– Mets la galette et le petit pot de beurre sur la huche, et
60 viens te coucher avec moi.

Le petit chaperon rouge se déshabille, et va se mettre dans le lit, où elle fut bien étonnée de voir comment sa mère-grand était faite en son déshabillé. Elle lui dit:

– Ma mère-grand, que vous avez de grands bras!

65 – C'est pour mieux t'embrasser, ma fille.

– Ma mère-grand, que vous avez de grandes jambes!

– C'est pour mieux courir, mon enfant.

– Ma mère-grand, que vous avez de grandes oreilles!

– C'est pour mieux écouter, mon enfant.

70 – Ma mère-grand, que vous avez de grands yeux!

– C'est pour mieux voir, mon enfant.

– Ma mère-grand, que vous avez de grandes dents!

– C'est pour te manger.

Et, en disant ces mots, ce méchant loup se jeta sur le
75 petit chaperon rouge, et la mangea.

**Moralité.**

On voit ici que de jeunes enfants,
Surtout de jeunes filles,
Belles, bien faites, et gentilles,
80 Font très mal d'écouter toute sorte de gens,
Et que ce n'est pas chose étrange,
S'il en est tant que le loup mange.
Je dis le loup, car tous les loups
Ne sont pas de la même sorte;
85 Il en est d'une humeur accorte,
Sans bruit, sans fiel et sans courroux,
Qui privés, complaisants et doux,
Suivent les jeunes demoiselles
Jusque dans les maisons, jusque dans les ruelles;
90 Mais hélas! qui ne sait que ces loups doucereux,
De tous les loups sont les plus dangereux.

Charles Perrault, *Contes*, 1697.

VERS L'ANALYSE

## Le petit chaperon rouge

1. Expliquez comment ce conte illustre les principes prônés par l'esthétique classique.
2. L'intérêt du rapport entre les personnages repose sur les oppositions qui caractérisent ces derniers. Relevez les indices qui permettent de cerner l'un et l'autre, et qualifiez chacun à l'aide d'un adjectif.
3. Aux lignes 64 à 72,
   a) comment la surprise de la jeune fille s'exprime-t-elle?
   b) quels procédés d'écriture* dévoilent peu à peu la vraie nature du loup et le danger auquel s'expose la fillette?
4. Dans la moralité, la figure du loup prend aussi un sens métaphorique. Expliquez.
5. Relevez trois accumulations* entre les lignes 77 à 91 et commentez l'effet de chacune.
6. Aux deux dernières lignes, relevez et expliquez l'effet des deux procédés d'écriture* suivants:
   a) figure d'opposition*;
   b) procédé d'amplification*.

### Sujet d'analyse littéraire

**Analysez les thèmes* et l'écriture de ce conte en mettant en lumière la morale véhiculée par Perrault et les moyens qu'il emploie pour la transmettre.**

## La prose d'idées ou la prose non romanesque

Le classicisme stimule la floraison d'une littérature d'idées qui s'insinue partout. Au moment où les anciennes certitudes théologiques sont battues en brèche par les découvertes scientifiques, des écrits philosophiques proposent une méthode d'appréhension du monde différente de celle, périmée, du XVIe siècle. C'est ainsi que René Descartes rénove et vulgarise la philosophie. Quant à Blaise Pascal, son œuvre fervente et passionnée sur l'aventure de l'âme devient le modèle achevé de l'écriture classique.

La littérature de cette époque doit beaucoup aux salons mondains, où l'on parle avec légèreté de choses sérieuses, où l'on promeut l'affirmation féminine, où l'on critique les œuvres littéraires et où l'on s'interroge sur la façon de se comporter en société. Chacun tente d'y briller en faisant valoir son esprit critique. Se développe alors, sous le couvert de la conversation brillante, une littérature de formes brèves. Des esprits pénétrants condensent dans une formule lapidaire une réflexion morale sur l'humaine condition. Jean de La Bruyère et François de La Rochefoucauld excellent dans la formulation de ces maximes brèves et saisissantes, qui incarnent chacune la précision extrême de la prose française.

**Charles Le Brun, *Les reines de Perse aux pieds d'Alexandre*, dit aussi *La tente de Darius*, v. 1660.**

L'esthétique classique propose une perspective idéalisée en s'intéressant à des sujets nobles, soulignant la grandeur et la beauté de l'âme humaine.

Madame de Sévigné donne ses lettres de noblesse à l'art épistolaire : avec elle, réflexion intellectuelle et vie sociale n'apparaissent plus comme deux sphères distinctes de la vie. La correspondance cesse d'être destinée à un seul lecteur : d'abord lue par le destinataire, elle est ensuite recopiée, montrée dans les salons puis publiée en recueil. Ces lettres font office de chronique ou de journal du temps.

### Poésie et philosophie

« Il peut paraître étonnant que les pensées profondes se rencontrent plutôt dans les écrits des poètes que dans ceux des philosophes. La raison en est que les poètes ont écrit sous l'empire de l'enthousiasme et de la force de l'imagination. Il y a en nous des semences de science comme en un silex des semences de feu ; les philosophes les extraient par raison, les poètes les arrachent par imagination : elles brillent alors davantage. »

René Descartes

# Je pense, donc je suis

Je ne sais si je dois vous entretenir des premières méditations que j'y ai faites ; car elles sont si métaphysiques et si peu communes, qu'elles ne seront peut-être pas au goût de tout le monde : et, toutefois, afin qu'on puisse juger si les fonde-
5 ments que j'ai pris sont assez fermes, je me trouve en quelque façon contraint d'en parler. J'avais, dès longtemps, remarqué que pour les mœurs il est besoin quelquefois de suivre des opinions qu'on sait être fort incertaines, tout de même que si elles étaient indubitables, ainsi qu'il a été dit ci-dessus ; mais,
10 pour ce qu'alors je désirais vaquer seulement à la recherche

de la vérité, je pensai qu'il fallait que je fisse tout le contraire, et que je rejetasse comme absolument faux tout ce en quoi je pourrais imaginer le moindre doute, afin de voir s'il ne resterait point après cela quelque chose en ma créance qui fût entièrement indubitable. Ainsi, à cause que nos sens nous trompent quelquefois, je voulus supposer qu'il n'y avait aucune chose qui fût telle qu'ils nous la font imaginer; et, parce qu'il y a des hommes qui se méprennent en raisonnant, même touchant les plus simples matières de géométrie, et y font des paralogismes, jugeant que j'étais sujet à faillir autant qu'aucun autre, je rejetai comme fausses toutes les raisons que j'avais prises auparavant pour démonstrations; et enfin, considérant que toutes les mêmes pensées que nous avons étant éveillés, nous peuvent aussi venir quand nous dormons, sans qu'il y en ait aucune pour lors qui soit vraie, je me résolus de feindre que toutes les choses qui m'étaient jamais entrées en l'esprit, n'étaient non plus vraies que les illusions de mes songes. Mais aussitôt après je pris garde que, pendant que je voulais ainsi penser que tout était faux, il fallait nécessairement que moi qui le pensais fusse quelque chose; et remarquant que cette vérité, *je pense, donc je suis*, était si ferme et si assurée, que toutes les plus extravagantes suppositions des sceptiques n'étaient pas capables de l'ébranler, je jugeai que je pouvais la recevoir sans scrupule pour le premier principe de la philosophie que je cherchais.

René Descartes, *Discours de la méthode*, 1637.

VERS L'ANALYSE

## Je pense, donc je suis

1. a) Résumez le propos* formulé par Descartes dans cet extrait.
   b) Le constat de l'auteur est le suivant: *Je pense, donc je suis.* Reformulez cette idée en tenant compte de la réflexion étayée dans l'extrait.
2. La réflexion de l'auteur passe par de nombreuses incertitudes. Constituez le champ lexical* du doute pour illustrer l'adéquation entre le propos* et le vocabulaire* employé.
3. Relevez et commentez l'effet d'un procédé d'écriture* qui met en relief:
   a) les contradictions auxquelles se heurte la pensée que tente de formuler Descartes;
   b) la conviction de l'auteur quant à la vérité qu'il énonce au terme de sa réflexion.
4. Comment la construction des phrases* reflète-t-elle la complexité de la pensée de Descartes?

### Sujet d'analyse littéraire

En tenant compte du fond* et de la forme*, montrez la rigueur du raisonnement proposé par Descartes.

## René Descartes (1596-1650)

*La pluralité des voix n'est pas une preuve qui vaille.*

Géomètre, astronome, physicien, moraliste et théologien, René Descartes est le modèle même du penseur classique: un savant doublé d'un philosophe. Grand lecteur de Montaigne, il prolonge les idées humanistes en mettant le moi, celui de l'être pensant, au centre de tout. Ce philosophe voit dans les mathématiques le modèle de toutes les certitudes, ce qui l'amène à rechercher un point d'appui comparable pour assurer à la connaissance des critères de vérité indiscutables. Sa remise en question radicale provient de cette simple prise de conscience: *Je pense, donc je suis*. La pensée devient le principe de l'existence et la première vérité dont découleront toutes les autres. Faisant table rase du passé, Descartes formule une méthode audacieuse et rigoureuse basée sur le doute systématique et méthodique à l'égard de toutes les croyances qui exigent une foi spontanée, y compris l'existence de Dieu.

La méthode cartésienne, qu'il souhaite accorder à la révélation chrétienne, est fondée sur quatre principes: remettre tout en cause, traiter les difficultés cas par cas, conduire les pensées par ordre du plus simple au plus compliqué et ne rien omettre. Une méthodologie applicable aux sciences pures comme aux sciences dites humaines. C'est le cartésianisme: conduites par la raison et le scepticisme radical qu'elle implique, les pensées accèdent à la vérité grâce aux lumières de l'intuition et de la déduction. Ainsi apparaît une nouvelle conception de la connaissance, où le raisonnement logique tient toute la place. Descartes rompt avec le recours à l'autorité des Anciens pour rebâtir la philosophie et les sciences à la seule lumière de la raison.

Le *Discours de la méthode* (1637), un essai de biographie intellectuelle, retrace, dans un style sobre et substantiel où tout semble s'enchaîner comme dans une démonstration mathématique, l'évolution des pensées et des raisonnements de Descartes. Penser devient une aventure individuelle à laquelle chacun est convié. Ce texte, le plus célèbre de la philosophie française, offre une base philosophique à la rationalisation du classicisme littéraire. Cette philosophie, qui ouvre la voie à la pensée moderne, servira de fondement au développement des sciences.

## Blaise Pascal (1623-1662)

*Le cœur a ses raisons, que la raison ne connaît point.*

Génie précoce, Blaise Pascal démontre seul, à l'âge de 12 ans, la trente-deuxième proposition d'Euclide (*la somme des angles d'un triangle est égale à deux droits*). À 15 ans, il participe à des débats scientifiques et, avant l'âge de 20 ans, il est déjà devenu un savant célèbre. Pascal a découvert les secrets de l'acoustique, esquissé un travail sur les coniques, expérimenté la pression atmosphérique et réfléchi sur l'existence du vide, en plus d'inventer une machine à calculer qui est l'ancêtre de nos ordinateurs.

Après une carrière de brillant mathématicien, d'inventeur et de philosophe mondain, il rencontre la foi, qui s'impose à lui comme une nécessité. Pascal décide alors de prouver que, pour l'homme perdu entre l'infiniment grand du cosmos et l'infiniment petit de l'atome, la foi est la seule issue.

Dans *Les provinciales* (1656-1657), il défend l'austère pensée janséniste : depuis le péché originel, l'homme est séparé de Dieu et ne peut espérer être sauvé que par la grâce obtenue par les mérites de Jésus-Christ ; nul ne peut participer à son salut et seuls seront sauvés quelques élus de Dieu. Puis, il a recours à la logique et au calcul des probabilités pour prouver l'importance de croire en Dieu. C'est le fameux « pari de Pascal » : mieux vaut parier que Dieu existe. La foi en Dieu ne présenterait que des avantages : récompense dans l'au-delà dans l'éventualité où Dieu existerait bel et bien et, en attendant, assurance d'une vie terrestre saine et morale.

Accumulant tout au long de sa vie des notes et des réflexions suscitées par la lecture de la Bible, des œuvres de saint Augustin et de Montaigne, ce penseur laisse un monument inégalé de spiritualité. Ces fragments ne seront assemblés et publiés qu'en 1670, huit ans après sa mort : les *Pensées*, étourdissante somme de méditations sur une multitude de sujets allant du rien à l'infini. La profondeur des idées de cette apologie de la religion basée sur la connaissance de la misère humaine n'a d'égale que la puissance du style, considéré comme l'apogée de la prose classique française au XVII$^{e}$ siècle.

Ces pensées témoignent du trouble spirituel d'une époque tout en rappelant qu'il existe en l'homme un devoir d'exigence ; elles nous interpellent encore aujourd'hui.

Le concept de « divertissement » renvoie à tout ce qui nous détourne de la réflexion sur notre condition.

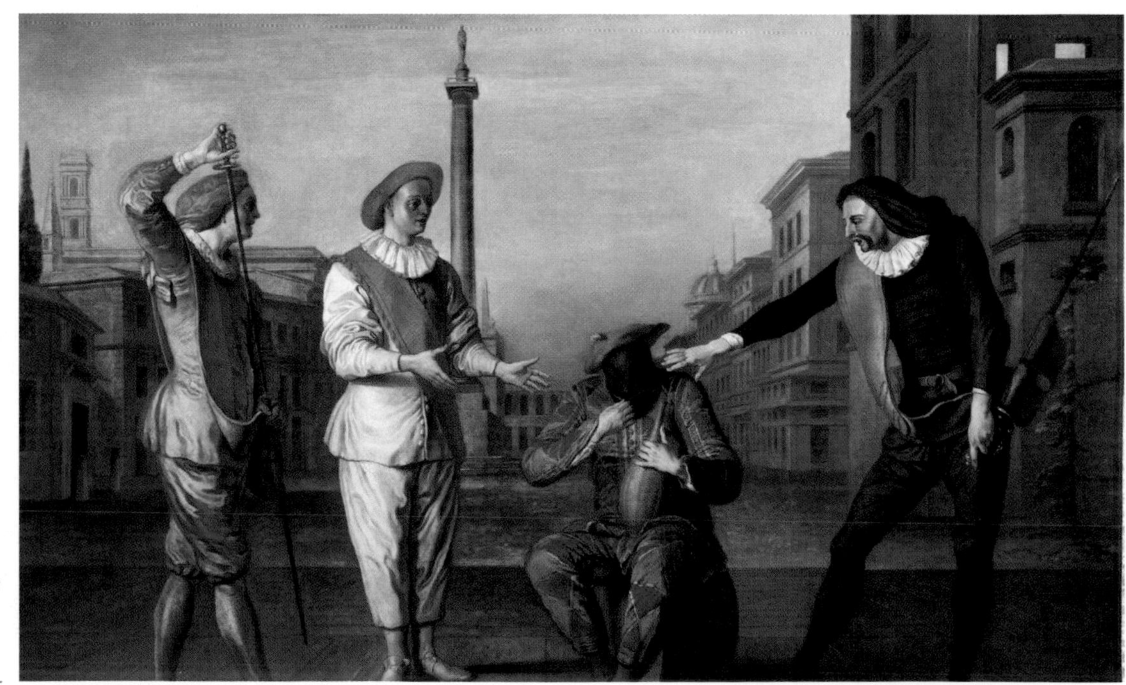

**Claude Gillot, *Le tombeau de maître André*, v. 1716.**

Ce tableau aux lignes pures et précises rappelle l'influence sur la comédie classique de la *commedia dell'arte*, dont les effets reposent essentiellement sur la gestuelle.

# Le divertissement

Quand je m'y suis mis quelquefois à considérer les diverses agitations des hommes et les périls et les peines où ils s'exposent dans la cour, dans la guerre, d'où naissent tant de querelles, de passions, d'entreprises hardies 5 et souvent mauvaises, j'ai dit souvent que tout le malheur des hommes vient d'une seule chose, qui est de ne savoir pas demeurer au repos dans une chambre. Un homme qui a assez de bien pour vivre, s'il savait demeurer chez soi avec plaisir, n'en sortirait pas pour aller sur la 10 mer ou au siège d'une place, ou n'achèterait une charge à l'armée si cher que parce qu'on trouverait insupportable de ne bouger de la ville, et on ne recherche les conversations et les divertissements des jeux que parce qu'on ne peut demeurer chez soi avec plaisir.

15 Mais quand j'ai pensé de plus près et qu'après avoir trouvé la cause de tous nos malheurs, j'ai voulu en découvrir les raisons, j'ai trouvé qu'il y en a une bien effective, qui consiste dans le malheur naturel de notre condition faible et mortelle, et si misérable que rien ne 20 peut nous consoler lorsque nous y pensons de près.

Quelque condition qu'on se figure où l'on assemble tous les biens qui peuvent nous appartenir, la royauté est le plus beau poste du monde, et cependant qu'on s'en imagine accompagné de toutes les satisfactions qui 25 peuvent le toucher. S'il est sans divertissement, et qu'on le laisse considérer et faire réflexion sur ce qu'il est, cette félicité languissante ne le soutiendra point; il tombera par nécessité dans les vues qui le menacent des révoltes qui peuvent arriver et enfin de la mort et des maladies qui 30 sont inévitables, de sorte que s'il est sans ce qu'on appelle divertissement, le voilà malheureux, et [plus] malheureux que le moindre de ses sujets qui joue et qui se divertit.

De là vient que le jeu et la conversation des femmes, la guerre, les grands emplois sont si recherchés. Ce n'est 35 pas qu'il y ait en effet du bonheur, ni qu'on s'imagine que la vraie béatitude soit d'avoir l'argent qu'on peut gagner au jeu, ou dans le lièvre qu'on court; on n'en voudrait pas s'il était offert. Ce n'est pas cet usage mol et paisible et qui nous laisse penser à notre malheureuse 40 condition qu'on recherche ni les dangers de la guerre ni la peine des emplois, mais c'est le tracas qui nous détourne d'y penser et nous divertit.

De là vient que les hommes aiment tant le bruit et le remuement. De là vient que la prison est un supplice si hor- 45 rible, de là vient que le plaisir de la solitude est une chose incompréhensible. Et c'est enfin le plus grand sujet de félicité de la condition des rois, de ce qu'on essaie sans cesse à les divertir et à leur procurer toutes sortes de plaisirs.

Voilà tout ce que les hommes ont pu inventer pour se 50 rendre heureux [...].

Blaise Pascal, *Pensées*, 1670.

## Fragments de Pascal

« Le silence éternel de ces espaces infinis m'effraie. »

« Une religion qui ferait de l'homme son propre dieu, rien ne serait plus triste que cela. »

« L'homme n'est ni ange ni bête, et le malheur veut que qui veut faire l'ange fait la bête. »

« Le dernier acte est sanglant, quelque belle que soit la comédie en tout le reste : on jette enfin de la terre sur la tête, et en voilà pour jamais. »

« Le nez de Cléopâtre, s'il eût été plus court, toute la face de la terre aurait changé. »

« L'homme n'est qu'un roseau, le plus faible de la nature, mais c'est un roseau pensant. Il ne faut pas que l'univers entier s'arme pour l'écraser, une vapeur, une goutte d'eau suffit pour le tuer. Mais quand l'univers l'écraserait, l'homme serait encore plus noble que ce qui le tue, puisqu'il sait qu'il meurt, et l'avantage que l'univers a sur lui, l'univers n'en sait rien. »

### VERS L'ANALYSE

## Le divertissement

1. a) Cernez le sens du concept de divertissement selon Pascal.

   b) Dressez-en le champ lexical*.
2. Tout au long de l'extrait, Pascal emploie des phrases* très longues. Expliquez comment elles témoignent de la profondeur de la réflexion.
3. Relevez les marques de la négation* dans le quatrième paragraphe. Comment contribuent-elles à exprimer la pensée de l'auteur ?
4. L'auteur fonde son argumentation sur l'opposition entre malheur et plaisir. Expliquez l'effet d'un procédé d'écriture* mettant en relief ces contrastes.
5. Pascal laisse-t-il entendre que l'argent et le rang social élevé sont garants du bonheur ? Justifiez votre réponse.

## François de La Rochefoucauld (1613-1680)

*Nos vertus ne sont le plus souvent que des vices déguisés.*

Issu de la haute noblesse et marié à l'âge de 15 ans[1], François de La Rochefoucauld a une vie mouvementée. Grand séducteur, ce père de huit enfants multiplie les aventures sentimentales. Il en concevra une vision désabusée du monde, teintée de pessimisme. Sa quête de la vérité et de la beauté, jointe à son ardent désir de briller dans les activités mondaines, l'amène à formuler, sous forme de tournures générales, étonnantes et ingénieuses, des réflexions personnelles sur le comportement humain. Il crée ainsi le premier ouvrage français de maximes, le genre littéraire le plus court et le plus dense qui soit, très français par sa précision.

L'ouvrage qu'il peaufine une bonne partie de sa vie, *Réflexions, sentences et maximes morales* (1664-1678), révèle les ressorts de la conduite humaine. L'amour-propre, le tempérament et le hasard détermineraient tous les comportements de l'homme en société où primeraient toujours, comme des instincts, l'intérêt personnel et le besoin de paraître, de bien paraître. Comme chez Pascal et Racine, l'humain semble marqué par la fatalité.

Cet ouvrage met au service d'une observation

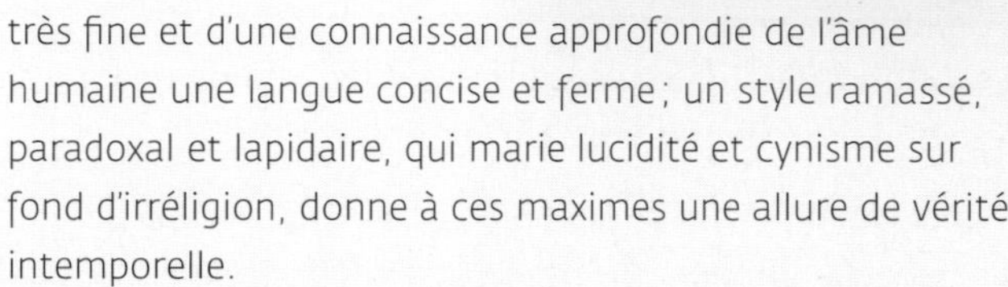

très fine et d'une connaissance approfondie de l'âme humaine une langue concise et ferme ; un style ramassé, paradoxal et lapidaire, qui marie lucidité et cynisme sur fond d'irréligion, donne à ces maximes une allure de vérité intemporelle.

1. Les mariages de raison, ou de convenance, étaient fréquents dans la haute noblesse.

# L'orgueil se dédommage toujours

XXXI

Si nous n'avions point de défauts, nous ne prendrions pas tant de plaisir à en remarquer dans les autres.

XXXIV

Si nous n'avions point d'orgueil, nous ne nous plaindrions pas de celui des autres.

XXXV

L'orgueil est égal dans tous les hommes, et il n'y a de différence qu'aux moyens et à la manière de le mettre au jour.

XXXVI

Il semble que la nature, qui a si sagement disposé les organes de notre corps pour nous rendre heureux, nous ait aussi donné l'orgueil pour nous épargner la douleur de connaître nos imperfections.

XXXVIII

Nous promettons selon nos espérances et nous tenons selon nos craintes.

XXXIX

L'intérêt parle toutes sortes de langues et joue toutes sortes de personnages, même celui de désintéressé.

XLI

Ceux qui s'appliquent trop aux petites choses deviennent ordinairement incapables des grandes.

XLIII

L'homme croit souvent se conduire lorsqu'il est conduit et, pendant que par son esprit il tend à un but, son cœur l'entraîne insensiblement à un autre.

XLIV

La force et la faiblesse de l'esprit sont mal nommées ; elles ne sont, en effet, que la bonne ou la mauvaise disposition des organes du corps.

XLV

Le caprice de notre humeur est encore plus bizarre que celui de la fortune.

XLIX

On n'est jamais si heureux ni si malheureux qu'on s'imagine.

L

Ceux qui croient avoir du mérite se font un honneur d'être malheureux pour persuader aux autres et à eux-mêmes qu'ils sont dignes d'être en butte à la fortune.

LXXXIII

Ce que les hommes ont nommé amitié n'est qu'une société, qu'un
30 ménagement réciproque d'intérêts et qu'un échange de bons offices; ce n'est enfin qu'un commerce où l'amour-propre se propose toujours quelque chose à gagner.

XCIII

Les vieillards aiment à donner de bons préceptes pour se consoler de n'être plus en état de donner de mauvais exemples.

CX

35 On ne donne rien si libéralement que ses conseils.

CXIX

Nous sommes si accoutumés à nous déguiser aux autres qu'enfin nous nous déguisons à nous-mêmes.

CXXI

On fait souvent du bien pour pouvoir impunément faire du mal.

CXXXVIII

On aime mieux dire du mal de soi-même que de n'en point parler.

CXLVIII

40 Il y a des reproches qui louent et des louanges qui médisent.

François de La Rochefoucauld, *Réflexions, sentences et maximes morales*, 1664-1678.

VERS L'ANALYSE

## L'orgueil se dédommage toujours

1. Ces maximes révèlent plusieurs travers de l'être humain. Associez au moins trois maximes à chacun des énoncés suivants :
   a) L'humain a du mal à admettre ses défauts et ses faiblesses ; il cherche à oublier sa vraie nature ou à se déculpabiliser.
   b) L'humain est incapable de gestes gratuits ; ses relations sont nécessairement intéressées.
   c) Toutes les actions humaines sont guidées par l'orgueil ; l'humain ne craint pas de blesser ou de dénigrer l'autre pour se valoriser ni d'exposer sa souffrance pour susciter la pitié.
2. Au moyen de trois adjectifs, qualifiez l'être humain tel que décrit par La Rochefoucauld.
3. Les idées avancées par l'auteur reposent souvent sur des oppositions. Quels procédés d'écriture* mettent en valeur ces oppositions ? Citez et commentez trois maximes. Décrivez-en les effets en tenant compte du sens et de la construction des phrases*.
4. En quoi ces maximes sont-elles caractéristiques de la vision classique du monde ?

## Jean de La Bruyère (1645-1696)

*Le plaisir le plus délicat est de faire celui d'autrui.*

Jeune bourgeois cultivé, Jean de La Bruyère vit, en tant qu'éducateur, à la cour où il se fait le spectateur discret et attentif des caractères et des mœurs des Grands. Il en rend compte dans *Les caractères* (1688), un ouvrage composite de maximes qui donnent à méditer et de portraits qui prêtent à sourire. Il y dessine des types révélateurs de particularités morales, à la manière d'un Molière et d'un La Fontaine. Observateur infatigable de ses semblables, La Bruyère s'attarde à décrire ce qui se cache sous le masque de l'honnête homme. Mieux, derrière l'individualité du modèle, il cherche à montrer des traits généraux de l'humanité.

Dans ses portraits concrets, il excelle à saisir l'essence des gens, mais il ne se contente pas de produire des types humains. Il pousse plus loin la démarche : il s'interroge sur les us et coutumes de son époque, critique la misère des uns, dénonce les abus des autres, ce qui le conduit finalement à une critique des institutions et à un appel à la réforme. Il réclame plus de justice pour le peuple, notamment pour les paysans qui font vivre la nation mais meurent de faim. La Bruyère, qui se montre toujours sévère et pénétrant, annonce lui aussi l'esprit philosophique du Siècle des Lumières, tout en se faisant le précurseur de la sociologie moderne.

Dans un style concis et spirituel où d'incisives et brillantes remarques émaillent des phrases courtes et nerveuses, le moraliste donne un ton nouveau à la critique sociale. Ainsi, dans la description de la cour, où la mesquinerie du Roi-Soleil est dénoncée de manière indirecte, La Bruyère recourt à des formules générales et emprunte un ton de fausse naïveté. Ses textes sont ainsi devenus un véritable divertissement de salon, chacun s'ingéniant à trouver les clés qui permettraient de reconnaître les personnages dont il est question.

Dans ce qui est moins une littérature morale qu'une satire sociale, La Bruyère décrit ici un type d'individu qui s'oppose totalement à la conduite d'un « honnête homme ».

# À plus de onze cents lieues de mer des Iroquois et des Hurons

L'on parle d'une région où les vieillards sont galants, polis et civils, les jeunes gens au contraire durs, féroces, sans mœurs ni politesse : ils se trouvent affranchis de la passion des femmes dans un âge où 5 l'on commence ailleurs à la sentir ; ils leur préfèrent des repas, des viandes, et des amours ridicules : celui-là chez eux est sobre et modéré, qui ne s'enivre que de vin ; l'usage trop fréquent qu'ils en ont fait le leur a rendu insipide ; ils cherchent à réveiller leur 10 goût déjà éteint par des eaux-de-vie, et par toutes les liqueurs les plus violentes : il ne manque à leur débauche que de boire de l'eau-forte. Les femmes du pays précipitent le déclin de leur beauté par des artifices qu'elles croient servir à les rendre belles : 15 leur coutume est de peindre leurs lèvres, leurs joues, leurs sourcils et leurs épaules, qu'elles étalent avec leur gorge, leurs bras et leurs oreilles, comme si elles craignaient de cacher l'endroit par où elles pourraient plaire, ou de ne pas se montrer assez. Ceux 20 qui habitent cette contrée ont une physionomie qui n'est pas nette, mais confuse, embarrassée dans une épaisseur de cheveux étrangers qu'ils préfèrent aux naturels, et dont ils font un long tissu pour couvrir leur tête ; il descend à la moitié du corps, change les 25 traits et empêche qu'on ne connaisse les hommes à leur visage. Ces peuples d'ailleurs ont leur Dieu et leur roi : les grands de la nation s'assemblent tous les jours, à une certaine heure, dans un temple qu'ils nomment église ; il y a au fond de ce temple un autel 30 consacré à leur Dieu, où un prêtre célèbre des mystères qu'ils appellent saints, sacrés, et redoutables : les grands forment un vaste cercle au pied de cet autel, et paraissent debout, le dos tourné directement aux prêtres et aux saints mystères, et les faces élevées 35 vers leur roi, que l'on voit à genoux sur une tribune, et à qui ils semblent avoir tout l'esprit et tout le cœur appliqué. On ne laisse pas de voir dans cet usage une espèce de subordination ; car ce peuple paraît adorer le prince, et le prince adorer Dieu. Les gens du pays le 40 nomment*** ; il est à quelque quarante-huit degrés d'élévation du pôle, et à plus de onze cents lieues de mer des Iroquois et des Hurons.

Jean de La Bruyère, *Les caractères*, 1688.

## Quelques citations de La Bruyère

« L'esprit de parti abaisse les grands hommes. »

« Ce qui barre la route fait faire du chemin. »

« Ne songer qu'à soi et au présent, source d'erreur dans la politique. »

« À quelques-uns l'arrogance tient lieu de grandeur, l'inhumanité de fermeté, et la fourberie, d'esprit. »

« Un beau visage est le plus doux de tous les spectacles. »

« La fausse modestie est le dernier raffinement de la vanité. »

« Les visites font toujours plaisir, si ce n'est en arrivant, du moins en partant. »

« Une chose folle, et qui découvre bien notre petitesse, c'est l'assujettissement aux modes. »

« L'ennui est entré dans le monde par la paresse. »

## VERS L'ANALYSE

### À plus de onze cents lieues de mer des Iroquois et des Hurons

1. Dans cet extrait, sur quoi repose la critique sociale de La Bruyère ? À quoi s'attaque-t-il ? Relevez un passage illustrant chacun des aspects de sa critique.
2. Comment peut-on qualifier la tonalité* de ce texte ? Justifiez votre réponse en énumérant les principaux procédés d'écriture* auxquels l'auteur a recours.
3. L'auteur se place dans une posture d'observateur, comme s'il souhaitait se distancier de la réalité qu'il décrit.
   a) Comment cette distanciation transparaît-elle dans l'écriture ? Commentez le lexique* et la posture d'énonciation*.
   b) Quelle peut être l'intention de l'auteur lorsqu'il crée un tel effet ?
4. Pour chacun des procédés* énumérés ci-dessous, relevez un passage pertinent et commentez l'effet de style :
   a) deux figures d'opposition* distinctes ;
   b) deux figures d'amplification* distinctes.

## Madame de Sévigné (1626-1696)

*Je vous cherche toujours, et je trouve que tout me manque, parce que vous me manquez.*

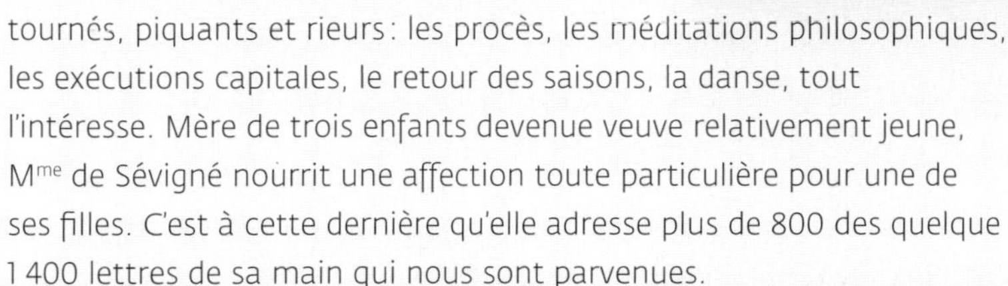

Si la presse avait existé, Marie de Rabutin-Chantal, dite marquise de Sévigné, aurait pu être la première de son temps à agir à titre de chroniqueuse mondaine de la vie courtisane. Tout est prétexte à billets lestement tournés, piquants et rieurs : les procès, les méditations philosophiques, les exécutions capitales, le retour des saisons, la danse, tout l'intéresse. Mère de trois enfants devenue veuve relativement jeune, Mme de Sévigné nourrit une affection toute particulière pour une de ses filles. C'est à cette dernière qu'elle adresse plus de 800 des quelque 1 400 lettres de sa main qui nous sont parvenues.

L'épistolière y observe minutieusement la vie de son époque ; la peinture de mœurs y voisine la description de grands événements. Avec son sens très sûr de l'ordre, de l'équilibre et de la beauté classiques, elle laisse courir une plume qui ne dédaigne pas les éraflures. Le style pittoresque, qui allie vivacité et naturel à la constante recherche de jolies trouvailles d'expression, est servi par une écriture souple et maîtrisée. Quant au ton, il peut varier d'une lettre à l'autre, et même à l'intérieur d'une lettre. Ce vivant tableau des goûts, des gens et des choses du XVIIe siècle est aujourd'hui considéré comme le chef-d'œuvre de la littérature mondaine.

Dans une lettre à sa fille, Mme de Sévigné relate la mort ignominieuse de la marquise de Brinvilliers, compromise dans la célèbre affaire des Poisons qui secoua la France de 1670 à 1680. Le ton de fait divers, ou de constat objectif, y contraste avec un lyrisme qui laisse deviner le trouble de l'auteure devant les événements qu'elle rapporte.

# La Brinvilliers est en l'air

À Paris, vendredi 17 juillet 1676

Enfin c'en est fait, la Brinvilliers est en l'air : son pauvre petit corps a été jeté, après l'exécution, dans un fort grand feu, et les cendres au vent ; de sorte que nous la respirerons, et par la communication des petits esprits, il nous prendra quelque humeur empoisonnante, dont nous serons tout étonnés. Elle fut jugée dès hier ; ce matin on lui a lu son arrêt, qui était de faire amende honorable à Notre-Dame, et d'avoir la tête coupée, son corps brûlé, les cendres au vent. On l'a présentée à la question : elle a dit qu'il n'en était pas besoin, et qu'elle dirait tout ; en effet, jusqu'à cinq heures du soir elle a conté sa vie, encore plus épouvantable qu'on ne le pensait. Elle a empoisonné dix fois de suite son père (elle ne pouvait en venir à bout), ses frères et plusieurs autres ; et toujours l'amour et les confidences mêlées partout. Elle n'a rien dit contre Penautier. Après cette confession, on n'a pas laissé de lui donner dès le matin la question ordinaire et extraordinaire : elle n'en a pas dit davantage. Elle a demandé à parler à Monsieur le procureur général ; elle a été une heure avec lui : on ne sait point encore le sujet de cette conversation. À six heures on l'a menée nue en chemise et la corde au cou, à Notre-Dame, faire l'amende honorable ; et puis on l'a remise dans le même tombereau, où je l'ai vue, jetée à reculons sur de la paille, avec une cornette basse et sa chemise, un docteur auprès d'elle, le bourreau de l'autre côté : en vérité cela m'a fait frémir. Ceux qui ont vu l'exécution disent qu'elle a monté sur l'échafaud avec bien du courage. Pour moi, j'étais sur le pont Notre-Dame, avec la bonne d'Escars ; jamais il ne s'est vu tant de monde, ni Paris si ému ni si attentif ; et demandez-moi ce qu'on a vu, car pour moi je n'ai vu qu'une cornette ; mais enfin ce jour était consacré à cette tragédie. J'en saurai demain davantage, et cela vous reviendra…

Mme de Sévigné, *Lettres*, 1726 (œuvre posthume).

## La Brinvilliers est en l'air

VERS L'ANALYSE

1. Quel événement est raconté dans cette lettre ? Dans quel ordre les faits sont-ils présentés ?
2. Sous quel jour la condamnée est-elle présentée ? Relevez les indices permettant de la décrire pour dresser un portrait sommaire.
3. Relevez et commentez l'écriture d'un passage illustrant :
   a) la lourdeur de la sentence ;
   b) la gravité des crimes commis.
4. a) Commentez la narration* et la focalisation* dans ce texte. D'après vous, quelle est l'intention de l'auteure ?
   b) Relevez les indices qui laissent croire à l'objectivité de Mme de Sévigné et ceux qui laissent entrevoir sa subjectivité.
   c) À la lumière de ces considérations, qualifiez l'écriture de cette lettre.

## Quelques citations de Madame de Sévigné

« Le cœur n'a pas de ride. »

« Gare à la flatterie, ma fille ; trop de sucre gâte les dents. »

« Les opinions des femmes ne sont que la suite de leurs sentiments. »

« La vie est trop courte pour se tuer ; ce n'est pas la peine de s'impatienter. »

« Il vaut mieux reverdir que d'être toujours vert. »

« Prenez du chocolat afin que les plus méchantes compagnies vous paraissent bonnes. »

**Claude Lefebvre, *Marie de Rabutin-Chantal, marquise de Sévigné*, XVIIe siècle.**

Avec des auteurs comme Mme de Sévigné, réflexion intellectuelle et vie sociale cessent d'apparaître comme deux sphères distinctes de la vie.

*La principale règle est de plaire et de toucher. Toutes les autres ne sont faites que pour parvenir à cette première.*

*Racine*

### Le théâtre du classicisme

Comme les autres genres littéraires, le théâtre classique tend à promouvoir l'idéal d'une société stabilisée et hautement hiérarchisée. Rejetant à son tour les outrances du baroque, au nom de la raison et d'une adhésion plus étroite à la réalité, il pose une règle maîtresse, celle des trois unités d'action, de temps et de lieu : *Qu'en un lieu, qu'en un jour, un seul fait accompli / Tienne jusqu'à la fin le théâtre rempli* (Boileau). L'action doit donc se concentrer sur une intrigue principale, jamais perdue de vue ; le temps de la fiction et la durée de la représentation coïncident presque, le premier n'excédant jamais vingt-quatre heures ; enfin, l'action se déroule dans un lieu unique et clos.

À ces règles générales s'en ajoutent d'autres comme l'unité de ton : le refus du mélange des genres, pratiqué dans la tragicomédie qui alliait le sérieux et le comique ; le respect de la vraisemblance, c'est-à-dire ne représenter que ce que le spectateur peut raisonnablement accepter ; le respect de la bienséance, afin de ne pas choquer le goût du public par la représentation d'un réalisme vulgaire ; l'enseignement d'une morale pratique par la mise en scène des mœurs de la société, qui permet au dramaturge de dessiner le portrait de la nature humaine plutôt que d'individus. La finalité de ces pièces, qui s'organisent généralement autour d'un personnage central dont les idées sont combattues par des adversaires, consiste donc à améliorer l'individu et les mœurs sociales tout en amusant : *L'emploi de la comédie est de corriger les vices des hommes*, écrit Molière.

Les tragédies et les comédies de la littérature classique, devenues le principal véhicule de l'écriture poétique, seront pendant longtemps des modèles admirés. Les tragédies, qui puisent leurs sujets dans l'histoire romaine et la mythologie grecque, deviennent avec Racine de véritables méditations sur la condition humaine. Pour sa part, Molière fait triompher la comédie, une mise en scène des mœurs de la société servant à amuser tout en illustrant une morale pratique.

## Jean Racine (1639-1699)

*Brûlé de plus de feux que je n'en allumai.*

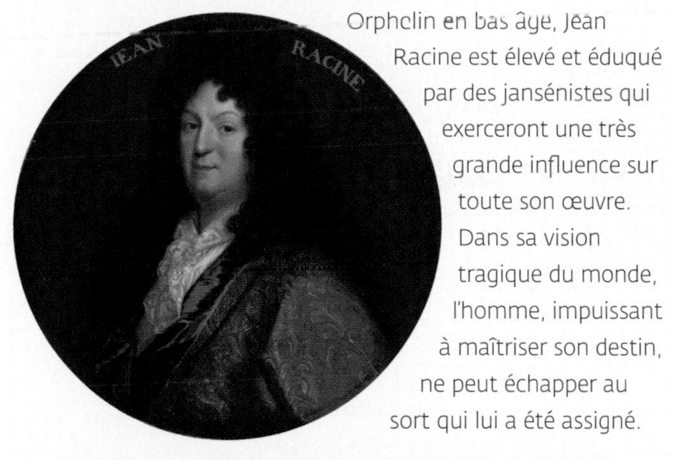


Orphelin en bas âge, Jean Racine est élevé et éduqué par des jansénistes qui exerceront une très grande influence sur toute son œuvre. Dans sa vision tragique du monde, l'homme, impuissant à maîtriser son destin, ne peut échapper au sort qui lui a été assigné. Une fatalité absolue et irréversible pèse sur lui et dissipe tout rêve de bonheur. Cette vision transpire de toutes les tragédies de Racine, particulièrement de ses plus importantes : *Andromaque* (1667), *Britannicus* (1669), *Bajazet* (1672), *Mithridate* (1673), *Iphigénie* (1674) et *Phèdre* (1677).

La passion amoureuse, une passion fatale paralysant la volonté et aveuglant la raison, apparaît comme la source de tous les conflits et fournit la matière première des pièces de Racine. Les héros, jetés dans une action soudaine et fulgurante, tentent de dominer leurs passions qui finalement les dévorent, signe de la faiblesse de la nature humaine. Le héros est prisonnier d'une destinée qui le dépasse et s'accomplit de manière inéluctable, comme si quelque dieu tentait de l'égarer.

Hors du commun comme ceux de Corneille, les héros de Racine sont des êtres sombres et pessimistes, condamnés à la souffrance, déchirés par leurs désirs impossibles à combler. Placés en situation de conflit avec les autres et avec eux-mêmes, ils incarnent le tragique de la condition humaine. Alors que les héros cornéliens demeurent lucides devant un choix dont ils triomphent en le sublimant, les personnages raciniens sont soumis à des passions auxquelles ils ne peuvent que céder, dont ils se reconnaissent de prime abord les esclaves : ils sont acculés à la lutte contre eux-mêmes, ce qui ne peut que les mutiler. Chez Corneille, la passion cède devant l'honneur ; ici, c'est l'inverse. Corneille provoque l'admiration en présentant des héros à la grandeur d'âme exceptionnelle, Racine suscite la pitié en soulignant le tragique de la condition humaine. Corneille peint les humains comme ils devraient être ; Racine les peint comme ils sont, ou plutôt comme il les voit. Il crée ainsi des tragédies exemplaires qui mettent en lumière les forces passionnelles et les ambiguïtés de la condition humaine.

Racine a porté la tragédie à un sommet jamais égalé. Cet univers sombre est éclairé par une poésie du langage qui le transfigure : la qualité de ses vers, la musicalité de sa langue et la souplesse de sa prosodie font de ce tragédien un des plus grands poètes français. L'écriture racinienne ne se complaît pas dans la description des désordres du moi : elle pèse, analyse et dissèque les passions dont elle interroge la raison d'être, en particulier dans les moments de crise qui mènent inexorablement à l'abîme. Chaque syllabe de chacun des vers semble conduire, avec une rigueur inflexible, le drame vers son dénouement.

Le personnage de Phèdre brûle en secret d'une passion pour son beau-fils Hippolyte, né d'un premier mariage de son mari Thésée. Alors qu'on vient lui annoncer la mort de Thésée, elle croise celui qu'elle aime. Le poids de la fatalité qui s'acharne sur une victime de l'amour et la profondeur des personnages contribuent à faire de *Phèdre* l'une des plus grandes tragédies françaises.

## Quelques vers célèbres de Racine

« Je t'aimais inconstant, qu'aurais-je fait fidèle ? »

« Pour qui sont ces serpents qui sifflent sur vos têtes ? »

« Las de se faire aimer, il veut se faire craindre. »

« J'aimais jusqu'à ses pleurs que je faisais couler. »

« J'entendrai des regards que vous croirez muets. »

« Enfin, j'aurais voulu n'avoir jamais aimé. »

« J'embrasse mon rival, mais c'est pour l'étouffer. »

« La fille de Minos et de Pasiphaé. »

« Présente, je vous fuis, absente, je vous trouve. »

« Le jour n'est pas plus pur que le fond de mon cœur. »

« Pour réparer des ans l'irréparable outrage. »

« Tel qui rit vendredi, dimanche pleurera. »

« Qui veut voyager loin ménage sa monture. »

« [...] on ne court pas deux lièvres à la fois. »

# Je m'abhorre encor plus que tu ne me détestes

**Hippolyte**

Je vois de votre amour l'effet prodigieux.
Tout mort qu'il est, Thésée est présent à vos yeux,
Toujours de son amour votre âme est embrasée.

**Phèdre**

Oui, prince, je languis, je brûle pour Thésée.
5 Je l'aime, non point tel que l'ont vu les enfers,
Volage adorateur de mille objets[1] divers,
Qui va du dieu des morts déshonorer la couche[2],
Mais fidèle, mais fier, et même un peu farouche,
Charmant, jeune, traînant tous les cœurs après soi,
10 Tel qu'on dépeint nos dieux, ou tel que je vous vois.
Il avait votre port, vos yeux, votre langage,
Cette noble pudeur[3] colorait son visage,
Lorsque de notre Crète il traversa les flots,
Digne sujet des vœux des filles de Minos[4].
15 Que faisiez-vous alors ? Pourquoi, sans Hippolyte,
Des héros de la Grèce assembla-t-il l'élite ?
Pourquoi, trop jeune encor, ne pûtes-vous alors
Entrer dans le vaisseau qui le mit sur nos bords ?
Par vous aurait péri le monstre de la Crète,
20 Malgré tous les détours de sa vaste retraite.
Pour en développer l'embarras incertain[5],
Ma sœur du fil fatal eût armé votre main.
Mais non, dans ce dessein je l'aurais devancée.
L'amour m'en eût d'abord inspiré la pensée.
25 C'est moi, Prince, c'est moi, dont l'utile secours
Vous eût du labyrinthe enseigné les détours.
Que de soins m'eût coûtés cette tête charmante !
Un fil n'eût point assez rassuré votre amante :
Compagne du péril qu'il vous fallait chercher,
30 Moi-même devant vous j'aurais voulu marcher,
Et Phèdre au labyrinthe avec vous descendue
Se serait avec vous retrouvée ou perdue.

**Hippolyte**

Dieux ! qu'est-ce que j'entends ? Madame, oubliez-vous
Que Thésée est mon père, et qu'il est votre époux ?

**Phèdre**

35 Et sur quoi jugez-vous que j'en perds la mémoire,
Prince ? Aurais-je perdu tout le soin de ma gloire ?

**Hippolyte**

Madame, pardonnez. J'avoue, en rougissant,
Que j'accusais à tort un discours innocent.
Ma honte ne peut plus soutenir votre vue,
40 Et je vais...

**Phèdre**

Ah ! cruel ! tu m'as trop entendue !
Je t'en ai dit assez pour te tirer d'erreur.
Eh bien ! connais donc Phèdre et toute sa fureur.
J'aime. Ne pense pas qu'au moment que je t'aime,
45 Innocente à mes yeux, je m'approuve moi-même,
Ni que du fol amour qui trouble ma raison,
Ma lâche complaisance ait nourri le poison[6].
Objet infortuné des vengeances célestes,
Je m'abhorre encor plus que tu ne me détestes.
50 Les dieux m'en sont témoins, ces dieux qui dans mon flanc
Ont allumé le feu fatal à tout mon sang[7] ;
Ces dieux qui se sont fait une gloire cruelle
De séduire[8] le cœur d'une faible mortelle.
Toi-même en ton esprit rappelle le passé.
55 C'est peu de t'avoir fui, cruel, je t'ai chassé :
J'ai voulu te paraître odieuse, inhumaine,
Pour mieux te résister, j'ai recherché ta haine.
De quoi m'ont profité[9] mes inutiles soins ?
Tu me haïssais plus, je ne t'aimais pas moins.
60 Tes malheurs te prêtaient[10] encor de nouveaux charmes.
J'ai langui, j'ai séché dans les feux, dans les larmes.
Il suffit de tes yeux pour t'en persuader,
Si tes yeux un moment pouvaient me regarder.
Que dis-je ? Cet aveu que je te viens de faire,
65 Cet aveu si honteux, le crois-tu volontaire ?
Tremblante pour un fils que je n'osais trahir,
Je te venais prier de ne le point haïr.
Faibles projets d'un cœur trop plein de ce qu'il aime !

Hélas ! je ne t'ai pu parler que de toi-même !
70 Venge-toi, punis-moi d'un odieux amour,
Digne fils du héros qui t'a donné le jour,
Délivre l'Univers d'un monstre qui t'irrite.
La veuve de Thésée ose aimer Hippolyte !
Crois-moi, ce monstre affreux ne doit point t'échapper.
75 Voilà mon cœur : c'est là que ta main doit frapper.
Impatient déjà d'expier son offense,
Au-devant de ton bras je le sens qui s'avance.
Frappe. Ou si tu le crois indigne de tes coups,
Si ta haine m'envie[11] un supplice si doux,
80 Ou si d'un sang trop vil ta main serait trempée,
Au défaut de ton bras prête-moi ton épée.
Donne.

**Œnone**

Que faites-vous, madame ? Justes dieux !
Mais on vient. Évitez des témoins odieux[12],
85 Venez, rentrez, fuyez une honte certaine.

Jean Racine, *Phèdre*, acte II, scène 5.

**1.** Femmes aimées. **2.** Lit. **3.** Honnête honte. **4.** Ariane et Phèdre. **5.** Élucider les mystères du labyrinthe. **6.** L'amour qui trouble sa raison. **7.** Ont fait dans ma famille tant de victimes de l'amour. **8.** Tromper. **9.** Que m'ont rapporté. **10.** Conféraient. **11.** Si par haine, tu me refuses. **12.** Des témoins qui trouveraient odieux votre comportement.

**Julie McClemens et Marie-Laurence Moreau dans la pièce *Andromaque* de Racine, à l'Espace Go, mise en scène par Serge Denoncourt.**

Inspirée de l'histoire romaine et de la mythologie grecque, la tragédie classique brosse un portrait de la nature humaine.

## VERS L'ANALYSE

### Je m'abhorre encor plus que tu ne me détestes

1. Dans cet extrait, on constate que la pièce de Racine obéit à plusieurs règles et conventions propres à la tragédie* classique. Commentez les aspects suivants selon cette perspective :
   a) destin marqué par la fatalité ;
   b) registre* de langue, texte écrit en vers ; régularité du rythme*, domination de l'alexandrin* ;
   c) caractéristiques des héros : influence des Anciens, références mythologiques.
2. Expliquez les vers suivants en tenant compte des éléments culturels auxquels ils font référence et des doubles sens qu'ils revêtent parfois.
   a) *Ma sœur du fil fatal eût armé votre main* (v. 22)
   b) *Digne fils du héros qui t'a donné le jour* (v. 71)
3. Relevez les adverbes* d'intensité entre les vers 41 et 65, et expliquez l'effet qu'ils créent.
4. Repérez deux périphrases* employées par l'auteur pour désigner :
   a) Phèdre ;
   b) Hippolyte.

   Quel est l'effet de ce procédé* dans ce contexte ?
5. Phèdre est animée par des sentiments aussi intenses que contradictoires. Illustrez chacun des procédés* ci-dessous au moyen d'une citation et nommez le sentiment qu'il met en lumière. Expliquez ensuite comment le procédé* illustre le déchirement du personnage.

| Procédé | Citation | Sentiment | Effet |
|---|---|---|---|
| Oxymore* | | | |
| Interjection* | | | |
| Parallélisme* | | | |

## Molière (1622-1673)

*La parfaite raison fuit toute extrémité*
*Et veut que l'on soit sage avec sobriété.*

Jean-Baptiste Poquelin, dit Molière, est auteur, directeur de troupe, metteur en scène et acteur. Ses premières œuvres, montées à l'époque de ses 13 années de vie errante avec sa troupe, grandement redevables à la *commedia dell'arte* et à la farce française, sont de courtes pièces au comique appuyé. Elles mettent en scène des types pittoresques qui se font valoir par leur gestuelle. Peu à peu, Molière affine sa vision comique du monde; il prend ses distances de l'ancienne farce qu'il transforme en genre plus noble et qu'il peuple de personnages moins caricaturaux. Installé à Paris, il connaît un premier grand succès: *Les précieuses ridicules* (1659), satire bouffonne des cercles précieux. Variant toujours davantage les registres comiques de ses pièces, Molière produit une quinzaine d'œuvres par la suite. Ses comédies les plus remarquables sont *Dom Juan* (1665), *Le misanthrope* (1666) et *Tartuffe* (1669). Le célèbre auteur comique connaît une fin mythique que lui envient bien des comédiens en ce qu'elle symbolise le courage indéfectible de l'acteur se donnant totalement et jusqu'à la fin à son métier: Molière meurt à la toute fin de la quatrième représentation du *Malade imaginaire*, en 1673.

Fin observateur de la réalité, le dramaturge s'attache à la représentation exacte de la nature. Il accorde une grande importance à la peinture des mœurs et des caractères, toujours relevée par le comique des situations ou des personnages. Attentif aux travers, aux excès et aux contradictions des gens, il démasque l'imposture du dévot, du pédant, de l'obsédé du savoir et du parvenu. En même temps qu'il brosse un tableau de la société de son temps, il s'attache à peindre dans leur complexité des personnages pittoresques, originaux ou maniaques, enfermés dans leurs manies et leurs travers. Molière en fait des types hauts en couleur, des êtres de démesure et de débordements, comme l'avare ou le tartuffe, aveuglés par leur passion.

Ces êtres excessifs et extravagants sont confrontés à des personnages incarnant la lucidité et le bon sens, la morale du juste milieu fondée sur la raison, qui triomphent à la fin de la comédie et condamnent les premiers à l'échec, au ridicule. En cette époque moraliste, l'auteur se doit d'inciter à la réflexion en dévoilant et en dénonçant les duperies et les vices, en faisant l'apologie de la vérité, de la sincérité et de la mesure recherchées par l'honnête homme, ce à quoi se voue Molière en usant de la moquerie pour détourner du vice.

Molière porte la comédie à des sommets inégalés: son talent pour la technique de scène et le ressort dramatique surpasse celui de tous ses prédécesseurs. Par ses portraits de mœurs ou de caractères, il fait vivre sous nos yeux une grande diversité d'êtres qui ne sont plus des pantins de farce, mais des personnages profondément humains, riches et complexes jusque dans leur aveuglement, s'exprimant dans un style et une tonalité adaptés à leur nature. Ce style expressif et varié offre souvent les licences et la verdeur de la langue parlée. Plus de trois siècles plus tard, les comédies de Molière triomphent toujours.

Dans *Dom Juan* (1665), comédie en prose, Molière reprend le riche thème du donjuanisme. Le protagoniste est un libre penseur, qu'on appelait alors «libertin». Le dialogue suivant, qui établit un parallèle entre la médecine et la religion, met en scène le libertin et son valet, le volubile et fruste Sganarelle. Dom Juan et Sganarelle sont déguisés pour échapper à leurs poursuivants. Travesti en médecin, le valet semble prendre son rôle au sérieux.

## Je crois que deux et deux sont quatre

1. Résumez l'extrait en insistant sur les points de désaccord entre Dom Juan et Sganarelle.
2. Le personnage de Dom Juan est un libertin. Comment son autonomie de pensée transparaît-elle dans cet extrait?
3. Molière a recours à différents procédés du comique* dans cette scène. Relevez et expliquez:
   a) un quiproquo*;
   b) un passage ironique*.
4. Attardez-vous aux réponses de Dom Juan aux questions de Sganarelle. Que remarquez-vous?
5. Évaluez la portée de l'allusion au Moine bourru en l'analysant par rapport aux autres éléments sur lesquels portent les interrogations du valet.
6. En tenant compte du propos* de l'extrait, commentez la dernière réplique de Dom Juan: *Je crois que deux et deux sont quatre, Sganarelle, et que quatre et quatre sont huit* (l. 52 et 53).

# Je crois que deux et deux sont quatre

Sganarelle. – Comment, Monsieur, vous êtes aussi impie en médecine ?

Dom Juan. – C'est une des grandes erreurs qui soient parmi les hommes.

5 Sganarelle. – Quoi, vous ne croyez pas au séné, ni à la casse, ni au vin émétique[1] ?

Dom Juan. – Et pourquoi veux-tu que j'y croie ?

Sganarelle. – Vous avez l'âme bien mécréante[2]. Cependant vous voyez depuis un temps que le vin 10 émétique fait bruire ses fuseaux[3]. Ses miracles ont converti les plus incrédules esprits, et il n'y a pas trois semaines que j'en ai vu, moi qui vous parle, un effet merveilleux.

Dom Juan. – Et quel ?

15 Sganarelle. – Il y avait un homme qui, depuis six jours, était à l'agonie, on ne savait plus que lui ordonner, et tous les remèdes ne faisaient rien ; on s'avisa à la fin de lui donner de l'émétique.

Dom Juan. – Il réchappa, n'est-ce pas ?

20 Sganarelle. – Non, il mourut.

Dom Juan. – L'effet est admirable.

Sganarelle. – Comment ? il y avait six jours entiers qu'il ne pouvait mourir, et cela le fit mourir tout d'un coup. Voulez-vous rien de plus efficace ?

25 Dom Juan. – Tu as raison.

Sganarelle. – Mais laissons là la médecine où vous ne croyez point, et parlons des autres choses : car cet habit me donne de l'esprit, et je me sens en humeur de disputer contre vous. Vous savez bien que vous me 30 permettez les disputes, et que vous ne me défendez que les remontrances.

Dom Juan. – Eh bien !

Sganarelle. – Je veux savoir un peu vos pensées à fond. Est-il possible que vous ne croyiez point du tout au Ciel ?

35 Dom Juan. – Laissons cela.

Sganarelle. – C'est-à-dire que non ; et à l'Enfer ?

Dom Juan. – Eh.

Sganarelle. – Tout de même ; et au diable, s'il vous plaît ?

Dom Juan. – Oui, oui.

40 Sganarelle. – Aussi peu ; ne croyez-vous point l'autre vie ?

Dom Juan. – Ah. ah. ah.

Sganarelle. – Voilà un homme que j'aurai bien de la peine à convertir. Et, dites-moi un peu, le Moine bourru[4], qu'en croyez-vous ? eh !

45 Dom Juan. – La peste soit du fat.

Sganarelle. – Et voilà ce que je ne puis souffrir, car il n'y a rien de plus vrai que le Moine bourru ; et je me ferais pendre pour celui-là. Mais encore faut-il croire quelque chose dans le monde ; qu'est-ce donc que vous croyez ?

50 Dom Juan. – Ce que je crois ?

Sganarelle. – Oui.

Dom Juan. – Je crois que deux et deux sont quatre, Sganarelle, et que quatre et quatre sont huit.

Sganarelle. – La belle croyance et les beaux articles de 55 foi que voilà ; votre religion, à ce que je vois, est donc l'arithmétique ; il faut avouer qu'il se met d'étranges folies dans la tête des hommes, et que pour avoir bien étudié on en est bien moins sage le plus souvent [...].

Molière, *Dom Juan*, Acte III, scène 1.

**1.** Trois purgatifs employés à l'époque de Molière. **2.** Incrédule. **3.** A du succès. **4.** Un prétendu fantôme qui courait les rues, la nuit.

## Quelques vers célèbres de Molière

« Chose étrange d'aimer, et que pour ces traîtresses
Les hommes soient sujets à de telles faiblesses ! »

« Si n'être point cocu vous semble un si grand bien,
Ne vous point marier en est le vrai moyen. »

« Couvrez ce sein que je ne saurais voir. »

« L'amour qui nous attache aux beautés éternelles
N'étouffe pas en nous l'amour des temporelles. »

« Le Ciel défend, de vrai, certains contentements ;
Mais on trouve avec lui des accommodements. »

« Et ce n'est pas pécher que pécher en silence. »

« Ah ! qu'en termes galants ces choses-là sont mises ! »

« Qui veut noyer son chien l'accuse de la rage. »

« La poule ne doit pas chanter devant le coq. »

**Jacques Leblanc et Linda Laplante dans *Tartuffe* de Molière, au Théatre du Trident.**

En ridiculisant les travers humains, la comédie classique dénonce les vices et promeut la bonne morale.

## Ah ! pour être dévot, je n'en suis pas moins homme

1. L'extrait repose sur l'opposition entre la dévotion religieuse et le désir humain.
   a) Pourquoi Tartuffe voit-il la nécessité de justifier ses sentiments pour Elmire ?
   b) Relevez un passage qui montre que ces deux aspects de la personnalité de Tartuffe ne sont pas inconciliables d'après lui, et qu'ils sont même légitimes à ses yeux.
   c) Selon cette perspective, à quel égard peut-on mettre en doute la sincérité de Tartuffe ?
2. Attardez-vous au choix des pronoms dans les tirades de Tartuffe.
   a) À qui renvoie le « nous » ? A-t-il toujours la même valeur ? Relevez deux occurrences qui soutiennent votre propos.
   b) Quel est l'effet du passage de « nous » au « je » dans la première tirade ?
   c) À quoi renvoie le pronom « on » ?
3. Quel champ lexical* décrit le personnage d'Elmire ? Nommez-le et relevez-en les éléments.
4. Le discours de Tartuffe est marqué par les contrastes, oscillant entre les débordements et la retenue. Relevez :
   a) une figure d'insistance* ou d'amplification* ;
   b) une figure d'atténuation*.
5. a) Quelle qualité Tartuffe prétend-il posséder pour se mettre en valeur à la fin de l'extrait ?
   b) Relevez un oxymore* et un parallélisme* qui appuient cette idée.

### Sujet d'analyse littéraire

**Analysez cet extrait en montrant comment les moyens déployés par Tartuffe pour convaincre Elmire de céder à ses avances révèlent son hypocrisie.**

# Ah ! pour être dévot, je n'en suis pas moins homme

**Tartuffe**

L'amour qui nous attache aux beautés éternelles
N'étouffe pas en nous l'amour des temporelles ;
Nos sens facilement peuvent être charmés
Des ouvrages[1] parfaits que le ciel a formés.
5 Ses attraits réfléchis[2] brillent dans vos pareilles ;
Mais il étale en vous ses plus rares merveilles ;
Il a sur votre face épanché[3] des beautés
Dont les yeux sont surpris et les cœurs transportés ;
Et je n'ai pu vous voir, parfaite créature,
10 Sans admirer en vous l'auteur de la nature,
Et d'une ardente amour sentir mon cœur atteint,
Au plus beau des portraits où lui-même il[4] s'est peint.
D'abord j'appréhendai que cette ardeur secrète
Ne fût du noir esprit[5] une surprise[6] adroite ;
15 Et même à fuir vos yeux mon cœur se résolut,
Vous croyant un obstacle à faire mon salut.
Mais enfin je connus, ô beauté tout aimable !
Que cette passion peut n'être point coupable,
Que je puis l'ajuster avecque la pudeur,
20 Et c'est ce qui m'y fait abandonner mon cœur.
Ce m'est, je le confesse, une audace bien grande
Que d'oser de ce cœur vous adresser l'offrande ;
Mais j'attends en mes vœux tout de votre bonté,
Et rien des vains efforts de mon infirmité[7].
25 En vous est mon espoir, mon bien, ma quiétude ;
De vous dépend ma peine ou ma béatitude ;
Et je vais être enfin, par votre seul arrêt,
Heureux, si vous voulez ; malheureux, s'il vous plaît.

**Elmire**

La déclaration est tout à fait galante ;
30 Mais elle est, à vrai dire, un peu bien surprenante.
Vous deviez, ce me semble, armer mieux votre sein[8],
Et raisonner un peu sur un pareil dessein.
Un dévot comme vous, et que partout on nomme...

**Tartuffe**

Ah ! pour être dévot, je n'en suis pas moins homme :
35 Et, lorsqu'on vient à voir vos célestes appas,
Un cœur se laisse prendre et ne raisonne pas.
Je sais qu'un tel discours de moi paraît étrange ;
Mais, madame, après tout, je ne suis pas un ange ;
Et si vous condamnez l'aveu que je vous fais,
40 Vous devez vous en prendre à vos charmants attraits.
Dès que j'en vis briller la splendeur plus qu'humaine,
De mon intérieur vous fûtes souveraine ;
De vos regards divins l'ineffable douceur
Força la résistance où s'obstinait mon cœur ;
45 Elle surmonta tout, jeûnes, prières, larmes,
Et tourna tous mes vœux du côté de vos charmes.
Mes yeux et mes soupirs vous l'ont dit mille fois ;
Et, pour mieux m'expliquer, j'emploie ici la voix.
Que si vous contemplez, d'une âme un peu bénigne[9],
50 Les tribulations de votre esclave indigne ;
S'il faut que vos bontés veuillent me consoler,
Et jusqu'à mon néant daignent se ravaler[10],
J'aurai toujours pour vous, ô suave merveille !
Une dévotion à nulle autre pareille.
55 Votre honneur avec moi ne court point de hasard[11],
Et n'a nulle disgrâce à craindre de ma part.
Tous ces galants de cour, dont les femmes sont folles,
Sont bruyants dans leurs faits et vains dans leurs paroles ;
De leurs progrès sans cesse on les voit se targuer[12] ;
60 Ils n'ont point de faveurs qu'ils n'aillent divulguer ;
Et leur langue indiscrète, en qui l'on se confie,
Déshonore l'autel où leur cœur sacrifie[13].
Mais les gens comme nous brûlent d'un feu discret,
Avec qui, pour toujours, on est sûr du secret.
65 Le soin que nous prenons de notre renommée[14]
Répond de toute chose à la personne aimée ;
Et c'est en nous qu'on trouve, acceptant notre cœur,
De l'amour sans scandale et du plaisir sans peur.

Molière, *Tartuffe*, acte III, scène 3.

**1.** Corps féminins. **2.** Comme dans un miroir. **3.** Répandu. **4.** Le Créateur, Dieu. **5.** Le démon. **6.** Une ruse. **7.** Faiblesse. **8.** Cœur. **9.** Charitable. **10.** Descendre. **11.** Risque. **12.** Se vanter. **13.** La femme aimée. **14.** Réputation.

## La plus belle lettre d'amour du XVIIe siècle

Le poète Vincent Voiture (1597-1648) fut pendant deux décennies l'animateur et l'âme du salon de la marquise de Rambouillet. La subtilité galante et précieuse de son esprit se retrouve jusque dans ses lettres d'amour, qu'il se plaisait à lire en public. Un amour éthéré et spirituel, duquel la réalité corporelle est exclue, mais qui brille grâce aux figures d'un style qui ne ménage pas ses éclats. Par discrétion, il arrivait fréquemment à ce séducteur accumulant les liaisons de ne pas divulguer le nom de la belle qui l'avait si chaudement inspiré. Le badinage se hausse ici au rang de littérature.

# Un honnête homme ne devrait pas vivre après avoir été dix jours sans vous voir

Enfin je suis ici arrivé en vie : et j'ai honte de vous le dire. Car il me semble qu'un honnête homme ne devrait pas vivre après avoir été dix jours sans vous voir. Je m'étonnerais davantage de l'avoir pu faire si je ne savais qu'il y a déjà quelque temps qu'il (5) ne m'arrive que des choses extraordinaires et auxquelles je ne me suis point attendu, et que, depuis que je vous ai vue, il ne se fait plus rien en moi que par miracle. En vérité, c'en est un effet étrange, que j'aie pu résister jusqu'ici à tant de déplaisirs et qu'un homme percé de tant de coups puisse durer si long- (10) temps ! Il n'y a point d'accablement, de tristesse ni de langueur pareille à celle où je me trouve. L'amour et la crainte, le regret et l'impatience m'agitent diversement à toutes heures et ce cœur que je vous avais donné entier, est maintenant déchiré en mille pièces. Mais vous êtes dans chacune d'elles, et je ne voudrais pas (15) avoir donné la plus petite à tout ce que je vois ici. Cependant, au milieu de tant et de si mortels ennuis, je vous assure que je ne suis pas à plaindre. Car ce n'est que dans la basse région de mon esprit que les orages se forment. Et tandis que les nuages vont et viennent, la plus haute partie de mon âme demeure (20) claire et sereine ; et vous y êtes toujours belle, gaie et éclatante, telle que vous étiez dans les plus beaux jours où je vous ai vue, et avec ces rayons de lumière et de beauté que l'on voit quelquefois à l'entour de vous. Je vous avoue que toutes les fois que mon imagination se tourne de ce côté-là, je perds le sentiment (25) de toutes mes peines. De sorte qu'il arrive souvent que lorsque mon cœur souffre des tourments extrêmes, mon âme goûte des félicités infinies, et en même temps que je pleure et que je m'afflige, que je me considère éloigné de votre présence et peut-être de votre pensée, je ne voudrais pas changer ma fortune avec (30) ceux qui voient, qui sont aimés et qui jouissent. Je ne sais si vous pouvez concevoir ces contrariétés, vous, Madame, qui avez l'âme si tranquille. C'est tout ce que je puis faire que de les comprendre, moi qui les ressens, et je m'étonne souvent de me trouver si heureux et si malheureux tout ensemble [...].

Vincent Voiture, *Lettres*, 1727 (œuvre posthume).

### Un honnête homme ne devrait pas vivre après avoir été dix jours sans vous voir

1. La première partie de la lettre repose sur des procédés d'amplification*. Relevez trois passages dans lesquels Voiture souligne l'intensité de son amour et nommez les procédés d'écriture* qui créent cet effet.
2. Comment l'auteur marque-t-il le passage de la première à la seconde partie de sa lettre ? Relevez l'organisateur textuel* qu'il emploie et décrivez le rapport logique qu'il introduit.
3. a) Quels sont les sentiments qui s'opposent dans la deuxième moitié de la lettre ?
   b) Relevez deux figures d'opposition* et commentez-en l'effet.
4. Relevez deux métaphores* et expliquez-les.

**Johannes Vermeer, *Jeune femme en jaune écrivant une lettre*, v. 1665.**

La sobriété et la rigueur de l'exécution traduisent des atmosphères avec une retenue qui préserve mystère et sous-entendus.

| VUE D'ENSEMBLE DU BAROQUE ET DU CLASSICISME | | |
|---|---|---|
| **Contexte sociohistorique** | **Courants artistiques et littéraires : principales caractéristiques** | **Genres littéraires, auteurs, œuvres marquantes** |
| **Le baroque (1560-1660, apogée entre 1620 et 1640)** | | |
| Assassinat d'Henri IV, d'origine protestante (1610).<br>Règne de Louis XIII (1610-1643).<br>• Autorité catholique forte, réduction des droits des protestants, espoir d'une paix durable.<br>• Déchirements politiques : tensions entre nobles et bourgeois, dénonciation de l'abus de pouvoir de la monarchie.<br>• Opposition entre l'affermissement du pouvoir de l'Église et la philosophie des libertins, qui dénoncent l'orthodoxie religieuse.<br>• Crise sociale et soulèvements populaires causés par la famine et la lourdeur des impôts. | À partir de 1630 : salons, préciosité.<br>• En peinture : dramatisation de la vie, recherche de nouvelles formes de beauté, jeux de clair-obscur, œuvres chargées, souci du détail, célébration de la nature.<br>• Liberté absolue.<br>• Démesure et excès : images foisonnantes et variées.<br>• Contrastes : mélange des genres et des tons, oppositions thématiques.<br>• Plaisir de l'illusion et de la magie, de l'ornementation.<br>• Culte de l'éphémère et du changement.<br>• Langue excessive, élégante et recherchée. | **Poésie**<br>• Viau, sieur de Saint Amant, Malherbe (précurseur du classicisme).<br>**Théâtre**<br>Âge d'or de la tragicomédie.<br>• Corneille (à la croisée du baroque et du classicisme) : *Le Cid*.<br>**Roman**<br>Complexe et alambiqué, multiplicité des tonalités.<br>• d'Urfé : *L'Astrée*. |
| **Le classicisme (1661-1715)** | | |
| Règne de Louis XIV, le Roi-Soleil (1643-1715).<br>• Monarchie absolue.<br>• Centralisation de tout entre les seules mains du monarque, réduction du pouvoir de l'Église et du Parlement, affaiblissement de la noblesse.<br>• Imposition d'une pensée uniforme, à l'image du roi, dans tous les domaines : arts (classicisme), politique, religion, économie, armée, etc.<br>• Ascendant de la France sur l'ensemble de l'Europe, désir d'expansion.<br>• Guerres coûteuses qui détruisent aussi bien les vies humaines que l'économie du pays.<br>• Ces éléments conduisent à la crise de la monarchie absolue. | Établissement de codes et de normes, conformément à la pensée de Louis XIV, réaction à la démesure baroque.<br>• En peinture : précision et symétrie, sujets nobles, glorification de l'action humaine.<br>• Imitation des Anciens (Antiquité, Renaissance).<br>• Triomphe de la raison : mesure, rigueur, clarté, unité.<br>• Bienséance.<br>• Vraisemblance.<br>• Universalité.<br>• Volonté de plaire et d'instruire.<br>• Analyse psychologique soignée. | **Théâtre**<br>Genre de prédilection : tragédie, comédie.<br>• Racine : *Phèdre* ; Molière : *Dom Juan*.<br>**Fable**<br>• La Fontaine : *Fables*.<br>**Conte**<br>• Perrault : *Contes*.<br>**Roman psychologique**<br>• M^me^ de La Fayette : *La princesse de Clèves*.<br>**Prose d'idées**<br>Lettre, maxime, réflexion, essai.<br>• Boileau : *Art poétique* ; Pascal : *Pensées* ; Descartes : *Discours de la méthode* ; La Bruyère : *Les caractères* ; La Rochefoucauld : *Réflexions, sentences et maximes morales*. |

# 4 Le XVIII$^{e}$ siècle

## OU UN SIÈCLE ENTRE RAISON ET PASSION

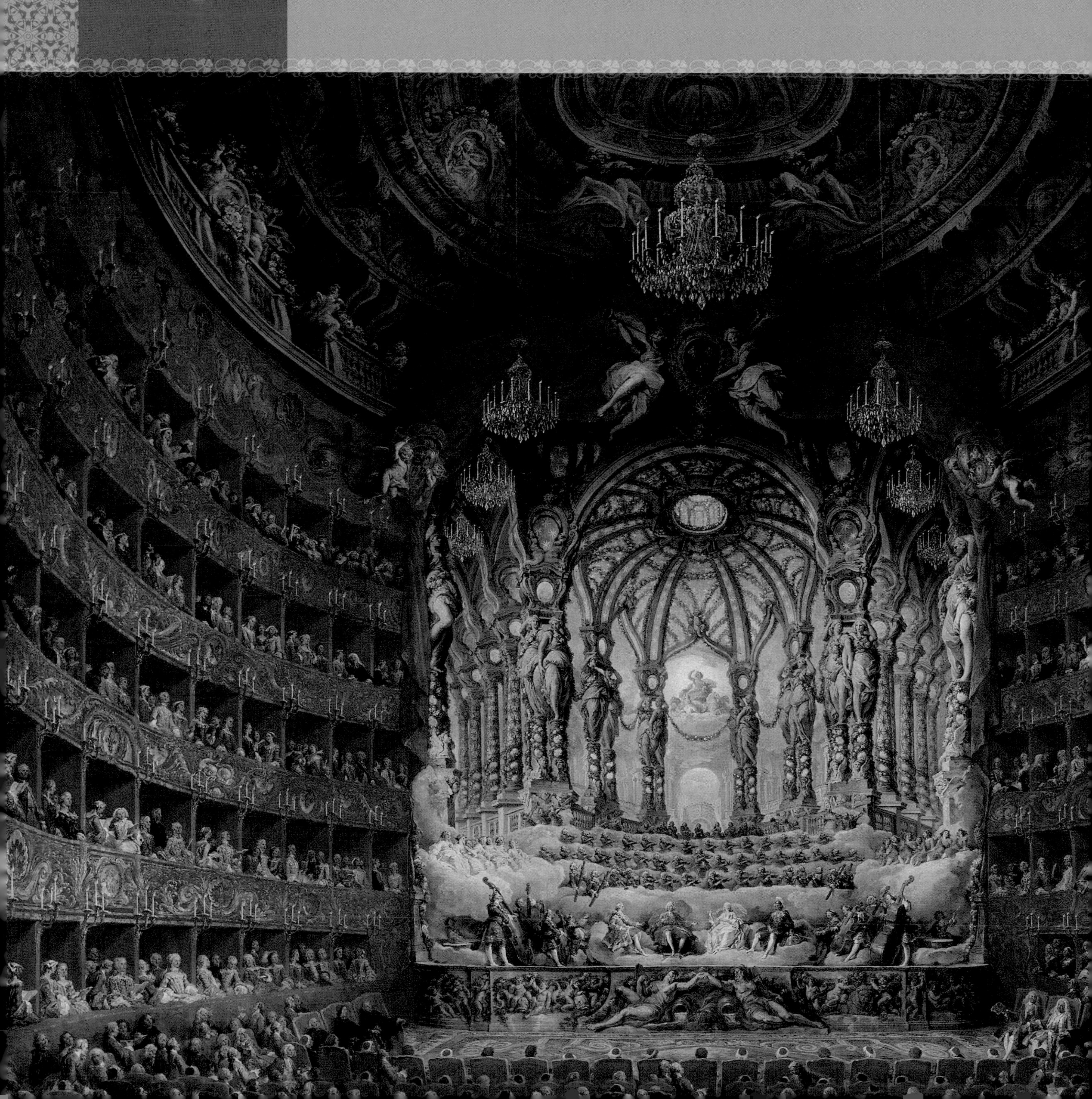

# Auteurs et œuvres à l'étude


François Marie Arouet, dit Voltaire

- *Poème sur le désastre de Lisbonne...* 138
- *Traité sur la tolérance – Prière à Dieu* 142
- *Candide ou l'optimisme – C'est à ce prix que vous mangez du sucre* 153

Charles-Louis de Secondat, baron de Montesquieu

- *De l'esprit des lois – De l'esclavage des Nègres* 140
- *Lettres persanes – Il y a un autre magicien* 152

Ouvrage collectif

- *Encyclopédie ou Dictionnaire raisonné des sciences, des arts et des métiers – Philosophe* 144

Denis Diderot

- *Supplément au voyage de Bougainville – Le pur instinct de la nature* 145
- *Jacques le fataliste et son maître – Lecteur, vous êtes d'une curiosité bien incommode* 159
- *Lettres à Sophie Volland – Les symptômes de l'admiration et du plaisir* 172

Baron de La Hontan

- *Dialogues curieux entre l'auteur et un sauvage de bon sens qui a voyagé – Voilà ce que j'appelle un homme* 147

Jean-Jacques Rousseau

- *Discours sur l'origine et les fondements de l'inégalité parmi les hommes – L'esclavage et la misère croissent avec les moissons* 148
- *Rêveries du promeneur solitaire – Sentir avec plaisir mon existence* 155
- *Julie ou la nouvelle Héloïse – Ce baiser mortel* 160

Olympe de Gouges

- *Déclaration des droits de la femme et de la citoyenne* 149

André Chénier

- *Iambes – Quand au mouton bêlant...* 156

Antoine François Prévost d'Exiles, dit l'abbé Prévost

- *Histoire du chevalier des Grieux et de Manon Lescaut – Toute ma vie est destinée à le pleurer* 158

Jacques Henri Bernardin de Saint-Pierre

- *Paul et Virginie – Le repoussant avec dignité, elle détourna de lui sa vue* 161

Pierre Choderlos de Laclos

- *Les liaisons dangereuses – Je puis dire que je suis mon ouvrage* 163

Pierre Carlet de Chamblain de Marivaux

- *Le jeu de l'amour et du hasard – Faites l'écho, répétez* 166

Pierre Augustin Caron de Beaumarchais

- *Le mariage de Figaro – La nuit est noire* 167

Jacques Cazotte

- *Le diable amoureux – Je suis le diable* 171

# Le XVIIIe siècle

## OU UN SIÈCLE ENTRE RAISON ET PASSION

*L'usage public de notre propre raison doit toujours être libre, et lui seul peut amener les Lumières parmi les hommes.*

*Kant*

## Le siècle des Lumières

À chaque changement historique, il devient nécessaire de repenser et de reformuler les conditions et les exigences de l'autonomie de la conscience. Au début du Moyen Âge, le christianisme aide les masses à se libérer d'un système impérial figé et d'une idéologie qui donne sens uniquement à la vie des riches et puissants. Le XVIe siècle marque l'exploration de deux continents nouveaux : l'un découvert par les explorateurs et l'autre, encore plus grand, de l'homme intérieur. L'Église de Rome est grandement affectée par ces bouleversements, avec la Réforme protestante qui la force à revoir ses propres valeurs. Le XVIIe siècle promeut les pouvoirs de la raison, en même temps que les découvertes de la science jettent l'homme seul dans un univers sans limites, et peut-être sans Dieu. Même si le classicisme a voulu montrer l'image d'un

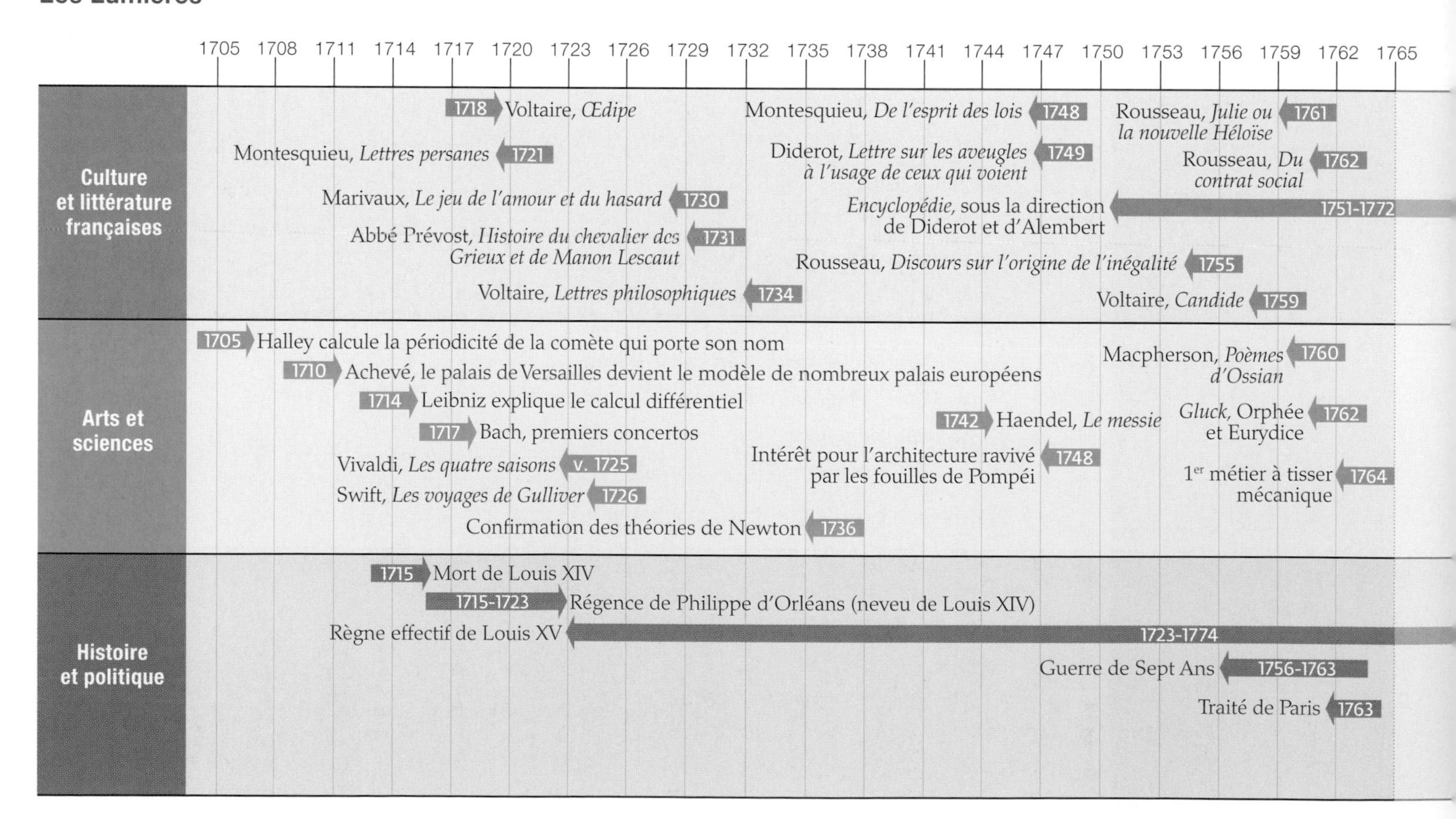

ordre immuable, un XVIIIe siècle militant prouvera que, sous l'immobilisme apparent, des forces obscures sont à l'œuvre et que des Lumières, portées par des idéaux et un enthousiasme collectifs, peuvent mettre à mal toutes les valeurs de l'ordre ancien.

## Un grand basculement

Dans les décennies qui suivent la mort de Louis XIV en 1715, on assiste à un basculement, sans précédent par sa radicalité et sa rapidité, de toutes les vieilles manières de penser: la hiérarchie, la discipline, l'ordre, l'autorité, les dogmes s'effacent devant des valeurs nouvelles qui se nomment liberté de conscience et progrès.

Le déclin de la monarchie s'installe dès l'accession au trône, à l'âge de cinq ans, de Louis XV, l'arrière-petit-fils de Louis XIV. Le régent, Philippe d'Orléans, chargé d'assurer le pouvoir jusqu'à la majorité du roi, est un libertin (à ne pas confondre avec les libertins du XVIIe siècle: ce terme désignait alors des

**Pietro Longhi, *Le Ridotto*, 1757-1760.**

Devant l'éclatement des valeurs et la remise en question de la morale, le divertissement devient un exutoire, un théâtre où chacun porte un masque.

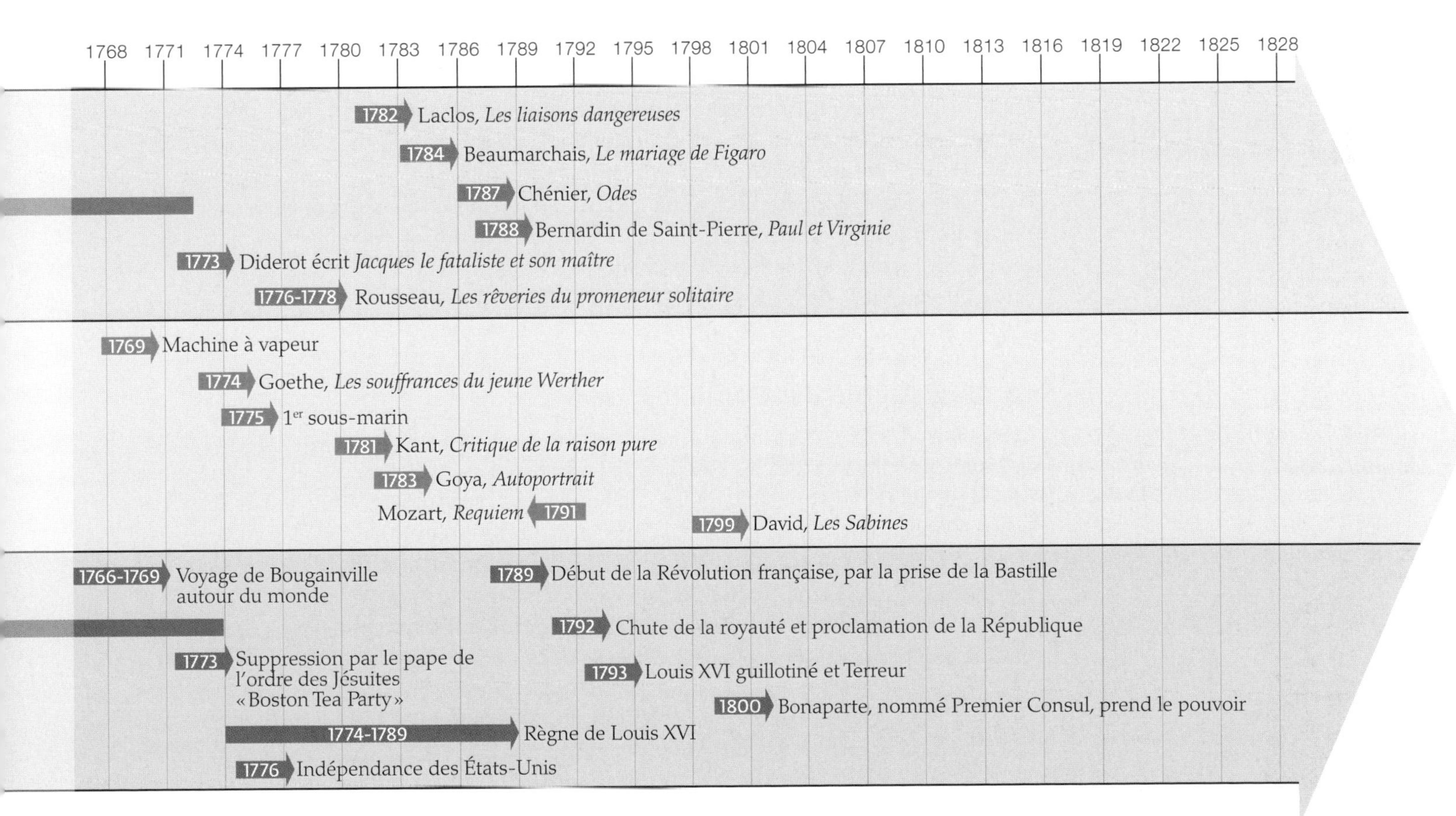

libres penseurs) qui pense davantage à fêter qu'à gouverner. La vie frivole, la corruption et la débauche deviennent pratiques courantes à Versailles. Plus tard, Louis XV se mêlera à la vie libertine que mène une grande partie de son entourage.

Le faste et la monumentalité de Versailles sont de plus en plus abandonnés par les savants et les artistes, qui se réunissent désormais dans les cafés et les élégants salons des grands hôtels parisiens, lesquels font dorénavant une bonne place à la politique et à l'évolution des mœurs. Ces nouveaux centres de la vie culturelle permettent à la sphère intime de succéder au cérémonial rigide de la cour. Alors que l'époque tout entière est encline à perdre la foi en toute règle morale, la relativité du sensible, qui ne connaît que la vie, son ardeur et son flux, se substitue à l'absolu des principes. On cherche à se divertir, passant son temps dans les théâtres et les bals. Dans les salons, on organise des jeux de société qui servent de prétexte au libertinage. Toute morale ennuyeuse est bannie des règles de la vie.

## Le siècle des philosophes

Peu à peu, un nouvel idéal intellectuel et moral vient se substituer à celui de l'« honnête homme » du siècle précédent. C'est le philosophe : un intellectuel engagé qui met à profit les idées formulées au XVII<sup>e</sup> siècle, en particulier la primauté de la raison et d'une science désormais basée sur l'expérience et non sur les révélations d'une religion. Mais à la différence d'un Descartes tourné vers la réflexion et préoccupé d'élaborer des théories, il ne s'agit pas à proprement parler ici de philosophie, encore moins de systèmes rigoureux. C'est plutôt une attitude d'esprit, inspirée de la méthode scientifique, qui cherche à découvrir et à faire connaître la vérité derrière les ténèbres des préjugés et des *a priori*.

Au siècle précédent, les philosophes peignaient des « caractères »; ces nouveaux philosophes passent du constat aux actes en se faisant réformateurs. Soucieux d'être utiles à leurs concitoyens, ils s'associent aux activités liées au progrès de la civilisation, ce qui les amène à recenser les connaissances acquises par l'homme, aussi bien dans les techniques que dans les arts. Leur sociabilité les place au centre de la vie mondaine, où leur influence se fait partout sentir (salons, clubs, cafés, restaurants). Tournés vers leurs semblables, ces êtres cosmopolites correspondent à travers l'Europe, séjournent à l'étranger, enquêtent sur les différents systèmes politiques et se soucient du sort réservé aux peuples découverts il y a peu. Leurs voyages sont l'occasion d'une leçon de relativité, d'une remise en cause des idées reçues sur la propriété, la justice, la liberté et la religion. Les philosophes du XVIII<sup>e</sup> siècle ont ouvert des espaces dans lesquels nous vivons encore aujourd'hui.

### La philosophie des Lumières

*Libérer l'homme de sa propre immaturité.*
*Kant*

Les philosophes mettent au point une méthode pratique pour faire émerger la lumière de la vérité et pour repousser les ténèbres de l'ignorance, celle de l'examen critique : toute connaissance du réel doit être examinée à la lumière de la raison et s'appuyer sur l'expérience; toute explication d'origine religieuse ou surnaturelle, toute idée reçue sont rejetées. Les penseurs des Lumières choisissent de ne rien tenir pour acquis et de suivre les savants de leur temps, qui utilisent des méthodes expérimentales pour étudier la nature. Leurs œuvres posent les prémisses d'un mouvement général de renouvellement de la philosophie, dorénavant indépendante de l'influence ecclésiastique.

Leur esprit critique est appliqué à tous les domaines de la connaissance, comme en témoigne l'*Encyclopédie ou Dictionnaire raisonné des sciences, des arts et des métiers*. En résulte une dénonciation des fanatismes, des préjugés, des conservatismes, des injustices, des arbitraires, des inégalités et, plus globalement, de l'intolérance. Bientôt les institutions elles-mêmes, politiques et religieuses, seront remises en cause dans leur essence même. Le scepticisme des philosophes les pousse à réexaminer les doctrines de l'Église, qu'ils écartent le plus souvent comme des superstitions. Ils analysent également les systèmes politiques, ce qui les amène à exiger plus de libertés pour les individus, ainsi que des formes de gouvernement plus représentatives. Le droit divin sera bientôt contraint de céder le pas au droit naturel.

Ouverts à la science, ces philosophes se veulent aussi au service de la justice en mettant de l'avant les droits de l'homme: tous les hommes doivent être considérés comme égaux et traités devant la loi avec équité. À l'arbitraire du rang social, ils favorisent plutôt la dignité et la liberté de la personne humaine, peu importe sa place dans la société. Militant pour l'émancipation des hommes par la connaissance, ils appellent la mise en place d'un système d'enseignement de qualité, contrairement à l'État et à l'Église qui estiment que l'instruction est non seulement inutile pour le peuple, mais potentiellement dangereuse. Il va de soi que le respect de la personne implique la liberté d'expression des idées et le respect de l'opinion d'autrui, même si on ne la partage pas. Ils ont aussi une grande confiance dans le progrès: toute période antérieure serait moins avancée que celle qui la suit, et l'avenir serait toujours meilleur que le présent. De là à imaginer que le bonheur matériel soit à portée de main, il n'y a qu'un pas.

**Ascension à Versailles le 19 septembre 1783 d'un ballon montgolfier avec un mouton, un canard et un coq comme passagers.**

La valorisation du savoir au XVIIIe siècle donne lieu à d'importantes avancées technologiques.

Cette aspiration à mieux vivre est à l'origine du mot «civilisation», inventé au XVIIIe siècle, qui désigne alors ce processus en évolution constante, cette amélioration régulière des conditions de vie, ce progrès combinant accroissement des connaissances et perfectionnement moral; auparavant, on parlait plutôt de «civilité», d'adoucissement des mœurs ou d'urbanité. Cette aspiration est surtout à l'origine d'une transformation fondamentale de l'Occident: elle a facilité l'émergence de formes politiques qui ont défié les anciennes hiérarchies et ouvert la voie aux révolutions américaine et française.

## La science et les techniques

La science, qui tire ses hypothèses de l'observation et de l'expérimentation, fait des progrès extraordinaires. Elle conçoit des instruments et des méthodes de recherche de plus en plus précis qui permettent de se faire une nouvelle conception de la nature et de l'Univers. Dans son *Histoire naturelle* (1749-1789), le naturaliste Buffon soutient que tout dans le monde est soumis à des lois et qu'aucune décision divine n'a préexisté à l'ordre du monde. Déjà, Copernic et Galilée, entre autres, avaient fait voler en éclats la vision du monde véhiculée par le récit de la *Genèse*, en affirmant que le monde n'a pas de limites, qu'il est plutôt un univers infini, immense, disproportionné par rapport à l'homme. Les horizons se dissolvent en même temps que s'accroît le sentiment de l'insigne fragilité humaine.

## L'apport scientifique du XVIIIe siècle

1687 : Denis Papin (1647-1712) établit le principe de la machine à vapeur.

1698 : En Angleterre, réalisation de la première machine à vapeur.

1707 : Papin réalise un bateau à vapeur à quatre roues à aubes.

1738 : Les rails en fonte remplacent les rails en bois des mines sur lesquels, depuis le XVIe siècle, les wagonnets étaient tirés par des chevaux.

1746 : Fabrication du premier métier à tisser automatique.

1752 : Benjamin Franklin (1706-1790) invente, entre autres, le paratonnerre, puis les lunettes à double foyer (1784).

1755 : Beaumarchais (1732-1799) réalise le remontoir de montre.

1769 : James Watt (1736-1819) fait breveter une machine à vapeur qui servira à la propulsion des véhicules et des navires.

1770 : Joseph Cugnot (1725-1804) construit la première voiture automobile à vapeur.

1783 : Le premier ballon des frères Montgolfier prend son vol.

1799 : Alessandro Volta (1745-1825) invente la pile électrique.

Par ailleurs, on constate déjà, en Angleterre, le formidable développement économique apporté par l'avancée des sciences et des techniques, le début de ce qu'on nommera la « révolution industrielle », appelée à améliorer le sort de chacun. L'agriculture y est en pleine transformation : la production agricole bénéficie grandement des récentes découvertes technologiques. Les ateliers de village, qui existent depuis le Moyen Âge, sont en train de céder leur place à des usines. Le revenu découlant de cette proto-industrialisation donne accès à une plus grande consommation, en particulier du côté des vêtements. On bénéficie également de découvertes en matière d'hygiène et de médecine. La géographie et les transports, la botanique, la pharmacie, la chimie et la physique connaissent des progrès spectaculaires. Efficacité, tel est le nouveau mot d'ordre de ce long processus de modernisation en train de changer radicalement l'organisation du travail et les conditions d'existence.

## Une rupture politique

Malgré ces conditions nouvelles, la monarchie absolue règne toujours, sans aucune Constitution pour limiter ses pouvoirs. Le système social distribue encore la société en trois ordres non égaux devant la loi et les impôts : clergé, noblesse et tiers état. L'Église conserve le monopole de l'enseignement et encadre solidement la société. Cependant, l'élite laïque, hésitant entre la confiance dans le despotisme éclairé et l'exaltation de la souveraineté populaire, aspire à des transformations où pourraient fleurir les idéaux des philosophes. Des esprits éclairés, comme Voltaire et Montesquieu, vantent la modernité britannique qui a adopté un régime de monarchie constitutionnelle. Et l'on considère comme une application des principes des Lumières la déclaration d'Indépendance américaine de 1776, faite en réaction à l'arbitraire métropolitain.

En France, ce questionnement va de pair avec la dégradation des conditions économiques et sociales. Or, à l'extérieur, Louis XV vient de connaître l'échec de la guerre de Sept Ans[1] (1756-1763), qui opposait la France à l'Angleterre et à la Prusse. À l'intérieur, l'impossibilité de rétablir

**Caricature d'un paysan portant un noble et un prélat, *Â faut espérer qu'eu'jeu la finira ben tôt*, 1789.**

Irrévérencieux, l'esprit des Lumières remet en cause le caractère immuable de l'ordre social et des certitudes qu'on y rattache.

1. Par le traité de Paris qui met fin à cette guerre en 1763, la France est contrainte de céder le Canada à l'Angleterre.

*À la certitude de la Lumière venue d'en haut se substitue la pluralité des lumières qui se répandent de personne à personne.*

*Tzvetan Todorov*

l'équilibre financier suscite l'exaspération de la noblesse et le ressentiment des paysans. Après 10 ans de crise économique et politique, le pouvoir est déstabilisé, les vieilles vérités vacillent et une révolution est en cours.

Une grande rupture fait bientôt voler en éclats la structure politique : la Révolution s'amorce en 1789 avec la prise de la Bastille. La *Déclaration des droits de l'homme et du citoyen* (1789), où l'esprit philosophique des Lumières trouve sa formulation, abolit les privilèges de l'Ancien Régime et reconnaît l'égalité de tous à la naissance. C'est l'abolition de la royauté et l'instauration de la République (1792), qui prendra pour devise « Liberté, Égalité, Fraternité ». La Révolution vient de substituer la souveraineté du peuple à la monarchie comme base de la légitimité. La diversité des individus succède à l'unité monarchique du corps social alors que l'égalité de principes érode le respect des privilèges. Du côté de l'Église, les ecclésiastiques sont obligés, en 1791, de prêter serment de fidélité à la nouvelle Constitution, ce qui en fait des quasi-fonctionnaires de l'État. C'est le triomphe de l'esprit philosophique, même si les excès de la Terreur qui vont suivre mettront à mal les idéaux de liberté et de tolérance défendus par les philosophes.

## Les courants artistiques au XVIIIe siècle

Dès après la mort de Louis XIV en 1715, la France connaît un infléchissement momentané du classicisme. Dans un premier temps, celui de la fête et de la frivolité, le baroque se prolonge dans la rocaille ; mais, à la suite de la découverte des ruines de Pompéi, le classicisme renaît en se rigidifiant dans l'académisme du néoclassicisme. Entre-temps, certains peintres se laissent fortement imprégner par l'esprit des Lumières.

**Jean-Honoré Fragonard, *Les hasards heureux de l'escarpolette*, v. 1767.**

La joie du mouvement se combine à la richesse des étoffes et aux contrastes saisissants, d'où l'éclatement de la volupté caractéristique de la peinture rococo.

## La rocaille ou le rococo

Ultime formule du baroque, la rocaille, aussi appelée rococo, oppose un ton gracieux et léger au baroque dramatique et théâtral. Cette esthétique apprécie les compositions aux décors surchargés, aux formes complexes, circulaires ou sinueuses, aux effets d'instabilité, aux contrastes violents d'ombre et de lumière, aux ciels peuplés d'anges ou de saints et aux colonnes qui se tordent. Cette beauté bariolée et lyrique, qui éprouve un goût particulier pour l'illusion et le trompe-l'œil, permet à l'émotion de triompher de la raison. La rocaille explore les sujets mythologiques et se délecte à dévêtir les femmes, sous prétexte de figurer Vénus, les Grâces ou les Muses.

Du rêveur Watteau au charnel Boucher, en passant par le voluptueux Fragonard, trois générations de peintres font glisser cette peinture du sensoriel au sensuel. Leurs compositions sont prétexte à des débordements ornementaux et à l'étalage d'étoffes chatoyantes et d'accessoires luxueux. Tout s'anime, s'agite. Partout la ligne se courbe, ondule, se brise : elle se dynamise, froisse les drapés, tord les arbres, se refusant résolument à la symétrie. Une lumière cristalline et artificielle scintille de ses bleus, de ses verts et de ses roses pour éclairer ces petits tableaux aux demi-tons précieux et clairs. La touche confère des effets d'une grâce voluptueuse à ces compositions qui visent le pittoresque, l'exotisme et la sensualité, voire l'érotisme.

**Jean-Siméon Chardin, *L'enfant au toton*, 1738.**

Dans sa volonté d'effacer les artifices pour retrouver la nature, l'art des Lumières s'intéresse à l'individu, à ses mœurs et à ses sentiments.

## Le peintre des Lumières

À l'heure où Rousseau prône le retour à la nature, où les philosophes redécouvrent l'homme en tant qu'individu social, le monde de la féerie aristocratique se défait peu à peu, et la société légère et affectée d'hier aspire bientôt à plus de sérieux. On veut connaître l'homme, son caractère, sa vie et ses mœurs ; on l'interroge dans la vérité de sa vie quotidienne, familière et rustique. Chardin est le peintre qui symbolise le mieux la classe laborieuse et saine qui aspire à un profond changement, qui souhaite simplement que ses valeurs soient reconnues au même titre que celles de la classe dominante. Sa peinture témoigne en faveur d'un monde dans lequel l'homme a sa place et paraît en paix avec lui-même.

## Le néoclassicisme

Le style rocaille expire dans la seconde moitié du XVIII^e siècle. Entre-temps, la découverte des ruines de Pompéi et d'Herculanum aura été à l'origine de la naissance du néoclassicisme, qui s'étalera de 1770 jusqu'aux années 1860. Avec son

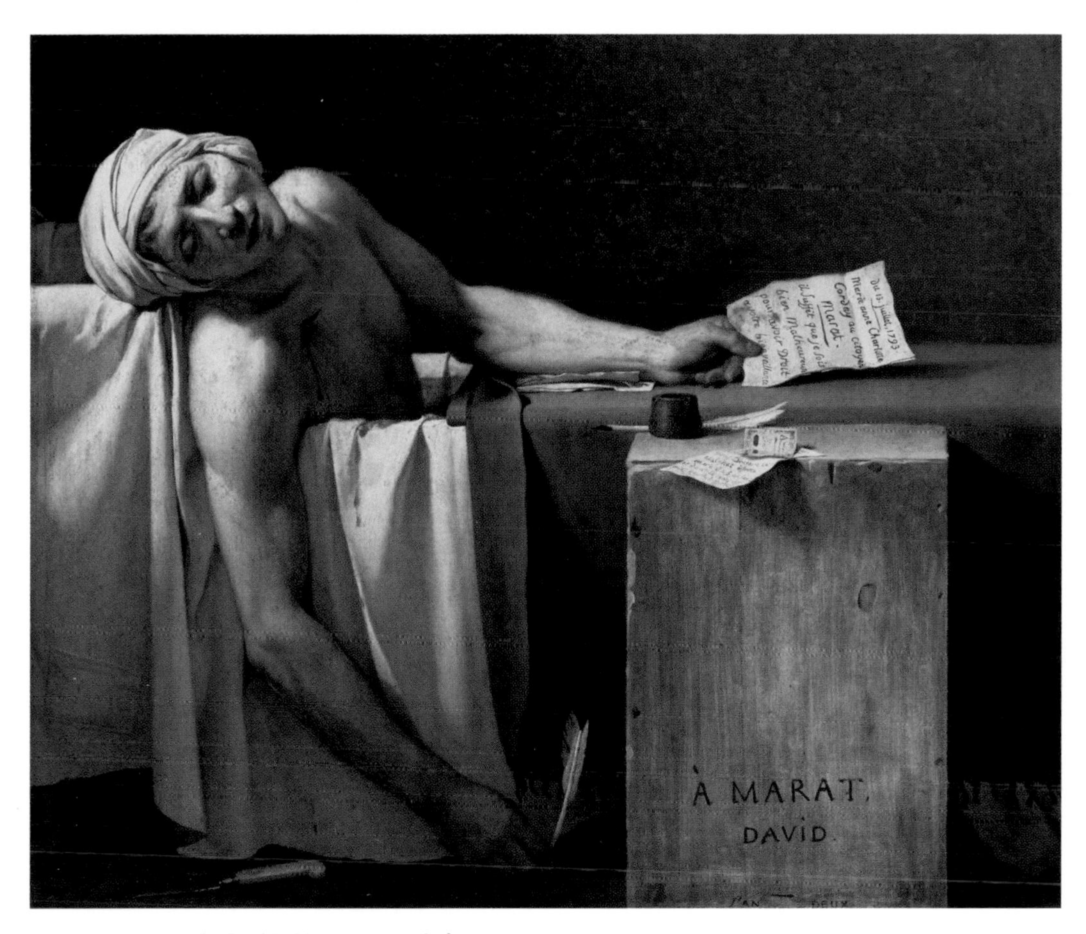


**Jacques Louis David, *Marat assassiné*, 1793.**

Le retour à la rigueur classique paraît dans l'idéalisation du sujet, qui confère à l'événement une portée historique l'élevant vers une beauté universelle.

exigence d'une plus grande rigueur, le néoclassicisme, dernier soubresaut du classicisme, rigidifie davantage l'art classique. Sauf de très rares exceptions, ses artistes répètent les canons artistiques et les critères du beau qu'ils ont appris dans les académies: sujets nobles, individus idéalisés, manière de peindre nette sans qu'on puisse distinguer la touche, primauté du contour et du dessin sur la mise en couleur... Figé en doctrine, le goût classique se dessèche et s'appauvrit. Dans leur quête de raison et d'idéal, les artistes néoclassiques recourent à un style réaliste discipliné par une forme qui se veut pure, la beauté idéale se substituant à la vérité.

Tout devient codifié dans cette peinture léchée, et le savoir technique y est tellement valorisé qu'il ne reste guère de place pour l'interprétation. On respecte la hiérarchie des genres et des sujets, auxquels doit s'accorder le style. Dans cette hiérarchie, on retrouve d'abord le «grand genre», ou la peinture d'histoire: des tableaux inspirés de textes anciens, à sujets mythologiques, religieux ou historiques. Ensuite vient le portrait, puis le paysage. La nature morte et les scènes dites «de genre», illustrant la vie quotidienne, sont des catégories mineures. On doit aussi respecter la hiérarchie des formats, les grands formats étant l'apanage des scènes historiques.

Avec une rigueur d'archéologues, ils observent la nature par la lorgnette de l'Antiquité: celle-ci avait idéalisé la beauté, le néoclassicisme idéalise l'Antiquité. Ces artistes ne se satisfont pas de ressusciter un style du passé, ils tentent d'utiliser cet art pour façonner la morale et les comportements contemporains. Noblesse de l'art et fonctions édifiantes, qu'elles soient morales, politiques ou religieuses, sont intimement liées. Ce nouveau dogme artistique entend refléter, avec un goût prononcé du pathétique et des grands sentiments, la morale de la nouvelle classe dirigeante. Le culte du héros s'impose, confondant les idéaux de vertu, de don de soi, de sacrifice à la patrie et de grandeur morale de l'Antiquité avec ceux prônés par la Révolution. Un tableau réussi doit véhiculer de bons sentiments, des passions héroïques ou des vertus patriotiques, valeurs dans lesquelles la classe dominante aime se reconnaître. On flatte l'orgueil des gouvernants, qui n'hésitent pas à se considérer eux-mêmes comme la réincarnation moderne des Grecs et des Romains de l'Antiquité. Deux peintres réussissent particulièrement à se démarquer dans cette dictature des contraintes, David et Ingres. Ce style le plus souvent stérile se diluera dans un art qualifié de pompier.

# L'évolution de la langue française au XVIII^e^ siècle

**Anicet Charles Gabriel Lemonnier, *Première lecture dans le salon de Madame Geoffrin de* L'orphelin de la Chine *de Voltaire*, 1755.**

Au détriment de la cour, intellectuels et artistes privilégient désormais les salons et cafés, lieux de prédilection où s'exprime et se raffine la philosophie des Lumières.

Toujours sur sa lancée du XVII^e^ siècle, la langue française demeure la référence depuis Saint-Pétersbourg jusqu'à Amsterdam. Le français est alors en Europe ce que l'anglais est aujourd'hui dans le monde: la grande langue de communication. Toute l'élite européenne cultivée connaît les hautes vertus de civilité et d'échange qui sont à l'honneur en France et les lui envie. La langue et la culture françaises sont à leur zénith. L'Académie de Berlin organise même un concours, en 1782, sur le sujet suivant: « Qu'est-ce qui a fait de la langue française la langue universelle en Europe ? »

Pendant que le français continue de s'affirmer dans les salons parisiens et que les tournures deviennent plus naturelles et alertes chez Marivaux, le vocabulaire se renouvelle en réponse au progrès des sciences et des techniques. On intègre des mots étrangers: des mots italiens du domaine artistique (fresque, mosaïque, sérénade, ténor, pastel, caricature, aquarelle, etc.) et des mots anglais, empruntés particulièrement à un domaine très célébré par les philosophes, celui de la politique (politicien, budget, constable, vote, verdict, etc.), ainsi qu'aux domaines de la mode, du commerce, de la cuisine et du sport. En plus de ces infiltrations du vocabulaire anglais, on forme des néologismes, dont un singulièrement riche de sens, « anglomanie », en ce qu'il annonce la venue prochaine d'une nouvelle hégémonie linguistique.

La Révolution laisse aussi sa marque dans la langue: des mots associés à l'Ancien Régime deviennent des archaïsmes (gabelle, baillage, sénéchaussée); de nouveaux mots démocratisent la langue française (citoyen, citoyenne); d'autres néologismes ont trait à un aspect particulier de la Révolution (vocifération, expropriation, vandalisme, etc.).

## Le « Grand Tour » des étudiants anglais

Au XVIII^e^ siècle, période de culture et de sociabilité, un voyage en Italie pour faire ses études classiques est considéré comme indispensable pour les étudiants de l'aristocratie britannique. Ce périple européen désigné comme le « Grand Tour » peut durer jusqu'à cinq ans. Se déplaçant en diligence ou en péniche, accompagnés par un tuteur chargé de leur enseignement, ces voyageurs partent à la découverte des chefs-d'œuvre des villes historiques de l'Italie. Pour la seule décennie de 1780, on estime à plus de 40 000 le nombre de jeunes Britanniques qui ont effectué le « Grand Tour ». Parallèlement aux nombreux voyages des philosophes, ces périples d'étudiants témoignent de la grande proximité culturelle des élites par-delà les frontières.

## La littérature : la raison et le cœur

Le XVIIe siècle littéraire s'est terminé sur la querelle des Anciens et des Modernes ; le XVIIIe siècle consacre la victoire des Modernes. Tout en assurant la permanence des goûts et de la rigueur des modèles littéraires classiques en ce qui concerne l'écriture en tant que telle – l'œuvre de Voltaire brille de l'ultime éclat du classicisme –, les écrivains recourent de moins en moins aux genres littéraires traditionnels, préférant en inventer de nouveaux qui correspondent mieux à l'esprit du siècle.

Dans cette adhésion à une nouvelle esthétique, les belles-lettres, la philosophie et la politique sont profondément solidaires : elles se fixent pour but de libérer l'esprit et les sens d'une morale rigoriste et aliénante. Les idées prennent plus d'importance que la forme. Engagée dans un processus de vulgarisation d'idées, l'œuvre littéraire se fait militante. Dans la seconde moitié du siècle, quand le nouvel idéal intellectuel et moral se sera affirmé, le triomphe de l'esprit philosophique se concrétisera dans une sensibilité nouvelle pour laquelle le cœur a le droit de s'exprimer autant que la raison.

### Littérature d'idées et esprit philosophique

*Quant à la richesse, que nul citoyen ne soit assez opulent pour en pouvoir acheter un autre, et nul assez pauvre pour être contraint de se vendre.*

Rousseau

Sous le règne de Louis XIV, toutes les créations artistiques devaient converger vers le roi, mettre en valeur sa royale personne, promouvoir l'image du monarque absolu. Après sa mort, la littérature se met plutôt au service des idées. Mieux, au service d'idées où puiseront les acteurs de 1789 pour renverser la monarchie. Le débat se fait combat, avec pour arme la littérature.

Contrairement aux écrivains du classicisme qui visaient l'universalité, les écrivains-philosophes visent des effets bénéfiques immédiats. Ils refusent donc de s'en tenir aux abstractions pour se mêler plus activement que jamais à la vie quotidienne, se faisant ainsi les interprètes du public dont ils se prétendent les guides. Ils établissent dans l'utile et le concret une pensée qui dénonce une dégradation du paysage social et appelle une société plus juste.

À cette fin, ils mobilisent toutes les formes de l'écrit : ils privilégient surtout l'essai, qui peut prendre les apparences de libelles, pamphlets, dictionnaires, journaux ou correspondances, mais recourent aussi à des formes d'écriture plus traditionnelles, comme la poésie, le conte et le roman.

**Joseph Wright, *L'expérience de la pompe à air*, 1768.**

En cette ère qui place le progrès au cœur de toutes les préoccupations, la science et la technologie sont traitées en peinture avec une déférence autrefois réservée aux sujets historiques ou religieux.

**Jean-Antoine Houdon, *Voltaire assis*, 1779-1795.**

Polémiste redoutable, écrivain prolifique maîtrisant tous les genres, Voltaire signe une œuvre riche et éclairée, à l'image de la pensée des Lumières.

## La poésie au temps des philosophes

La poésie a émergé au Moyen Âge, foisonné au XVI^e^ siècle et abondé au siècle suivant avec les Corneille, Racine et La Fontaine. Mais les formes arides consacrées par les théories de Boileau peuvent expliquer le rejet de la poésie au XVIII^e^ siècle, où l'on est frappé de sa quasi-absence.

Le classicisme a amené à confondre versification et poésie, à pratiquer la poésie comme un art de divertissement surtout utile pour briller dans les salons ou à la cour, multipliant les contraintes inutiles qui favorisent l'expression claire des idées et de la raison mais qui négligent la source vive de l'imagination. Quand elle sera présente, comme chez Voltaire, elle restera fidèle aux conventions et aux formes du classicisme.

### François Marie Arouet, dit Voltaire (1694-1778)

*Il faut toujours que ce qui est grand soit attaqué par les petits esprits.*

Voltaire a été fortement bouleversé par le tremblement de terre qui a détruit la ville de Lisbonne le 1^er^ novembre 1755 et qui a fait 30 000 morts. Avant que l'année ne finisse, le polémiste avait rédigé un long poème exprimant sa révolte contre le scandale du mal et contre les impostures des philosophes providentialistes qui prétendent que tout arrive pour le mieux. Voltaire s'indigne contre une doctrine qui semble justifier la souffrance. L'axiome du sous-titre, *Tout est bien*, paraît étrange tant aux victimes qu'aux témoins de grands désastres. Le débat sera ravivé en 1759 avec son célèbre *Candide*.

# Poème sur le désastre de Lisbonne ou examen de cet axiome : Tout est bien

Ô malheureux mortels ! ô terre déplorable !
Ô de tous les mortels assemblage effroyable !
D'inutiles douleurs éternel entretien !
Philosophes trompés qui criez : « Tout est bien »,
5 Accourez, contemplez ces ruines affreuses,
Ces débris, ces lambeaux, ces cendres malheureuses,
Ces femmes, ces enfants l'un sur l'autre entassés,
Sous ces marbres rompus ces membres dispersés ;
Cent mille infortunés que la terre dévore,
10 Qui, sanglants, déchirés, et palpitants encore,
Enterrés sous leurs toits, terminent sans secours
Dans l'horreur des tourments leurs lamentables jours !
Aux cris demi-formés de leurs voix expirantes,
Au spectacle effrayant de leurs cendres fumantes,
15 Direz-vous : « C'est l'effet des éternelles lois
Qui d'un Dieu libre et bon nécessitent le choix » ?
Direz-vous, en voyant cet amas de victimes :
« Dieu s'est vengé, leur mort est le prix de leurs crimes » ?
Quel crime, quelle faute ont commis ces enfants
20 Sur le sein maternel écrasés et sanglants ?
Lisbonne, qui n'est plus, eut-elle plus de vices
Que Londres, que Paris, plongés dans les délices ?
Lisbonne est abîmée, et l'on danse à Paris.
Tranquilles spectateurs, intrépides esprits,
25 De vos frères mourants contemplant les naufrages,
Vous recherchez en paix les causes des orages :

Mais du sort ennemi quand vous sentez les coups,
Devenus plus humains, vous pleurez comme nous.
Croyez-moi, quand la terre entrouvre ses abîmes,
30 Ma plainte est innocente et mes cris légitimes.
Partout environnés des cruautés du sort,
Des fureurs des méchants, des pièges de la mort,
De tous les éléments éprouvant les atteintes,
Compagnons de nos maux, permettez-nous les plaintes.
35 C'est l'orgueil, dites-vous, l'orgueil séditieux,
Qui prétend qu'étant mal, nous pouvions être mieux.
Allez interroger les rivages du Tage;
Fouillez dans les débris de ce sanglant ravage;
Demandez aux mourants, dans ce séjour d'effroi,
40 Si c'est l'orgueil qui crie: « Ô ciel, secourez-moi!
Ô ciel, ayez pitié de l'humaine misère! »
« Tout est bien, dites-vous, et tout est nécessaire. »
Quoi! l'univers entier, sans ce gouffre infernal,
Sans engloutir Lisbonne, eût-il été plus mal?
45 Êtes-vous assurés que la cause éternelle
Qui fait tout, qui sait tout, qui créa tout pour elle,
Ne pouvait nous jeter dans ces tristes climats
Sans former des volcans allumés sous nos pas?
Borneriez-vous ainsi la suprême puissance?
50 Lui défendriez-vous d'exercer sa clémence?
L'éternel Artisan n'a-t-il pas dans ses mains
Des moyens infinis tout prêts pour ses desseins?
Je désire humblement, sans offenser mon maître,
Que ce gouffre enflammé de soufre et de salpêtre
55 Eût allumé ses feux dans le fond des déserts.
Je respecte mon Dieu, mais j'aime l'univers.
Quand l'homme ose gémir d'un fléau si terrible,
Il n'est point orgueilleux, hélas! il est sensible.
[…]

Voltaire, *Poème sur le désastre de Lisbonne*, 1755.

## VERS L'ANALYSE

### Poème sur le désastre de Lisbonne…

1. Dégagez le thème* principal de ce poème et dressez-en le champ lexical*.
2. Voltaire remet en question des idées défendues par les philosophes.
   a) Quelles sont ces idées?
   b) Comment l'écriture traduit-elle les doutes exprimés par l'auteur?
3. Le poème prend la forme d'une imploration. Expliquez l'effet créé en ce sens par chacun des procédés* de la colonne de gauche en vous appuyant sur une citation.

| Procédé | Citation | Effet |
|---|---|---|
| Interjection*/forme exclamative* | | |
| Emploi de l'impératif* | | |
| Accumulation* | | |
| Hyperbole* et personnification* | | |

4. Examinez la construction* et la succession* des phrases. Que remarquez-vous?
5. Plusieurs indices laissent transparaître la subjectivité de l'auteur. À cet égard, commentez:
   a) le choix des mots;
   b) l'emploi de nombreux adjectifs;
   c) le recours à l'ironie*.

#### Sujet d'analyse littéraire

**D'après le contexte entourant ce poème, faites l'étude des thèmes* et des procédés d'écriture* qui les soutiennent, pour en faire ressortir le caractère épique.**

## La prose d'idées et les formes de l'essai

Les philosophes ont essentiellement recours à la prose pour défendre leurs idées et pour favoriser le développement de l'esprit critique. Une prose polémique, que l'on peut associer au genre hybride de l'essai: réflexions politiques, traités philosophiques, dialogues, rappels historiques, dictionnaires, encyclopédies, etc. La pensée, mise au service de trois causes, la liberté, la tolérance et le progrès, s'y montre toujours rigoureuse. Il importe de bien expliquer sa thèse, de manière à convaincre le lecteur de la justesse du point de vue défendu et, finalement, l'inviter à s'engager à son tour. À cette fin, les formes de l'ironie sont fréquemment mises à contribution.

## Charles-Louis de Secondat, baron de Montesquieu (1689-1755)

*L'extrême obéissance suppose de l'ignorance dans celui qui obéit.*

Aristocrate éclairé, parlementaire, mondain, savant, voyageur, amateur de sciences et de littérature, philosophe, Montesquieu, un homme dévoré par la passion du savoir, apparaît comme le précurseur des écrivains-philosophes, comme celui qui préside à la naissance des Lumières. Cet écrivain à l'esprit critique et satirique rédige de nombreux traités d'histoire, d'économie, de politique et de sciences, en mettant toujours de l'avant ses idées de tolérance.

Un voyage de plusieurs années (1728-1731) le mène en Autriche, en Hongrie, en Prusse, aux Pays-Bas et en Angleterre. Sans cesse il s'interroge: existe-t-il un gouvernement et des institutions juridiques meilleurs que les autres? Toujours il cherche à expliquer les événements historiques non par le rôle de la Providence, mais par une série de causes et d'effets. Il s'interroge, entre autres choses, sur les influences physiologiques et psychologiques du climat qui pourraient aider à comprendre les différences, en matière d'institutions politiques, entre pays froids et pays chauds. Il livre le résultat de sa démarche dans une somme juridique et politique, *De l'esprit des lois* (1748), la première tentative d'ensemble pour expliquer et comparer le caractère et la constitution des sociétés humaines. Montesquieu vient d'élever la politique au niveau de la science.

# De l'esclavage des Nègres

Si j'avais à soutenir le droit que nous avons eu de rendre les nègres esclaves, voici ce que je dirais:

Les peuples d'Europe ayant exterminé ceux de l'Amérique, ils ont dû mettre en esclavage ceux de l'Afrique, pour s'en servir à défricher tant de terres.

Le sucre serait trop cher, si l'on ne faisait travailler la plante qui le produit par des esclaves.

Ceux dont il s'agit sont noirs depuis les pieds jusqu'à la tête; et ils ont le nez si écrasé qu'il est presque impossible de les plaindre.

On ne peut se mettre dans l'esprit que Dieu, qui est un être très sage, ait mis une âme, surtout une âme bonne, dans un corps tout noir.

Il est si naturel de penser que c'est la couleur qui constitue l'essence de l'humanité, que les peuples d'Asie, qui font des eunuques, privent toujours les noirs du rapport qu'ils ont avec nous d'une façon plus marquée.

On peut juger de la couleur de la peau par celle des cheveux, qui, chez les Égyptiens, les meilleurs philosophes du monde, étaient d'une si grande conséquence, qu'ils faisaient mourir tous les hommes roux qui leur tombaient entre les mains.

Une preuve que les nègres n'ont pas le sens commun, c'est qu'ils font plus de cas d'un collier de verre que de l'or, qui, chez des nations policées, est d'une si grande conséquence.

Il est impossible que nous supposions que ces gens-là soient des hommes; parce que, si nous les supposions des hommes, on commencerait à croire que nous ne sommes pas nous-mêmes chrétiens.

De petits esprits exagèrent trop l'injustice que l'on fait aux Africains. Car, si elle était telle qu'ils le disent, ne serait-il pas venu dans la tête des princes d'Europe, qui font entre eux tant de conventions inutiles, d'en faire une générale en faveur de la miséricorde et de la pitié?

Montesquieu, *De l'esprit des lois*, 1748.

VERS L'ANALYSE

## De l'esclavage des Nègres

1. Pourquoi peut-on dire que les arguments formulés par Montesquieu ridiculisent le fait de se montrer en faveur de l'esclavagisme?
2. a) Relevez deux passages qui reflètent bien le raisonnement par l'absurde proposé par Montesquieu. Expliquez en quoi leur logique peut sembler défaillante.

   b) À la lumière de ces passages, résumez les principes pro-esclavagistes. Comment Montesquieu désignerait-il cette doctrine et ceux qui y adhèrent?
3. Décrivez l'effet de l'abondance d'adverbes d'intensité* («tant», «si», «trop», etc.) dans ce texte.
4. Expliquez comment l'ironie* constitue, pour Montesquieu, une puissante arme de dénonciation. Justifiez votre propos en vous appuyant sur trois antiphrases*.
5. Quel rôle jouent les modes* des verbes?

**Jean Huber, *Voltaire et les paysans de Ferney*, XVIIIe siècle.**
L'exercice de la raison, selon les philosophes des Lumières, ne se fait pas dans la solitude, mais bien au contact de l'autre, de la société.

## François Marie Arouet, dit Voltaire (suite)

*Je ne suis pas d'accord avec ce que vous dites, mais je me battrai jusqu'au bout pour que vous puissiez le dire.*

Le plus illustre représentant des Lumières, Voltaire, brûle de donner son avis sur tout, de propager ses connaissances au fur et à mesure qu'il les conçoit. Sa fécondité extraordinaire lui a permis d'aborder tous les genres : théâtre, poésie, histoire, contes, essais, pamphlets, mémoires, correspondance. Polémiste le plus redouté de son temps, il a envoyé des lettres – plus de 15 000, jusqu'à 40 par jour – aux quatre coins du monde. Supérieurement intelligent, cet intellectuel frondeur, anticonformiste et insolent comme pas un, a toujours mis sa plume au service de la liberté et du progrès pour dénoncer les préjugés, les injustices, l'intolérance et pour défendre les malheureux opprimés.

Ainsi, dans la France monarchique et absolutiste de l'époque, où le catholicisme est la religion d'État, on a condamné à mort Jean Calas, un membre de la minorité protestante. Sans preuve véritable, on l'a accusé d'avoir tué son fils parce que celui-ci aurait voulu se convertir au catholicisme. Par sa plume, Voltaire, justicier inlassable des exclus, réussit à obtenir la révision et l'annulation du verdict, même s'il est trop tard pour sauver la vie de Calas, déjà exécuté. Anticlérical acharné, Voltaire se veut apôtre laïque du simple bon sens. Il croit néanmoins en Dieu, mais en un dieu qui n'a conclu aucun pacte avec les religions révélées : le déisme.

La fougue et la hardiesse de son style lui valent cependant de nombreux interdits de publication et quelques emprisonnements à la Bastille, sans compter ses exils forcés. Ce qui ne tempère d'aucune façon ses attaques à bout portant contre les abus du pouvoir, civil ou religieux, contre tout ce qui opprime ou entrave, tout ce qui s'oppose au progrès. Les principales marques du style de Voltaire sont la clarté et la correction, ainsi qu'une pensée vive et spirituelle qui utilise les armes de l'ironie et de la dérision. Il vise à la brièveté en procédant par petites phrases, cherche à présenter son idée sous la forme la plus réduite et, aussitôt qu'il l'a définie, en aborde une nouvelle. Cet esprit remarquablement doué, devenu dans toute l'Europe le symbole de la lutte contre le fanatisme, a rempli de son nom l'histoire du XVIIIe siècle.

# Prière à Dieu

Ce n'est plus aux hommes que je m'adresse ; c'est à toi, Dieu de tous les êtres, de tous les mondes, et de tous les temps : s'il est permis à de faibles créatures perdues dans l'immensité, et imperceptibles au reste de l'univers, d'oser te demander quelque chose, à toi qui as tout donné, à toi dont les décrets sont immuables comme éternels, daigne regarder en pitié les erreurs attachées à notre nature ; que ces erreurs ne fassent point nos calamités. Tu ne nous as point donné un cœur pour nous haïr, et des mains pour nous égorger ; fais que nous nous aidions mutuellement à supporter le fardeau d'une vie pénible et passagère ; que les petites différences entre les vêtements qui couvrent nos débiles corps, entre tous nos langages insuffisants, entre tous nos usages ridicules, entre toutes nos lois imparfaites, entre toutes nos opinions insensées, entre toutes nos conditions si disproportionnées à nos yeux, et si égales devant toi ; que toutes ces petites nuances qui distinguent les atomes appelés *hommes* ne soient pas des signaux de haine et de persécution ; que ceux qui allument des cierges en plein midi pour te célébrer supportent ceux qui se contentent de la lumière de ton soleil ; que ceux qui couvrent leur robe d'une toile blanche pour dire qu'il faut t'aimer ne détestent pas ceux qui disent la même chose sous un manteau de laine noire ; qu'il soit égal de t'adorer dans un jargon formé d'une ancienne langue, ou dans un jargon plus nouveau ; que ceux dont l'habit est teint en rouge ou en violet, qui dominent sur une petite parcelle d'un petit tas de la boue de ce monde, et qui possèdent quelques fragments arrondis d'un certain métal, jouissent sans orgueil de ce qu'ils appellent *grandeur* et *richesse*, et que les autres les voient sans envie : car tu sais qu'il n'y a dans ces vanités ni de quoi envier, ni de quoi s'enorgueillir.

Puissent tous les hommes se souvenir qu'ils sont frères ! qu'ils aient en horreur la tyrannie exercée sur les âmes, comme ils ont en exécration le brigandage qui ravit par la force le fruit du travail et de l'industrie paisible ! Si les fléaux de la guerre sont inévitables, ne nous haïssons pas, ne nous déchirons pas les uns les autres dans le sein de la paix, et employons l'instant de notre existence à bénir également en mille langages divers, depuis Siam jusqu'à la Californie, ta bonté qui nous a donné cet instant.

Voltaire, *Traité sur la tolérance*, 1763.

## VERS L'ANALYSE

### Prière à Dieu

1. a) Que dénonce Voltaire au moyen de ce texte ?

   b) Quels souhaits formule-t-il ? Résumez son propos.
2. En tenant compte du fond* et de la forme*, expliquez dans quelle mesure ce texte ressemble à une prière, une demande ou une supplication. Étayez votre réponse au moyen d'au moins trois caractéristiques formelles.
3. Quel effet produit le recours fréquent à la négation*, dans ce texte ? Justifiez votre réponse par deux citations textuelles.
4. Dans les passages suivants, relevez les procédés d'écriture* (au service de la dénonciation* de Voltaire, il y en a plusieurs dans chaque citation), et décrivez-en l'effet.

| Citation | Procédés | Effets |
|---|---|---|
| [...] *entre tous nos langages insuffisants, entre tous nos usages ridicules, entre toutes nos lois imparfaites, entre toutes nos opinions insensées, entre toutes nos conditions si disproportionnées à nos yeux* [...] | | |
| [...] *que ceux qui couvrent leur robe d'une toile blanche pour dire qu'il faut t'aimer ne détestent pas ceux qui disent la même chose sous un manteau de laine noire* [...] | | |
| [...] *ceux dont l'habit est teint en rouge ou en violet, qui dominent sur une petite parcelle d'un petit tas de la boue de ce monde, et qui possèdent quelques fragments arrondis d'un certain métal* [...] | | |

## Encyclopédie ou Dictionnaire raisonné des sciences, des arts et des métiers (1751-1772)

*L'homme est le terme unique d'où il faut partir, et auquel il faut tout ramener.*

*Diderot*

Œuvre collective dirigée par Diderot et d'Alembert, l'*Encyclopédie* est la plus vaste entreprise de liberté de pensée au XVIIIe siècle : elle comprend 28 volumes (17 tomes de textes et 11 tomes de planches), 20 millions de mots et plus de 60 000 articles, a nécessité 25 ans de travail et a occupé environ un millier d'artisans, dont des spécialistes, des savants et des artistes, chargés de la rédaction des articles les plus importants. Cet ouvrage imprégné de l'esprit des Lumières est la réussite éditoriale, intellectuelle et commerciale du XVIIIe siècle.

Le but de cette somme gigantesque, conçue comme un dictionnaire universel, est rien de moins que de *rassembler toutes les connaissances éparses sur la surface de la Terre ; d'en exposer le système général aux hommes avec qui nous vivons, et de les transmettre aux hommes qui viendront après nous.* Il s'agit de faire le tour du savoir universel en arts et métiers, sciences, politique, religion, morale et esthétique, de tout passer au crible de la raison en s'alliant constamment savoir et savoir-faire ; en même temps, de sabrer le système de valeurs de l'Ancien Régime, en dénonçant les barbaries de leur temps et en combattant les tyrannies et les intolérances.

Une même intention se lit dans tous les articles : fonder une société nouvelle caractérisée par son rapport confiant dans les sciences et les techniques, abattre les préjugés et faire triompher la raison. Une seule méthode, réaliste et pratique : observation de la nature humaine et documentation précise, avec planches et notices explicatives. Un principe directeur : l'humanité est sur la voie du progrès grâce aux lumières de la raison humaine. Le progrès s'est déjà manifesté dans les sciences, il faut l'étendre à la religion, à la politique et à la morale. La foi en la toute-puissance du savoir est précisément le fondement de la philosophie des Lumières.

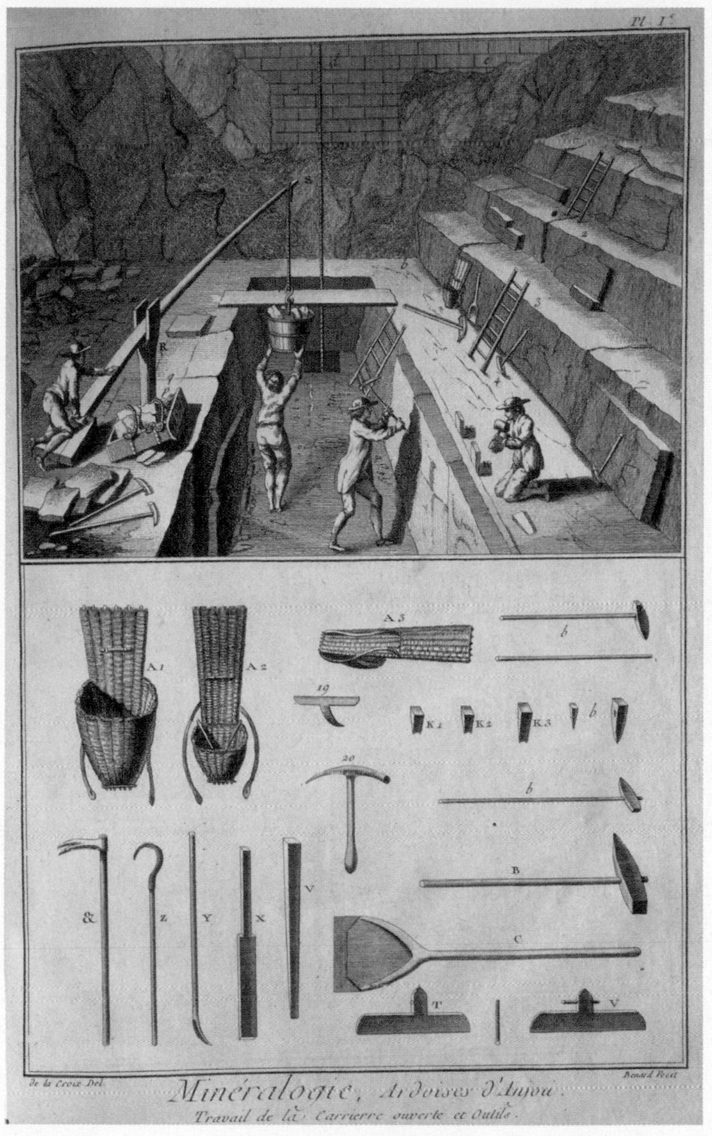


**« Minéralogie, ardoises d'Anjou, travail de la carrière ouverte et outils », planche de l'*Encyclopédie ou Dictionnaire raisonné des sciences, des arts et des métiers*, 1751-72.**

Vaste projet des Lumières, l'*Encyclopédie* veut diffuser la connaissance sous toutes ses formes, favorisant du même coup les progrès techniques et scientifiques.

La force critique de cette somme tient moins dans les énoncés eux-mêmes, assez classiques dans leur ironie anticatholique, que dans son organisation qui situe chaque article dans l'arbre de la connaissance. Bouleversant l'organisation du savoir, le dictionnaire rompt avec l'ordre ancien puisqu'il prive la théologie de sa primauté, rapproche irrespectueusement religion et superstition et dissémine entre les différentes facultés (la raison, la mémoire et l'imagination) le corpus naguère unifié du christianisme.

L'influence de cette œuvre vivante et polémique, une sorte de bible de la connaissance où les arts, les sciences et les techniques se côtoient, se répondent et se complètent, a été considérable : sa remise en question de toutes les vérités admises a fait entrer l'Europe dans le règne de la critique, esprit nouveau dont la Révolution française a su tirer profit.

# Philosophe

Les autres hommes sont déterminés à agir sans sentir ni connaître les causes qui les font mouvoir, sans même songer qu'il y en ait. Le *philosophe* au contraire démêle les causes autant qu'il est en lui, et souvent même les prévient et se livre à elles avec connaissance : c'est une horloge qui se monte, pour ainsi dire, quelquefois elle-même. Ainsi il évite les objets qui peuvent lui causer des sentiments qui ne conviennent ni au bien-être, ni à l'être raisonnable, et cherche ceux qui peuvent exciter en lui des affections convenables à l'état où il se trouve. La raison est à l'égard du *philosophe* ce que la grâce est à l'égard du chrétien. La grâce détermine le chrétien à agir ; la raison détermine le *philosophe.*

Les autres hommes sont emportés par leurs passions, sans que les actions qu'ils font soient précédées de la réflexion : ce sont des hommes qui marchent dans les ténèbres ; au lieu que le *philosophe*, dans ses passions mêmes, n'agit qu'après la réflexion ; il marche la nuit mais il est précédé d'un flambeau.

[...]

La vérité n'est pas pour le *philosophe* une maîtresse qui corrompe son imagination et qu'il croie trouver partout ; il se contente de la pouvoir démêler où il peut l'apercevoir, il ne la confond point avec la vraisemblance ; il prend pour vrai ce qui est vrai, pour faux ce qui est faux, pour douteux ce qui est douteux, et pour vraisemblable ce qui n'est que vraisemblable. Il fait plus, et c'est ici une grande perfection du *philosophe*, c'est que lorsqu'il n'a point de motif pour juger, il sait demeurer indéterminé.

[...]

L'esprit philosophique est donc un esprit d'observation et de justesse, qui rapporte tout à ses véritables principes ; mais ce n'est pas l'esprit seul que le *philosophe* cultive, il porte plus loin son attention et ses soins.

L'homme n'est point un monstre qui ne doive vivre que dans les abîmes de la mer, ou dans le fond d'une forêt : les seules nécessités de la vie lui rendent le commerce des autres nécessaire ; et dans quelqu'état où il puisse se trouver, ses besoins et le bien-être l'engagent à vivre en société. Ainsi la raison exige de lui qu'il connaisse, qu'il étudie, et qu'il travaille à acquérir les qualités sociables.

Notre *philosophe* ne se croit pas en exil dans ce monde ; il ne croit point être en pays ennemi ; il veut jouir en sage économe des biens que la nature lui offre ; il veut trouver du plaisir avec les autres ; et pour en trouver, il faut en faire : ainsi il cherche à convenir à ceux avec qui le hasard ou son choix le font vivre ; et il trouve en même temps ce qui lui convient : c'est un honnête homme qui veut plaire et se rendre utile.

*Encyclopédie*, article « Philosophe », attribué à César Chesneau Dumarsais (1676-1756).

## VERS L'ANALYSE

### Philosophe

1. Pour décrire le philosophe, Dumarsais l'oppose d'abord aux autres hommes. Relevez deux citations illustrant ces oppositions* et, dans chacune, dégagez une caractéristique qui s'applique aux hommes et une autre qui concerne le philosophe.

| Citation | Caractéristique des autres hommes | Caractéristique du philosophe |
|---|---|---|
| | | |
| | | |

2. Considérez cette phrase : *La grâce détermine le chrétien à agir ; la raison détermine le* philosophe. (l. 12-13)
   a) Nommez les procédés d'écriture* qu'elle contient et expliquez-en l'effet.
   b) Quelle réflexion semble esquisser l'auteur en ce qui a trait à la religion ?
3. L'écriture de cet article repose sur plusieurs images. Relevez :
   a) une métaphore* qui montre la rigueur « mécanique » du philosophe ;
   b) une métaphore* qui précise le concept de vérité ;
   c) un passage allégorique* qui illustre la lucidité du philosophe ;
   d) un passage allégorique* qui souligne la nécessité du caractère sociable de l'être humain.

## Denis Diderot (1713-1784)

*Il n'y a qu'un devoir, c'est d'être heureux.*

Curieux de tout, autant artisan qu'écrivain, Diderot a prêté sa plume à tous les genres : il s'est occupé de théâtre, a écrit des romans et des essais, a inauguré la critique d'art et entretenu une correspondance de 553 lettres avec sa maîtresse, Sophie Volland. À lui seul, Diderot a en outre rédigé plus d'un millier d'articles de l'*Encyclopédie*. Touchant aux domaines les plus variés, de la génétique à la création du monde et aux maladies mentales, l'écrivain-philosophe n'a servi qu'une seule cause : le combat de la raison contre les idées fausses.

Pour Diderot, l'origine de la vie ne peut s'expliquer que par un processus chimique : l'homme ne serait qu'un hasard de la matière en évolution. Cette thèse matérialiste lui vaudra l'emprisonnement. Sa conception de la morale sociale, qui rejoint celle des hommes dits primitifs, contribue à répandre le mythe du « bon sauvage ». Une seule morale importe vraiment, celle qui concourt au bonheur de « la grande famille humaine ».

Dans l'extrait qui suit, Diderot fait l'éloge de la vie naturelle en donnant la parole à un vieillard dont parle le navigateur Bougainville[1] dans son *Voyage autour du monde* (1771).

1. En 1756, Bougainville a accompagné Montcalm au Canada.

**Louis-Michel van Loo, *Denis Diderot*, 1767.**

Passionné par tous les domaines de la connaissance, Diderot participe activement à la rédaction de l'*Encyclopédie* et signe une œuvre foisonnante, mais son projet le plus cher demeure la recherche du bonheur humain.

# Le pur instinct de la nature

Puis s'adressant à Bougainville, il ajouta :

« Et toi, chef des brigands qui t'obéissent, écarte promptement ton vaisseau de notre rive. Nous sommes innocents, nous sommes heureux, et tu ne peux que nuire à notre bonheur. Nous suivons le pur instinct de la nature, et tu as tenté d'effacer de nos âmes son caractère. Ici tout est à tous, et tu nous a prêché je ne sais quelle distinction du tien et du mien. Nos filles et nos femmes nous sont communes, tu as partagé ce privilège avec nous, et tu es venu allumer en elles des fureurs inconnues. Elles sont devenues folles dans tes bras, tu es devenu féroce entre les leurs ; elles ont commencé à se haïr ; vous vous êtes égorgés pour elles, et elles nous sont revenues teintes de votre sang. Nous sommes libres, et voilà que tu as enfoui dans notre terre le titre de notre futur esclavage. Tu n'es ni un dieu ni un démon, qui es-tu donc pour faire des esclaves ? Orou, toi qui entends la langue de ces hommes-là, dis-nous à tous, comme tu me l'as dit à moi-même, ce qu'ils ont écrit

20 sur cette lame de métal: *Ce pays est à nous*. Ce pays est à toi! et pourquoi? Parce que tu y as mis le pied! Si un Otaïtien débarquait un jour sur vos côtes et qu'il gravât sur une de vos pierres ou sur l'écorce d'un de vos arbres: *Ce pays appartient aux*
25 *habitants d'Otaïti*, qu'en penserais-tu? Tu es le plus fort, et qu'est-ce que cela fait? Lorsqu'on t'a enlevé une des méprisables bagatelles dont ton bâtiment est rempli, tu t'es récrié, tu t'es vengé, et dans le même instant tu as projeté au fond de
30 ton cœur le vol de toute une contrée! Tu n'es pas esclave: tu souffrirais plutôt la mort que de l'être, et tu veux nous asservir! Tu crois donc que l'Otaïtien ne sait pas défendre sa liberté et mourir? Celui dont tu veux t'emparer comme de la brute,
35 l'Otaïtien est ton frère; [...] Tu es venu, nous sommes-nous jetés sur ta personne? Avons-nous pillé ton vaisseau? T'avons-nous saisi et exposé aux flèches de nos ennemis? T'avons-nous associé dans nos champs au travail de nos animaux?
40 Nous avons respecté notre image en toi. Laisse-nous nos mœurs, elles sont plus sages et plus honnêtes que les tiennes. Nous ne voulons point troquer ce que tu appelles notre ignorance contre tes inutiles lumières. Tout ce qui nous est néces-
45 saire et bon nous le possédons. Sommes-nous dignes de mépris parce que nous n'avons pas su nous faire des besoins superflus? [...] Tu es entré dans nos cabanes, qu'y manque-t-il à ton avis? Poursuis jusqu'où tu voudras ce que tu appelles
50 commodités de la vie, mais permets à des êtres sensés de s'arrêter, lorsqu'ils n'auraient à obtenir de la continuité de leurs pénibles efforts que des biens imaginaires. Si tu nous persuades de franchir l'étroite limite du besoin, quand finirons-
55 nous de travailler, quand jouirons-nous? Nous avons rendu la somme de nos fatigues annuelles et journalières la moindre qu'il était possible, parce que rien ne nous paraît préférable au repos. Va dans ta contrée t'agiter, te tourmenter tant que
60 tu voudras. Laisse-nous reposer; ne nous entête ni de tes besoins factices, ni de tes vertus chimériques. [...]»

Denis Diderot, *Supplément au voyage de Bougainville*, 1772.

VERS L'ANALYSE

## Le pur instinct de la nature

1. Résumez le propos* de cet extrait.
2. La description des Tahitiens (nom ici orthographié «Otaïtiens») et des Européens est marquée par des contrastes. Relevez les termes employés pour les qualifier. Que remarquez-vous?
3. Plusieurs procédés d'écriture* sont mis au service de la critique des Européens qu'émet Diderot par l'entremise du vieillard, qui adresse ses reproches à Bougainville. Pour chaque procédé* mentionné dans le tableau, trouvez une citation pertinente et expliquez-en les effets.

| Procédé | Citation | Effet |
|---|---|---|
| Antithèse* | | |
| Emploi de la 2e personne du singulier | | |
| Parallélisme* | | |
| Emploi de l'impératif* | | |
| Emploi de la forme interrogative* | | |
| Emploi de la négation* | | |

4. En quoi la réflexion proposée par Diderot pourrait-elle s'appliquer à la société actuelle? Justifiez votre réponse en vous appuyant particulièrement sur les dernières lignes de l'extrait.

### Sujet d'analyse littéraire

**Analysez cet extrait en considérant les moyens mis en œuvre par Diderot pour faire l'éloge de la vie naturelle.**

# Voilà ce que j'appelle un homme

Nous avons assez parlé des qualités qui doivent composer l'homme intérieurement, comme sont la sagesse, la raison, l'équité, etc., qui se trouvent chez les Hurons. Je t'ai fait voir que l'intérêt les détruit toutes chez vous, que cet obstacle ne permet pas à celui qui connaît cet intérêt d'être homme raisonnable. Mais voyons ce que l'homme doit être extérieurement. Premièrement, il doit savoir marcher, chasser, pêcher, tirer un coup de flèche ou de fusil, savoir conduire un canot, savoir faire la guerre, connaître les bois, être infatigable, vivre de peu dans l'occasion, construire des cabanes et des canots, faire, en un mot, tout ce qu'un Huron fait. Voilà ce que j'appelle un homme. Car, dis-moi, je te prie, combien de millions de gens y a-t-il en Europe qui, s'ils étaient trente lieues dans les forêts, avec un fusil ou des flèches, ne pourraient ni chasser de quoi se nourrir ni même trouver le chemin d'en sortir. Tu vois que nous traversons cent lieues de bois sans nous égarer, que nous tuons les oiseaux et les animaux à coups de flèches, que nous prenons du poisson partout où il s'en trouve, que nous suivons les hommes et les bêtes fauves à la piste dans les prairies et les bois, l'été comme l'hiver, que nous vivons de racines quand nous sommes aux portes des Iroquois, que nous savons manier la hache et le couteau pour faire mille ouvrages nous-mêmes. Car, si nous faisons toutes ces choses, pourquoi ne les feriez-vous pas comme nous ? N'êtes-vous pas aussi grands, aussi forts et aussi robustes ? Vos artisans ne travaillent-ils pas à des ouvrages incomparablement plus difficiles et plus rudes que les nôtres ? Vous vivriez tous de cette manière-là, vous seriez tous aussi grands maîtres les uns que les autres. Votre richesse serait, comme la nôtre, d'acquérir de la gloire dans le métier de la guerre : plus on prendrait d'esclaves, moins on travaillerait ; en un mot, vous seriez aussi heureux que nous.

La Hontan, *Dialogues curieux entre l'auteur et un sauvage de bon sens qui a voyagé*, 1703.

**Alexandre François Desportes, *Chasseurs et pêcheurs indiens*, XVIIIe siècle.**

VERS L'ANALYSE

## Voilà ce que j'appelle un homme

1. Décrivez brièvement le « bon sauvage » tel qu'il est présenté dans cet extrait, en tenant compte des deux dimensions auxquelles fait référence Adario.
2. Selon Adario, qu'est-ce qui pervertit l'homme civilisé ?
3. Comment l'écriture traduit-elle le désir de persuasion d'Adario ? Justifiez votre réponse en évoquant les procédés d'écriture* employés.

## Le « bon sauvage » du Canada

En 1492, Christophe Colomb découvre l'existence de peuplades sauvages qui ne connaissent ni propriété, ni armes, ni interdits sexuels. Au cours de la première moitié du XVIe siècle, les Européens auraient massacré, selon un ouvrage paru à Séville en 1552, 15 millions d'indigènes aztèques par simple cupidité. Plus tard, le gentilhomme français Louis Armand de Lom d'Arce, baron de La Hontan (1666-1715), qui passe 10 ans au Canada, est le premier à faire rêver les Européens en les entretenant de la liberté et de l'égalité chez les hommes primitifs. Ses écrits inspirent, au XVIIIe siècle, une grande partie des représentations du mythe du « bon sauvage ». Entre autres auteurs, Diderot, Rousseau, Voltaire et, au siècle suivant, Chateaubriand abordent ce sujet.

Dans l'extrait ci-contre, Adario, le « bon sauvage », s'adresse à La Hontan.

## Jean-Jacques Rousseau (1712-1778)

*L'homme est né libre, et partout il est dans les fers. Tel se croit le maître des autres, qui ne laisse pas d'être plus esclave qu'eux.*

Voltaire est la figure la plus représentative du siècle des Lumières, mais c'est Rousseau qui lui fournit sa forme définitive aux yeux des générations futures. Homme sensible, autodidacte au caractère ombrageux mais à la pensée originale, Rousseau vit en marge de son siècle. Fervent républicain (les autres philosophes prônent plutôt une «monarchie éclairée»), il prend le contre-pied des idées politiques, sociales et morales de ses contemporains. Il réclame la souveraineté du peuple, nie toute légitimité à la monarchie et dénonce les méfaits du progrès et de la civilisation.

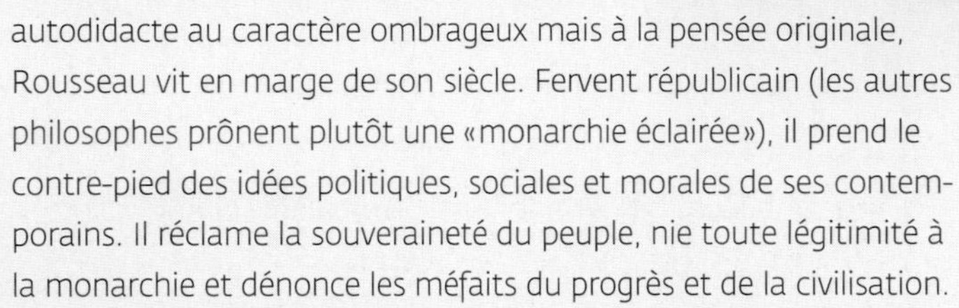

Alors que les autres philosophes voient dans le progrès un gage de bonheur, Rousseau voit plutôt une supériorité de l'état de nature sur l'état de culture. Il étaye une théorie selon laquelle tant que les hommes vivaient en communion avec la nature, ils étaient libres et égaux, indépendants et innocents, disposés à la bienveillance. Tout le mal viendrait de la civilisation. Son début marque le déclin moral de l'individu et explique le mal dont souffre l'homme moderne. Depuis lors, la voix de la nature serait le plus souvent étouffée par les passions que crée notre dépendance à l'égard des autres, la principale étant l'amour-propre ou l'orgueil. Rousseau pense que la civilisation impose à l'humanité des besoins artificiels et la détourne de sa vraie nature et de sa liberté originelle. Il propose donc un pacte entre l'individu et la société, qui exalterait une philosophie et une morale conformes à la nature et non basées sur des conventions, qui montrerait que l'homme, naturellement bon, peut résister au mal qu'il juge inhérent à la civilisation: *Les villes sont le gouffre de l'espèce humaine*.

Rousseau dénonce le système juridique qu'il considère comme injuste et subjectif, un moyen pour les riches de contrôler et de duper les pauvres. Du point de vue artistique, sa révolte contre la civilisation devient une révolte contre les règles et les artifices classiques. Cet auteur novateur et scandaleux est tenu pour l'inventeur du romantisme autant que pour l'un des inspirateurs de 1789: les thèses de son traité politique *Du contrat social* (1762), où il instaure le principe de la souveraineté du peuple, ont largement inspiré la *Déclaration des droits de l'homme et du citoyen* (1789). Après sa mort, on a perçu Rousseau comme l'un des pères spirituels de la Révolution pour avoir mis de l'avant les idées de liberté et d'égalité.

# L'esclavage et la misère croissent avec les moissons

Tant que les hommes se contentèrent de leurs cabanes rustiques, tant qu'ils se bornèrent à coudre leurs habits de peaux avec des épines ou des arêtes, à se parer de plumes et de coquillages, à se peindre le corps de diverses couleurs, à
5 perfectionner ou embellir leurs arcs et leurs flèches, à tailler avec des pierres tranchantes quelques canots de pêcheurs ou quelques grossiers instruments de musique; en un mot, tant qu'ils ne s'appliquèrent qu'à des ouvrages qu'un seul pouvait faire, et qu'à des arts qui n'avaient pas besoin du concours
10 de plusieurs mains, ils vécurent libres, sains, bons et heureux autant qu'ils pouvaient l'être par leur nature, et continuèrent à jouir entre eux des douceurs d'un commerce indépendant: mais dès l'instant qu'un homme eut besoin du secours d'un autre, dès qu'on s'aperçut qu'il était utile à un seul d'avoir
15 des provisions pour deux, l'égalité disparut, la propriété s'introduisit, le travail devint nécessaire, et les vastes forêts se changèrent en des campagnes riantes qu'il fallut arroser de la sueur des hommes, et dans lesquelles on vit bientôt l'esclavage et la misère germer et croître avec les moissons.

20 La métallurgie et l'agriculture furent les deux arts dont l'intervention produisit cette grande révolution. Pour le poète, c'est l'or et l'argent; mais pour le philosophe, ce sont le fer et le blé qui ont civilisé les hommes, et perdu le genre humain.

Jean-Jacques Rousseau, *Discours sur l'origine et les fondements de l'inégalité parmi les hommes*, 1755.

### VERS L'ANALYSE

### L'esclavage et la misère croissent avec les moissons

1. Quel regard Rousseau porte-t-il sur l'avènement de la civilisation?
2. a) Expliquez comment la longue accumulation* de la première phrase (l. 1-19) fait l'éloge du mythe du «bon sauvage».

   b) Comment le reste de cette longue phrase* produit-il un effet de contraste?
3. Considérez l'allégorie* suivante: *les vastes forêts se changèrent en des campagnes riantes qu'il fallut arroser de la sueur des hommes, et dans lesquelles on vit bientôt l'esclavage et la misère germer et croître avec les moissons* (l. 16-19).

   a) Concrètement, que critique Rousseau dans cette phrase?

   b) Expliquez-en la portée symbolique.

**École française, *Olympe de Gouges*, 1784.**

L'audace et l'irrévérence d'Olympe de Gouges aiguisent la lucidité de toute une génération de femmes qui rêve de voir régner l'esprit de tolérance qui caractérise les Lumières.

## Marie Gouze, dite Olympe de Gouges (1748-1793)

*La femme a le droit de monter sur l'échafaud ; elle doit avoir également celui de monter à la tribune.*

Au XVIIIe siècle, de plus en plus nombreuses à accéder à une solide culture grâce à l'éducation, les femmes acquièrent une influence grandissante et donnent une orientation autre à la vie de l'esprit. Pendant que la tradition épistolaire leur ménage une large place, les salons, créés au siècle précédent, accordent aux femmes une nouvelle reconnaissance dans la société. Entourées des plus grands esprits, ces femmes des Lumières animent la vie sociale et voient à la qualité des échanges littéraires et philosophiques qui ont lieu dans leurs assemblées. D'autres se mêlent de politique, telle Mme Roland, figure mythique de la Révolution française, qui mourut sur l'échafaud révolutionnaire.

L'engagement de Marie Gouze, qui prend comme nom de plume Olympe de Gouges, est exemplaire. Pour cette femme de lettres animée d'une flamme révolutionnaire et humaniste, création littéraire et engagement civique vont de pair. Elle prend fait et cause pour les Noirs, pourfend la misère des veuves et des vieillards démunis, et milite pour ce qui ne s'appelle pas encore le féminisme – *Le mariage est le tombeau de la confiance et de l'amour.* C'est ainsi qu'en réponse à la *Déclaration des droits de l'homme et du citoyen* (1789), elle rédige une *Déclaration des droits de la femme et de la citoyenne* (1791), un texte iconoclaste qui soulève un tollé et lui vaut d'être guillotinée en même temps que Mme Roland, en 1793. Son programme sur les droits des femmes – liberté de disposer de ses biens, égalité d'accès aux métiers et aux charges de l'État – attendra deux siècles pour être réalisé.

# Déclaration des droits de la femme et de la citoyenne

Homme, es-tu capable d'être juste ? C'est une femme qui t'en fait la question ; tu ne lui ôteras pas du moins ce droit. Dis-moi ? qui t'a donné le souverain empire d'opprimer mon sexe ? ta force ? tes talents ? Observe 5 le créateur dans sa sagesse ; parcours la nature dans toute sa grandeur, dont tu sembles vouloir te rapprocher, et donne-moi, si tu l'oses, l'exemple de cet empire tyrannique[1].

Remonte aux animaux, consulte les éléments, étudie 10 les végétaux, jette enfin un coup d'œil sur toutes les modifications de la matière organisée ; et rends-toi à l'évidence quand je t'en offre les moyens ; cherche, fouille et distingue, si tu le peux, les sexes dans l'administration de la nature. Partout tu les trouveras 15 confondus, partout ils coopèrent avec un ensemble harmonieux à ce chef-d'œuvre immortel.

L'homme seul s'est fagoté un principe de cette exception. Bizarre, aveugle, boursouflé de sciences et dégénéré, dans ce siècle de lumières et de sagacité, 20 dans l'ignorance la plus crasse, il veut commander en despote sur un sexe qui a reçu toutes les facultés intellectuelles ; il prétend jouir de la Révolution, et réclamer ses droits à l'égalité, pour ne rien dire de plus. [...]

Article premier

La femme naît libre et demeure égale à l'homme 25 en droits. Les distinctions sociales ne peuvent être fondées que sur l'utilité commune.

II

Le but de toute association politique est la conservation des droits naturels et imprescriptibles de la femme et de l'homme : ces droits sont la liberté, la propriété, la 30 sûreté, et surtout la résistance à l'oppression.

III

Le principe de toute souveraineté réside essentiellement dans la Nation, qui n'est que la réunion de la femme et de l'homme : nul corps, nul individu, ne peut exercer d'autorité qui n'en émane expressément.

IV

35 La liberté et la justice consistent à rendre tout ce qui appartient à autrui ; ainsi l'exercice des droits naturels de la femme n'a de bornes que la tyrannie perpétuelle que l'homme lui oppose ; ces bornes doivent être réformées par les lois de la nature et de la raison.

[...]

VI

40 La loi doit être l'expression de la volonté générale ; toutes les citoyennes et citoyens doivent concourir personnellement, ou par leurs représentants, à sa formation ; elle doit être la même pour tous ; toutes les citoyennes et tous les citoyens, étant égaux à ses yeux, 45 doivent être également admissibles à toutes dignités, places et emplois publics, selon leurs capacités, et sans autres distinctions que celles de leurs vertus et de leurs talents.

VII

Nulle femme n'est exceptée ; elle est accusée, 50 arrêtée, et détenue dans les cas déterminés par la loi. Les femmes obéissent comme les hommes à cette loi rigoureuse.

VIII

La loi ne doit établir que des peines strictement et évidemment nécessaires, et nul ne peut être puni 55 qu'en vertu d'une loi établie et promulguée antérieurement au délit et légalement appliquée aux femmes.

IX

Toute femme étant déclarée coupable, toute rigueur est exercée par la loi.

X

60 Nul ne doit être inquiété pour ses opinions même fondamentales, la femme a le droit de monter sur l'échafaud ; elle doit avoir également celui de monter à la tribune ; pourvu que ses manifestations ne troublent pas l'ordre public établi par la loi.

XI

65 La libre communication des pensées et des opinions est un des droits les plus précieux de la femme, puisque cette liberté assure la légitimité des pères envers les enfants. Toute citoyenne peut donc dire librement, *je suis mère d'un enfant qui vous appartient*, 70 sans qu'un préjugé barbare la force à dissimuler la vérité ; sauf à répondre de l'abus de cette liberté dans les cas déterminés par la loi.

[...] À la lecture de ce bizarre écrit, je vois s'élever contre moi les tartufes, les bégueules, le clergé et 75 toute la séquelle infernale. Mais combien il offrira aux sages de moyens moraux pour arriver à la perfectibilité d'un gouvernement heureux ! J'en vais donner en peu de mots la preuve physique. Le riche épicurien sans enfants, trouve fort bon d'aller 80 chez son voisin pauvre augmenter sa famille. Lorsqu'il y aura une loi qui autorisera la femme du pauvre à faire adopter au riche ses enfants, les liens de la société seront plus resserrés, et les mœurs plus épurées. Cette loi conservera peut-être 85 le bien de la communauté, et retiendra le désordre qui conduit tant de victimes dans les hospices de l'opprobre, de la bassesse et de la dénégation des principes humains, où, depuis longtemps, gémit la nature. Que les détracteurs de la saine philosophie 90 cessent donc de se récrier contre les mœurs primitives, ou qu'ils aillent se perdre dans la source de leurs citations.

Je voudrais encore une loi qui avantageât les veuves et les demoiselles trompées par les fausses 95 promesses d'un homme à qui elles se seraient attachées : je voudrais, dis-je, que cette loi forçât un inconstant à tenir ses engagements, ou à une indemnité proportionnelle à sa fortune. Je voudrais encore que cette loi fût rigoureuse contre les 100 femmes, du moins pour celles qui auraient le front de recourir à une loi qu'elles auraient elles-mêmes enfreintes par leur inconduite, si la preuve en était faite. Je voudrais, en même temps, comme je l'ai exposé dans *Le bonheur primitif de l'Homme*, en 105 1788, que les filles publiques fussent placées dans des quartiers désignés. Ce ne sont pas les femmes publiques qui contribuent le plus à la dépravation des mœurs, ce sont les femmes de la société. En restaurant les dernières, on modifie les premières. 110 Cette chaîne d'union fraternelle offrira d'abord le désordre, mais par les suites, elle produira à la fin un ensemble parfait.

J'offre un moyen invincible pour élever l'âme des femmes; c'est de les joindre à tous les exercices de l'homme: si l'homme s'obstine à trouver ce moyen impraticable, qu'il partage sa fortune avec la femme, non à son caprice, mais par la sagesse des lois. Le préjugé tombe, les mœurs s'épurent, et la nature reprend tous ses droits. Ajoutez-y le mariage des prêtres; le Roi, raffermi sur son trône, et le gouvernement français ne saurait plus périr.

[...]

Olympe de Gouges, *Déclaration des droits de la femme et de la citoyenne*, 1791.

1. *De Paris au Pérou, du Japon jusqu'à Rome, le plus sot animal, à mon avis, c'est l'homme.* Olympe de Gouges.

**Jean Auguste Dominique Ingres, *La comtesse d'Haussonville*, 1845.**

Empreinte de scepticisme et de lucidité, la « raison » des Lumières s'appuie sur les ressources toujours plus grandes de la connaissance pour rejeter les dogmes et l'intolérance.

VERS L'ANALYSE

### Déclaration des droits de la femme et de la citoyenne

1. Dégagez les grands principes sur lesquels portent les revendications d'Olympe de Gouges.
2. Le vocabulaire* choisi par l'auteure, souvent empreint de violence, est marqué par le désir de libération. Dressez le champ lexical* de l'oppression.
3. Ce texte se veut revendicateur et audacieux, et son écriture s'inscrit en parfaite adéquation avec son propos*. Relevez, dans la première partie (l. 1-23) et dans la dernière partie (l. 113-121), trois procédés d'écriture* qui en soulignent le caractère irrévérencieux et citez un passage éloquent pour chacun.

| Procédé | Citation |
|---|---|
| | |
| | |
| | |

4. Olympe de Gouges se porte à la défense des femmes pour la reconnaissance de leurs droits, mais elle n'oublie pas pour autant leurs devoirs. Expliquez cette affirmation.
5. En quoi le dernier paragraphe est-il représentatif de la manière dont les Lumières appréhendent le monde?

## La prose narrative: le conte et le roman

La prose d'idées ne se cantonne pas dans le domaine de l'essai, pourtant passablement vaste. Certains écrivains philosophes, particulièrement soucieux de la valeur pédagogique de leurs écrits, pratiquent des genres littéraires narratifs, comme le roman, genre habile à véhiculer des idées et qui se prête bien à la peinture de mœurs; au XVIII^e^ siècle, cette fiction qu'est le roman tend à se présenter comme réelle en prenant la forme de mémoires ou d'échange de correspondance. Quant au conte, il amuse tout en faisant réfléchir grâce à son pouvoir de caricature et d'invention.

## Montesquieu et le roman philosophique (suite)

*Il faut pleurer les hommes à leur naissance et non pas à leur mort.*

Quantité d'écrivains, sans doute sensibles à la popularité de la correspondance, se sont adonnés au roman par lettres, ou roman épistolaire. Il autorise une diversité de tons et de points de vue, assure un recul certain, facilite les contrastes et s'accommode d'une multitude de sujets. Ce genre flexible se prête à toutes les intentions, ce qu'a bien compris Montesquieu, qui passe avec la même facilité d'une analyse sociologique à un roman plein d'esprit, instrument d'une critique tant politique que religieuse.

Dans ses *Lettres persanes* (1721), il utilise le regard oriental comme révélateur des défauts de la société française. Deux Persans en visite en France s'étonnent, sur un ton de fausse naïveté et d'ironie, de ce qu'ils voient et comparent les mœurs françaises aux mœurs orientales. Sous un registre épistolaire qui mêle philosophie, politique et morale, ils racontent leurs découvertes à leurs compatriotes. La satire des mœurs constitue la trame de ce roman, une satire hardie et virulente des institutions, de la royauté et de la papauté. Mine de rien, le romancier pose des questions philosophiques sur le bonheur, la liberté et la vertu, tout en abordant, sur un mode plaisant, la question de la diversité et de la relativité des cultures. En corollaire, avec leurs images de l'Orient, les *Lettres persanes* permettent à l'Occident de se redéfinir.

# Il y a un autre magicien

Le roi de France est le plus puissant prince de l'Europe. Il n'a point de mines d'or comme le roi d'Espagne, son voisin ; mais il a plus de richesses que lui, parce qu'il les tire de la vanité de ses sujets, plus inépuisable que les
5 mines. On lui a vu entreprendre ou soutenir de grandes guerres, n'ayant d'autres fonds que des titres d'honneur à vendre ; et, par un prodige de l'orgueil humain, ses troupes se trouvaient payées, ses places munies, et ses flottes équipées.

10 D'ailleurs, ce roi est un grand magicien : il exerce son empire sur l'esprit même de ses sujets ; il les fait penser comme il veut. S'il n'a qu'un million d'écus dans son trésor, et qu'il en ait besoin de deux, il n'a qu'à leur persuader qu'un écu en vaut deux, et ils le croient. S'il a une
15 guerre difficile à soutenir, et qu'il n'ait point d'argent, il n'a qu'à leur mettre dans la tête qu'un morceau de papier est de l'argent, et ils en sont aussitôt convaincus. Il va même jusqu'à leur faire croire qu'il les guérit de toutes sortes de maux en les touchant, tant est grande la force et
20 la puissance qu'il a sur les esprits !

Ce que je te dis de ce prince ne doit pas t'étonner : il y a un autre magicien plus fort que lui, qui n'est pas moins maître de son esprit, qu'il l'est lui-même de celui des autres. Ce magicien s'appelle le pape : tantôt il lui fait croire que trois
25 ne sont qu'un ; que le pain qu'on mange n'est pas du pain, ou que le vin qu'on boit n'est pas du vin ; et mille autres choses de cette espèce.

Montesquieu, *Lettres persanes*, 1712.

VERS L'ANALYSE

### Il y a un autre magicien

1. La critique de Montesquieu s'attaque aussi bien au peuple qu'aux institutions. Que reproche-t-il :
   a) au roi de France ?
   b) au pape ?
   c) à la population ?
2. La satire passe par une description avantageuse du roi. Dans le premier paragraphe, repérez un procédé d'écriture* appartenant à chacune des catégories, nommez-le et décrivez-en l'effet en vous appuyant sur une citation.

| Procédé | Citation | Effet |
|---|---|---|
| Figure d'amplification* ou d'insistance* | | |
| Figure de ressemblance* | | |
| Procédé lexical* ou grammatical* (choix des mots ou récurrence d'une classe de mots) | | |

3. a) Le deuxième paragraphe et le début du troisième reposent sur une allégorie. Laquelle ?
   b) Comment cette allégorie contribue-t-elle à révéler les travers du roi et du pape ?
4. Le troisième paragraphe ridiculise la religion.
   a) À quelles croyances Montesquieu s'en prend-il ?
   b) Comment s'exprime la satire dans ce passage ?

### Sujet d'analyse littéraire

**Analysez cet extrait en examinant les cibles de la dénonciation et les procédés d'écriture* qui soutiennent la satire de Montesquieu.**

## Voltaire et le conte philosophique (suite)

*Il faut cultiver notre jardin.*

Le conte est un genre littéraire très populaire au XVIIIe siècle. Après le grand succès des contes de fées de Charles Perrault (1697), une multitude d'écrivains se mettent à colliger puis à transcrire des contes traditionnels. De plus, en 1704, paraît en France une première traduction des *Mille et une nuits*, célèbres contes arabes dont le pays entier ne tarde pas à s'enticher.

On connaît la nature du conte : c'est la narration d'une histoire à saveur exotique, plus ou moins brève, mais riche de valeur symbolique, sans contrainte narrative particulière à cause de ses origines orales ; y cohabitent la réalité, la fiction et jusqu'au merveilleux. Le conte accumule les péripéties et donne vie à des personnages stéréotypés qui ont toutes les qualités ou tous les défauts.

Voltaire invente le conte philosophique, nouvel instrument pour son combat intellectuel. Le conte voltairien conserve à peu près toutes les caractéristiques du conte, mais il illustre en plus les idées philosophiques de son époque : défense de la tolérance, de la justice, de la liberté, du progrès, et condamnation des valeurs qui leur sont contraires. S'y ajoutent toutefois, fait essentiel chez Voltaire, les diverses ressources du comique – parodie, ironie, satire et caricature – sous la forme d'une allégorie qu'annonce généralement le titre. C'est le cas, par exemple, de *Candide ou l'optimisme*. Son thème fondamental : un voyage où l'on apprend à se défaire de toutes ses illusions, ainsi qu'une façon pittoresque de passer en revue les différents pays et d'en signaler les abus. La raillerie toujours piquante aide à combattre les idées toutes faites.

# C'est à ce prix que vous mangez du sucre

En approchant de la ville, ils rencontrèrent un nègre[1] étendu par terre, n'ayant plus que la moitié de son habit, c'est-à-dire d'un caleçon de toile bleue ; il manquait à ce pauvre homme la jambe gauche et
5 la main droite. « Eh ! mon Dieu ! lui dit Candide en hollandais, que fais-tu là, mon ami, dans l'état horrible où je te vois ? – J'attends mon maître, M. Vanderdendur, le fameux négociant, répondit le nègre. – Est-ce M. Vanderdendur, dit Candide, qui t'a traité
10 ainsi ? – Oui, monsieur, dit le nègre, c'est l'usage. On nous donne un caleçon de toile pour tout vêtement deux fois l'année. Quand nous travaillons aux sucreries, et que la meule nous attrape le doigt, on nous coupe la main ; quand nous voulons nous
15 enfuir, on nous coupe la jambe : je me suis trouvé dans les deux cas. C'est à ce prix que vous mangez du sucre en Europe. Cependant, lorsque ma mère me vendit dix écus patagons sur la côte de Guinée, elle me disait : "Mon cher enfant, bénis nos fétiches,
20 adore-les toujours, ils te feront vivre heureux ; tu as l'honneur d'être esclave de nos seigneurs les blancs, et tu fais par là la fortune de ton père et de ta mère." Hélas ! je ne sais pas si j'ai fait leur fortune, mais ils n'ont pas fait la mienne. Les chiens, les singes
25 et les perroquets sont mille fois moins malheureux que nous ; les fétiches hollandais qui m'ont converti me disent tous les dimanches que nous sommes tous enfants d'Adam, blancs et noirs. Je ne suis pas généalogiste ; mais si ces prêcheurs disent vrai,
30 nous sommes tous cousins issus de germain. Or vous m'avouerez qu'on ne peut pas en user avec ses parents d'une manière plus horrible.

– Ô Pangloss ! s'écria Candide, tu n'avais pas deviné cette abomination ; c'en est fait, il faudra qu'à la fin
35 je renonce à ton optimisme.

– Qu'est-ce qu'optimisme ? disait Cacambo. – Hélas ! dit Candide, c'est la rage de soutenir que tout est bien quand on est mal » ; et il versait des larmes en regardant son nègre ; et en pleurant, il entra dans Surinam.

Voltaire, *Candide ou l'optimisme*, 1759.

1. Terme péjoratif, employé à l'époque pour désigner un esclave noir.

## VERS L'ANALYSE

### C'est à ce prix que vous mangez du sucre

1. Par l'entremise du discours du « nègre », Voltaire dépeint les difficiles conditions de vie des esclaves. Quelles sont-elles ?
2. Relevez un procédé d'écriture* qui souligne la souffrance de l'esclave. Citez un passage pertinent et décrivez ses effets.
3. La dénonciation de Voltaire passe par la banalisation. Relevez et expliquez l'effet d'un procédé d'écriture* qui souligne :
   a) la soumission et la déférence qui caractérisent les esclaves ;
   b) la résignation du « nègre » à sa situation.
4. La critique de Voltaire comporte plusieurs dimensions.
   a) Quels aspects de l'esclavagisme Voltaire cherche-t-il à mettre en lumière ?
   b) Quelles sont les institutions visées par sa dénonciation ?
5. Quelle est la réaction de Candide devant la situation de l'esclave ?

**Hubert Robert, *Les cascades de Tivoli*, 1768.**

Bien qu'il prône la raison, l'esprit qui anime le XVIIIe siècle reconnaît l'importance des passions, et les débordements qui en résultent transparaissent dans les productions artistiques.

## Littérature et réhabilitation du cœur

Âge d'or de la raison, le XVIIIe siècle est aussi celui de l'expression des sentiments et de la passion. Parallèlement au travail de la raison qui donne accès à la connaissance, l'analyse des émotions rend accessible la vérité individuelle. Mieux encore, selon l'esprit philosophique, celui qui obéit non à des principes mais aux inclinations de sa sensibilité fait preuve de vertu: entendre, par ce mot, la force d'âme, la rigueur morale fondée sur une conscience aiguë du bien et du mal.

Les grandes passions, à commencer par l'amour, ne sont-elles pas aptes à élever l'âme jusqu'aux grands idéaux? Aussi, contrairement aux classiques qui jugeaient néfastes les passions, les écrivains du siècle des Lumières s'attardent à décrire la sensibilité exacerbée de l'individu qui trouve sa justification et sa dignité dans la sincérité. Les écrivains, aussi bien dramaturges que romanciers, donnent vie à des âmes sensibles et participent à l'éclosion d'une nouvelle esthétique littéraire. Ils libèrent le corps et ses désirs de toutes les entraves héritées du siècle précédent, particulièrement celles d'ordre moral.

### La poésie

Comme il a déjà été dit, la poésie est la grande absente du XVIIIe siècle. Mais, en réhabilitant le cœur, le siècle des Lumières provoque une valorisation de l'individu et de l'individualisme. C'est dans ce contexte qu'une certaine prose se permet d'emprunter tout le lyrisme de la poésie.

### **Jean-Jacques Rousseau** (suite)

*Le bonheur est un état permanent qui ne semble pas fait ici-bas pour l'homme.*

Les classiques prônaient l'impersonnalité dans l'art; Rousseau, au contraire, dans *Les rêveries du promeneur solitaire* (1776-1778), exprime avec lyrisme les tourmentes passionnelles de l'homme dialoguant avec lui-même. L'auteur décrit avec intensité ces états de conscience qui se réduisent au seul sentiment d'exister. Dans une totale disponibilité au moment présent, il unit rêverie, méditation et communion avec la nature en une prose harmonieuse qui porte les marques de l'inspiration poétique: il inaugure ainsi la forme de la prose poétique.

Rousseau disserte sur le bonheur, la morale, la religion, la bonté, la solitude, l'amour du prochain, à travers une grille que développeront les plus grands écrivains romantiques, Chateaubriand, Nerval, Musset... jusqu'aux écrivains actuels qui, sous le couvert d'autofictions, se livrent à des déluges de confidences. Rousseau propose donc une méthode nouvelle de penser et de manier le vocabulaire, marquée par la sensibilité et la passion, la quête des émotions et des émois: ainsi, au bord d'un lac, le bruit de l'eau déclenche une rêverie: *Le flux et le reflux de cette eau*... En même temps, Rousseau noue avec le lecteur une relation fondée sur le partage de sentiments et d'émotions communs à tous les hommes. Il préfigure déjà la littérature moderne.

# Sentir avec plaisir mon existence

Quand le lac agité ne me permettait pas la navigation, je passais mon après-midi à parcourir l'île en herborisant à droite et à gauche, m'asseyant tantôt dans les réduits les plus riants et les plus solitaires pour y rêver à mon aise, tantôt sur les terrasses et les tertres pour parcourir des yeux le superbe et ravissant coup d'œil du lac et de ses rivages couronnés d'un côté par des montagnes prochaines, et de l'autre élargis en riches et fertiles plaines dans lesquelles la vue s'étendait jusqu'aux montagnes bleuâtres plus éloignées qui la bornaient.

Quand le soir approchait je descendais des cimes de l'île et j'allais volontiers m'asseoir au bord du lac sur la grève dans quelque asile caché ; là le bruit des vagues et l'agitation de l'eau fixant mes sens et chassant de mon âme toute autre agitation la plongeaient dans une rêverie délicieuse où la nuit me surprenait souvent sans que je m'en fusse aperçu. Le flux et le reflux de cette eau, son bruit continu mais renflé par intervalles frappant sans relâche mon oreille et mes yeux suppléaient aux mouvements internes que la rêverie éteignait en moi et suffisaient pour me faire sentir avec plaisir mon existence, sans prendre la peine de penser. De temps à autre naissait quelque faible et courte réflexion sur l'instabilité des choses de ce monde dont la surface des eaux m'offrait l'image : mais bientôt ces impressions légères s'effaçaient dans l'uniformité du mouvement continu qui me berçait, et qui sans aucun concours actif de mon âme ne laissait pas de m'attacher au point qu'appelé par l'heure et par le signal convenu je ne pouvais m'arracher de là sans effort.

Jean-Jacques Rousseau, *Rêveries du promeneur solitaire*, 1782 (posthume).

VERS L'ANALYSE

## Sentir avec plaisir mon existence

1. a) Dégagez deux thèmes* importants dans cet extrait. Décrivez la perspective selon laquelle les aborde Jean-Jacques Rousseau.

   b) Quel sentiment domine ? Dressez-en le champ lexical*.

2. Expliquez comment les éléments de la nature se mêlent à la réflexion de l'auteur.

3. Qu'entend-on par « rêverie » dans ce texte ?

4. Examinez la construction syntaxique*, intimement liée au propos*.

   a) Comment le rythme* créé par la longueur* et la succession* des phrases fait-il écho à la contemplation et aux déambulations de l'esprit décrites dans l'extrait ?

   b) Comment la syntaxe* reproduit-elle le mouvement de l'eau, dans le deuxième paragraphe ?

### Sujet d'analyse littéraire

Faites l'étude des thèmes* pour montrer comment l'écriture de Rousseau recrée les sensations qu'il décrit.

**Jean Auguste Dominique Ingres, *La grande odalisque*, 1814.**

Dans son souci de perfection formelle, l'esthétique néoclassique n'exclut pas les déformations lorsqu'elles prennent la forme de « corrections de la nature » au service d'un idéal surclassant la vérité.

## André Chénier (1762-1794)

*Teint du sang des vaincus, tout glaive est innocent.*

Durant les dernières années du XVIIIe siècle, la poésie sort de son engourdissement pour reprendre vie et couleur. C'est ainsi que le poète André Chénier parvient à réhabiliter le genre poétique contre la paralysie du formalisme des fabricants de vers du siècle précédent. Doué d'une sensibilité qui fait entendre un ton personnel en poésie, le poète doit à la terreur révolutionnaire, qui l'a aveuglément guillotiné, de l'avoir mythifié comme poète riche de promesses fauché dans la fleur de l'âge.

Dans *Iambes*, des poèmes d'un désespoir poignant composés en 1794 alors qu'il était en prison, le poète condamné à la peine capitale se fait pamphlétaire, adopte un ton plus virulent, satirique, et dénonce l'arbitraire érigé en norme. Un rythme saccadé accentue son cri de révolte devant les exécutions ordonnées par le Tribunal révolutionnaire. Ces poèmes de fer et de feu, furieux et sanglants, ne manquent pas de rappeler ceux d'Agrippa d'Aubigné (*voir* p. 63).

**Auguste Alexandre Baudran, *André Chénier*, gravure sur cuivre d'après un dessin de Tony Johannot, 1847.**

La poésie de Chénier refuse le formalisme absolu pour faire place à une sensibilité dépeignant aussi bien la détresse individuelle que les drames collectifs.

# Quand au mouton bêlant...

Quand au mouton bêlant la sombre boucherie
Ouvre ses cavernes de mort,
Pâtres, chiens, et moutons, toute la bergerie
Ne s'informe plus de son sort.
5 Les enfants qui suivaient ses ébats dans la plaine,
Les vierges aux belles couleurs
Qui le baisaient en foule et sur sa blanche laine
Entrelaçaient rubans et fleurs,
Sans plus penser à lui le mangent s'il est tendre.
10 Dans cet abîme enseveli
J'ai le même destin. Je m'y devais attendre.
Accoutumons-nous à l'oubli.
Oubliés comme moi dans cet affreux repaire,
Mille autres moutons, comme moi,
15 Pendus aux crocs sanglants du charnier populaire,
Seront servis au peuple roi.
Que pouvaient mes amis ? Oui, de leur main chérie
Un mot à travers ces barreaux
Eût versé quelque baume en mon âme flétrie ;
20 De l'or peut-être à mes bourreaux...
Mais tout est précipice. Ils ont le droit de vivre.
Vivez, amis ; vivez contents.
En dépit de... soyez lents à me suivre.
Peut-être en de plus heureux temps
25 J'ai moi-même, à l'aspect des pleurs de l'infortune,
Détourné mes regards distraits.
À mon tour aujourd'hui mon malheur importune.
Vivez, amis ; vivez en paix.

André Chénier, *Iambes*, 1819 (posthume).

VERS L'ANALYSE

## Quand au mouton bêlant...

1. Quel est le thème* principal de ce poème ? Dressez-en le champ lexical*.
2. Expliquez l'effet de l'accumulation* du troisième vers en la rattachant au thème* du poème.
3. Ce poème repose sur un parallèle entre deux situations, deux destins.
   a) Quels sont-ils ?
   b) Sur quels aspects est-il possible de faire des rapprochements ?
4. Examinez la description de la prison. Qualifiez le vocabulaire* et relevez une figure de style* dont vous commenterez l'effet.
5. Comment s'expriment les regrets du poète, sa nostalgie du temps passé ? Portez attention aux oppositions entre le passé et le présent. Que remarquez-vous ?

## Le roman

Considéré comme un genre littéraire frivole au début du siècle puisque les moralistes ne voient que du danger dans les scènes romanesques qui font appel à l'imagination, le roman gagne peu à peu en noblesse et en reconnaissance. Empruntant de nouvelles voies, il quitte l'observation morale pour devenir le lieu de la réalité et de l'expérience. Jamais mieux qu'au XVIIIe siècle la littérature n'aura été l'expression de la société, tout en se donnant la fonction de critique sociale. Par la malléabilité de sa forme, le roman peut décrire la réalité du moment aussi bien que procéder à de minutieuses analyses du cœur, jusque dans les zones les plus secrètes de la conscience. Cela amène les romanciers à effectuer un glissement vers l'individu: ils peignent les hommes et les femmes de leur époque dans des situations vraisemblables.

Les romanciers créent donc des fictions réalistes sur les relations sociales et la violence des passions. Ils entendent propager l'idée que les sentiments et les passions ne sont pas une perturbation de l'esprit, la simple aura négative de l'irrationalité, mais qu'ils expriment, à côté de la raison et de la sensibilité, une troisième faculté humaine; aussi deviennent-ils les protagonistes d'une lutte contre la dictature de la raison elle-même. Il importe également aux romanciers d'émouvoir le lecteur, car ils y voient un moyen privilégié de faire comprendre la nature humaine et, surtout, de se mieux connaître soi-même.

Genre en expansion qui jouit de plus en plus de la faveur du public, le roman prend des formes très diversifiées, du roman d'amour au roman autobiographique, du roman libertin au roman fantastique. Dans le roman épistolaire, le genre romanesque se libère du carcan du simple récit en prose pour mieux se colleter avec la subjectivité.

### Antoine François Prévost d'Exiles, dit l'abbé Prévost (1697-1763)

*Il faut compter ses richesses par les moyens qu'on a de satisfaire ses désirs.*

Le seul nom d'abbé Prévost semble en soi une ironie. Ce fougueux abbé contraint à la soutane par son père est un libertin notoirement enclin à l'immoralité et à la licence. Il noue de nombreuses intrigues sentimentales sitôt dénouées. Il a une activité littéraire débordante, mais de sa cinquantaine de romans, un seul passe véritablement à la postérité: *Histoire du chevalier des Grieux et de Manon Lescaut* (1731). L'œuvre relate les amours de deux jeunes gens qui tentent de profiter des libertés nouvellement acquises après la mort de Louis XIV. Le narrateur du récit est le chevalier des Grieux, qui raconte son histoire tendre et douloureuse: il s'est pris d'une folle passion pour Manon, jeune femme amorale et inconstante, avide de richesse et de plaisir.

Par ce texte fondateur, une nouvelle sensibilité s'exprime dorénavant dans les romans, qui évoluent vers la peinture des passions. Campé dans les milieux corrompus de Paris sous la Régence, ce récit nous révèle une passion sans lois et sans contraintes où l'amour est si fort qu'il excuse toutes les tricheries. D'autant plus que la société, cynique et corrompue, semble expliquer la corruption des personnages, à la limite plus victimes que coupables. En misant sur le charme et la jeunesse de ses héros, l'auteur réussit à faire sonner vrai et juste une histoire à la limite du vraisemblable.

Dans l'extrait, des Grieux termine le récit de la mort de Manon.

# Toute ma vie est destinée à le pleurer

Pardonnez si j'achève en peu de mots un récit qui me tue. Je vous raconte un malheur qui n'eut jamais d'exemple ; toute ma vie est destinée à le pleurer. Mais, quoique je le porte sans cesse dans ma mémoire, mon âme semble reculer d'horreur chaque fois que j'entreprends de l'exprimer.

Nous avions passé tranquillement une partie de la nuit ; je croyais ma chère maîtresse endormie, et je n'osais pousser le moindre souffle, dans la crainte de troubler son sommeil. Je m'aperçus dès le point du jour, en touchant ses mains, qu'elle les avait froides et tremblantes ; je les approchai de mon sein pour les échauffer. Elle sentit ce mouvement, et, faisant un effort pour saisir les miennes, elle me dit d'une voix faible qu'elle se croyait à sa dernière heure.

Je ne pris d'abord ce discours que pour un langage ordinaire dans l'infortune, et je n'y répondis que par les tendres consolations de l'amour. Mais ses soupirs fréquents, son silence à mes interrogations, le serrement de ses mains, dans lesquelles elle continuait de tenir les miennes, me firent connaître que la fin de ses malheurs approchait.

N'exigez point de moi que je vous décrive mes sentiments, ni que je vous rapporte ses dernières expressions. Je la perdis ; je reçus d'elle des marques d'amour au moment même qu'elle expirait ; c'est tout ce que j'ai la force de vous apprendre de ce fatal et déplorable événement.

Mon âme ne suivit pas la sienne. Le Ciel ne me trouva point sans doute assez rigoureusement puni ; il a voulu que j'aie traîné depuis une vie languissante et misérable. Je renonce volontairement à la mener jamais plus heureuse.

Abbé Prévost, *Histoire du chevalier des Grieux et de Manon Lescaut*, 1731.

## VERS L'ANALYSE

### Toute ma vie est destinée à le pleurer

1. Le récit de la mort de Manon est empreint de souffrance. Montrez comment l'auteur communique cette douleur.
2. Relevez deux passages illustrant le caractère insurmontable de l'épreuve que vit le narrateur. Commentez l'effet des procédés d'écriture* qu'ils contiennent.
3. Même si elle traduit bien la douleur du narrateur, l'écriture, tout en retenue, tend à adoucir la mort.
   a) Quelle figure de style* employée pour décrire la mort en amoindrit la portée ? Relevez-en deux exemples.
   b) Expliquez l'effet d'un procédé d'écriture* de votre choix qui contribue à la sobriété du traitement de ce thème*.
4. En vous appuyant sur un passage de l'extrait, expliquez comment l'écriture permet de ressentir l'amour et la complicité des personnages dans ce moment triste mais empreint d'une grande intimité.

**William Bouguereau, *Naissance de Vénus*, 1879.**

Assujetties aux contraintes de la peinture académique et souvent dépourvues de qualités esthétiques, les relectures pompeuses de scènes mythologiques effleurent à peine la sensibilité humaine.

## Denis Diderot (suite)

*Sais-tu qui sont les mauvais pères ? Ce sont ceux qui ont oublié les fautes de leur jeunesse.*

Enthousiaste comme peu d'hommes, Diderot donne sa pleine mesure dans ses essais pour la défense de la raison ; il en fait autant pour la sensibilité avec le théâtre et le roman. On lui doit trois importants romans : *La religieuse* (1760), *Le neveu de Rameau* (1762) et *Jacques le fataliste et son maître* (v. 1773 ; publié en 1796), qui martèlent tous trois le thème de la liberté de l'individu.

Un long dialogue, constamment entrecoupé d'anecdotes et de digressions, compose son chef-d'œuvre, *Jacques le fataliste et son maître*. Jacques, valet brouillon et bavard, a l'intention de raconter, au cours d'un voyage à cheval, ses aventures amoureuses à son maître ; mais il est sans cesse interrompu, et la réflexion philosophique prend le dessus. Une question sous-tend le roman : l'homme est-il libre ou, au contraire, sa destinée n'est-elle pas écrite depuis toujours ?

Le roman innove par sa forme en se jouant de l'illusion romanesque : l'intrigue est sans cesse détournée par des interruptions narratives de l'auteur qui interpelle le lecteur. Par ces interventions, Diderot pose la question de la nature du roman, qui doit se renouveler en se libérant de ses formes conventionnelles.

# Lecteur, vous êtes d'une curiosité bien incommode

[Ils] furent accueillis par un orage qui les contraignit de s'acheminer... – Où ? – Où ? lecteur, vous êtes d'une curiosité
5 bien incommode ? Et que diable cela vous fait-il ? Quand je vous aurai dit que c'est à Pontoise ou à Saint-Germain, à Notre-Dame de Lorette ou à Saint-Jacques de
10 Compostelle, en serez-vous plus avancé ? Si vous insistez, je vous dirai qu'ils s'acheminèrent vers... oui ; pourquoi pas ?... vers un château immense, au frontispice
15 duquel on lisait : « Je n'appartiens à personne et j'appartiens à tout le monde. Vous y étiez avant que d'y entrer, et vous y serez encore quand vous en sortirez. » – Entrèrent-ils dans ce château ? – Non, car l'inscription était fausse, ou ils y étaient avant que d'y entrer. – Mais du moins ils en sortirent ? – Non, car l'inscription était fausse, ou ils y étaient
20 encore quand ils en furent sortis. – Et que firent-ils là ? – Jacques disait ce qui était écrit là-haut ; son maître, ce qu'il voulut : et ils avaient tous deux raison. – Quelle compagnie y trouvèrent-ils ? – Mêlée. – Qu'y disait-on ? – Quelques vérités, et beaucoup de mensonges. – Y avait-il des gens d'esprit ? – Où n'y en a-t-il pas ? et de maudits questionneurs qu'on fuyait comme la peste. Ce qui
25 choqua le plus Jacques et son maître pendant tout le temps qu'ils s'y promenèrent... – On s'y promenait donc ? – On ne faisait que cela, quand on n'était pas assis ou couché... Ce qui choqua le plus Jacques et son maître, ce fut d'y trouver une vingtaine d'audacieux, qui s'étaient emparés des plus superbes appartements, où ils se trouvaient presque toujours à l'étroit ; qui prétendaient,
30 contre le droit commun et le vrai sens de l'inscription, que le château leur avait été légué en toute propriété ; et qui, à l'aide d'un certain nombre de vauriens à leurs gages, l'avaient persuadé à un grand nombre d'autres vauriens à leurs gages, tout prêts pour une petite pièce de monnaie à prendre ou assassiner le premier qui aurait osé les contredire : cependant, au temps de Jacques et de
35 son maître, on l'osait quelquefois. – Impunément ? – C'est selon.

Vous allez dire que je m'amuse, et que, ne sachant plus que faire de mes voyageurs, je me jette dans l'allégorie, la ressource ordinaire des esprits stériles. Je vous sacrifierai mon allégorie et toutes les richesses que j'en pouvais tirer ; je conviendrai de tout ce qu'il vous plaira, mais à condition que vous ne
40 me tracasserez point sur ce dernier gîte de Jacques et de son maître [...].

Denis Diderot, *Jacques le fataliste et son maître*, (v. 1773 ; publié en 1796).

VERS L'ANALYSE

### Lecteur, vous êtes d'une curiosité bien incommode

1. Expliquez les particularités de l'énonciation* en distinguant le récit du dialogue avec le lecteur. Quelle relation le narrateur établit-il avec son lecteur ? Justifiez votre réponse en vous appuyant sur l'écriture.
2. Le récit du début donne vite lieu à une digression d'une autre nature.
   a) Comment peut-on désigner le reste de l'extrait ?
   b) Expliquez la portée symbolique de l'allégorie* du château. Quel concept abstrait trouve son corollaire dans cette image ?
3. a) Sur quels thèmes* porte la réflexion du narrateur ?
   b) Quels sont ses constats ?
4. Comment l'abondance de la forme interrogative* s'inscrit-elle en adéquation avec le propos* ?
5. Pourquoi Diderot prend-il le détour de l'allégorie* pour formuler ses réflexions ?

### Jean-Jacques Rousseau (suite)

*Je coûtai la vie à ma mère, et ma naissance fut le premier de mes malheurs.*

Avec Jean-Jacques Rousseau, la peinture des passions est à son apogée. Dans *Les confessions* (1765-1770), l'écrivain crée un récit-miroir où il reconstruit l'histoire de sa vie et de ses sentiments. Il s'y livre totalement, consentant à exposer l'histoire de ses sentiments cachés, dévoilant les défaillances et les parties peu lumineuses de sa vie : *Je veux montrer à mes semblables un homme dans toute la vérité de la nature ; et cet homme ce sera moi.* Chez Rousseau, l'émotion devient centrale et le sentiment est une réserve dans laquelle chacun doit puiser pour s'opposer aux artifices imposés par la société. Le sentiment permet de renouer avec la réalité de l'homme originel. Il s'agit pratiquement d'une mise à l'écart de la raison.

Dans le roman *Julie ou la nouvelle Héloïse* (1761), le plus grand succès romanesque de tout le XVIII^e siècle (65 éditions de 1762 à 1794), Rousseau cristallise toutes les aspirations sentimentales de l'époque. Ce roman épistolaire propose un échange de lettres enflammées entre Saint-Preux et Julie, déjà mariée par la volonté de son père. Soumettant à la vertu la violence de ses sentiments, Julie optera pour une passion vécue mais contenue, dosée de sagesse. En plus de proposer une exaltation des sentiments et de la sensibilité de deux amoureux, ce roman d'amour en superpose un autre où l'on débat du mariage, de la société, de la religion, de l'éducation... Il interroge aussi la possibilité de tirer un plus grand profit des passions en les sublimant.

Dans l'extrait présenté, Saint-Preux rappelle à Julie le moment de leur premier baiser.

## Ce baiser mortel

Qu'as-tu fait, ah ! qu'as-tu fait, ma Julie ? tu voulais me récompenser, et tu m'as perdu. Je suis ivre, ou plutôt insensé. Mes sens sont altérés, toutes mes facultés sont troublées par ce baiser mortel. Tu voulais soulager mes 5 maux ! Cruelle ! tu les aigris. C'est du poison que j'ai cueilli sur tes lèvres ; il fermente, il embrase mon sang, il me tue, et ta pitié me fait mourir.

[...]

En approchant du bosquet, j'aperçus, non sans une émotion secrète, vos signes d'intelligence, vos sourires 10 mutuels, et le coloris de tes joues prendre un nouvel éclat. En y entrant, je vis avec surprise ta cousine s'approcher de moi, et, d'un air plaisamment suppliant, me demander un baiser. Sans rien comprendre à ce mystère, j'embrassai cette charmante amie ; et, tout 15 aimable, toute piquante qu'elle est, je ne connus jamais mieux que les sensations ne sont rien que ce que le cœur les fait être. Mais que devins-je un moment après, quand je sentis... la main me tremble... un doux frémissement... ta bouche de roses... la bouche 20 de Julie... se poser, se presser sur la mienne, et mon corps serré dans tes bras ? Non, le feu du ciel n'est pas plus vif ni plus prompt que celui qui vint à l'instant m'embraser. Toutes les parties de moi-même se rassemblèrent sous ce toucher délicieux. Le feu s'exhalait 25 avec nos soupirs de nos lèvres brûlantes, et mon cœur se mourait sous le poids de la volupté... quand tout à coup je te vis pâlir, fermer tes beaux yeux, t'appuyer sur ta cousine, et tomber en défaillance. Ainsi la frayeur éteignit le plaisir, et mon bonheur ne fut qu'un éclair.

30 À peine sais-je ce qui m'est arrivé depuis ce fatal moment. L'impression profonde que j'ai reçue ne peut plus s'effacer. Une faveur ?... c'est un tourment horrible... Non, garde tes baisers, je ne les saurais supporter... ils sont trop âcres, trop pénétrants ; ils 35 percent, ils brûlent jusqu'à la moelle... ils me rendraient furieux. Un seul, un seul m'a jeté dans un égarement dont je ne puis plus revenir. Je ne suis plus le même, et ne te vois plus la même. Je ne te vois plus comme autrefois réprimante et sévère ; mais je te sens 40 et te touche sans cesse unie à mon sein comme tu fus un instant. Ô Julie ! quelque sort que m'annonce un transport dont je ne suis plus maître, quelque traitement que ta rigueur me destine, je ne puis plus vivre dans l'état où je suis, et je sens qu'il faut enfin que 45 j'expire à tes pieds... ou dans tes bras.

Jean-Jacques Rousseau, *Julie ou la nouvelle Héloïse*, 1761.

## Jacques Henri Bernardin de Saint-Pierre (1737-1814)

*Notre bonheur consiste à vivre suivant la nature et la vertu.*

Grandement influencé par les théories de son ami Jean-Jacques Rousseau sur la bonté originelle de l'être humain, Bernardin de Saint-Pierre a voulu confirmer l'idée de la bonté de la nature et celle de l'excellence de la vertu primitive dans *Paul et Virginie* (1788). Ce roman d'amour raconte le destin émouvant de deux êtres jeunes et purs, élevés ensemble dans le coin retiré d'une île. Vivant comme frère et sœur, Paul et Virginie connaissent bientôt l'amour, mais la mort de la jeune fille ne tarde pas à les séparer. Ces héros viennent s'ajouter à la liste des couples mythiques dont l'amour est éternisé par la mort, comme Tristan et Iseut, Abélard et Héloïse, Roméo et Juliette.

Tous les grands thèmes de *Julie ou la nouvelle Héloïse* sont ici présents : la puissance de la passion, l'innocence accordée à la pureté du cœur et un décor exotique qui montre qu'il peut devenir un élément essentiel de l'art romanesque. L'œuvre se présente comme une attendrissante chronique sentimentale en même temps qu'une célébration lyrique de la nature, ainsi qu'une parabole sur les méfaits de la civilisation urbaine. La description de paysages idylliques et les scènes tragiques de cette œuvre exerceront une grande influence sur les romantiques du prochain siècle.

Dans l'extrait, Virginie avait dû quitter son refuge paradisiaque pour se rendre en France. Elle paie cette désertion à son retour, quand son bateau fait naufrage sous les yeux de Paul.

# Le repoussant avec dignité, elle détourna de lui sa vue

Dans les balancements du vaisseau, ce qu'on craignait arriva. Les câbles de son avant rompirent ; et comme il n'était plus retenu que par une seule aussière il fut jeté sur les rochers à une demi-encâblure du rivage. Ce ne fut qu'un cri de douleur
5 parmi nous. Paul allait s'élancer à la mer, lorsque je le saisis par le bras : « Mon fils, lui dis-je, voulez-vous périr ? – Que j'aille à son secours, s'écria-t-il, ou que je meure ! » Comme le désespoir lui ôtait la raison, pour prévenir sa perte, Domingue et moi lui attachâmes à la ceinture une longue corde dont nous saisîmes
10 l'une des extrémités. Paul alors s'avança vers le *Saint-Géran*, tantôt nageant, tantôt marchant sur les récifs. Quelquefois il avait l'espoir de l'aborder, car la mer, dans ses mouvements irréguliers, laissait le vaisseau presque à sec, de manière qu'on en eût pu faire le tour à pied ; mais bientôt après, revenant sur ses
15 pas avec une nouvelle furie, elle le couvrait d'énormes voûtes d'eau qui soulevaient tout l'avant de sa carène, et rejetaient bien loin sur le rivage le malheureux Paul, les jambes en sang, la poitrine meurtrie, et à demi noyé. À peine ce jeune homme avait-il repris l'usage de ses sens qu'il se relevait et retournait
20 avec une nouvelle ardeur vers le vaisseau, que la mer cependant entrouvrait par d'horribles secousses. Tout l'équipage, désespérant alors de son salut, se précipitait en foule à la mer, sur des vergues, des planches, des cages à poules, des tables, et des tonneaux. On vit alors un objet digne d'une éternelle pitié : une

## Ce baiser mortel

1. Cet extrait repose sur des sentiments contradictoires. Quels sont-ils ? Dressez le champ lexical* de chacun.
2. Dans cet extrait, un court moment de joie est à l'origine de longs moments de tourment. Expliquez cette affirmation.
3. Le narrateur exprime son trouble dans une langue marquée par une émotivité exacerbée. Plusieurs figures de style* en traduisent l'intensité et les contrastes. Relevez les suivantes, citez des passages pertinents et décrivez les effets produits.

| Figure | Citation | Effet |
|---|---|---|
| Répétition* | | |
| Antithèse* | | |
| Métaphore* | | |
| Hyperbole* | | |
| Gradation* | | |
| Euphémisme* | | |
| Métonymie* | | |

4. Comment le rythme* de l'écriture corrobore-t-il les sensations décrites par le narrateur ? Justifiez votre réponse en vous arrêtant à la syntaxe*, à la ponctuation* ainsi qu'à la forme* et à la succession* des phrases.

25 jeune demoiselle parut dans la galerie de la poupe du *Saint-Géran*, tendant les bras vers celui qui faisait tant d'efforts pour la joindre. C'était Virginie. Elle avait reconnu son amant à son intrépidité. La vue de cette aimable personne, exposée à un si terrible danger, nous remplit de douleur et de désespoir. Pour
30 Virginie, d'un port noble et assuré, elle nous faisait signe de la main, comme nous disant un éternel adieu. Tous les matelots s'étaient jetés à la mer. Il n'en restait plus qu'un sur le pont, qui était tout nu et nerveux comme Hercule. Il s'approcha de Virginie avec respect: nous le vîmes se jeter à ses genoux, et
35 s'efforcer même de lui ôter ses habits; mais elle, le repoussant avec dignité, détourna de lui sa vue. On entendit aussitôt ces cris redoublés des spectateurs: «Sauvez-la, sauvez-la; ne la quittez pas!» Mais dans ce moment une montagne d'eau d'une effroyable grandeur s'engouffra entre l'île d'Ambre et la côte,
40 et s'avança en rugissant vers le vaisseau, qu'elle menaçait de ses flancs noirs et de ses sommets écumants. À cette terrible vue le matelot s'élança seul à la mer; et Virginie, voyant la mort inévitable, posa une main sur ses habits, l'autre sur son cœur, et levant en haut des yeux sereins, parut un ange qui prend
45 son vol vers les cieux.

Bernardin de Saint-Pierre, *Paul et Virginie*, 1787.

VERS L'ANALYSE

## Le repoussant avec dignité, elle détourna de lui sa vue

1. Que raconte cet extrait? Résumez-en le propos* en deux phrases tout au plus.
2. Comment peut-on qualifier le personnage de Paul et sa réaction devant le danger? Justifiez votre réponse en analysant le vocabulaire*.
3. Si les personnages entretiennent d'abord l'espoir du sauvetage, ils glissent peu à peu vers le désespoir. Montrez comment le lexique* traduit cette progression.
4. Sur quel aspect de Virginie l'auteur semble-t-il vouloir insister? Justifiez votre réponse en vous appuyant sur les procédés d'écriture* employés dans les descriptions.
5. Dans cet extrait, le déchaînement de la nature semble faire écho à l'action. Expliquez comment, en examinant le lexique*.
6. a) Vu le nombre des péripéties, la bravoure des personnages et la glorification de leurs exploits, à quelle tonalité* peut correspondre cet extrait?

   b) Étant donné le caractère désespéré des événements racontés, l'intensité des sentiments des personnages et la violence des termes qui les décrivent, quelle tonalité* s'applique également?

**François Boucher, *Diane sortant du bain*, 1742.**

Bien que fondé sur des principes rationnels, l'esprit des Lumières permet, par l'entremise de l'art, l'accès à un univers où se côtoient légèreté, sensualité et érotisme.

## Pierre Choderlos de Laclos (1741-1803)

*Le superflu finit par priver du nécessaire.*

Militaire de carrière, soldat idéaliste pour qui la liberté n'est pas un vain mot et époux épris d'une grande passion pour sa femme, Pierre Choderlos de Laclos a pourtant, avec son roman épistolaire *Les Liaisons dangereuses* (1782), poussé la littérature amoureuse dans des voies extrêmes.

Ce roman propose un recueil de lettres dictées par la stratégie libertine et échangées entre deux êtres machiavéliques, le brillant vicomte de Valmont et la marquise de Merteuil, une ancienne maîtresse devenue sa confidente et complice, tous deux experts dans l'art de la séduction. Le mal est ici érigé en principe d'action et de plaisir : il s'agit de jouer avec le cœur de leurs victimes. Cette liaison particulièrement dangereuse de l'intelligence et de l'esprit du mal, qui refuse toute entrave morale, se veut la peinture réaliste et inquiétante d'une société où toutes les valeurs se désintègrent, d'une aristocratie libertine, blasée et décadente, comme dans l'attente d'être balayée par une révolution imminente.

Certes, à la fin, les héros pervers seront sévèrement châtiés, comme quoi le mal attire toujours les plus grandes punitions. Mais dans son déroulement le récit est tellement fascinant que très vite ses héros se sont mis à vivre dans l'imaginaire du public, ce dernier n'accordant qu'une importance secondaire à la leçon morale, se laissant plutôt séduire par le cynisme des personnages, peut-être même par leur dépravation.

Cette grande réussite du roman épistolaire déploie l'analyse psychologique de manière subtile et se montre habile à diversifier les styles selon les personnages ; chacun de leur point de vue, les personnages racontent le même événement. Une intrigue serrée et une architecture rigoureuse, véritable échafaudage du mal, ménagent fort bien le suspense.

La marquise de Merteuil dévoile ici à Valmont les ressorts secrets de son pouvoir.

# Je puis dire que je suis mon ouvrage

Mais moi, qu'ai-je de commun avec ces femmes inconsidérées ? Quand m'avez-vous vue m'écarter des règles que je me suis prescrites et manquer à mes principes ? 5 je dis mes principes, et je le dis à dessein : car ils ne sont pas, comme ceux des autres femmes, donnés au hasard, reçus sans examen et suivis par habitude ; ils sont le fruit de mes profondes réflexions ; je les ai créés, 10 et je puis dire que je suis mon ouvrage.

Entrée dans le monde dans le temps où, fille encore, j'étais vouée par état au silence et à l'inaction, j'ai su en profiter pour observer et réfléchir. Tandis qu'on me 15 croyait étourdie ou distraite, écoutant peu à la vérité les discours qu'on s'empressait de me tenir, je recueillais avec soin ceux qu'on cherchait à me cacher.

Cette utile curiosité, en servant à m'instruire, 20 m'apprit encore à dissimuler : forcée souvent de cacher les objets de mon attention aux yeux qui m'entouraient, j'essayai de guider les miens à mon gré ; j'obtins dès lors de prendre à volonté ce regard distrait que vous 25 avez loué si souvent. Encouragée par ce premier succès, je tâchai de régler de même les divers mouvements de ma figure. Ressentais-je quelque chagrin, je m'étudiais à prendre l'air de la sérénité, même celui de la 30 joie ; j'ai porté le zèle jusqu'à me causer des douleurs volontaires, pour chercher pendant ce temps l'expression du plaisir. Je me suis travaillée avec le même soin et plus de peine pour réprimer les symptômes d'une joie 35 inattendue. C'est ainsi que j'ai su prendre sur ma physionomie cette puissance dont je vous ai vu quelquefois si étonné.

Laclos, *Les liaisons dangereuses*, 1782.

VERS L'ANALYSE

## Je puis dire que je suis mon ouvrage

1. Par cette lettre, la marquise de Merteuil semble vouloir établir une distinction claire entre sa personnalité et celle des « autres femmes ».
   a) Sur quoi s'appuient les oppositions qu'elle cherche à mettre en lumière ?
   b) Décrivez l'effet des accumulations* dans les descriptions des principes des autres femmes, par opposition à ceux de la marquise.
2. a) Quelles circonstances et quelles facettes de sa personnalité lui ont permis d'acquérir ce qu'elle présente comme une certaine force morale ?
   b) Dans cette perspective, expliquez cette proposition : *je puis dire que je suis mon ouvrage.*
3. La marquise présente sa démarche comme un réel travail. Relevez les termes qui montrent la rigueur et le sérieux de son cheminement.
4. Relevez deux antithèses* qui précisent comment la marquise gère ses émotions. Que révèlent-elles sur la nature de son entreprise et sur les rapports qu'elle entretient avec les autres ?

## Le théâtre au XVIIIe siècle

*Les larmes du comédien descendent de son cerveau, celles de l'homme sensible montent de son cœur.*

*Diderot*

Le classicisme a établi une distinction ferme entre les genres : la comédie met en scène des personnages de basse condition, le plus souvent ridicules, alors que la tragédie montre des personnages nobles qui suscitent la crainte et la pitié. Or, le théâtre, qui est devenu l'élément central de la vie sociale, s'adresse maintenant à un public constitué majoritairement de bourgeois, qui ne peuvent ni ne veulent se reconnaître dans ces types de personnages. Cela appelle donc une transformation des deux genres qui étaient parvenus à leur apogée au temps du classicisme. Tout en conservant les grandes règles classiques, Voltaire tente bien de rajeunir la tragédie, mais le genre est sur son déclin. Quant à la comédie, elle ne fait plus rire comme au temps de Molière ; devant l'évolution de la sensibilité du public, elle devient sérieuse et même larmoyante. Finalement, c'est Diderot qui sera le grand théoricien d'un nouveau genre de théâtre, le drame bourgeois.

**Jean-Antoine Watteau, *Gilles*, v. 1718.**

Les artistes explorent des ramifications de la sensibilité, sans occulter le ridicule ou la mesquinerie de l'âme humaine.

## Le drame bourgeois

Le drame bourgeois est à mi-chemin entre tragédie et comédie : de la tragédie, il emprunte la gravité des malheurs qui accablent le héros ; de la comédie, il puise le réalisme des milieux bourgeois. Ce genre nouveau cherche moins à peindre des types d'humanité qu'à refléter des conditions et des comportements sociaux. Il entend donner l'illusion de reproduire fidèlement la vie ; aussi représente-t-il des personnages auxquels le public bourgeois peut s'identifier et un univers capable de conforter ses valeurs. Soucieux de saisir la vie dans sa réalité, le drame bourgeois privilégie la prose pour ses personnages, qui s'expriment dans un cadre quotidien. Cela amène nécessairement une pluralité de tons, reflet de la vie dans toutes ses contradictions. Enfin, le triomphe de la vertu et de la morale bourgeoises préside au dénouement. Deux noms contribuent fortement au succès de ce théâtre : Marivaux et Beaumarchais.

Au moment des horreurs meurtrières de la Révolution apparaît le mélodrame. Empruntant au roman dit gothique son goût du pathétique et ses décors propres à créer une atmosphère inquiétante, cet avatar du drame bourgeois multiplie les moments d'émotion extrême avec des personnages manichéens, figés dans leurs rôles et leurs situations stéréotypés. Ce théâtre populaire sera le devancier puis le rival du théâtre romantique.

## Pierre Carlet de Chamblain de Marivaux (1688-1763)

*J'ai guetté dans le cœur humain toutes les niches différentes où peut se cacher l'amour, lorsqu'il craint de se montrer.*

Romancier, Marivaux a aussi écrit une trentaine de comédies. Mais il refuse de suivre la voie de Molière, celle de la comédie de mœurs ou de caractère. Il renouvelle plutôt le genre, en analysant la complexité du cœur humain et en donnant la primauté à la vie affective. Passé maître dans la description des premiers émois de l'amour, il en fait une spécialité : la comédie amoureuse. Son thème privilégié est la peinture de l'amour naissant chez de jeunes héros qui ne peuvent pas encore reconnaître leur passion et s'avouer qu'ils sont amoureux. Avant de se dire, l'amour a besoin de se dissimuler derrière un voile ou un masque, qui bientôt tombera : *On a beau déguiser la vérité* [...], *elle se venge tôt ou tard des mensonges dont on a voulu la couvrir.* Toute la comédie repose sur le retardement de cet aveu, avec son jeu d'esquives, de feintes et de déguisements : *Dans mes pièces, c'est tantôt un amour ignoré des deux amants ; tantôt un amour qu'ils sentent et qu'ils veulent se cacher l'un à l'autre ; tantôt un amour timide qui n'ose se déclarer ; tantôt, enfin, un amour incertain et comme indécis, un amour à demi né, pour ainsi dire, dont ils se doutent sans en être sûrs et qu'ils épient au-dedans d'eux-mêmes avant de lui laisser prendre son essor.*

Les personnages, qui ont une psychologie complexe faite de contradictions, luttent contre le trouble amoureux qui les envahit ; vivant dans l'instant, ils se découvrent en même temps que les spectateurs les découvrent. Fin psychologue, Marivaux s'attache à une peinture élégante et subtile des sentiments qui reflète l'esprit de la société galante du début du siècle. Ce théâtre, qui analyse la tendresse plutôt que la passion, laisse fort peu de place aux actions dramatiques : l'action est plutôt contenue dans les paroles, chaque réplique dévoilant un trouble nouveau, une hésitation nouvelle. Dans ce théâtre qui se fait art de la conversation amoureuse, les personnages parlent avec naturel dans une langue fine et sinueuse chargée d'enregistrer les plus imperceptibles battements de l'âme. On a donné le nom de « marivaudage » à cette analyse subtile des caprices de l'amour.

Chez Marivaux, les valets sont plus émancipés que chez Molière. Dans l'extrait cité, des valets travestis en maîtres empruntent le langage de la galanterie propre à leurs maîtres.

***Le jeu de l'amour et du hasard*, de Marivaux, mis en scène par René Cormier, dans une production du Théâtre populaire d'Acadie.**

Composante essentielle de la vie sociale du XVIIIe siècle, le théâtre, notamment le drame bourgeois, reflète les conditions et les préoccupations des individus comme des collectivités.

# Faites l'écho, répétez

ARLEQUIN. Ah ! Madame, sans lui j'allais vous dire de belles choses, et je n'en trouverai plus que de communes à cette heure, hormis mon amour qui est extraordinaire ; mais, à propos de mon amour, quand est-ce que le vôtre lui tiendra compagnie ?

LISETTE. Il faut espérer que cela viendra.

ARLEQUIN. Et croyez-vous que cela vienne ?

LISETTE. La question est vive ; savez-vous bien que vous m'embarrassez ?

ARLEQUIN. Que voulez-vous ? je brûle et je crie au feu.

LISETTE. S'il m'était permis de m'expliquer si vite...

ARLEQUIN. Je suis du sentiment que vous le pouvez en conscience.

LISETTE. La retenue de mon sexe ne le veut pas.

ARLEQUIN. Ce n'est donc pas la retenue d'à présent qui donne bien d'autres permissions.

LISETTE. Mais, que me demandez-vous ?

ARLEQUIN. Dites-moi un petit brin que vous m'aimez ; tenez, je vous aime moi, faites l'écho, répétez, Princesse.

LISETTE. Quel insatiable ! eh bien, Monsieur, je vous aime.

ARLEQUIN. Eh bien, Madame, je me meurs ; mon bonheur me confond, j'ai peur d'en courir les champs ; vous m'aimez, cela est admirable !

LISETTE. J'aurais lieu à mon tour d'être étonnée de la promptitude de votre hommage ; peut-être m'aimerez-vous moins quand nous nous connaîtrons mieux.

ARLEQUIN. Ah, Madame, quand nous en serons là j'y perdrai beaucoup, il y aura bien à décompter.

LISETTE. Vous me croyez plus de qualité que je n'en ai.

ARLEQUIN. Et vous, Madame, vous ne savez pas les miennes ; et je ne devrais vous parler qu'à genoux.

LISETTE. Souvenez-vous qu'on n'est pas les maîtres de son sort.

ARLEQUIN. Les pères et mères font tout à leur tête.

LISETTE. Pour moi, mon cœur vous aurait choisi, dans quelque état que vous eussiez été.

ARLEQUIN. Il a beau jeu pour me choisir encore.

LISETTE. Puis-je me flatter que vous êtes de même à mon égard ?

ARLEQUIN. Hélas, quand vous ne seriez que Perrette ou Margot, quand je vous aurais vue le martinet à la main, descendre à la cave, vous auriez toujours été ma Princesse.

LISETTE. Puissent de si beaux sentiments être durables !

ARLEQUIN. Pour les fortifier de part et d'autre jurons-nous de nous aimer toujours en dépit de toutes les fautes d'orthographe que vous aurez faites sur mon compte.

LISETTE. J'ai plus d'intérêt à ce serment-là que vous, et je le fais de tout mon cœur.

ARLEQUIN *se met à genoux.* Votre bonté m'éblouit, et je me prosterne devant elle.

LISETTE. Arrêtez-vous, je ne saurais vous souffrir dans cette posture-là, je serais ridicule de vous y laisser ; levez-vous. Voilà encore quelqu'un.

Marivaux, *Le jeu de l'amour et du hasard*, 1730.

VERS L'ANALYSE

## Faites l'écho, répétez

1. En imitant le discours de leurs maîtres, les valets donnent lieu à des moments comiques. Relevez et expliquez :
   a) le comique de situation* ;
   b) un élément de comique de mots*.
2. À partir de la ligne 26, les personnages expriment des inquiétudes.
   a) De quelle nature sont-elles ?
   b) Comment l'écriture les traduit-elle ? Commentez l'effet de deux procédés*.
3. Les personnages expriment aussi des souhaits.
   a) Lesquels ?
   b) Comment l'écriture les met-elle en valeur ?

## Pierre Augustin Caron de Beaumarchais (1732-1799)

*Aux vertus qu'on exige dans un domestique, Votre Excellence connaît-elle beaucoup de maîtres qui fussent dignes d'être valets ?*

Aucun des personnages de Beaumarchais ne connaît une existence aussi mouvementée et aventureuse que leur créateur. Courtisan, maître de harpe des filles du roi, serrurier, homme d'affaires, négociant, diplomate, espion à l'étranger pour le compte de Louis XVI, il a même armé à ses frais les colons américains dans leur guerre d'Indépendance contre l'Angleterre. Beaumarchais est aussi le dramaturge le plus représentatif des idées des philosophes : la scène ne se contente plus de conter fleurette, elle se fait critique et fait entrer la comédie dans le combat philosophique. Au nom du droit naturel au bonheur et à la liberté, il fustige les privilèges de naissance et les formes d'inégalité.

Alliant comique et sérieux, Beaumarchais oriente la comédie vers la satire. Il peint des personnages empruntés à la société de la fin du xviii^e siècle, société où le dynamisme des roturiers s'oppose à l'inaction de ceux qui s'étaient seulement *donné la peine de naître, et rien de plus*. Dans *Le mariage de Figaro ou la folle journée* (1784), une satire virulente contre la censure et les mœurs politiques, un valet astucieux, débrouillard et insolent, Figaro, se sert de la seule arme qu'il possède, son esprit, pour discréditer les grands, dénoncer leur incapacité et leur immoralité. Dans cette pièce brillante, Beaumarchais sait susciter le rire et la connivence du spectateur, ménager des rebondissements imprévisibles. Il propose surtout des images d'un monde en changement ; elles annoncent, en la justifiant, l'action révolutionnaire imminente.

Dans le monologue suivant, Figaro, se croyant trompé par sa fiancée, réfléchit sur sa vie et sur la société.

# La nuit est noire

Ô femme ! femme ! femme ! créature faible et décevante !... nul animal créé ne peut manquer à son instinct ; le tien est-il donc de tromper ?... Après m'avoir obstinément refusé quand je l'en pressais devant sa maîtresse ; à l'instant qu'elle me donne sa parole ; au milieu même de la cérémonie... Il riait en lisant, le perfide ! et moi, comme un benêt... ! Non, Monsieur le Comte, vous ne l'aurez pas... vous ne l'aurez pas... Parce que vous êtes un grand Seigneur, vous vous croyez un grand génie !... Noblesse, fortune, un rang, des places : tout cela rend si fier ! Qu'avez-vous fait pour tant de biens ! Vous vous êtes donné la peine de naître, et rien de plus ; du reste, homme assez ordinaire ! tandis que moi, morbleu ! perdu dans la foule obscure, il m'a fallu déployer plus de science et de calculs pour subsister seulement, qu'on n'en a mis depuis cent ans à gouverner toutes les Espagnes : et vous voulez jouter... On vient... c'est elle... ce n'est personne. – La nuit est noire en diable, et me voilà faisant le sot métier de mari, quoique je ne le sois qu'à moitié ! Est-il rien de plus bizarre que ma destinée ! Fils de je ne sais pas qui, volé par des bandits, élevé dans leurs mœurs, je m'en dégoûte et veux courir une carrière honnête ; et partout je suis repoussé !

[...]

Que je voudrais bien tenir un de ces puissants de quatre jours, si légers sur le mal qu'ils ordonnent, quand une bonne disgrâce a cuvé son orgueil ! je lui dirais... que les sottises imprimées n'ont d'importance qu'aux lieux où l'on en gêne le cours ; que, sans la liberté de blâmer, il n'est point d'éloge flatteur, et qu'il n'y a que les petits hommes qui redoutent les petits écrits.

Beaumarchais, *Le mariage de Figaro*, acte V, scène 3, 1784.

VERS L'ANALYSE

## La nuit est noire

1. Se croyant berné par sa fiancée, Figaro donne libre cours à l'expression de ses émotions. Quel sentiment se dégage principalement de son discours ?
2. Figaro exprime sa colère à l'endroit du comte.
   a) Par quel terme péjoratif* le désigne-t-il ?
   b) Quelle critique sociale se profile derrière les propos de Figaro à l'égard du comte ?
3. Dans cette situation humiliante, Figaro subit un rejet qui l'amène à se dénigrer et à s'apitoyer sur son sort.
   a) Relevez les termes péjoratifs* qu'il emploie pour se désigner ou se qualifier.
   b) Trouvez un passage qui exprime son impuissance et commentez les procédés d'écriture* qu'il contient.
4. Examinez la syntaxe*, la ponctuation* et la succession* des phrases pour décrire le rythme de cet extrait. En quoi correspond-il au propos* ?

## La naissance d'un nouveau genre littéraire : le fantastique

En marge des courants littéraires se manifeste, au XVIII^e siècle, un genre existant à l'état virtuel depuis toujours. Il a partie liée avec des empreintes laissées dans l'âme humaine par les peurs et les angoisses de notre ancêtre, l'homme primitif. Chaque génération lègue à la suivante ces empreintes, comme une fatalité : peurs multiformes, de l'inconnu, de l'invisible, du noir, de la mort... Ce genre demeurait en gestation, attendant que des conditions favorables amènent des créateurs – des romanciers et plus tard des cinéastes – à le libérer du cerveau humain.

Jusqu'alors, les sentiments religieux et les superstitions populaires avaient servi d'adjuvants à la majorité des humains, en les déresponsabilisant face à eux-mêmes et en leur promettant d'échapper à leur sort. La souffrance psychique et les peurs, composantes de leur être même, ils les projetaient sur des croyances qui prenaient corps dans des êtres prodigieux. L'être humain en était ainsi venu à croire que ses bonheurs et ses malheurs s'incarnaient dans des forces du Bien et du Mal, extérieures à lui. Aussi s'imaginait-il de fabuleux récits où des objets, des animaux, des humains ou des dieux détenaient des pouvoirs magiques, accomplissaient des prouesses héroïques. Il se délectait de ces récits qu'il créait ou entendait, comme des histoires extérieures à lui. Jamais il ne lui serait venu à l'esprit de s'interroger sur ce que ces histoires révélaient du cerveau qui les avait produites. C'était l'époque des récits chimériques, des mythes et des légendes.

**Johann Heinrich Füssli, *Le cauchemar*, 1781.**

Le fantastique repose sur l'inquiétante cohabitation du rêve et de la réalité, sur l'incertitude et sur la peur d'une présence maléfique.

### Le merveilleux et la littérature

Avec le temps, nombre de ces merveilleuses histoires ont été figées par l'écriture. Depuis les récits mythologiques de l'Antiquité jusqu'aux légendes médiévales, depuis les contes des *Mille et une nuits* jusqu'aux histoires des alchimistes, le lecteur s'est laissé charmer par des narrations où s'opposent, d'une manière allégorique, les forces de Vie et les forces de Mort. La plupart de ces récits plaisent et rassurent d'autant l'être humain que, généralement, les forces du Bien finissent par triompher, comme si l'homme se donnait ainsi un moyen de compenser les misères de l'existence. La même chose peut être dite des contes merveilleux. Le travail est pénible et l'on n'en voit jamais la fin ? Qu'importe ! À l'exemple du petit Poucet, le faible finira par venir à bout du méchant ogre et par rétablir un ordre plus juste des choses. La jeune fille trouve sa vie harassante ? Le conte lui permet de rêver à la venue prochaine d'un prince charmant. Cela, sans compter d'autres compensations d'ordre religieux, propres à faire accepter l'inacceptable : la mort indissociable de la condition humaine.

> *L'inquiétante étrangeté est cette variété particulière de l'effrayant qui remonte au depuis longtemps connu, depuis longtemps familier.*
> *Sigmund Freud*

## Le merveilleux répudié par la raison

Voici qu'après avoir été florissant pendant des millénaires, le merveilleux aborde les rives du XVIII^e^ siècle. L'Europe connaît alors une gigantesque remise en question du sens de la destinée, autant que des croyances et des dogmes. Déjà, à la Renaissance, les découvertes de Copernic ont secoué les bases de la vieille théorie géocentrique, qui faisait de la Terre le centre de l'Univers. Cette théorie, en accord avec l'idée selon laquelle l'Homme est le chef-d'œuvre de la création et doit, de ce fait, occuper la place centrale dans l'ordre des choses, avait toujours eu un effet réconfortant sur l'être humain. Cette vision hiérarchique de l'Univers avait amené une vision « ordonnée » de l'existence. Au sommet de ce monde judicieusement créé pour le bonheur des hommes se trouvait Dieu, qui veillait au bon déroulement de l'existence humaine. L'homme en était venu ainsi à croire que seul il ne serait rien.

Or, on lui enseigne maintenant que rien n'est vrai si ce n'est d'abord vérifié et avalisé par la raison et l'esprit critique. Le siècle de la Raison veut effacer toute trace des croyances et des religions qu'il assimile à l'obscurantisme et à la superstition. Ce faisant, il révèle à l'être humain le désordre naturel de l'Univers, qui fait de lui un être déclassé, plus libre que jamais, mais définitivement pris d'angoisse devant ce nouvel « ordre » des choses. Le merveilleux vient d'échouer contre la raison. Facile dès lors d'imaginer la déroute des esprits qui s'en étaient toujours remis à une force supérieure. Mais, on l'a assez répété, la nature a horreur du vide...

## Du merveilleux au fantastique

Devant la disparition de l'alibi du merveilleux, les réactions sont diverses. Certains contestent vivement la primauté de la raison. Au siècle rationaliste des Lumières, ils opposent des illuminations d'un autre ordre : guidés par des visions intérieures, des intuitions mystiques, qu'ils identifient à la présence de Dieu en eux, ils militent pour le retour du divin, mais hors des religions révélées. On pourrait adjoindre à cet illuminisme[1] d'autres expériences parareligieuses qui connaîtront une vogue jusqu'au XIX^e^ siècle.

Cependant le germe du doute et du scepticisme devait agir sur d'autres d'une manière tout à fait différente. Le surnaturel n'allait pas se laisser déraciner si facilement. L'être humain éprouve un pressant besoin de croire en quelque chose qui le subjugue. Expulsés du domaine des croyances, le merveilleux et le sacré trouvent une autre avenue pour se manifester : ils se réfugient dans l'esprit humain qu'ils se partagent dorénavant avec la responsable de leur déchéance – la raison – dans un constant rapport d'ambiguïté et de malaise.

Tout l'art du fantastique repose en effet sur le combat incessant entre, non plus le bien et le mal, mais le rationnel et l'irrationnel, la réalité et le rêve (ou le cauchemar), la raison et la folie. La croyance en l'existence d'êtres surnaturels devient d'autant plus obsédante qu'elle n'est plus certaine, ne subsistant qu'à l'état de probabilité. « Suis-je fou ? » se demande le narrateur du *Horla* (1886-1887) de Maupassant, lorsqu'il se croit possédé par un être invisible. Comme si tous les fantômes tutélaires, qui menaient autrefois hors de soi le combat du Bien contre le Mal, s'étaient sécularisés pour envahir l'âme humaine devenue un

1. Nom du courant qui, durant tout le XVIII^e^ siècle, s'oppose à celui, triomphant, de la raison.

véritable labyrinthe aux issues gardées par une multitude de démons et de minotaures. Comme s'ils s'étaient abîmés dans les ténèbres de l'inconscient, y semant les maléfiques émotions que sont la peur et l'angoisse. Le fantastique, qui ne loge plus à l'extérieur de l'homme mais en lui-même, prend ainsi le relais du merveilleux.

## L'évolution de la littérature fantastique

Paradoxalement, le fantastique est fils du siècle des Lumières. Mais fils rebelle, s'il en est. On s'entend pour reconnaître dans *Le diable amoureux* (1772), de Jacques Cazotte (1719-1792), l'acte de naissance du fantastique comme genre littéraire. Parallèlement à cet initiateur, dans les années voisines de la Révolution française (1789), le roman noir, ou gothique anglais, fait déferler une véritable esthétique du lugubre, de la cruauté et de l'horreur. À travers les motifs les plus répandus – la peur, le crime, la sexualité, la mort et le satanisme –, l'écrivain ne semble viser qu'un but: dérouter et terrifier le lecteur par ses horreurs sanglantes et lugubres. Quelques titres et noms se démarquent: *Le château d'Otrante* (1764), d'Horace Walpole, *Les mystères d'Udolphe* (1794), d'Ann Radcliffe, et *Le moine* (1796), de Matthew Gregory Lewis, auxquels s'ajoute bientôt *Frankenstein ou le Prométhée moderne* (1818), de Mary Shelley, qui crée le monstre engendré par un savant fou, premier mythe de la littérature fantastique.

**Francisco de Goya, *Le sommeil de la raison engendre des monstres*, v. 1797.**

C'est à l'intérieur de lui-même que le héros fantastique doit livrer son combat alors qu'il lutte contre des forces réelles ou imaginaires qui le mènent aux confins de la folie.

### Jacques Cazotte (1719-1792)

*On est tous les jours dans le cas de se laisser enseigner des choses que l'on sait par des gens qui les ignorent.*

Après avoir d'abord publié des contes de fées, Jacques Cazotte se permet la première incursion dans le registre du fantastique: *Le diable amoureux*, un récit à contre-courant du rationalisme des Lumières, à mi-chemin entre le merveilleux traditionnel et le fantastique moderne. Le jeune Alvare, qui a déjà été initié à des pratiques magiques, raconte à la première personne qu'il est poursuivi par les instances de la belle Biondetta, séduisante incarnation du diable, et qu'il tente de lui résister. Ce récit comporte déjà tous les ingrédients du genre fantastique: une réalité qui laisse place à l'inexplicable, un héros terrorisé par l'incompréhensible et un mal toujours plus menaçant. Le dénouement laisse ouvert le sens de l'œuvre. Au plaisir de la narration, dont le style alerte réussit à maintenir le lecteur dans une zone indécise où le mystère conserve tout son prestige, s'ajoute celui d'une allégorie qui refuse de se laisser réduire à un seul sens. Bien au contraire, il pourrait s'agir de l'être humain constamment aux prises avec la tentation et attiré par le péché, de l'identification de la femme au diable, d'une lecture freudienne évoquant la peur de la sexualité ou encore...

# Je suis le diable

Alors avec une voix à la douceur de laquelle la plus délicieuse musique ne saurait se comparer: « Ai-je fait, dit-elle, le bonheur de mon Alvare, comme il a fait le mien ? Mais non: je suis encore la seule heureuse; il le sera, je le veux; je l'enivrerai de délices; je le remplirai de sciences; je l'élèverai au faîte des grandeurs. Voudras-tu, mon cœur, voudras-tu être la créature la plus privilégiée, te soumettre avec moi les hommes, les éléments, la nature entière ?

– Ô ma chère Biondetta ! lui dis-je, quoiqu'en faisant un peu d'efforts sur moi-même, tu me suffis: tu remplis tous les vœux de mon cœur...

– Non, non, répliqua-t-elle vivement, Biondetta ne doit pas le suffire: ce n'est pas là mon nom; tu me l'avais donné, il me flattait; je le portais avec plaisir; mais il faut que tu saches qui je suis... Je suis le diable, mon cher Alvare, je suis le diable... »

En prononçant ce mot avec un accent d'une douceur enchanteresse, elle fermait plus exactement le passage aux réponses que j'aurais voulu lui faire. Dès que je pus rompre le silence:

« Cesse, lui dis-je, ma chère Biondetta, ou qui que tu sois, de prononcer ce nom fatal et de me rappeler une erreur abjurée depuis longtemps.

– Non, mon cher Alvare, non, ce n'était point une erreur; j'ai dû te le faire croire, cher petit homme. Il fallait bien te tromper pour te rendre enfin raisonnable. Votre espèce échappe à la vérité: ce n'est qu'en vous aveuglant qu'on peut vous rendre heureux. Ah ! tu le seras beaucoup si tu veux l'être ! je prétends te combler. Tu conviens déjà que je ne suis pas aussi dégoûtant que l'on me fait noir. »

Ce badinage achevait de me déconcerter. Je m'y refusais, et l'ivresse de mes sens aidait à ma distraction volontaire.

« Mais, réponds-moi donc, me disait-elle.

– Eh ! que voulez-vous que je réponde ?...

– Ingrat, place la main sur ce cœur qui t'adore; que le tien s'anime, s'il est possible, de la plus légère des émotions qui sont si sensibles dans le mien. Laisse couler dans tes veines un peu de cette flamme délicieuse par qui les miennes sont embrasées; adoucis si tu le peux le son de cette voix si propre à « inspirer l'amour, et dont tu ne te sers que trop pour effrayer mon âme timide; dis-moi, enfin, s'il t'est possible, mais aussi tendrement que je l'éprouve pour toi: Mon cher Belzébuth, je t'adore... »

Jacques Cazotte, *Le diable amoureux*, 1772.

VERS L'ANALYSE

## Je suis le diable

1. Cet extrait présente des caractéristiques fantastiques en maintenant le lecteur dans un état d'incertitude. Expliquez cette affirmation.
2. Le personnage de Biondetta est une séductrice qui se veut l'incarnation du diable.
   a) Quelles actions ou attitudes permettent de le constater ?
   b) Dressez le champ lexical* de la douceur et décrivez son effet dans ce contexte.
3. Alvare semble vouloir nier la vraie nature de Biondetta. Expliquez comment cela se manifeste en vous appuyant tant sur ses réactions que sur l'écriture par laquelle elles s'expriment.
4. Qu'est-ce qui laisse croire qu'Alvare est séduit et envoûté par Biondetta ? Citez un passage qui appuie votre propos et commentez-en l'écriture.

### Sujet d'analyse littéraire

**Analysez cet extrait en montrant comment le fantastique met en valeur la complexité et les nuances de la réflexion qu'il propose.**

**Jean-Honoré Fragonard, *La lectrice*, 1770-1772.**

Selon la pensée des Lumières, le sentiment amoureux est décuplé par une admiration mutuelle fondée sur un émoi aussi intellectuel que physique.

## La plus belle lettre d'amour du XVIIIe siècle

Denis Diderot a épousé, contre le gré de sa famille, une lingère jolie mais ignorante, qui lui est restée fidèle jusqu'à la mort. Cela ne le détourne pas, en 1755, d'engager avec Sophie Volland une liaison passionnée qui durera jusqu'en 1774. En témoignent les 553 lettres de Diderot qui nous sont restées; celles de Sophie semblent à jamais perdues.

# Les symptômes de l'admiration et du plaisir

Chère femme, combien je vous aime! Combien je vous estime. En dix endroits, votre lettre m'a pénétré de joie. Je ne saurais vous dire ce que la droiture et la vérité font sur moi. Si le spectacle de l'injustice me transporte 5 quelquefois d'une telle indignation que j'en perds le jugement, et que, dans ce délire, je tuerais, j'anéantirais, aussi celui de l'équité me remplit d'une douceur, m'enflamme d'une chaleur et d'un enthousiasme où la vie, s'il fallait la perdre, ne me tiendrait à rien. Alors il 10 me semble que mon cœur s'étende au-dedans de moi, qu'il nage; je ne sais quelle sensation délicieuse et subtile me parcourt partout; j'ai peine à respirer; il s'excite à toute la surface de mon corps comme un frémissement; c'est surtout au haut du front, à l'origine des cheveux 15 qu'il se fait sentir; et puis les symptômes de l'admiration et du plaisir viennent se mêler sur mon visage avec ceux de la joie, et mes yeux se remplissent de pleurs. Voilà ce que je suis quand je m'intéresse vivement à celui qui fait le bien. Ô ma Sophie, combien de beaux moments je 20 vous dois! combien je vous en devrai encore. Ô Angélique, ma chère enfant, je te parle ici et tu ne m'entends pas; mais si tu lis jamais ces mots, quand je ne serai plus, car tu me survivras, tu verras que je m'occupais de toi et que je disais, dans un temps où j'ignorais quel sort tu me 25 préparais, qu'il dépendrait de toi de me faire mourir de plaisir ou de peine.

Denis Diderot, *Lettres à Sophie Volland*, 18 octobre 1760.

VERS L'ANALYSE

## Les symptômes de l'admiration et du plaisir

1. a) Sur quelles qualités de la femme repose l'affection que porte Diderot à Sophie Volland?

   b) Citez un passage amplifiant l'admiration que ressent l'auteur et commentez-en l'écriture.

2. Pourquoi Diderot éprouve-t-il de l'affection pour Sophie Volland?

3. Expliquez comment l'auteur associe des sensations physiques à son enthousiasme pourtant intellectuel.

4. Un glissement s'opère dans l'énonciation* à la fin de la lettre.

   a) Que remarquez-vous à propos de la façon dont Diderot s'adresse à Sophie Volland?

   b) Que peut révéler ce choix?

## VUE D'ENSEMBLE DES LUMIÈRES

### Contexte sociohistorique

**Mort de Louis XIV (1715)**

Régence de Philippe d'Orléans.

**Règne de Louis XV (1723-1774)**

Versailles devenu haut lieu du faste, propice à la fête, à la corruption et au libertinage.

Déclin de la monarchie : la cour délaissée par les intellectuels, au profit des salons et des cafés, qui deviennent les espaces de diffusion de la culture et des idées.

Renversement des valeurs : la liberté de pensée, la tolérance et le progrès privilégiés, au détriment de l'autorité et de la hiérarchie.

Selon une logique d'efficacité, importantes avancées scientifiques et techniques facilitant entre autres l'agriculture, les transports et le travail : bateau et automobile à vapeur, montgolfière, pile électrique, etc.

Progrès spectaculaires en médecine et en science : amélioration des conditions sanitaires et de l'organisation de la vie.

Pouvoir monarchique conservé, malgré la modernisation de la société et l'affirmation des principes d'équité des philosophes ; dégradation des conditions économiques et sociales.

**Guerre de Sept Ans (1756-1763)**

Signature du traité de Paris, par lequel la France cède le Canada à l'Angleterre.

**Règne de Louis XVI (1774-1789)**

**Révolution française (1789)**

Renversement de la monarchie, reconnaissance du principe de l'égalité de tous à la naissance.

Malgré les horreurs, triomphe de l'esprit philosophique et des valeurs de tolérance.

**Instauration de la République (1792)**

Nouvelle devise : « Liberté, Égalité, Fraternité ».

Le roi envoyé à la guillotine (1793).

**Prise du pouvoir par Napoléon Bonaparte (1800)**

### Courants artistiques et littéraires : principales caractéristiques

**Rocaille ou rococo**

En adéquation avec les bouleversements idéologiques liés à la mort de Louis XIV, retour aux influences baroques, à la frivolité et à la théâtralité : démesure, contrastes, sensualité, distorsions, triomphe de l'émotion sur la raison.

**Lumières**

Triomphe de la littérature d'idées :

- Primauté de la pensée sur la forme : littérature militante, empreinte de principes philosophiques.
- La peinture des Lumières présente l'homme en harmonie avec lui-même et avec la nature.

**Seconde moitié du XVIIIe siècle**

Néoclassicisme en peinture, lancé par la découverte des ruines de Pompéi et d'Herculanum.

Déclin du rococo, éclosion d'une esthétique rigide et hautement hiérarchisée, reprenant les principes du classicisme.

**Préromantisme en littérature**

Éclosion d'une nouvelle sensibilité dans la seconde moitié du siècle, d'un sentimentalisme affirmé vers l'équilibre entre la raison et le cœur.

### Genres littéraires, auteurs, œuvres marquantes

***Encyclopédie***

Diderot et d'Alembert dirigent ce vaste projet visant à rassembler et à diffuser la connaissance selon les valeurs de progrès et de tolérance propres à l'esprit des Lumières.

**Essai**

Genre de prédilection des Lumières, propice à la critique et à la dénonciation, qui se présente sous diverses formes : libelles, pamphlets, dictionnaires, journaux ou correspondances. P. ex. : *De l'esprit des lois*, Montesquieu.

**Conte philosophique**

Par la caricature, ce genre arrive aussi bien à amuser qu'à faire réfléchir. P. ex. : *Candide*, Voltaire.

**Roman philosophique**

Souvent épistolaire ou sous forme de mémoires, le roman des Lumières propose sinon une critique sociale, du moins une perspective sociologique. P. ex. : *Les lettres persanes*, Montesquieu.

**Littérature du cœur**

Roman (parfois épistolaire) teinté de sentimentalisme rose. P. ex. : *Julie ou la nouvelle Héloïse*, Rousseau ; *Paul et Virginie*, Bernardin de Saint-Pierre.

**Prose poétique**

Prose qui redonne sa place au lyrisme. P. ex. : *Iambes*, André Chénier ; *Rêveries du promeneur solitaire*, Jean-Jacques Rousseau.

**Roman épistolaire libertin**

Roman basé sur une correspondance. Peinture de la décadence, du mal comme principe de plaisir. P. ex. : *Les liaisons dangereuses*, Laclos.

**Théâtre**

Drame bourgeois, comédie amoureuse, comédie d'intrigue. P. ex. : *Le jeu de l'amour et du hasard*, Marivaux ; *Le mariage de Figaro*, Beaumarchais.

# 5 Le romantisme

## OU LE MAL DE VIVRE D'UNE GÉNÉRATION

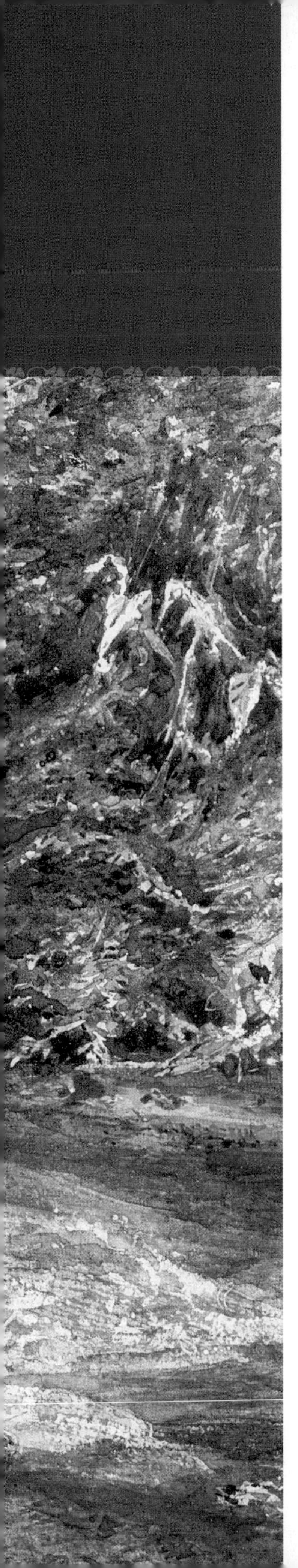

# Auteurs et œuvres à l'étude


Victor Hugo

- *Le dernier jour d'un condamné – On dirait des crapauds et des araignées* ..... 184
- *Les rayons et les ombres – Fonction du poète* ..... 198
- *Les contemplations – Melancholia* ..... 199
- *Notre-Dame de Paris – C'étaient les deux misères extrêmes de la nature* ..... 208
- *Les Misérables – Le spectacle était épouvantable et charmant* ..... 209
- *Préface de Cromwell – Un cordonnier qui voudrait mettre le même soulier à tous les pieds* ..... 211
- *Hernani – Une âme de malheur faite avec des ténèbres* ..... 218
- *De Victor Hugo à Juliette Drouet* ..... 226
- *De Juliette Drouet à Victor Hugo* ..... 226

Alphonse de Lamartine

- *Méditations poétiques – Le lac* ..... 190

Alfred de Musset

- *Les nuits – Le pélican* ..... 193
- *La confession d'un enfant du siècle – Alors s'assit sur un monde en ruines une jeunesse soucieuse* ..... 204
- *Lorenzaccio – Suis-je un Satan ?* ..... 217

Alfred de Vigny

- *Poèmes antiques et modernes – Le cor* ..... 194
- *Chatterton – Ô mort, Ange de délivrance* ..... 215

Aloysius Bertrand

- *Gaspard de la nuit – Un rêve* ..... 196

Gérard de Nerval

- *Les chimères – El desdichado* ..... 197

François René de Chateaubriand

- *René – Ces régions inconnues que ton cœur demande* ..... 201

Benjamin Constant

- *Adolphe – Combien elle manquait à mon cœur, cette dépendance…* ..... 202

George Sand

- *Indiana – Un mal inconnu dévorait sa jeunesse* ..... 205

Prosper Mérimée

- *Carmen – Cette femme était un démon* ..... 210
- *La Vénus d'Ille – Le diable m'emporte* ..... 225

Madame de Staël

- *De la littérature considérée dans ses rapports avec les institutions sociales – Sa célébrité n'est qu'un bruit fatigant* ..... 213

Honoré de Balzac

- *La Peau de chagrin – Belle de terreur et d'amour* ..... 220

Charles Nodier

- *Smarra ou les démons de la nuit – Le bois humecté de mon sang* ..... 222

Théophile Gautier

- *La cafetière – La contemplation de cette mystérieuse et fantastique créature* ..... 223

# Le romantisme

## OU LE MAL DE VIVRE D'UNE GÉNÉRATION

*Chacun porte en lui un monde ignoré qui naît et qui meurt en silence.*

*Alfred de Musset*

Au XVIII^e siècle, l'*Encyclopédie* a classifié toutes les connaissances et, aux questions posées par l'homme, elle a fourni une explication non plus théologique mais rationnelle. Cette vaste entreprise de liberté de pensée a ultimement conduit à la Révolution française. L'action combinée des philosophes du XVIII^e siècle et de la Révolution constitue un tournant dans l'histoire des civilisations européennes; c'est le signal de la passation des pouvoirs d'un monde finissant à un autre en éclosion.

## Un siècle de profonde mutation

L'esprit de la Révolution française devient la constante déterminante de toute cette nouvelle civilisation; son rôle fécond se répercutera dans l'articulation des deux siècles suivants. Plongeant ses racines dans un monde en voie de disparition, mais dont il recueille tout l'héritage, le XIX^e siècle naissant donne le signal du début d'une radicale accélération du temps. S'amorce alors une aventure tout à fait rénovatrice: une révision capitale des valeurs sur

**Le romantisme**

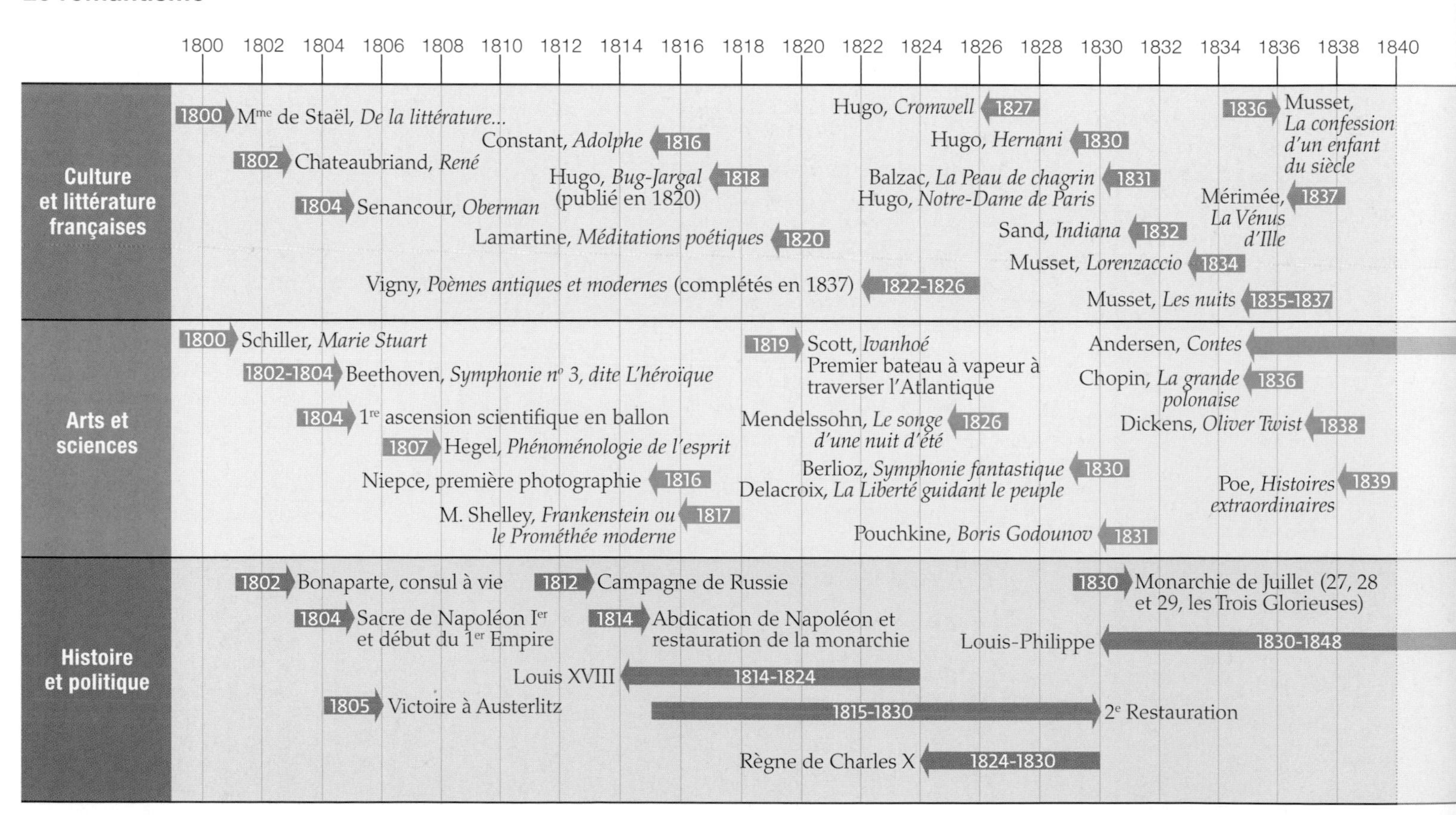

**Louis Léopold Boilly, *Le chanteur Simon Chenard en costume de sans-culotte*, 1792.**

Dans la foulée de la Révolution de 1789, de grands bouleversements marquent le XIXe siècle et vont mener à la reconnaissance des droits du peuple et de la personne.

les plans politique, économique, social, intellectuel et artistique. Le monde occidental entre dans une ère nouvelle, inconnue, où tout ce qui existait déjà est appelé à être reconsidéré, remplacé. Une ère de nouveauté radicale, dont nous portons tous encore les marques.

En politique, le siècle qui suit la Révolution de 1789 est caractérisé par sa grande complexité, dans une lutte permanente opposant les héritiers de la Révolution aux antirévolutionnaires favorables à un retour au conservatisme. D'où le nombre ahurissant de régimes politiques qui se succèdent en France en ce siècle ponctué de soulèvements populaires dans les villes comme dans les campagnes : un consulat, deux empires, deux monarchies (trois rois) et trois républiques. Au bout du compte, la liberté et la souveraineté démocratique triompheront : le pouvoir de la nation ne s'incarnera plus dans un roi de droit divin, mais sera plutôt exercé par des représentants du peuple. La démocratie vient affirmer le fait que les sociétés importent moins que les individus qui les constituent. Il faudra cependant attendre les années 1870 pour que ce nouveau règne s'instaure véritablement.

## L'individualité et la liberté

Le rêve des philosophes peut finalement se réaliser : les institutions publiques sont dorénavant démocratiques et, sur le plan individuel, le sujet devient citoyen. Avec la promulgation d'une véritable charte du citoyen, la *Déclaration des droits de l'homme et du citoyen*, les droits individuels sont proclamés intangibles : la société ne peut plus leur porter atteinte. Cette libération des nationalités et des individus se répand dans le monde comme une traînée de

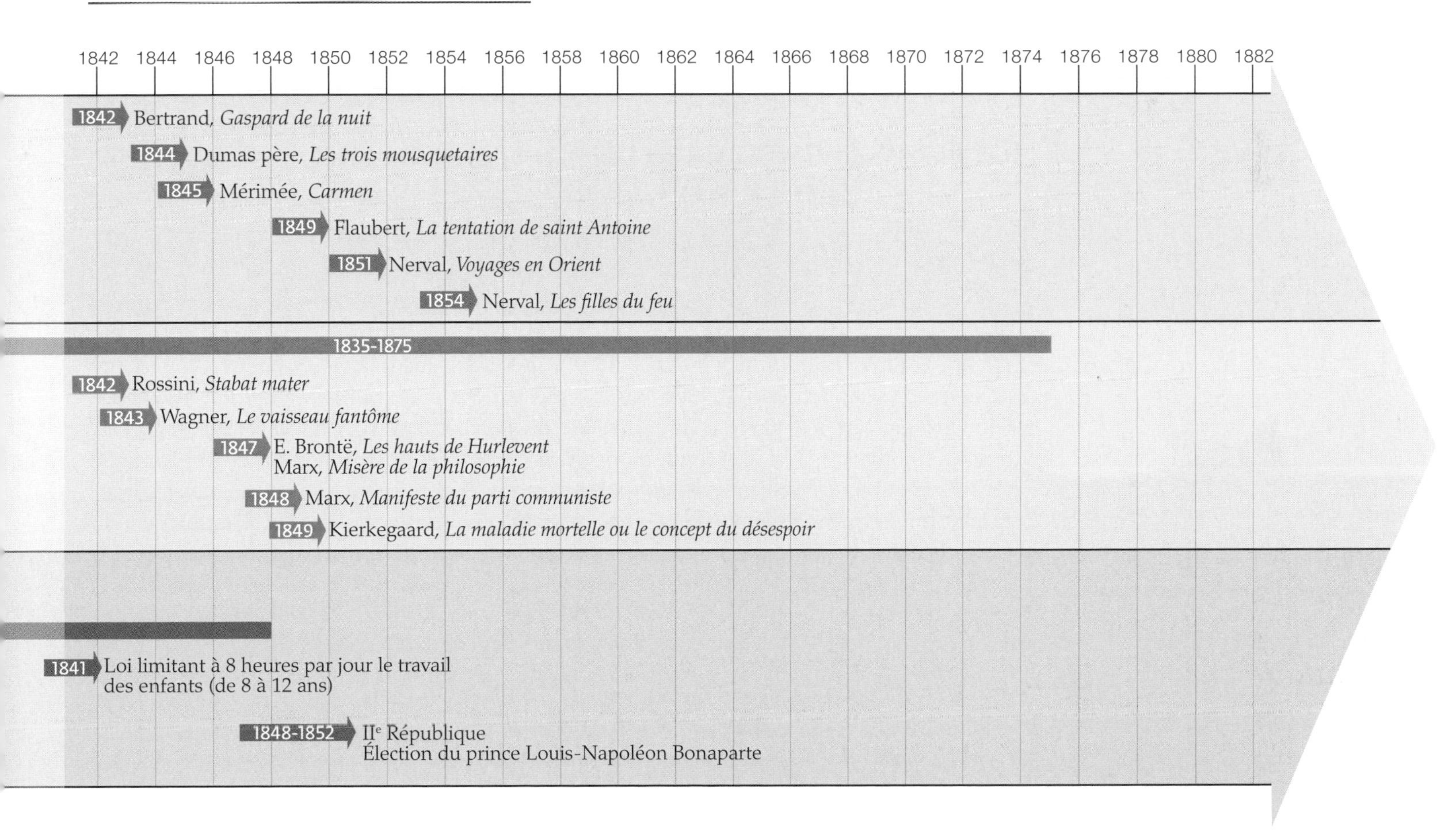

poudre. Peu à peu l'esclavage est aboli, et le projet de mettre en place des écoles publiques obligatoires se propage dans toute l'Europe. Ces profonds bouleversements sont porteurs d'une nouvelle conception de l'émancipation individuelle et de la liberté ; elle connaîtra son plein épanouissement avec le romantisme, où chacun voudra exprimer des émotions personnelles fondées sur ses propres expériences.

## La révolution industrielle

La révolution politique et idéologique se double d'une révolution industrielle et technique, amorcée en Angleterre vers 1760, sans doute la plus grande révolution depuis la préhistoire. Au sortir de cette dernière était apparue la société agraire, fondée sur la culture du sol, les rythmes de la nature et la répétition de ses cycles, et soumise à des conditions de vie immuables. Le XIX^e siècle met fin à cette civilisation datant de plus de 3 000 ans avant notre ère. Phénomène économique fondamental du siècle, la révolution industrielle, avec l'emploi de la machine à vapeur, transforme les moyens de transport (chemin de fer, navires), apporte de nouveaux moyens de production à l'industrie et entraîne l'apparition de vastes usines qui favorisent un grand essor des villes.

**Charles Auguste Mengin, *Sapho*, 1877.**

Au risque de soulever l'indignation, l'art romantique se montre audacieux en faisant fi des normes et des tendances.

## L'avènement d'une société nouvelle

La tourmente révolutionnaire a remplacé la domination de l'aristocratie (la royauté et la noblesse) par une prise du pouvoir de la part de la classe bourgeoise. Ce groupe social, dans les faits, tire seul profit du développement urbain et industriel en cours. La bourgeoisie, qui détient dorénavant le pouvoir et les richesses, prospère et grossit. Ses membres sont férus de réalités concrètes, avides d'opulence matérielle, assurés d'un incessant progrès scientifique et technique, et pour eux tout se mesure davantage en termes de quantité que de qualité. Le grand perdant est celui-là même qui croyait avoir fait la Révolution pour améliorer sa situation : le peuple.

## Le subjectivisme dans l'art

*Alors s'assit sur un monde en ruines une jeunesse soucieuse.*

*Alfred de Musset*

Le XVIII^e siècle a été celui de la philosophie et de la raison ; le XIX^e siècle sera celui des grandes œuvres littéraires et artistiques, ainsi que de la sensibilité. Les artistes de ce siècle retrouvent et approfondissent un principe déjà affirmé à la Renaissance : la vie esthétique, loin d'être accessoire, est l'une des manières fondamentales dont l'être humain assume sa destinée. Pendant que certains artistes tentent encore de s'accrocher aux sécurités et aux règles du passé, prolongeant ainsi le courant du néoclassicisme, d'autres choisissent de participer au renversement radical des valeurs, de rompre avec les canons académiques, de refuser dorénavant de servir les valeurs esthétiques, morales ou sociales d'une société industrielle et capitaliste dominée par la bourgeoisie. Ils revendiquent plutôt un art où l'imagination et la sensibilité pourraient s'épanouir sans carcan. Ces nouveaux artistes ne cessent de secouer les contraintes et les interdits de toutes sortes, au risque de susciter le scandale[1].

1. Parmi de nombreux autres, Charles Baudelaire vit, en 1857, son recueil *Les fleurs du mal* condamné par la justice impériale après un célèbre procès et, cinq ans plus tard, son ami, le peintre Édouard Manet, provoqua un scandale retentissant avec *Le déjeuner sur l'herbe*.

**Jacques Louis David, *Le premier consul franchissant les Alpes au col du Grand-Saint-Bernard*, v. 1800.**

Par ses exploits mais encore par ses déboires, Napoléon demeure un personnage inspirant, comme en témoignent les nombreuses œuvres artistiques dont il est le sujet.

## Une nouvelle image de l'artiste

Dès lors, une nouvelle image de l'artiste s'impose : celle d'un être excentrique, souvent solitaire, qui clame son mal-être et ses états d'âme dans un monde qui ne le comprend pas. Cet appétit d'expériences inédites condamne l'artiste à vivre en marge de la société. Son attitude rebelle et anticonformiste le contraint à subir l'isolement, l'incompréhension, voire le mépris, sans oublier l'insécurité matérielle. L'artiste d'hier pouvait obtenir de lucratives commandes grâce au mécénat de la monarchie, de la noblesse et de l'Église, mais avec la disparition de ce mécénat ne reste pratiquement que la classe bourgeoise pour se payer des commandes, et ses goûts ont bien peu à voir avec la nouveauté et l'expérimentation. Un gouffre se creuse dorénavant entre les artistes à succès et ceux qui rompent avec l'art officiel et ses conventions. L'histoire de l'art, qui, jusqu'à la Révolution, retraçait la vie des artistes les plus recherchés, fera dorénavant le récit d'individus solitaires ou solidaires qui bravent les conventions et ouvrent de nouvelles avenues à l'art.

## Le romantisme (1800-1850)

Dans la première moitié du XIXe siècle, ces artistes qui entendent propager dans leurs créations la libre expression de la sensibilité et de l'imagination sont associés au vaste mouvement littéraire et artistique du romantisme. Ce courant s'élève en réaction contre la philosophie des Lumières, dont l'attachement à la science, qui prétendait décrire le monde d'une manière objective, ne laissait que très peu de place à la liberté et à la créativité de l'esprit humain.

## À l'époque du romantisme

1804 : À l'instar de Charlemagne en 800, le consul Napoléon Bonaparte (1769-1821) se fait sacrer par le pape « empereur des Français » sous le nom de Napoléon Ier. Il déploie bientôt sa Grande Armée sur tous les fronts et parvient à conquérir presque toute l'Europe. Mais à ses éclatants triomphes succèdent bientôt de retentissants échecs. La gloire de Napoléon s'éteint à Waterloo, en 1815. Modèle ou repoussoir politique, l'empereur est vite devenu un personnage romanesque et mythologique ; sa légende a inspiré d'innombrables tableaux, poèmes, romans, pièces de théâtre et films.

1808 : Johann Wolfgang von Goethe (1749-1832) fait paraître *Faust* et, un an plus tard, *Les affinités électives. Les souffrances du jeune Werther* était déjà paru en 1774. Musset a écrit à son propos : *Goethe, le patriarche d'une littérature nouvelle, après avoir peint dans* Werther *la passion qui mène au suicide, avait tracé dans son* Faust *la plus sombre figure humaine qui eût jamais représenté le mal et le malheur.*

1824 : Mort de lord Byron, figure par excellence du héros romantique et dont l'influence fut immense sur tout le romantisme français.

1826 : Début de la littérature américaine avec *Le dernier des Mohicans* (perpétuation du mythe du « bon sauvage »), de Fenimore Cooper ; en 1840, *Histoires extraordinaires*, d'Edgar Allan Poe ; en 1850, *La lettre écarlate*, de Nathaniel Hawthorne (le puritanisme devant le désordre des passions) ; en 1851, *Moby Dick*, d'Herman Melville (roman d'aventures et de quête).

1837 : Parution du premier roman québécois, *L'influence d'un livre ou le chercheur de trésors*, de Philippe Aubert de Gaspé fils (1814-1841). La même année, début de la rébellion des Patriotes du Bas-Canada (Québec) contre l'occupant anglais.

1848 : L'Allemand Karl Marx (1818-1883) propose une nouvelle lecture de la société avec son *Manifeste du parti communiste*.

Au contraire, les artistes et les écrivains romantiques, apôtres de la valeur individuelle, établissent un rapport essentiel entre la nature et les « états d'âme » qu'elle communique à l'homme. Philosophiquement, le romantisme marque donc le passage des certitudes de la science à l'incertitude de l'imagination. Ce glissement de l'objectif au subjectif trouve sa source dans l'idée du philosophe allemand Emmanuel Kant (1724-1804), formulée dans la *Critique de la raison pure* (1781), selon laquelle les êtres humains ne voient pas directement le monde, mais le perçoivent d'après leurs catégories mentales. Ainsi la nature ne peut-elle jamais être connue objectivement, mais seulement à travers le prisme déformant de nos sensations.

## Le romantisme comme courant artistique

*Le peintre ne doit pas seulement peindre ce qu'il voit devant lui, mais aussi ce qu'il voit en lui-même.*

*Caspar David Friedrich*

L'art romantique libère l'œuvre de sa reproduction objective, pour l'étendre de plus en plus à la subjectivité des sens, au domaine des émotions. Cet art s'insurge contre toute règle imposée par l'autorité établie, refuse toute contrainte. À la discipline rationnelle de la forme, il préfère le dynamisme du sujet ; au primat du dessin, il répond par ses effets chromatiques ; à la quête de la beauté absolue, il oppose la densité insondable de l'être humain, avec tout ce qu'elle comporte de sensibilité, d'impulsions et de rêves. Les romantiques entendent avant tout redonner sa liberté au geste et accentuer l'effet personnel et pulsionnel. Même le trait de pinceau, devenu empâté et dynamique, tend à imposer sa présence, signant ainsi la facture personnelle de l'artiste. Le romantisme sonne la fin de règles qui s'étaient voulues immuables.

**William Turner, *Pluie, vapeur et vitesse*, 1844.**

Personnelle, subjective, l'œuvre romantique capte le flou du mouvement, révélant le caractère irréel de la nature saisie dans sa volatilité.

### Des précurseurs : les peintres fantastiques

*Je m'avance dans une mer qui n'a ni rivage ni fond.*

*Johann Heinrich Füssli*

En raison des ravages de la Révolution et de l'impact du régime napoléonien qui incite à un retour au mode classique, le romantisme se développe plus tard en France qu'en Angleterre ou en Allemagne.

Le néoclassicisme avait érigé un autel à la déesse Raison, exorcisant tout ce qui pouvait se situer au seuil d'une autre réalité. Des peintres romantiques y accèdent et ouvrent la porte d'un fantastique où sommeille la raison. Lorsque cette dernière perd sa vigilance, toutes sortes de monstres peuvent venir semer la terreur. D'où la représentation par ces peintres précurseurs du romantisme d'êtres en proie à des sentiments extrêmes, passionnés par des rêves, hantés par des cauchemars et menacés par la folie. Ce romantisme noir exprime les ténèbres d'un monde qui n'est plus celui des Lumières. Parmi ses principaux représentants, le Suisse Johann Heinrich Füssli (1741-1825) illustre l'irrationalité de l'être humain alors que l'Espagnol Francisco de Goya y Lucientes (1746-1828), avec une fougue toute romantique qui se reconnaît jusque dans sa technique des coups de pinceau expressifs et souples, se plaît à dénoncer les superstitions et l'ignorance de la société espagnole.

## Les peintres paysagistes

*Fais monter au jour ce que tu as vu dans ta nuit.*

*Caspar David Friedrich*

Au XIXe siècle, la peinture de paysages acquiert son autonomie complète et devient le thème central d'œuvres picturales. Des peintres se laissent séduire par les paysages certes, mais surtout par leur aptitude à déclencher des élans émotionnels, des sentiments et des passions ; ils demandent aux formes peintes sur le tableau de fixer cette perception intériorisée.

En Angleterre, deux peintres ont particulièrement influencé la relation que l'artiste entretient à l'égard de la nature. Avec eux, les paysages cessent d'être un décor pour se faire émotion, l'art cesse d'imiter la nature pour révéler l'esprit qu'elle contient. John Constable (1776-1837), le premier artiste à peindre en plein air afin de pouvoir

**John Constable, *La charrette de foin*, 1820.**

Pour les romantiques, l'intérêt du paysage, plus que dans sa simple représentation, réside dans la révélation d'un état intérieur déclenché par la nature.

## Romantisme et tourisme

Comme la nature est devenue un sujet d'admiration et d'enthousiasme, voyager sans autre but que son seul agrément est une pratique de plus en plus courante. Le voyageur se transforme en touriste, et commence alors ce qu'on appellera plus tard la société des loisirs.

Des écrivains comme Chateaubriand, Hugo, Gautier ou Mérimée publient des récits de voyage, alors que le peintre Delacroix remplit son carnet d'esquisses de l'Orient.

reproduire la mobilité et la vibration de la lumière sur les choses, peint la nature pour elle-même, sans effet de mise en scène. Quant à William Turner (1775-1851), il a tendance à rendre irréel le motif de ses paysages. La toile, envahie par un brouillard lumineux ou dévorée par le feu, fige la nature dans son impermanence : les formes sont dissoutes, les contrastes d'ombre et de lumière sont fondus, tandis que les couleurs chaudes, souvent étalées au couteau, se font rayonnantes.

En Allemagne, les paysages de Caspar David Friedrich (1774-1840) sont fort différents. Animé d'une vision spiritualisée du monde, ce peintre soigne l'effet dramatique de ses mises en scène afin d'amener le spectateur à saisir l'invisible contenu au cœur de la Création. Sa vision théâtralisée du paysage – des rochers inaccessibles, des glaciers sans fin, des abysses sans fond, des étendues sans limites – transfigure la réalité, la mettant en résonance avec l'énergie qui anime l'univers et le perpétue.

Constable et Turner annoncent déjà l'impressionnisme : le premier en peignant en pleine nature, et le second, par ses vapeurs de couleur et de lumière et par ses nuées vertigineuses, qui font perdre leur contour aux sujets. Bien plus, en dissolvant la matière dans la lumière, Turner trace un vecteur considérable dans le devenir de l'art moderne, qui mènera à l'abstraction. Quant à Friedrich, sa spiritualité ouvre la voie au symbolisme.

En France, les paysagistes, qui dorénavant travaillent sur le motif, entendent moins évoquer des états d'âme que produire une peinture objective, le plus fidèle possible à la réalité, ce qui n'exclut cependant pas un arrière-plan lyrique. C'est le cas des peintres dits de l'école de Barbizon, dont font partie Théodore Rousseau, Charles François Daubigny et Jean-François Millet. C'est aussi, et surtout, le cas de Camille Corot (1796-1875), dont les tableaux se distinguent par une palette claire qui tente de capter la lumière insaisissable du matin, cette première impression du jour.

**Théodore Géricault, *Le radeau de la Méduse*, 1819.**

En privilégiant la sensibilité au détriment de la rigueur technique, la peinture romantique traduit par le mouvement l'intensité des émotions.

## Les grands maîtres de la peinture romantique

Deux peintres contribuent particulièrement à pousser la peinture vers des lieux où la réalité dramatique est portée à sa plus haute tension. Après avoir suscité la désapprobation et provoqué de violentes polémiques avec sa toile *Le radeau de la Méduse* (1819), illustrant un fait divers auquel il donne l'ampleur d'un drame historique, Théodore Géricault (1791-1824) sera célébré, grâce à son goût du mouvement et à son sens

## Quelques compositeurs de musique romantique

Hector Berlioz (1803-1869)

Frédéric Chopin (1810-1849)

Richard Wagner (1813-1883)

du tragique, comme l'un des premiers romantiques français. Mais il revient à Eugène Delacroix (1798-1863) d'avoir peint les œuvres dans lesquelles s'incarne véritablement le romantisme pictural. Explorant les qualités expressives de la couleur, il préfère les couleurs fortes aux lumières enténébrées des néoclassiques, expérimente la juxtaposition de couleurs complémentaires pour traduire la lumière, peint pour la première fois des ombres colorées, permet à son chromatisme de déborder les formes, accepte de laisser voir sa touche et confère ainsi à la couleur des possibilités dont toute la peinture moderne deviendra tributaire. Deux grands thèmes traversent l'œuvre de Delacroix: sa passion pour la liberté, sa sympathie pour l'humanité en lutte, et l'Orient, dont il peint la beauté des femmes, les combats de chevaux et les chasses aux fauves.

# L'évolution de la langue française au XIXe siècle

*Je mis un bonnet rouge au vieux dictionnaire.*
*Plus de mots sénateurs, plus de mots roturiers!*
*Je fis une tempête au fond de l'encrier.*
*J'ai dit aux mots: Soyez République!* [...]
*J'ai jeté le vers noble aux chiens noirs de la prose.*

*Victor Hugo*

Comme l'affirme Victor Hugo, le romantisme refuse toute distinction entre termes nobles et termes bas, roturiers ou triviaux, accueillant les mots prosaïques dans tous les genres littéraires, y compris la poésie. Dans le même élan, le terme exact est substitué aux périphrases et les expressions concrètes aux formulations générales et abstraites. Dans les romans, on laisse la parole à des personnages du peuple qui s'expriment en usant de leurs particularismes linguistiques. La cohabitation de héros de classes sociales diverses permet également la juxtaposition de tonalités et de styles variés.

L'expansion de la presse à grand tirage propage si bien le goût de la lecture, particulièrement de romans publiés en feuilleton, que ce ne sont plus les grammairiens qui définissent l'usage, mais les romanciers. Plus scolarisés, les lecteurs découvrent des œuvres et des styles autres que «classiques» qui, seuls, avaient droit de cité jusque-là. Ceci dit, on ne doit pas perdre de vue que, au milieu du XIXe siècle, la moitié de la population de France ne parlait pas français. La vie quotidienne, surtout celle des campagnes, se passait en occitan, en breton ou en picard.

Au XIXe siècle, le lexique continue de se diversifier et de s'enrichir. Les applications pratiques des découvertes en sciences naturelles, en physique, en chimie et en médecine apportent beaucoup de mots nouveaux, pendant que de nouvelles sciences apparaissent, avec leur propre glossaire: l'archéologie, la paléontologie, l'ethnographie, la zoologie, la linguistique... Les progrès scientifiques et industriels engendrent aussi de nouveaux mots comme «avion» ou de nouveaux sens comme «voler», «gare». L'évolution sociale et politique n'est pas en reste en créant les mots «socialisme», «fédéralisme», «antidémocratique»... Le français emprunte également des mots aux romans russes dont on peut alors lire les premières traductions: *cosaque, steppe, toundra, moujik, mammouth, vodka...* Des termes anglais liés aux sports font leur apparition dans les journaux: *baseball, football, tennis,* etc. Héritage direct du siècle des Lumières, de nouveaux dictionnaires enrichissent la langue française : le *Grand dictionnaire universel* de Pierre Larousse et le *Dictionnaire de la langue française* d'Émile Littré.

Sur le plan international, le prestige de la langue anglaise commence à faire ombrage à la langue française, comme si le gallocentrisme était sur le point d'être périmé. Se dessine un double mouvement, qui s'accentuera au XX^e siècle : on associe dès lors le français à la culture et l'anglais aux affaires. Enfin, en 1878, « w » devient la 26^e lettre de l'alphabet français.

## Hugo et la langue argotique

Dans *Le dernier jour d'un condamné* (1829), Victor Hugo, par l'intermédiaire de son narrateur, s'interroge sur la richesse métaphorique et la fonction de la langue argotique.

# On dirait des crapauds et des araignées

Tous les dimanches, après la messe, on me lâche dans le préau, à l'heure de la récréation. Là, je cause avec les détenus : il le faut bien. Ils sont bonnes gens, les misérables. Ils me content leurs *tours,* ce serait à faire
5 horreur, mais je sais qu'ils se vantent. Ils m'apprennent à parler argot, à *rouscailler bigorne,* comme ils disent. C'est toute une langue entée sur la langue générale comme une espèce d'excroissance hideuse, comme une verrue. Quelquefois une énergie singulière, un
10 pittoresque effrayant : *il y a du raisiné sur le trimar* (du sang sur le chemin), *épouser la veuve* (être pendu), comme si la corde du gibet était veuve de tous les pendus. La tête d'un voleur a deux noms : *la sorbonne,* quand elle médite, raisonne et conseille le crime ; *la*
15 *tronche,* quand le bourreau la coupe. Quelquefois de l'esprit de vaudeville : *un cachemire d'osier* (une hotte de chiffonnier), *la menteuse* (la langue) ; et puis partout, à chaque instant, des mots bizarres, mystérieux, laids et sordides, venus on ne sait d'où : *le taule* (le bourreau),
20 *la cône* (la mort), *la placarde* (la place des exécutions). On dirait des crapauds et des araignées. Quand on entend parler cette langue, cela fait l'effet de quelque chose de sale et de poudreux, d'une liasse de haillons que l'on secouerait devant vous.

Victor Hugo, *Le dernier jour d'un condamné*, 1829.

VERS L'ANALYSE

## On dirait des crapauds et des araignées

1. Comment se manifeste le mépris du narrateur, au début de l'extrait ? Relevez un passage qui l'exprime et commentez-en l'écriture.
2. Quelle perception le narrateur a-t-il de l'argot ? Étayez votre réponse en vous appuyant sur :
   a) le lexique* employé pour désigner et qualifier l'argot ;
   b) les comparaisons* faites par l'auteur.
3. Hugo distingue deux impressions associées à l'argot.
   a) Qu'entend-il par « énergie singulière » et « pittoresque effrayant » ?
   b) En quoi ces expressions sont-elles connotées* ? Quels procédés d'écriture* peut-on y déceler ?
4. Tout en en faisant ressortir la laideur, l'auteur souligne la richesse, la subtilité et l'humour qui teintent la langue argotique. Expliquez le sens contextuel de ces expressions argotiques :
   a) sorbonne
   b) tronche
   c) cachemire d'osier
   d) menteuse
5. Recherchez les mots constituant le champ lexical* du monde carcéral.

# La littérature romantique: la raison à l'ombre du cœur

*Un caractère moral s'attache aux scènes de l'automne: ces feuilles qui tombent comme nos ans, ces fleurs qui se fanent comme nos heures, ces nuages qui fuient comme nos illusions, cette lumière qui s'affaiblit comme notre intelligence, ce soleil qui se refroidit comme nos amours, ces fleuves qui se glacent comme notre vie, ont des rapports secrets avec notre destinée.*

*Chateaubriand*

**Gustave Courbet, *Les amants heureux*, 1844.**

Opposée aux principes et aux valeurs du passé, la pensée chez les romantiques s'intériorise pour explorer de nouvelles avenues créatrices.

## Liberté et cosmopolitisme

Deux principes fondamentaux guident les écrivains durant tout le XIXe siècle. D'abord, la liberté de l'art: ils s'insurgent contre tous les principes, toutes les traditions et toutes les règles établies au XVIIe siècle et rejettent la raison universelle des Lumières du XVIIIe siècle. Ils revendiquent une liberté totale dans leur art, laissant l'imagination évincer la raison. Ensuite, le cosmopolitisme: ils abandonnent les influences grecque et latine pour se mettre à l'école des littératures étrangères, en particulier allemande et anglaise. Trois grands courants littéraires et artistiques traverseront le siècle en se réclamant de cette «modernité»: le romantisme, le réalisme/naturalisme et le symbolisme. Ils ne se sont pas constitués en école, mais ont plutôt attiré des personnalités très diverses partageant une sensibilité commune. Attardons-nous ici au romantisme.

La littérature porte généralement la marque de l'histoire; elle prend à son compte les enjeux et les débats qui forment la société. Dans les premières décennies du siècle, les jeunes, souvent des aristocrates, ont l'impression d'être emportés par une sorte d'accélération de l'histoire. Ils éprouvent un sentiment d'impuissance à imposer des valeurs authentiques dans une société dominée par l'appât du gain, dont ils se sentent exclus.

Un processus d'introspection amène cette génération ardente à conclure que la vie, dans l'anonymat des grandes villes, où chacun est forcé de se soumettre aux impératifs sociaux et économiques d'une bourgeoisie qui impose le conformisme comme mode de vie, n'a rien de très valorisant. Faute de pouvoir, et de vouloir, composer avec ce monde sans repères, une voie s'impose, la seule, lui semble-t-il, susceptible d'assurer un ancrage dans un univers à la dérive: le repli sur soi, la prééminence de la vie intérieure. Comme le monde est devenu incompréhensible, on s'efforce de se comprendre soi-même, d'explorer l'originalité fondamentale et sans limites du «moi», pour contrebalancer les frontières étouffantes de l'expérience commune. L'analyse des passions individuelles compense en quelque sorte les désillusions. C'est cette prééminence de la vie intérieure comme matière de l'art qui caractérisera tout le romantisme, qui est bien davantage un état d'esprit qu'un style.

## La littérature au fil des siècles

Au XVIe siècle, elle regorge de verve, de richesse et de passion.

Au XVIIe, elle valorise l'ordre, la raison et la gloire.

Au XVIIIe, elle est chargée de représenter l'élégance et l'esprit.

À l'époque romantique, elle fait triompher le lyrisme.

## Les origines du romantisme

En plein XVIIIe siècle, Jean-Jacques Rousseau a été le premier à opposer cette sensibilité nouvelle à la rigueur du classicisme et du rationalisme. Sa communion avec la nature, son aptitude à la rêverie et à la méditation ainsi que son intérêt pour l'analyse psychologique l'imposent comme le réformateur des formes anciennes et l'initiateur d'un nouveau courant. Au début du XIXe siècle, Mme de Staël et Chateaubriand poussent plus loin sa démarche et se font les précurseurs immédiats du romantisme, qui subit une forte influence étrangère. En effet, quand, en 1820, il prend toute son ampleur en France, le romantisme est déjà sur son déclin en Allemagne et en Angleterre.

De fait, bien avant la littérature française, la littérature allemande s'était élevée contre le rationalisme du siècle des Lumières. Influencé par Rousseau, Johann Wolfgang von Goethe a produit des œuvres qui exaltaient les émotions, les sentiments – surtout *Les souffrances du jeune Werther* et *Faust* –, et qui ont eu une influence considérable sur les romantiques français. De même pour la littérature anglaise : les romans historiques et gothiques d'inspiration fantastique de Walter Scott, les poèmes de Percy Bysshe Shelley et de John Keats autant que ceux de George Gordon Byron, sans oublier le théâtre de Shakespeare, ont contribué à établir la suprématie des passions sur la raison chez les écrivains de France.

Ces trois sources distinctes au départ fondront leurs courants formels et leurs aspirations pour former le grand fleuve romantique français.

## L'évolution du romantisme français

Dans les premières décennies du siècle, la littérature romantique est fondée sur une esthétique de l'émotion. Des ambiances subjectives rendent compte, de manière originale, de la complexité et de la singularité de l'âme humaine. Puis, après 1830, ces écrivains idéalistes se montrent de plus en plus sensibles au malaise social, à la paupérisation et à l'agitation des villes. Aspirant à changer le monde, ils s'engagent et se mêlent aux tensions qui déchirent la société. Parallèlement, ils créent des héros à figure prophétique qui méprisent les conventions mesquines. Les libertés bridées et menacées de l'artiste et de la collectivité ne font bientôt plus qu'une seule et même cause. L'écrivain romantique n'hésite pas à s'investir d'une mission, celle d'un prophète guidant le peuple vers sa libération :

> *Peuples ! Écoutez le poète !*
> *Écoutez le rêveur sacré !* [...]
> *Lui seul a le front éclairé !*
>
> *Victor Hugo*

Mais la révolution de 1848, qui aboutira à la consécration de l'ordre bourgeois, met bientôt fin au rêve romantique de transformer la société en une république généreuse, plus égalitaire et guidée par ses intellectuels.

## Une exigence de paroxysme

Les écrivains romantiques proposent une nouvelle compréhension de l'univers. Ils se détournent du mesurable et du reproductible, pour aborder le domaine de ce qui se suggère et se ressent, pour se vouer à l'observation de ce qu'il y a d'unique dans un individu. Cette exaltation de l'intériorité par l'imagination et la sensibilité contraint l'artiste à se plier à une constante exigence de paroxysme. Plongeant dans le cœur de l'homme pour y trouver les sources vives de la sensibilité, il est amené à donner une forme au pathétique de la condition humaine. En même temps que l'intuition prend le relais de l'intelligence, l'imagination, attentive aux vibrations et aux sentiments éprouvés par l'âme au contact du réel, les déforme, les amplifie, les exacerbe. Le romantisme véhicule donc une vision dramatique de l'humanité, une humanité aux prises avec un destin improbable et inquiétant, et dont le propre devenir lui échappe.

## Les thèmes privilégiés par le romantisme

*Mon cœur, lassé de tout, même de l'espérance* [...]
*Mais la nature est là qui t'invite et qui t'aime.*

*Lamartine*

Cette génération de jeunes créateurs assoiffés d'idéal ressent la déperdition de ses espoirs légitimes comme un malaise et un déchirement profonds. Et chaque auteur, pour l'exprimer, s'abandonne avec lyrisme à ce qu'il y a de plus original en lui, de plus intime : son « moi », son imagination, sa sensibilité. Tout l'art romantique est marqué par les états d'âme inquiets de ses créateurs, par leur sensibilité nostalgique et passionnée qui, sans retenue, laisse jaillir les émotions, notamment l'ennui, la lassitude ou le dégoût devant l'existence commune. On a donné à ce malaise existentiel les noms de « vague des passions », « mal romantique » ou « mal du siècle ».

Ce mal, l'écrivain veut l'exorciser, et c'est pour cette raison qu'il prend la plume. Il met des mots sur les souffrances de son âme. À cette fin, et pour éprouver de nouvelles émotions, certains thèmes sont privilégiés, tels que le dépaysement. D'abord un dépaysement dans l'espace : chacun aspire à un ailleurs apte à donner un sens à la condition humaine. Dans les terres lointaines, ils sont en quête d'une beauté hors des canons européens; ainsi ils acquièrent un goût pour l'exotisme, le pittoresque, la couleur locale, le curieux, le différent, l'étonnant, qui s'imposent comme référents principaux de leur nouvelle esthétique. L'imagination abolit l'espace pour aborder l'exotique Orient et ses paradis artificiels.

**Constance-Marie Charpentier, *La Mélancolie*, 1801.**

Les idéaux collectifs déçus sont à l'origine d'un « mal du siècle », d'une langueur et d'un dégoût qui amènent l'artiste à ne puiser qu'en lui-même les ressources de son lyrisme.

**Caspar David Friedrich, *Voyageur au-dessus de la mer de nuages*, 1818.**

Tantôt farouche et hostile, tantôt calme et bienveillante, la nature reflète l'agitation de l'âme des romantiques.

Les romantiques voyagent tout aussi bien dans un univers dont les limites reculent dans le passé. Leur dépaysement temporel a une préférence marquée pour le Moyen Âge, une période mythifiée où le gothique sert d'antidote à la tyrannie de l'Antiquité. Les ruines médiévales, encore présentes dans les campagnes françaises d'alors, deviennent de magnifiques sujets de descriptions, rappelant le passé glorieux de la nation, tout en forçant une réflexion sur la fragilité de l'existence humaine. Les premiers âges du christianisme sont aussi prétextes à l'évocation de la grandeur d'un temps révolu.

S'inscrivant en faux contre le rationalisme profane du siècle des Lumières et l'athéisme des révolutionnaires de 1789, l'écrivain romantique se permet une ouverture sur les mondes de l'au-delà. Il se plaît à croire en l'existence d'un monde idéal et spirituel, d'un dieu compréhensif avec qui il peut entrer en communication directe, l'âme individuelle fusionnant dans l'âme universelle. Ce Dieu fait l'objet d'une religiosité vague qui prend ses distances par rapport aux dogmes chrétiens et qui s'autorise quelques pointes du côté de la superstition et de l'occultisme. Cette énergie spirituelle va même puiser dans la source déferlante du fantastique, qui préfère l'appel de l'émotion aux certitudes de la raison.

La nature devient la grande confidente de ces artistes. Il ne s'agit plus d'une nature idéalisée, comme au temps du classicisme, mais de paysages à la sauvagerie indomptée et grandiose, chargés d'émotion humaine, appréhendés comme une intensité vivante, dans une sorte de communion mystique. Cette nature, non encore corrompue par les valeurs de la modernité et du progrès, peut, au gré des émotions, se montrer hostile, même complice de forces destructrices. Les artistes y trouvent le reflet de leurs angoisses et de leurs enthousiasmes; ils la peignent, aimable ou menaçante, en écho aux tourments de leur âme, à leurs sentiments contradictoires.

## Une nouvelle conception de la beauté

L'idéal classique voulait que la beauté soit le fruit de l'adéquation parfaite entre la forme et le contenu, entre l'esprit et la matière. Privé de cette composante, le concept de la beauté se modifie profondément. Le romantisme attache plus de prix à l'originalité et *au caractéristique* qu'au beau idéalisé et impersonnel. Eugène Delacroix dira que le beau *sort des entrailles avec des douleurs et des déchirements, comme tout ce qui est destiné à vivre*. Recréée par chaque artiste, la beauté n'a plus de modèle, ni extérieur ni idéal. Elle cesse d'être l'idée dominante de cette esthétique. On lui substitue le sublime, qui peut être tout aussi bien informe et macabre que grotesque. Pendant très longtemps, l'art empruntera fidèlement la voie tracée par cette nouvelle conception de la beauté.

### L'écriture romantique

Les écrivains romantiques aiment accueillir les contradictions, dans une coexistence qui constitue la grande nouveauté de ce courant. C'est ainsi que s'emmêlent fini et infini, réflexion et impulsion, beauté et mélancolie, vie et mort. Dans le vocabulaire, pour peindre les nuances de leur chagrin aussi bien que de leurs extases, le mot pittoresque évince le vocable noble; la capacité des mots à exprimer la puissance des passions importe plus que tout. Quant à la phrase, le mode lyrique voire élégiaque parvient le mieux à évoquer les états d'âme et à émouvoir le lecteur. Brillant d'un éclat inaccoutumé grâce à des figures nombreuses et inédites, le style use abondamment d'exclamations, de métaphores et d'antithèses afin de faire saillir chaque détail.

## La poésie: l'expression privilégiée des romantiques

*La poésie sera intime surtout, [...] l'écho profond, réel, sincère des plus mystérieuses impressions de l'âme.*

*Lamartine*

Après la disette du XVIIIe siècle, la poésie connaît une véritable explosion au siècle suivant, comme si les poètes voulaient repoétiser la littérature. Les romantiques ne s'égarent plus dans les recettes établies et les conventions; au contraire, ils reviennent à ce qui constitue la véritable essence de la poésie: un chant intérieur. Aux impératifs d'ordre formel, ils opposent les lois de l'amour et de la passion. Une poésie élégiaque d'un lyrisme aussi passionné que désespéré, qui revendique la suprématie des sentiments sur la technique. Les poètes se plaisent à inventorier avec de troubles délices leurs états d'âme, dans des poèmes où domine très souvent un «je» analysant le «moi». Ils explorent par ailleurs la complexité des rapports entre le «je» et le monde, ce qui en incite plusieurs à l'engagement, le «je» douloureux du poète s'identifiant au «nous» du peuple souffrant. Ils renouent ainsi avec une vieille tradition lyrique où les poètes chantaient à travers leur vie les malheurs de la condition humaine.

Dorénavant, tout le vocabulaire peut être employé; les vers à la métrique variée sont la norme; le rejet et l'enjambement disloquent l'alexandrin. Par ce travail sur la langue, chaque poète tend à créer son propre langage. Ce qui permettra sous peu à la poésie de devenir, comme disait Rimbaud, une véritable «alchimie du verbe».

Certains thèmes récurrents s'avèrent particulièrement aptes à traduire le mal de vivre et à rendre compte des états d'âme d'une conscience saisie par le vertige du temps: les ruines, les crépuscules, les couchers de soleil, l'automne, la nuit et la lune, les orages et les tempêtes d'une nature déchaînée. Pour exprimer la violence des sentiments, le poète laisse son imagination en libre vagabondage, d'où la présence d'images inattendues et mystérieuses. L'usage fréquent des comparaisons, des métaphores, des suggestions et des symboles contribue à traduire la complexité et la richesse de l'être humain. Quand des personnages habitent les poèmes, ceux qui sont féminins sont idéalisés alors que les personnages masculins sont généralement typés dans la révolte et le désespoir. Enfin, le poète fait si bien éclater le corset de la forme traditionnelle que le poème peut dorénavant s'écrire en prose.

## Alphonse de Lamartine (1790-1869)

*Borné dans sa nature, infini dans ses vœux,*
*L'homme est un dieu tombé qui se souvient des cieux.*

Jeune aristocrate idéaliste, Alphonse de Lamartine entretient les plus hautes ambitions politiques. Engagé dans la carrière diplomatique, il est aussi député puis ministre, avant de diriger le gouvernement provisoire de 1848 ; candidat aux présidentielles, il essuie un cuisant échec face au prince Napoléon.

Lamartine signe les véritables débuts de la poésie romantique avec ses *Méditations poétiques* (1820). Dans des poèmes plus tendres que passionnés, où il laisse s'épancher sa sensibilité et son lyrisme, le poète décrit en toute sincérité ses états d'âme et ses croyances. De caractère sentimental et rêveur, il privilégie les thèmes de la fuite du temps et de la nature consolatrice.

*Le lac*, que la mort d'une jeune femme qu'il aimait lui a inspiré, livre des impressions teintées de mélancolie. Avec un sens musical indéniable, où les sonorités sont soignées alors que le rythme donne au texte toute sa grâce, le poète développe les thèmes du temps qui fuit et de la nature qui peut apporter une réponse au mal de vivre.

**Henri Decaisne, *Alphonse de Lamartine*, 1830.**
Effrayé par la fuite du temps, désolé devant ses ravages, Lamartine, dans ses poèmes mélancoliques, cherche réconfort dans les éléments de la nature.

# Le lac

Ainsi, toujours poussés vers de nouveaux rivages,
Dans la nuit éternelle emportés sans retour,
Ne pourrons-nous jamais sur l'océan des âges
Jeter l'ancre un seul jour ?

5 Ô lac ! l'année à peine a fini sa carrière,
Et près des flots chéris qu'elle devait revoir,
Regarde ! je viens seul m'asseoir sur cette pierre
Où tu l'as vue s'asseoir !

Tu mugissais ainsi sous ces roches profondes ;
10 Ainsi tu te brisais sur leurs flancs déchirés ;
Ainsi le vent jetait l'écume de tes ondes
Sur ses pieds adorés.

Un soir, t'en souvient-il ? nous voguions en silence ;
On n'entendait au loin, sur l'onde et sous les cieux,
15 Que le bruit des rameurs qui frappaient en cadence
Tes flots harmonieux.

Tout à coup des accens inconnus à la terre
Du rivage charmé frappèrent les échos ;
Le flot fut attentif, et la voix qui m'est chère
20 Laissa tomber ces mots :

« Ô temps, suspends ton vol ! et vous, heures propices[1],
Suspendez votre cours :
Laissez-nous savourer les rapides délices
Des plus beaux de nos jours !

25 Assez de malheureux ici-bas vous implorent :
Coulez, coulez pour eux ;
Prenez avec leurs jours les soins[2] qui les dévorent ;
Oubliez les heureux.

Mais je demande en vain quelques moments encore :
30 Le temps m'échappe et fuit ;
Je dis à cette nuit : Sois plus lente, et l'aurore
Va dissiper la nuit.

Aimons donc, aimons donc ; à l'heure fugitive,
Hâtons-nous, jouissons !
35 L'homme n'a point de port, le temps n'a point de rive ;
Il coule, et nous passons ! »

Temps jaloux, se peut-il que ces momens d'ivresse,
Où l'amour à longs flots nous verse le bonheur,
S'envolent loin de nous de la même vitesse
40 Que les jours de malheur ?

Eh quoi ! n'en pourrons-nous fixer au moins la trace ?
Quoi ! passés pour jamais ? quoi ! tout entiers perdus ?
Ce temps qui les donna, ce temps qui les efface,
Ne nous les rendra plus !

45 Éternité, néant, passé, sombres abîmes,
Que faites-vous des jours que vous engloutissez ?
Parlez : nous rendrez-vous ces extases sublimes
Que vous nous ravissez ?

Ô lac ! rochers muets ! grottes ! forêts obscures !
50 Vous que le temps épargne ou qu'il peut rajeunir,
Gardez de cette nuit, gardez, belle nature,
Au moins le souvenir !

Qu'il soit dans ton repos, qu'il soit dans tes orages,
Beau lac, et dans l'aspect de tes riants coteaux,
55 Et dans ces noirs sapins, et dans ces rocs sauvages
Qui pendent sur tes eaux !

Qu'il soit dans le zéphyr qui frémit et qui passe,
Dans les bruits de tes bords par tes bords répétés,
Dans l'astre au front d'argent qui blanchit ta surface
60 De ses molles clartés !

Que le vent qui gémit, le roseau qui soupire,
Que les parfums légers de ton air embaumé,
Que tout ce qu'on entend, l'on voit ou l'on respire,
Tout dise : Ils ont aimé !

Alphonse de Lamartine, *Méditations poétiques*, 1820.

**1.** Favorables. **2.** Soucis.

VERS L'ANALYSE

## Le lac

1. Ce poème de Lamartine comporte plusieurs caractéristiques du romantisme. Expliquez en quoi il s'inscrit dans ce courant :
   a) sur le plan du contenu ;
   b) sur le plan de la forme* (structure*, rythme*, procédés*).
2. a) Relevez les mots et expressions par lesquels s'exprime concrètement le thème* du temps dans ce poème.
   b) D'après les éléments recensés, décrivez l'espace temporel couvert par Lamartine dans ce poème.
   c) Quel aspect de ce thème* semble mis en évidence ?
3. Lamartine met plusieurs figures de style* au service du thème* de la fuite du temps. Trouvez celles qui se trouvent dans les vers suivants et expliquez leurs effets :
   a) *Ne pourrons-nous jamais sur l'océan des âges*
      *Jeter l'ancre un seul jour ?* (v. 3-4)
   b) *Ô temps, suspends ton vol ! et vous, heures propices,*
      *Suspendez votre cours* (v. 21-22)
   c) *Prenez avec leurs jours les soins qui les dévorent* (v. 27)

### Sujet d'analyse littéraire

**Analysez ce poème en montrant comment les éléments de la nature traduisent les émotions de son auteur.**

## Quelques vers célèbres de Lamartine

« Un seul être vous manque, et tout est dépeuplé. »

« Aux regards d'un mourant le soleil est si beau ! »

« Un grand peuple sans âme est une vaste foule. »

« Comme des pas muets qui marchent sur des mousses. »

« Quel crime avons-nous fait pour mériter de naître ? »

## Alfred de Musset (1810-1857)

*Les plus désespérés sont les chants les plus beaux*
*Et j'en sais d'immortels qui sont de purs sanglots.*

Enfant prodige, dès l'âge de 14 ans Alfred de Musset se fait remarquer par son génie poétique. Cet auteur fécond dans plusieurs genres littéraires – poésie, récit autobiographique, théâtre – a une vie sentimentale mouvementée : de nombreuses conquêtes amoureuses ne vont laisser qu'amertume dans son âme tourmentée, éprise d'absolu.

Musset fournit dans ses vers l'expression spontanée de son humeur et de son âme ; sa sensibilité incomparable donne l'impression qu'il porte son cœur en écharpe. Convaincu de l'irrémédiable solitude humaine en plus de celle inhérente au poète, il s'interroge sur les rapports entre la douleur et la création artistique, demande à la vertu des mots d'alléger sa souffrance.

Grâce à un style d'une grande souplesse, toujours élégant et gracieux, Musset parvient à une éloquence ardente et douloureuse. Dans *Les nuits* (1835-1837), des dialogues émouvants entre le poète accablé par la douleur et la Muse qui veut l'inspirer et lui suggérer l'espoir, la poésie devient un véritable chant de souffrance, tout en démontrant, paradoxalement, que la douleur peut être inspiratrice, salvatrice. Tel le pélican qui donne son cœur en pâture à ses oisons affamés, le poète livre au lecteur les vers que lui dicte sa douleur.

## Quelques vers célèbres de Musset

« Mon verre n'est pas grand, mais je bois dans mon verre. »

« Qu'importe le flacon pourvu qu'on ait l'ivresse ? »

« La vie est un sommeil, l'amour en est le rêve,
Et vous aurez vécu si vous avez aimé. »

« Je suis venu trop tard dans un monde trop vieux. »

« À défaut de pardon, laisse venir l'oubli. »

« L'homme est un apprenti, la douleur est son maître,
Et nul ne se connaît tant qu'il n'a pas souffert. »

« Le seul bien qui me reste au monde
Est d'avoir quelquefois pleuré. »

« Un souvenir heureux est peut-être sur terre
Plus vrai que le bonheur. »

« Il n'est pire douleur
Qu'un souvenir heureux dans les jours de malheur. »

**Eugène Lami, *La nuit d'octobre*, illustration du livre *Les nuits* d'Alfred de Musset, 1883.**

Le poète, seul et incompris, implore la Muse de l'inspirer dans l'expression d'une douleur à la fois insoutenable et indissociable de l'acte créateur.

# Le pélican[1]

Rien ne nous rend si grands qu'une grande douleur.
Mais, pour en être atteint, ne crois pas, ô poète,
Que ta voix ici-bas doive rester muette.
Les plus désespérés sont les chants les plus beaux,
5 Et j'en sais d'immortels qui sont de purs sanglots.
Lorsque le pélican, lassé d'un long voyage,
Dans les brouillards du soir retourne à ses roseaux,
Ses petits affamés courent sur le rivage
En le voyant au loin s'abattre sur les eaux.
10 Déjà, croyant saisir et partager leur proie,
Ils courent à leur père avec des cris de joie
En secouant leurs becs sur leurs goîtres hideux.
Lui, gagnant à pas lents une roche élevée,
De son aile pendante abritant sa couvée,
15 Pêcheur mélancolique, il regarde les cieux.
Le sang coule à longs flots de sa poitrine ouverte;
En vain il a des mers fouillé la profondeur:
L'Océan était vide et la plage déserte;
Pour toute nourriture il apporte son cœur.
20 Sombre et silencieux, étendu sur la pierre,
Partageant à ses fils ses entrailles de père,
Dans son amour sublime il berce sa douleur,
Et, regardant couler sa sanglante mamelle,
Sur son festin de mort il s'affaisse et chancelle,
25 Ivre de volupté, de tendresse et d'horreur.
Mais parfois, au milieu du divin sacrifice,
Fatigué de mourir dans un trop long supplice,
Il craint que ses enfants ne le laissent vivant;
Alors il se soulève, ouvre son aile au vent,
30 Et, se frappant le cœur avec un cri sauvage,
Il pousse dans la nuit un si funèbre adieu,
Que les oiseaux des mers désertent le rivage,
Et que le voyageur attardé sur la plage,
Sentant passer la mort, se recommande à Dieu.
35 Poète, c'est ainsi que font les grands poètes.
Ils laissent s'égayer ceux qui vivent un temps;
Mais les festins humains qu'ils servent à leurs fêtes
Ressemblent la plupart à ceux des pélicans.
Quand ils parlent ainsi d'espérances trompées,
40 De tristesse et d'oubli, d'amour et de malheur,
Ce n'est pas un concert à dilater le cœur.
Leurs déclamations sont comme des épées:
Elles tracent dans l'air un cercle éblouissant,
Mais il y pend toujours quelque goutte de sang.

Alfred de Musset, « La Nuit de mai »,
*Les nuits*, 1835.

1. Dans cet extrait, c'est la Muse qui parle au poète.

## VERS L'ANALYSE

### Le pélican

1. Ce poème revêt une tonalité pathétique*. Quels éléments thématiques et formels permettent de le constater?
2. a) La poésie romantique associe l'acte de création à la souffrance. Relevez des vers qui, dès le début, laissent entrevoir cet aspect.
   b) Relevez la figure d'opposition* présente dans ces vers et expliquez-en l'effet.
   c) Faites de même avec deux autres passages dans lesquels vous repérez un contraste dont un élément concerne la douleur. Pour chacun, déterminez l'autre facette de l'opposition et décrivez-en les effets.
   d) Que révèle l'allégorie* du pélican sur la vision romantique du poète? Justifiez votre réponse en mettant en relation le récit du pélican et le propos qu'adresse la Muse au poète.
3. Quel aspect du rôle du père décrit le mieux la relation entre le pélican et ses petits? En ce sens, expliquez l'échec de l'oiseau.
4. Par l'allusion au sacrifice, le poème prend une dimension religieuse.
   a) Relevez les éléments du champ lexical* de la religion.
   b) Repérez un vers permettant de croire que le pélican incarne en quelque sorte un martyre. Expliquez l'effet d'un procédé d'écriture* qui soutient cette idée.

## Alfred de Vigny (1797-1863)

*À voir ce que l'on fut sur terre et ce qu'on laisse,*
*Seul le silence est grand; tout le reste est faiblesse.*

Poète-philosophe, Alfred de Vigny est hanté par la question du mal et de la souffrance. Aussi, contrairement aux autres romantiques, il n'a pas voulu se faire le chantre des épanchements de son cœur et de ses tourments personnels. Il voit plutôt dans la poésie un art sérieux porteur d'une mission et s'emploie donc, sous forme imagée et poétique, à répandre ses idées.

La poésie se met ici au service d'une seule cause : traduire l'angoisse de l'homme face à son destin. Vigny exprime la solitude inhérente à l'humain et la détresse de la condition humaine, parce qu'il n'y a rien à attendre ni de la nature ni de Dieu. C'est le mal de vivre dans un monde sans issue, comme si un aveugle destin pesait sur chacun. Le poète ne se contente donc pas de simples compositions descriptives ; il cherche plutôt dans la nature ou dans l'histoire des sujets dont il puisse tirer une conclusion morale, en faire des symboles. Avec une élégance dans le désespoir, Alfred de Vigny a produit une œuvre d'une beauté sévère, marquée par la fermeté de la pensée et de l'expression.

*Le cor*, tout en faisant écho au fier passé de la nation, celui de l'époque de *La chanson de Roland* (*voir* p. 18), chante la solitude et la solidarité des créatures souffrantes.

# Le cor

J'aime le son du Cor, le soir, au fond des bois,
Soit qu'il chante les pleurs de la biche aux abois,
Ou l'adieu du chasseur que l'écho faible accueille,
Et que le vent du nord porte de feuille en feuille.

5 Que de fois, seul, dans l'ombre à minuit demeuré,
J'ai souri de l'entendre, et plus souvent pleuré !
Car je croyais ouïr de ces bruits prophétiques
Qui précédaient la mort des Paladins[1] antiques.

Ô montagnes d'azur ! ô pays adoré !
10 Rocs de la Frazona, cirque de Marboré[2],
Cascades qui tombez des neiges entraînées,
Sources, gaves, ruisseaux, torrents des Pyrénées ;

Monts gelés et fleuris, trône des deux saisons,
Dont le front est de glace et le pied de gazons !
15 C'est là qu'il faut s'asseoir, c'est là qu'il faut entendre
Les airs lointains d'un Cor mélancolique et tendre.

Souvent un voyageur, lorsque l'air est sans bruit,
De cette voix d'airain fait retentir la nuit ;
À ses chants cadencés autour de lui se mêle
20 L'harmonieux grelot du jeune agneau qui bêle.

Une biche attentive, au lieu de se cacher,
Se suspend immobile au sommet du rocher,
Et la cascade unit, dans une chute immense,
Son éternelle plainte aux chants de la romance.

25 Âmes des Chevaliers, revenez-vous encor ?
Est-ce vous qui parlez avec la voix du Cor ?
Roncevaux ! Roncevaux ! dans ta sombre vallée
L'ombre du grand Roland n'est donc pas consolée !

Alfred de Vigny, *Poèmes antiques et modernes*, 1825.

1. Au Moyen Âge, seigneurs de la suite du roi Charlemagne. 2. Selon la légende, lieux des Pyrénées centrales que Roland traversa avant de mourir à Roncevaux.

**Jean-Baptiste Corot, *L'étang à l'arbre penché*, 1873.**

Devant l'éclatement, la nature est, pour les romantiques, le lieu de l'affirmation d'une morale qui naît de la recherche de certitudes.

## Le cor

1. a) Qu'évoque le son du cor pour le poète ?
   b) Résumez et expliquez le contexte dépeint par le poète. À quels lieux et à quelle légende fait-il référence ?
   c) Quels sentiments et valeurs viennent souligner ces éléments ?
   d) En quoi Roland s'apparente-t-il au poète romantique ?
2. Relevez deux vers illustrant la richesse de la nature. Commentez l'effet d'un procédé d'écriture* pour chacun.
3. La mélancolie caractérise la poésie romantique. Comment s'exprime-t-elle dans ce poème ? Commentez chacune des citations suivantes en vous arrêtant au fond* et à la forme*.

| Citation | Manifestations thématiques et formelles |
|---|---|
| *Que de fois, seul, dans l'ombre à minuit demeuré, / J'ai souri de l'entendre, et plus souvent pleuré !* (v. 5-6) | |
| *Et la cascade unit, dans une chute immense, / Son éternelle plainte aux chants de la romance.* (v. 23-24) | |
| *Roncevaux ! Roncevaux ! dans ta sombre vallée / L'ombre du grand Roland n'est donc pas consolée !* (v. 27-28) | |

4. De par son thème*, le poème revêt un caractère solennel. Relevez des éléments qui permettent de le constater et justifiez votre réponse.

## Quelques vers célèbres de Vigny

« Aimez ce que jamais on ne verra deux fois. »

« Que m'importe le jour ? que m'importe le monde ? Je dirai qu'ils sont beaux quand tes yeux l'auront dit. »

« Seul le silence est grand ; tout le reste est faiblesse. »

« Le vrai Dieu, le Dieu fort, est le Dieu des idées. »

« L'honneur, c'est la poésie du devoir. »

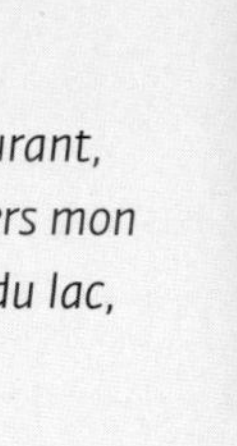

## Louis Bertrand, dit Aloysius Bertrand (1807-1841)

*Chaque flot est un ondin qui nage dans le courant, chaque courant est un sentier qui serpente vers mon palais, et mon palais est bâti fluide, au fond du lac, dans le triangle du feu, de la terre et de l'air.*

Aloysius Bertrand, dans sa quête du sens et d'une vie créatrice, choisit d'aller au-delà des émotions pour explorer le territoire inconnu où elles prennent racine. Pour parcourir les lieux irrationnels de l'âme, il privilégie le rêve et ses visions fantastiques, situées entre réel et imaginaire.

Ainsi paraît en 1842 *Gaspard de la nuit*, considéré généralement comme le premier recueil de poèmes en prose. Des textes brefs et condensés composés de courts paragraphes présentent des atmosphères oniriques aux images étonnantes ; des époques différentes sont fusionnées alors qu'abondent les contrastes entre ombre et lumière. Tout le répertoire des thèmes en vogue dans le courant noir des années 1830 s'y trouve : goût du Moyen Âge et du gothique, sujets fantastiques et énigmatiques, mélange du sentimental et du grotesque, magies et diableries.

L'écriture cherche à délivrer de son écorce la substance poétique de la prose alors que la souplesse du rythme exprime les mouvements de la pensée. C'est la lecture de ce recueil qui aurait inspiré Baudelaire pour composer ses petits poèmes en prose.

# Un rêve

*J'ai rêvé tant et plus, mais je n'y entends note.*
(*Pantagruel*, livre III)

Il était nuit. Ce furent d'abord, – ainsi j'ai vu, ainsi je raconte, – une abbaye aux murailles lézardées par la lune, – une forêt percée de sentiers tortueux, – et le Morimont[1] grouillant de capes et de chapeaux. (5)

Ce furent ensuite, – ainsi j'ai entendu, ainsi je raconte, – le glas funèbre d'une cloche, auquel répondaient les sanglots funèbres d'une cellule, – des cris plaintifs et ces rires féroces dont frissonnait chaque feuille le long d'une ramée, – et les prières bourdonnantes des pénitents noirs qui accompagnaient un criminel au supplice. (10)

Ce furent enfin, – ainsi s'acheva le rêve, ainsi je raconte, – un moine qui expirait couché dans la cendre des agonisants, – une jeune fille qui se débattait pendue aux branches d'un chêne, – et moi que le bourreau liait échevelé sur les rayons de la roue. (15)

Dom Augustin, le prieur défunt, aura, en habit de cordelier, les honneurs de la chapelle ardente, et Marguerite, que son amant a tuée, sera ensevelie dans sa blanche robe d'innocence, entre quatre cierges de cire. (20, 25)

Mais moi, la barre du bourreau s'était, au premier coup, brisée comme un verre, les torches des pénitents noirs s'étaient éteintes sous des torrents de pluie, la foule s'était écoulée avec les ruisseaux débordés et rapides, – et je poursuivais d'autres songes vers le réveil. (30)

Aloysius Bertrand, *Gaspard de la nuit*, 1842 (œuvre posthume).

1. Place des exécutions, à Dijon.

VERS L'ANALYSE

## Un rêve

1. a) Dans quel ordre et sous quel angle les éléments des trois histoires sont-ils présentés ? Reconstituez les étapes du dévoilement pour chacune.
   b) Comment ce dévoilement progressif contribue-t-il à recréer l'ambiance onirique ?
   c) Qu'ont en commun les trois destins ?
   d) Quel récit se distingue des autres ? Pourquoi ?
2. L'écriture de Bertrand se veut énigmatique.
   a) Par quel passage apprend-on que le narrateur est partie prenante des événements qu'il raconte ?
   b) En quoi son récit est-il mystérieux ? Quel élément demeure en quelque sorte voilé ? Que pourrait-on supposer quant à son implication dans les événements qu'il relate ?
3. À l'instar de la poésie, la prose poétique accorde beaucoup de soin au rythme et aux sonorités, mis au service de l'atmosphère décrite.
   a) Comment la structure du texte* et des phrases* contribue-t-elle à l'ambiance inquiétante ?
   b) Citez un passage où les sonorités* corroborent cet effet et nommez le procédé d'écriture* qui le crée.
4. Décrivez les impressions créées par la fuite du criminel en vous attardant au dernier paragraphe. Pour appuyer votre propos, examinez les effets des figures de ressemblance* présentes dans ce segment.
5. Expliquez en quoi la fin abolit la frontière entre le monde conscient et le rêve.

## Gérard Labrunie, dit Gérard de Nerval (1808-1855)

*Dans les rêves, on ne voit jamais le soleil, bien qu'on ait souvent la perception d'une clarté beaucoup plus vive.*

D'un tempérament mystique, Gérard de Nerval, dont la vie fut une interminable descente aux enfers, est le poète du rêve éveillé, du songe qui vient s'épancher dans la vie réelle. Pour lui, *le rêve est une seconde vie*: il abolit le temps, fusionne des moments du passé et du présent, permet de revivre, en les transformant, les passions amoureuses, même les plus éphémères. C'est particulièrement le cas de la passion que lui a inspirée l'actrice Jenny Colon, point central de toute son œuvre. Toujours à la poursuite de cette femme disparue et hanté par la mort, le poète est saisi de rêves étranges et fabuleux, jusqu'à ce que sa pensée se lézarde, le présent et le passé se confondant.

Quand Nerval connaît des crises psychotiques (qui le conduiront au suicide), la folie devient pour lui un nouvel espace poétique: jamais, comme poète, il n'aura été aussi fécond que dans ses moments de rémission où il explore le monde secret de son dérèglement mental et de ses déchirements intérieurs, ouvrant ainsi la voie à l'analyse psychanalytique. Le tragique destin de ce «soleil noir» aura donné naissance à une œuvre d'une exceptionnelle richesse formelle, l'une des plus fortes du romantisme.

Nerval cultive une écriture qui se tient à distance des recettes poétiques traditionnelles. Il recherche les effets poétiques par des associations de mots inattendues et par des sonorités inhabituelles. Les formules ainsi créées détiennent un grand pouvoir de suggestion. Dans le sonnet *El desdichado*, Nerval juxtapose des images qui expriment le destin tragique du poète. Le lecteur peut en déduire la vie imaginaire du poète.

# El desdichado[1]

Je suis le ténébreux, – le veuf, – l'inconsolé,
Le prince d'Aquitaine à la tour abolie[2]:
Ma seule *étoile* est morte, – et mon luth constellé
Porte le *Soleil noir* de la *Mélancolie*.

5 Dans la nuit du tombeau, toi qui m'as consolé,
Rends-moi le Pausilippe[3] et la mer d'Italie,
La *fleur* qui plaisait tant à mon cœur désolé,
Et la treille où le pampre à la rose s'allie.

Suis-je Amour[4] ou Phébus[5]?... Lusignan[6] ou Biron[7]?
10 Mon front est rouge encor du baiser de la reine;
J'ai rêvé dans la grotte où nage la syrène...

Et j'ai deux fois vainqueur traversé l'Achéron[8]:
Modulant tour à tour sur la lyre d'Orphée[9]
Les soupirs de la sainte et les cris de la fée.

Gérard de Nerval, *Les chimères*, 1854.

**1.** Le déshérité; nom donné au chevalier d'un roman de Walter Scott, Ivanhoé (1819). **2.** Nerval pensait descendre d'un chevalier du Périgord, ancienne région d'Aquitaine, dont les armes portaient trois tours d'argent. **3.** Promontoire près de Naples, en Italie. **4.** Divinité représentée comme un enfant ailé qui blesse les cœurs de ses flèches. **5.** Dieu soleil. **6.** Époux de la fée Mélusine. **7.** Seigneur fidèle d'Henri IV. **8.** Fleuve des enfers. **9.** Le plus célèbre poète et musicien de la mythologie grecque.

## Quelques vers célèbres de Nerval

« L'ivresse, en troublant les yeux du corps, éclaircit ceux de l'âme. »

« L'avenir est un fantôme aux mains vides, qui promet tout et qui n'a rien. »

« La mélancolie est une maladie qui consiste à voir les choses comme elles sont. »

« L'ignorance ne s'apprend pas. »

« Les illusions tombent l'une après l'autre, comme les écorces d'un fruit, et le fruit, c'est l'expérience. Sa saveur est amère. »

VERS L'ANALYSE

### El desdichado

1. Le poète annonce d'emblée le caractère sombre de son poème. Dans la première strophe, commentez en ce sens:
   a) l'accumulation* et le choix des mots qui la constituent;
   b) les métaphores*;
   c) l'oxymore*.
2. L'ensemble du poème repose sur les contrastes.
   a) Dressez le champ lexical* de deux thèmes* qui s'opposent.
   b) Relevez trois figures d'opposition* et décrivez leurs effets.
3. a) La femme semble être à l'origine de la souffrance du poète. Quels indices permettent de le constater?
   b) La femme semble prendre différentes formes dans l'imaginaire de Nerval. Sous quels traits se présente-t-elle?
   c) Citez et commentez deux vers qui laissent entrevoir l'idéalisation de la femme.
4. Comment l'allitération* de la dernière strophe s'inscrit-elle en adéquation avec le propos*?

## Victor Hugo (1802-1885)

*La faim, c'est le regard de la prostituée,*
*C'est le bâton ferré du bandit, c'est la main*
*Du pâle enfant volant un pain sur le chemin.*

Véritable «Roi-Soleil» de la littérature, chef de file des romantiques, Victor Hugo occupe, par la puissance de son génie lyrique, satirique et épique, une place exceptionnelle dans la poésie du XIXe siècle. Couronné à 15 ans par l'Académie française, il ne cessera jamais d'écrire, produisant avec une ferveur égale des recueils lyriques, des drames et des romans. Dessinateur génial, homme de passion et de conviction, tribun énergique, écrivain virtuose, Hugo s'est cru investi d'une mission civilisatrice et prophétique, se considérant comme un mage, un guide des nations, voire l'interprète de Dieu.

Mais celui qui ne visait rien de moins que de «devenir l'écho sonore» de son siècle a fait preuve d'une bonté au moins aussi grande que son orgueil: il n'a jamais hésité à mettre sa plume et sa personne au service des causes humanitaires, se portant à la défense des humbles et des démunis. *Ma vie se résume en deux mots: solitaire, solidaire*, a-t-il écrit.

Hugo ne cesse de combattre la logique politique qui engendre la tyrannie, ni de pourfendre l'obscurantisme. Révolutionnaire, il défend l'idée subversive à l'époque que la misère ne peut être considérée comme une fatalité sociale, mais qu'elle doit être décrite *pour que la conscience de son obscénité* [...] *préside à son inéluctable dissolution*. Sa confiance inébranlable dans le progrès et ses idées généreuses le convainquent que les forces du bien finiront par triompher.

L'imagination descriptive de Victor Hugo a cette faculté de créer une vérité poétique qui se substitue au monde réel, de faire surgir le réel au lieu de le reproduire. Sa versification, chef-d'œuvre de souplesse et de force, donne à des sujets communs des proportions sublimes. *Fonction du poète* révèle la haute mission dont Hugo s'estime investi. *Melancholia* se fait plaidoyer en faveur des enfants forcés d'accomplir un travail inhumain.

# Fonction du poète

Peuples! écoutez le poète!
Écoutez le rêveur sacré!
Dans votre nuit, sans lui complète,
Lui seul a le front éclairé!
5 Des temps futurs perçant les ombres,
Lui seul distingue en leurs flancs sombres
Le germe qui n'est pas éclos.
Homme, il est doux comme une femme.
Dieu parle à voix basse à son âme
10 Comme aux forêts et comme aux flots!

C'est lui qui, malgré les épines,
L'envie et la dérision,
Marche courbé dans vos ruines,
Ramassant la tradition.
15 De la tradition féconde
Sort tout ce qui couvre le monde,
Tout ce que le ciel peut bénir.
Toute idée, humaine ou divine,
Qui prend le passé pour racine
20 A pour feuillage l'avenir.

Il rayonne! il jette sa flamme
Sur l'éternelle vérité!
Il la fait resplendir pour l'âme
D'une merveilleuse clarté!
25 Il inonde de sa lumière
Ville et déserts, Louvre et chaumière,
Et les plaines et les hauteurs;
À tous d'en haut il la dévoile;
Car la poésie est l'étoile
30 Qui mène à Dieu rois et pasteurs[1]!

Victor Hugo, *Les rayons et les ombres*, 1839.

1. Allusion à l'étoile qui guida les bergers et les rois mages vers l'étable de Bethléem à la naissance du Christ.

## Fonction du poète

VERS L'ANALYSE

1. a) Dressez le portrait du poète décrit par Hugo. Quelle serait sa principale qualité?
   b) Dans le poème, cette qualité est représentée par la lumière. Relevez deux métaphores* insistant sur cet aspect du poète et de son œuvre.
   c) À la lumière de ces constats, rattachez le propos* du poème à son titre. Quelle est sa fonction?
2. Hugo insiste sur les caractéristiques exceptionnelles du poète.
   a) Quelle association laisse croire en l'élévation morale du poète? Relevez une figure de style* et commentez le lexique* en lien avec cette idée.
   b) Expliquez l'effet de la forme exclamative* et de l'emploi de l'impératif*.
3. Au moyen de quels procédés d'écriture* l'auteur met-il l'accent sur la persévérance et la détermination du poète? Citez et commentez un passage éloquent à cet égard.

***Enfants poussant un chariot dans une mine en Angleterre*, gravure, v. 1845.**

La plume brillante et indignée de Victor Hugo se porte à la défense des opprimés en refusant la misère comme destin inéluctable.

# Melancholia

Où vont tous ces enfants dont pas un seul ne rit ?
Ces doux êtres pensifs, que la fièvre maigrit ?
Ces filles de huit ans qu'on voit cheminer seules ?
Ils s'en vont travailler quinze heures sous des meules ;
5 Ils vont, de l'aube au soir, faire éternellement
Dans la même prison le même mouvement.
Accroupis sous les dents d'une machine sombre,
Monstre hideux qui mâche on ne sait quoi dans l'ombre,
Innocents dans un bagne, anges dans un enfer,
10 Ils travaillent. Tout est d'airain, tout est de fer.
Jamais on ne s'arrête et jamais on ne joue.
Aussi quelle pâleur ! la cendre est sur leur joue.
Il fait à peine jour, ils sont déjà bien las.
Ils ne comprennent rien à leur destin, hélas !
15 Ils semblent dire à Dieu : « Petits comme nous sommes,
« Notre père, voyez ce que nous font les hommes ! »
Ô servitude infâme imposée à l'enfant !
Rachitisme ! travail dont le souffle étouffant
Défait ce qu'a fait Dieu ; qui tue, œuvre insensée,
20 La beauté sur les fronts, dans les cœurs la pensée,
Et qui ferait – c'est là son fruit le plus certain ! –
D'Apollon un bossu, de Voltaire un crétin !
Travail mauvais qui prend l'âge tendre en sa serre,
Qui produit la richesse en créant la misère,
25 Qui se sert d'un enfant ainsi que d'un outil !

Victor Hugo, *Les contemplations*, 1855.

VERS L'ANALYSE

## Melancholia

1. a) Ce poème reflète l'engagement social et politique de Victor Hugo. Quelle situation dénonce-t-il ?
   b) À quel aspect du romantisme correspond cet engagement ?
2. Plusieurs moyens sont mis en œuvre par Hugo pour insister sur le caractère inacceptable de la situation et susciter la pitié du lecteur.
   a) Décrivez l'effet de la forme interrogative* au début du poème.
   b) Expliquez comment les variations de la posture d'énonciation* contribuent au pathétisme. Citez un passage qui appuie votre propos.
3. La dénonciation faite par Hugo repose sur les contrastes. Relevez et nommez trois figures d'opposition*. Décrivez-en les effets.
4. Relevez les figures de style* qui décrivent le travail. Quel sens commun les relie ?

## Quelques vers célèbres de Hugo

« Et ton amour m'a fait une virginité. »

« Ô l'amour d'une mère ! [...]
Chacun en a sa part et tous l'ont tout entier ! »

« Souvent femme varie
Bien fol est qui s'y fie ! »

« Oh ! N'insultez jamais une femme qui tombe !
Qui sait sous quel fardeau la pauvre âme succombe. »

« La popularité ? c'est la gloire en gros sous. »

« Et l'on voit tout au fond, quand l'œil ose y descendre,
Un affreux soleil noir d'où rayonne la nuit ! »

« Vêtu de probité candide et de lin blanc. »

« La moitié d'un ami, c'est la moitié d'un traître. »

« Et s'il n'en reste qu'un, je serai celui-là. »

« J'en passe et des meilleurs. »

« La forme, c'est le fond qui remonte à la surface. »

**Anne-Louis Girodet, *Les funérailles d'Atala*, 1808.**

Les tourments de l'âme romantique se manifestent dans les contrastes. L'imagination débridée provoque l'étrange cohabitation du recueillement et de la sensualité morbide.

## La prose narrative

*Stimuler, presser, gronder, réveiller, inspirer, c'est cette fonction [...] qui imprime à la littérature de ce siècle un si haut caractère de puissance et d'originalité.*

*Victor Hugo*

Les écrivains romantiques renoncent à hiérarchiser les genres littéraires, comme on le faisait depuis toujours. Le roman obtient autant de reconnaissance que le théâtre ou la poésie. Mieux, ce genre qui échappe à l'emprise des usages littéraires et qui est susceptible de se prêter aux sujets les plus divers, s'épanouit et est sur le point de s'imposer comme le plus prisé au XIXe siècle. Affranchi de toute unité de temps, il peut franchir en deux mots l'espace de quelques années; affranchi de l'unité de lieu, il a le don de la mobilité; observateur privilégié de la société, il décrit les transformations qu'engendrent les nouveaux droits des individus, les ascensions inattendues aussi bien que les déconfitures soudaines. Deux types de romans s'attirent particulièrement la faveur des romantiques: le roman autobiographique (ou roman-confession) et le roman historique.

### Le roman autobiographique

Le roman autobiographique s'inscrit dans la filiation de *Julie ou la nouvelle Héloïse,* de Jean-Jacques Rousseau. Son auteur revendique le droit de parler à la première personne, privilégie le récit intimiste et sentimental et accorde une grande place à l'analyse psychologique. Ce roman dit les souffrances du «moi» en proie à ses doutes et à ses désirs contradictoires, inhabile à composer avec la réalité.

**Anne-Louis Girodet, *Chateaubriand*, 1809.**

Chateaubriand dépeint les tourments de l'âme romantique par l'expression d'une communion avec la nature, d'une quête mystique et d'un désir d'exotisme.

### François René de Chateaubriand (1768-1848)

*On habite avec un cœur plein, un monde vide,*
*et sans avoir usé de rien, on est désabusé de tout.*

Diplomate, homme politique, grand voyageur en Amérique et en Orient, ardent défenseur du catholicisme qu'il souhaite réhabiliter, Chateaubriand est un grand romancier qui a révélé la formule essentielle du romantisme dont il est l'un des premiers représentants. Il cristallise de nombreuses tendances diffuses: goût pour le religieux, sentiment du «moi» incompris et mélancolique, adéquation entre la nature et les sentiments humains, attrait de l'exotisme et de l'époque médiévale... Son style somptueux donne une fraîcheur et un éclat inaccoutumés aux sujets et sentiments pressentis par les personnages, particulièrement quand il explore les émotions du «moi» incompris. Dans son roman à forte couleur autobiographique, *René* (1802), le héros éponyme, dégoûté de la vie et en proie au «vague des passions», rêvant de gloire et d'exotisme, s'embarque pour le Nouveau Monde. L'âme prise dans les filets de l'angoisse la plus noire, le personnage s'épuise dans la recherche vaine d'un idéal impossible. Lui qui cherchait l'oubli ne trouve finalement dans les forêts d'Amérique du Nord qu'un sens plus aigu de son néant. Le spectacle grandiose de la nature exacerbe même sa tristesse. Une génération entière, qui se croyait maudite, se reconnaîtra pourtant dans cette âme tourmentée et fera du personnage de *René*, le premier héros romantique français.

# Ces régions inconnues que ton cœur demande

« Mais comment exprimer cette foule de sensations fugitives que j'éprouvais dans mes promenades ? Les sons que rendent les passions dans le vide d'un cœur solitaire ressemblent au murmure que les vents et les eaux font 5 entendre dans le silence d'un désert : on en jouit, mais on ne peut les peindre.

« L'automne me surprit au milieu de ces incertitudes : j'entrai avec ravissement dans les mois des tempêtes. Tantôt j'aurais voulu être un de ces guerriers errant au 10 milieu des vents, des nuages et des fantômes ; tantôt j'enviais jusqu'au sort du pâtre que je voyais réchauffer ses mains à l'humble feu de broussailles qu'il avait allumé au coin d'un bois. J'écoutais ses chants mélancoliques, qui me rappelaient que dans tout pays le chant naturel de 15 l'homme est triste, lors même qu'il exprime le bonheur. Notre cœur est un instrument incomplet, une lyre où il manque des cordes, et où nous sommes forcés de rendre les accents de la joie sur le ton consacré aux soupirs.

« Le jour, je m'égarais sur de grandes bruyères terminées 20 par des forêts. Qu'il fallait peu de chose à ma rêverie ! une feuille séchée que le vent chassait devant moi, une cabane dont la fumée s'élevait dans la cime dépouillée des arbres, la mousse qui tremblait au souffle du nord, sur le tronc d'un chêne, une roche écartée, un étang désert 25 où le jonc flétri murmurait ! Le clocher solitaire s'élevant au loin dans la vallée a souvent attiré mes regards ; souvent j'ai suivi des yeux les oiseaux de passage qui volaient au-dessus de ma tête. Je me figurais les bords ignorés, les climats lointains où ils se rendent ; j'aurais voulu être sur 30 leurs ailes. Un secret instinct me tourmentait ; je sentais que je n'étais moi-même qu'un voyageur ; mais une voix du ciel semblait me dire : "Homme, la saison de ta migration n'est pas encore venue ; attends que le vent de la mort se lève, alors tu déploieras ton vol vers ces régions 35 inconnues que ton cœur demande."

« Levez-vous vite, orages désirés, qui devez emporter René dans les espaces d'une autre vie ! » Ainsi disant, je marchais à grands pas, le visage enflammé, le vent sifflant dans ma chevelure, ne sentant ni pluie, ni frimas, enchanté, tour- 40 menté, et comme possédé par le démon de mon cœur. »

François René de Chateaubriand, *René*, 1802.

## Quelques citations de Chateaubriand

« La pensée agit sur le corps d'une manière inexplicable ; l'homme est peut-être la pensée du grand corps de l'univers. »

« En ce temps-là, la vieillesse était une dignité ; aujourd'hui, elle est une charge. »

« On s'irrite moins en fonction de l'offense reçue qu'en raison de l'idée qu'on s'est formée de soi. »

VERS L'ANALYSE

## Ces régions inconnues que ton cœur demande

1. a) Cet extrait traduit les états d'âme du personnage de René. Dégagez les principaux sentiments qui l'animent.
   b) Quelle est la saison décrite dans l'extrait ? Dans quelle mesure fait-elle écho à la rêverie de René ?
   c) Comment la narration* et la focalisation* sont-elles cohérentes avec le propos* ?
2. En harmonie avec la nature, la rêverie de René glisse peu à peu vers l'appel de la mort. Illustrez cette progression en décrivant l'effet des procédés d'écriture* que vous repérerez dans l'extrait.

| Procédé | Citation | Effet |
|---|---|---|
| Comparaison* (1er paragraphe) | | |
| Antithèse* (2e paragraphe) | | |
| Accumulation* (3e paragraphe) | | |
| Allégorie* ou métaphore* (4e paragraphe) | | |

3. Malgré la violence qu'elle suppose, la mort attire René plus qu'elle ne l'effraie.
   a) Dans l'ensemble de l'extrait, relevez les termes qui laissent voir la sérénité de René et son abandon à sa sombre rêverie.
   b) Dans le dernier paragraphe, relevez et commentez en ce sens les éléments suivants : un oxymore* ; l'emploi de l'impératif* ; une accumulation* ; une antithèse* ; l'emploi de la négation* ; une métaphore*.
4. Le sentiment d'inadaptation au monde propre au romantisme transparaît clairement dans cet extrait.
   a) Quelle métaphore* traduit le manque, l'impression de ne pas disposer de toutes les ressources pour s'épanouir dans le monde ?
   b) Quelle métaphore* laisse croire que René n'est que de passage dans ce monde ?
   c) Malgré ce sentiment d'impuissance et d'altérité, le poète semble s'élever au-dessus des humains, ressentir une grande dignité dans la souffrance. Expliquez cette idée en vous appuyant sur des passages de l'extrait.

### Sujet d'analyse littéraire

**L'automne est la saison romantique par excellence. Montrez que Chateaubriand présente d'un côté les états d'âme de René et d'un autre côté sa rêverie automnale.**

## Benjamin Constant (1767-1830)

*L'énigme du monde, j'ai peur qu'elle n'ait que deux mots: propagation pour les espèces et douleur pour les individus.*

Pour des raisons d'ordre politique, Benjamin Constant partagea l'exil de Mme de Staël dont il était par ailleurs l'amant. Son roman *Adolphe* (1816), une autobiographie fictionnelle, se veut précisément la transposition de leur tumultueuse liaison. Le romancier élargit ici la tradition du roman psychologique français en se concentrant sur un personnage individuel: *J'ai voulu peindre dans* Adolphe *une des principales maladies morales de notre siècle: cette fatigue, cette incertitude, cette absence de force, cette analyse perpétuelle, qui place une arrière-pensée à côté de tous les sentiments et qui les corrompt dès leur naissance.* Dans un style empreint de sobriété, Constant relate rétrospectivement une passion qui lie et qui déchire, un amour qui ne peut se conjuguer avec le bonheur.

Paradoxalement, ce n'est qu'au moment de la mort d'Ellénore qu'Adolphe découvre qu'il l'aimait vraiment.

# Combien elle manquait à mon cœur, cette dépendance

Elle s'assoupit d'un sommeil assez paisible. Elle se réveilla moins souffrante. J'étais seul dans sa chambre. Nous nous parlions de temps en temps à de longs intervalles. Le médecin qui s'était mon- tré le plus habile dans ses conjectures m'avait prédit qu'elle ne vivrait pas vingt-quatre heures. Je regardais tour à tour une pendule qui marquait les heures, et le visage d'Ellénore, sur lequel je n'apercevais nul changement nouveau. Chaque minute qui s'écoulait ranimait mon espérance, et je révoquais en doute les présages d'un art mensonger. Tout à coup Ellénore s'élança par un mouvement subit. Je la retins dans mes bras. Un tremblement convulsif agitait tout son corps. Ses yeux me cherchaient; mais dans ses yeux se peignait un effroi vague, comme si elle eût demandé grâce à quelque objet menaçant qui se dérobait à mes regards. Elle se relevait, elle retombait, on voyait qu'elle s'efforçait de fuir. On eût dit qu'elle luttait contre une puissance physique invisible, qui, lassée d'attendre le moment funeste, l'avait saisie et la retenait pour l'achever sur ce lit de mort. Elle céda enfin à l'acharnement de la nature ennemie. Ses membres s'affaissèrent. Elle sembla reprendre quelque connaissance: elle me serra la main. Elle voulut pleurer, il n'y avait plus de larmes; elle voulut parler, il n'y avait plus de voix. Elle laissa tomber, comme résignée, sa tête sur le bras qui l'appuyait. Sa respiration devint plus lente. Quelques instants après, elle n'était plus.

Je demeurai long temps immobile, près d'Ellénore sans vie. La conviction de sa mort n'avait pas encore pénétré dans mon âme. Mes yeux contemplaient avec un étonnement stupide ce corps inanimé. Une de ses femmes, étant entrée, répandit dans la maison la sinistre nouvelle. Le bruit qui se fit autour de moi me tira de la léthargie où j'étais plongé. Je me levai : ce fut alors que j'éprouvai la douleur déchirante et toute l'horreur de l'adieu sans retour. Tant de mouvement, cette activité de la vie vulgaire, tant de soins et d'agitations qui ne la regardaient plus, dissipèrent cette illusion par laquelle je croyais encore exister avec Ellénore. Je sentis le dernier lien se rompre, et l'affreuse réalité se placer à jamais entre elle et moi. Combien elle me pesait, cette liberté que j'avais tant regrettée ! Combien elle manquait à mon cœur, cette dépendance qui m'avait révolté souvent ! Naguère, toutes mes actions avaient un but. J'étais sûr, par chacune d'elles, d'épargner une peine ou de causer un plaisir. Je m'en plaignais alors. J'étais impatienté qu'un œil ami observât mes démarches, que le bonheur d'un autre y fût attaché. Personne maintenant ne les observait : elles n'intéressaient personne. Nul ne me disputait mon temps, ni mes heures : aucune voix ne me rappelait quand je sortais : j'étais libre, en effet ; je n'étais plus aimé : j'étais étranger pour tout le monde.

Benjamin Constant, *Adolphe*, 1816.

VERS L'ANALYSE

## Combien elle manquait à mon cœur, cette dépendance

1. Quel est l'événement raconté dans cet extrait ? Pourquoi se divise-t-il en deux parties ?
2. En plus de la douleur du deuil, le narrateur ressent un profond déchirement. Quelle prise de conscience le conduit à cet état ?
3. Le passage du temps revêt une grande importance, tant sur le plan thématique que sur le plan formel.
   a) Expliquez sa pertinence en lien avec le propos* de l'extrait.
   b) Montrez comment l'écriture corrobore cette importance, d'après le rythme de la narration*, les indices temporels* et les modes et temps verbaux*.
4. Expliquez l'effet de trois procédés d'écriture* par lesquels s'expriment le vide et le manque à la fin de l'extrait.

## Quelques citations de Benjamin Constant

« Certains gouvernements, quand ils envoient leurs légions d'un pôle à l'autre, parlent encore de la défense de leurs foyers ; on dirait qu'ils appellent leurs foyers tous les endroits où ils ont mis le feu. »

« La guerre et le commerce ne sont que deux moyens différents d'arriver au même but : celui de posséder ce que l'on désire. »

« Les sentiments que nous feignons, nous finissons par les éprouver. »

## Alfred de Musset (suite)

*L'homme est un apprenti, la douleur est son maître.*

Le poète Alfred de Musset a lui aussi transposé en récit l'histoire d'une de ses aventures amoureuses. Roman autobiographique, *La confession d'un enfant du siècle* (1836) relate la douloureuse passion qui l'unit à l'extravagante George Sand, amour parmi les plus célèbres de l'histoire littéraire française. En plus d'analyser le désarroi moral et intellectuel dans lequel il est plongé, Musset dépasse le simple témoignage autobiographique pour analyser, peut-être mieux qu'aucun autre, l'inaptitude de sa génération à s'adapter à son époque, une réalité qui est le nœud même du «mal du siècle».

**Jean Léon Gérôme, *Pygmalion et Galatée*, v. 1890.**

Immobile, à jamais inanimé, le corps de marbre de Galatée fait écho à la jeunesse prisonnière d'une société sclérosée, qui porte en elle le mal de vivre de toute une génération.

# Alors s'assit sur un monde en ruines une jeunesse soucieuse

Alors s'assit sur un monde en ruines une jeunesse soucieuse. Tous ces enfants étaient des gouttes de sang brûlant qui avait inondé la terre; ils étaient nés au sein de la guerre, pour la guerre. Ils avaient rêvé pendant quinze ans des neiges de Moscou et du soleil des Pyramides. Ils n'étaient pas sortis de leurs villes, mais on leur avait dit que par chaque barrière de ces villes on allait à une capitale d'Europe. Ils avaient dans la tête tout un monde; ils regardaient la terre, le ciel, les rues et les chemins; tout cela était vide, et les cloches de leurs paroisses résonnaient seules dans le lointain.

[...]

Trois éléments partageaient donc la vie qui s'offrait alors aux jeunes gens: derrière eux un passé à jamais détruit, s'agitant encore sur ses ruines, avec tous les fossiles des siècles de l'absolutisme; devant eux l'aurore d'un immense horizon, les premières clartés de l'avenir; et entre ces deux mondes... quelque chose de semblable à l'Océan qui sépare le vieux continent de la jeune Amérique, je ne sais quoi de vague et de flottant, une mer houleuse et pleine de naufrages, traversée de temps en temps par quelque blanche voile lointaine ou par quelque navire soufflant une lourde vapeur; le siècle présent, en un mot, qui sépare le passé de l'avenir, qui n'est ni l'un ni l'autre et qui ressemble à tous deux à la fois, et où l'on ne sait, à chaque pas qu'on fait, si l'on marche sur une semence ou sur un débris.

Voilà dans quel chaos il fallut choisir alors; voilà ce qui se présentait à des enfants pleins de force et d'audace, fils de l'empire et petits-fils de la révolution.

Or, du passé ils n'en voulaient plus, car la foi en rien ne se donne; l'avenir, ils l'aimaient, mais quoi! comme Pygmalion[1] Galathée; c'était pour eux comme une amante de marbre, et ils attendaient qu'elle s'animât, que le sang colorât ses veines.

Il leur restait donc le présent, l'esprit du siècle, ange du crépuscule qui n'est ni la nuit ni le jour; ils le trouvèrent assis sur un sac de chaux plein d'ossements, serré dans le manteau des égoïstes, et grelottant d'un froid terrible. L'angoisse de la mort leur entra dans l'âme à la vue de ce spectre moitié momie et moitié fœtus.

Alfred de Musset, *La confession d'un enfant du siècle*, 1836.

1. Sculpteur légendaire devenu amoureux de la statue qu'il avait créée et baptisée Galatée (ou Galathée).

## Alors s'assit sur un monde en ruines une jeunesse soucieuse

1. a) Expliquez l'objet de la désillusion dans cet extrait.
   b) Au moyen de quelle allégorie* Musset représente-t-il son désarroi ? Citez un passage éloquent à cet égard.
   c) Dressez le champ lexical* de ce thème*.
2. À la lumière des éléments recensés, expliquez ce qu'est le « mal du siècle » dont souffrent les romantiques.
3. Le malaise décrit dans l'extrait oscille entre l'espoir et la déception. Relevez les procédés d'écriture* (au moins deux pour chaque citation) illustrant cet aspect dans les passages cités et commentez leur effet.

| Citation | Procédé | Effet |
|---|---|---|
| *Alors s'assit sur un monde en ruines une jeunesse soucieuse.* (l. 1) | | |
| [...] *derrière eux un passé à jamais détruit, s'agitant encore sur ses ruines* [...] *; devant eux l'aurore d'un immense horizon, les premières clartés de l'avenir* (l. 12-15) | | |
| [...] *l'on ne sait pas, à chaque pas qu'on fait, si l'on marche sur une semence ou sur un débris.* (l. 22-23) | | |
| [...] *l'avenir, ils l'aimaient, mais quoi ! comme Pygmalion Galathée ; c'était pour eux comme une amante de marbre* (l. 28-29) | | |

4. Relevez les indices relatifs à la vision de l'avenir que présente Musset dans cet extrait.

### Sujet d'analyse littéraire

Analysez cet extrait en démontrant comment l'écriture de Musset traduit son pessimisme devant les tourments de son époque.

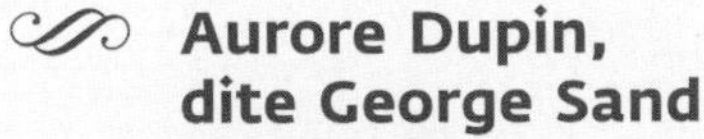

## Aurore Dupin, dite George Sand (1804-1876)

*Les hommes sont faux, ambitieux, vaniteux, égoïstes, et le meilleur ne vaut pas le diable, c'est bien triste.*

George Sand, pseudonyme d'Aurore Dupin, qui a fini ses jours en châtelaine respectable écrivant des romans champêtres pour la jeunesse, a connu auparavant une existence fort mouvementée, empreinte de la plus totale liberté. Par sa vie de bohème, George Sand a fait scandale : elle a porté le pantalon, fumé le cigare et multiplié les conquêtes amoureuses. Musset, Liszt et Chopin figurent parmi ses nombreux amants.

Son roman *Indiana* (1832), sentimental à souhait, s'inspire de sa vie. Il traite de la position de la femme au sein du couple et de la société, et il exprime la difficulté de vivre en ce siècle tourmenté, surtout quand on est une femme libérée et passionnée. Le lyrisme romantique est ici mis au service d'un plaidoyer en faveur de la libération affective des femmes.

Dans ce portrait d'Indiana Delmare, le « mal du siècle » s'ajoute au fardeau de l'oppression dont les femmes sont victimes.

# Un mal inconnu dévorait sa jeunesse

Élevée au désert, négligée de son père, vivant au milieu des esclaves, pour qui elle n'avait d'autre secours, d'autre consolation que sa compassion et ses larmes, elle s'était habituée à dire : – Un jour viendra où tout sera changé dans ma vie, où je ferai du bien aux
5 autres, un jour où l'on m'aimera, où je donnerai tout mon cœur à celui qui me donnera le sien ; en attendant, souffrons. Taisons-nous, et gardons mon amour pour récompense à qui me délivrera. – Ce libérateur, ce messie n'était pas venu ; Indiana l'attendait encore. [L]orsqu'elle se surprenait à dire encore par l'habitude : – Un jour
10 viendra... un homme viendra... – elle refoulait ce vœu téméraire au fond de son âme, et se disait : – Il faudra donc mourir !

Aussi elle se mourait, la pauvre Indiana. Un mal inconnu dévorait sa jeunesse. Elle était sans force et sans sommeil. Les médecins lui cherchaient en vain une désorganisation apparente. Il n'en existait pas, et toutes ses facultés s'appauvrissaient également, tous ses organes se lésaient avec lenteur; son cœur brûlait à petit feu, ses yeux s'éteignaient, son sang ne circulait plus que par crise et par fièvre: encore quelque temps, et la pauvre captive allait mourir. Mais quelle que fût sa résignation ou son découragement, le besoin restait le même. Ce cœur silencieux et brisé appelait toujours à son insu un cœur jeune et généreux pour le réchauffer. L'être qu'elle avait le plus aimé jusque-là, c'était Noun, la compagne enjouée et courageuse de ses ennuis, et l'homme qui lui avait témoigné le plus de prédilection, c'était son flegmatique cousin, sir Ralph. Quels aliments pour la dévorante activité de ses pensées qu'une pauvre fille ignorante et délaissée comme elle, et un Anglais passionné seulement pour la chasse du renard!

Madame Delmare était vraiment malheureuse, et la première fois qu'elle sentit dans son atmosphère glacée pénétrer le souffle embrasé d'un homme jeune et ardent, la première fois qu'une parole tendre et caressante enivra son oreille, et qu'une bouche frémissante vint comme un fer rouge marquer sa main, elle ne pensa ni aux devoirs qu'on lui avait imposés, ni à la prudence qu'on lui avait recommandée, ni à l'avenir qu'on lui avait prédit; elle ne se rappela que le passé odieux, ses longues souffrances, ses maîtres despotiques. Elle ne pensa pas non plus que cet homme pouvait être menteur ou frivole. Elle le vit comme elle le désirait, comme elle l'avait rêvé, et Raymon eût pu la tromper, s'il n'eût pas été sincère.

Mais comment ne l'eût-il pas été auprès d'une femme si belle et si aimante? Quelle autre s'était jamais montrée à lui avec autant de candeur et d'innocence? Chez qui avait-il trouvé à placer un avenir si riant et si sûr? N'était-elle pas née pour l'aimer, cette femme esclave qui n'attendait qu'un signe pour briser sa chaîne, qu'un mot pour le suivre? Le ciel sans doute l'avait formée pour Raymon, cette triste enfant de l'Île-Bourbon, que personne n'avait aimée, et qui sans lui devait mourir.

George Sand, *Indiana*, 1832.

## VERS L'ANALYSE

### Un mal inconnu dévorait sa jeunesse

1. a) Dressez le champ lexical* de deux thèmes* principaux.
   b) En quoi les thèmes* se rapportent-ils aux préoccupations des romantiques?
   c) Quel est le propos du premier paragraphe? Résumez-le et expliquez le caractère romantique du constat formulé dans la dernière phrase.
   d) Expliquez comment Sand traduit l'intensité des émotions, en commentant:
   - le lexique* employé;
   - une figure d'amplification*;
   - les modes et temps verbaux*;
   - l'emploi de l'impératif*.
2. Le deuxième paragraphe définit et circonscrit la douleur d'Indiana Delmare. Repérez les procédés* suivants et expliquez-en l'effet.
   a) une hyperbole*
   b) une personnification*
   c) le champ lexical* de la dégradation
   d) l'emploi de la négation*
   e) une phrase emphatique*
3. Relevez et expliquez l'effet de trois procédés d'écriture* distincts par lesquels s'exprime l'émoi amoureux dans le troisième paragraphe.
4. Quelle est la portée sociale de cet extrait? En quoi la position de George Sand est-elle audacieuse?

**Eugène Delacroix, *La mort de Sardanapale*, 1827.**

L'intérêt pour l'Histoire dont font preuve les romantiques n'échappe pas à la démesure dans le traitement, conférant aux œuvres un aspect pittoresque, une couleur locale.

## Victor Hugo (suite)

*Tant qu'il y aura sur la terre ignorance et misère, des livres de la nature* [des *Misérables*] *pourront ne pas être inutiles.*

À 16 ans, Victor Hugo avait déjà écrit une première œuvre romantique, *Bug-Jargal*. Il a laissé deux œuvres maîtresses au souffle épique qui lui ont vite valu un immense succès populaire : *Notre-Dame de Paris* (1831) et *Les Misérables* (1862). Dans *Notre-Dame de Paris*, le romancier brosse une vaste fresque historique où il fait revivre, sur fond d'intrigues et de décors médiévaux souvent inquiétants, le Paris du xve siècle.

Habile à tracer des tableaux de vie dans une atmosphère quasi mythologique, tout en décrivant des êtres ballottés par leur destin, Hugo donne vie à la cathédrale de Paris, figure centrale du récit, en plus de créer un nouveau personnage littéraire : le peuple. Pour garder une certaine liberté d'imagination tout en respectant la vérité historique, le romancier accorde beaucoup d'importance à des personnages secondaires, comme le sonneur de cloches Quasimodo, un colosse difforme, véritable gargouille vivante, qui émeut le lecteur par la beauté de son âme. Tout le peuple des pauvres et des parias se retrouve dans cette évocation spectaculaire et mythique de Paris, ce qui ajoute une dimension sociale au roman historique.

## Le roman historique

Le romantisme a aussi favorisé la résurrection du roman historique, rendu populaire par le romancier écossais Walter Scott (1771-1832) qui, le premier, a célébré l'épopée médiévale dans *Ivanhoé* (1819). Marqué par le goût du pittoresque et de la couleur locale, ce type de roman transporte le lecteur loin d'un présent sans issue : il célèbre le temps jadis en rappelant aussi bien les grands événements que les détails de la vie quotidienne d'autrefois. Alexandre Dumas, avec *Les trois mousquetaires* (1844) et *Le comte de Monte-Cristo* (1845), marchera avec succès sur les traces de Scott. Mais le souffle épique et le génie de Victor Hugo font de l'ombre aux autres écrivains.

Dans *Les Misérables*, Victor Hugo brosse une autre vaste fresque historique doublée d'un roman social. Cette œuvre charrie des matériaux de toute origine : d'immenses digressions sur la langue, les cloîtres, les champs de bataille et les insurrections, qui n'en finissent pas de bourgeonner sur le tronc d'une histoire d'amour. Au cœur de la tourmente politique de 1831-1832, Jean Valjean, ancien galérien réhabilité et injustement victime d'un ordre social corrompu, incarne tout un peuple. De ce roman qui décrit le Paris contemporain ressort en particulier une figure mythique dans l'imaginaire français : le jeune Gavroche, enfant errant, si émouvant et si symbolique que son prénom est devenu un nom commun. Cet enfant qui meurt héroïquement préfigure de nombreux autres personnages littéraires, tel le Momo de *La vie devant soi* (1975) d'Émile Ajar (pseudonyme de Romain Gary, 1914-1980). L'extrait suivant le montre succombant sous les balles.

# C'étaient les deux misères extrêmes de la nature

Quasimodo s'était arrêté sous le grand portail[1]. Ses larges pieds semblaient aussi solides sur le pavé de l'église que les lourds piliers romans. Sa grosse tête chevelue s'enfonçait dans ses
5 épaules comme celle des lions qui eux aussi ont une crinière et pas de cou. Il tenait la jeune fille[2] toute palpitante suspendue à ses mains calleuses comme une draperie blanche ; mais il la portait avec tant de précaution qu'il paraissait craindre de
10 la briser ou de la faner. On eût dit qu'il sentait que c'était une chose délicate, exquise et précieuse, faite pour d'autres mains que les siennes. Par moments, il avait l'air de n'oser la toucher, même du souffle. Puis, tout à coup, il la serrait avec étreinte
15 dans ses bras, sur sa poitrine anguleuse, comme son bien, comme son trésor, comme eût fait la mère de cette enfant ; son œil de gnome, abaissé sur elle, l'inondait de tendresse, de douleur et de pitié, et se relevait subitement plein d'éclairs. Alors
20 les femmes riaient et pleuraient, la foule trépignait d'enthousiasme, car en ce moment-là Quasimodo avait vraiment sa beauté. Il était beau, lui, cet orphelin, cet enfant trouvé, ce rebut, il se sentait auguste et fort, il regardait en face cette société
25 dont il était banni, et dans laquelle il intervenait si puissamment, cette justice humaine à laquelle il avait arraché sa proie, tous ces tigres forcés de mâcher à vide, ces sbires, ces juges, ces bourreaux, toute cette force du roi qu'il venait de briser, lui
30 infirme, avec la force de Dieu.

Et puis c'était une chose touchante que cette protection tombée d'un être si difforme sur un être si malheureux, qu'une condamnée à mort sauvée par Quasimodo. C'étaient les deux misères extrêmes
35 de la nature et de la société qui se touchaient et qui s'entr'aidaient.

Victor Hugo, *Notre-Dame de Paris*, 1831.

**1.** Grande porte (de Notre-Dame de Paris). **2.** Il s'agit d'Esméralda, une belle gitane dont tous les hommes sont amoureux.

VERS L'ANALYSE

## C'étaient les deux misères extrêmes de la nature

1. Étudiez la description physique d'Esméralda et de Quasimodo. Quelle opposition remarquez-vous ?
   a) Sur quels aspects de Quasimodo cherche-t-on à mettre l'accent ? Étayez votre réponse en vous appuyant sur le lexique* et sur les figures de ressemblance*.
   b) Quelles caractéristiques de la jeune fille sont mises en évidence ? Commentez le vocabulaire*, une figure de ressemblance* et une figure d'insistance*.
   c) Comment ces caractéristiques apparemment opposées unissent-elles Quasimodo et Esméralda ? Relevez une phrase qui appuie votre propos.
2. Victor Hugo met en œuvre divers procédés d'écriture* pour souligner la tendresse dont fait preuve Quasimodo à l'endroit de la jeune fille. Dans cette optique, commentez l'effet d'une comparaison*, d'une accumulation* et d'une métaphore*.
3. La beauté de Quasimodo se révèle par contraste avec la laideur qui le caractérise par ailleurs. Dans le passage suivant, repérez et donnez un exemple pour chaque procédé d'écriture* et commentez-le en ce sens.

   *Il était beau, lui, cet orphelin, cet enfant trouvé, ce rebut, il se sentait auguste et fort, il regardait en face cette société dont il était banni* (l. 22-25)

| Procédé | Effet |
|---|---|
| Procédé syntaxique* | |
| Figure d'insistance* | |
| Métaphore* | |
| Antithèse* | |

## Le spectacle était épouvantable et charmant

1. Résumez le propos* de cet extrait.
2. Plusieurs procédés d'écriture* mettent en relief la légèreté et l'agilité de Gavroche. À ce propos, relevez les procédés* suivants et décrivez-en les effets.
   a) une métaphore*
   b) une accumulation*
   c) un parallélisme*
3. Comment le rythme* des phrases corrobore-t-il les effets précédemment décrits ? Citez un passage éloquent à cet égard.
4. La légèreté et l'insouciance de Gavroche s'opposent à la gravité du propos*. À cet égard, relevez :
   a) un oxymore* ;
   b) une antithèse*.
5. Malgré sa petitesse, Gavroche est décrit comme un être d'exception. Commentez le fond* et la forme* des passages suivants selon cette perspective.
   a) *Ce n'était pas un enfant, ce n'était pas un homme, c'était un étrange gamin fée. On eût dit le nain invulnérable de la mêlée.* (l. 16-18)
   b) *Cette petite grande âme venait de s'envoler.* (l. 34-35)

# Le spectacle était épouvantable et charmant

Une cinquième balle ne réussit qu'à tirer de lui un troisième couplet:

*Joie est mon caractère,*
*C'est la faute à Voltaire;*
*Misère est mon trousseau,*
5 *C'est la faute à Rousseau.*

*Cela continua ainsi quelque temps.*

Le spectacle était épouvantable et charmant. Gavroche, fusillé, taquinait la fusillade. Il avait l'air de s'amuser beaucoup. C'était le moineau becquetant les chasseurs. Il répondait à chaque décharge 10 par un couplet. On le visait sans cesse, on le manquait toujours. Les gardes nationaux et les soldats riaient en l'ajustant. Il se couchait, puis se redressait, s'effaçait dans un coin de porte, puis bondissait, disparaissait, reparaissait, se sauvait, revenait, ripostait à la mitraille par des pieds de nez, et cependant pillait les cartouches, vidait les 15 gibernes et remplissait son panier. Les insurgés, haletants d'anxiété, le suivaient des yeux. La barricade tremblait; lui, il chantait. Ce n'était pas un enfant, ce n'était pas un homme, c'était un étrange gamin fée. On eût dit le nain invulnérable de la mêlée. Les balles couraient après lui, il était plus leste qu'elles. Il jouait on ne sait quel effrayant 20 jeu de cache-cache avec la mort; chaque fois que la face camarde du spectre s'approchait, le gamin lui donnait une pichenette.

Une balle pourtant, mieux ajustée ou plus traître que les autres, finit par atteindre l'enfant feu follet. On vit Gavroche chanceler, puis il s'affaissa. Toute la barricade poussa un cri; mais il y avait de l'Antée[1] dans ce pyg- 25 mée; pour le gamin toucher le pavé, c'est comme pour le géant toucher la terre; Gavroche n'était tombé que pour se redresser; il resta assis sur son séant, un long filet de sang rayait son visage, il éleva ses deux bras en l'air, regarda du côté d'où était venu le coup, et se mit à chanter:

*Je suis tombé par terre,*
30 *C'est la faute à Voltaire,*
*Le nez dans le ruisseau,*
*C'est la faute à...*

Il n'acheva point. Une seconde balle du même tireur l'arrêta court. Cette fois il s'abattit la face contre le pavé, et ne remua plus. Cette 35 petite grande âme venait de s'envoler.

Victor Hugo, *Les Misérables*, 1862.

1. Géant de la mythologie grecque qui retrouvait ses forces chaque fois qu'il touchait la terre.

**Léon Adolphe Willette, *Gavroche ramassant des cartouches*, XIX$^{e}$ siècle.**

Le destin tragique de Gavroche, l'espiègle gamin des *Misérables*, laisse entrevoir la portée sociale de l'œuvre de Victor Hugo, qui décrit avec émotion la détresse des plus vulnérables.

## Prosper Mérimée (1803-1870)

*Si tu m'aimes, prends garde à toi.*

Dans un tout autre registre, Prosper Mérimée a écrit une nouvelle, *Carmen* (1845), devenue si célèbre qu'on en a tiré des pièces de théâtre, des films et un livret d'opéra mis en musique par Georges Bizet. On y trouve l'exotisme, la chaleur des gitans et de l'Espagne, et des êtres excessifs abîmés dans leur passion – comme les aiment les romantiques.

Cette cruelle histoire d'amour met en scène un homme apparemment inoffensif, don José, amené à tuer celle qu'il aime, la sensuelle et envoûtante bohémienne Carmen. Cette nouvelle se démarque déjà du romantisme. Mérimée, aussi auteur de récits fantastiques, se refuse aux débordements de sensibilité et s'applique à décrire davantage les gestes de ses personnages que leur psychologie.

Carmen rejoint une galerie de personnages féminins dont toutes les époques ont été friandes, une multitude de femmes fatales, charnelles et «dangereusement» sensuelles, à la fois maléfiques et envoûtantes, séductrices et castratrices, exerçant une forte emprise sur l'âme masculine qu'elles entraînent à la déchéance.

# Cette femme était un démon

– Oui, je l'ai aimé[1], comme toi, un instant, moins que toi peut-être. À présent, je n'aime plus rien, et je me hais pour t'avoir aimé.

5 Je me jetai à ses pieds, je lui pris les mains, je les arrosai de mes larmes. Je lui rappelai tous les moments de bonheur que nous avions passés ensemble. Je lui offris de rester brigand pour lui 10 plaire. Tout, monsieur[2], tout! je lui offris tout, pourvu qu'elle voulût m'aimer encore!

Elle me dit: – T'aimer encore, c'est impossible. Vivre avec toi, je ne le veux 15 pas. – La fureur me possédait. Je tirai mon couteau. J'aurais voulu qu'elle eût peur et me demandât grâce, mais cette femme était un démon.

– Pour la dernière fois, m'écriai-je, 20 veux-tu rester avec moi?

– Non! non! non! dit-elle en frappant du pied, et elle tira de son doigt une bague que je lui avais donnée, et la jeta dans les broussailles.

25 Je la frappai deux fois. C'était le couteau du Borgne[3] que j'avais pris, ayant cassé le mien. Elle tomba au second coup sans crier. Je crois encore voir son grand œil noir me regarder fixement; puis 30 il devint trouble et se ferma. Je restai anéanti une bonne heure devant ce cadavre. Puis, je me rappelai que Carmen m'avait dit souvent qu'elle aimerait à être enterrée dans un bois. Je lui 35 creusai une fosse avec mon couteau, et je l'y déposai. Je cherchai longtemps sa bague, et je la trouvai à la fin. Je la mis dans la fosse auprès d'elle, avec une petite croix. Peut-être ai-je eu tort. 40 Ensuite je montai sur mon cheval, je galopai jusqu'à Cordoue, et au premier corps-de-garde je me fis connaître. J'ai dit que j'avais tué Carmen; mais je n'ai pas voulu dire où était son corps. 45 L'ermite était un saint homme. Il a prié pour elle! Il a dit une messe pour son âme... Pauvre enfant! Ce sont les *Calé*[4] qui sont coupables pour l'avoir élevée ainsi.

Prosper Mérimée, *Carmen*, 1845.

**1.** Carmen parle d'un picador, Lucas, pour qui elle a délaissé don José. **2.** Don José, dans l'attente de son exécution, est en train de raconter son histoire au narrateur de la nouvelle. **3.** Contrebandier tué en duel par don José. **4.** Bohémiens.

VERS L'ANALYSE

## Cette femme était un démon

1. Que raconte cet extrait? Résumez-en le propos*.
2. Pourquoi peut-on dire que cette forme de confidence est empreinte de subjectivité? Relevez les indices qui, en dépit de la sobriété de l'écriture, montrent l'implication émotive du narrateur.
3. Peut-on dire que l'écriture et la tonalité* de cet extrait correspondent à l'esthétique romantique? Cherche-t-on à émouvoir le lecteur? Justifiez votre réponse.
4. Dès le début de l'extrait, le narrateur annonce le malaise généré par Carmen.
   a) Relevez une antithèse* illustrant les sentiments contradictoires qu'éprouve le narrateur à l'égard de Carmen. Expliquez-en l'effet.
   b) Comment le vocabulaire* traduit-il l'aspect catégorique des sentiments évoqués? Citez quelques mots éloquents.
5. Mérimée insiste davantage sur l'action que sur les débordements sentimentaux.
   a) Expliquez le décalage entre les sentiments qui animent le personnage et la façon dont il les exprime. Citez et commentez en ce sens un passage où le narrateur manifeste sa colère.
   b) Comment pourrait-on qualifier le rythme* de cet extrait? Justifiez votre réponse en vous appuyant sur les éléments relevés ici.

Victor Hugo, *Le château de Vianden*, 1871.

Écrivain virtuose, homme sensible et engagé, Victor Hugo signe une œuvre qui s'élève aussi bien par son caractère dénonciateur que par son lyrisme.

## La prose d'idées : la littérature au service d'une cause

Jusqu'au XIX$^{e}$ siècle, on estimait la beauté d'une œuvre à sa conformité à des règles ou à des principes. La nouvelle sensibilité romantique réfute ces manières de penser et d'écrire, considérant plutôt que le beau est relatif à une époque et à un lieu. De nombreux écrivains plaident cette cause, qu'ils identifient à celle de la liberté, et se justifient en contestant le rôle dévolu à la toute-puissante raison aux XVII$^{e}$ et XVIII$^{e}$ siècles.

### Victor Hugo (suite)

*Ce qu'il y a d'étrange, c'est que les routiniers prétendent appuyer leur règle des deux unités sur la vraisemblance, tandis que c'est précisément le réel qui la tue.*

Dans la percutante préface à son drame historique *Cromwell* (1827), Victor Hugo se pose en théoricien du romantisme en rédigeant un véritable manifeste en faveur de la dramaturgie nouvelle. Inspiré du modèle shakespearien, l'écrivain propose une dramaturgie moderne qui ignorera la sacro-sainte loi des unités. Il affirme y voir la forme définitive de la poésie moderne, une véritable synthèse artistique apte à reproduire la réalité tout entière.

# Un cordonnier qui voudrait mettre le même soulier à tous les pieds

On commence à comprendre de nos jours que la localité exacte est un des premiers éléments de la réalité. Les personnages parlants ou agissants ne sont pas les seuls qui gravent dans l'esprit du spectateur la fidèle em-
5 preinte des faits. Le lieu où telle catastrophe s'est passée en devient un témoin terrible et inséparable ; et l'absence de cette sorte de personnage muet décompléterait dans le drame les plus grandes scènes de l'histoire. Le poète oserait-il assassiner Rizzio ailleurs que dans la chambre
10 de Marie Stuart ? poignarder Henri IV ailleurs que dans cette rue de la Féronnerie, tout obstruée de baquets et de voitures ? brûler Jeanne d'Arc autre part que dans le Vieux-Marché ? dépêcher le duc de Guise autre part que dans ce château de Blois où son ambition fait fermenter
15 une assemblée populaire ? décapiter Charles I$^{er}$ et Louis XVI ailleurs que dans ces places sinistres d'où l'on peut voir White-Hall et les Tuileries, comme si leur échafaud servait de pendant à leur palais ?

L'unité de temps n'est pas plus solide que l'unité de
20 lieu. L'action, encadrée de force dans les vingt-quatre heures, est aussi ridicule qu'encadrée dans le vestibule. Toute action a sa durée propre comme son lieu particulier. Verser la même dose de temps à tous les événements ! appliquer la même mesure sur tout ! On
25 rirait d'un cordonnier qui voudrait mettre le même soulier à tous les pieds. Croiser l'unité de temps à l'unité de lieu comme les barreaux d'une cage, et y faire pédantesquement entrer, de par Aristote, tous ces faits, tous ces peuples, toutes ces figures que la
30 Providence déroule à si grandes masses dans la réalité ! C'est mutiler hommes et choses ; c'est faire grimacer l'histoire.

[...]

Il suffirait enfin, pour démontrer l'absurdité de la règle des deux unités, d'une dernière raison, prise dans les

35 entrailles de l'art. C'est l'existence de la troisième unité, l'unité d'action, la seule admise de tous parce qu'elle résulte d'un fait : l'œil ni l'esprit humain ne sauraient saisir plus d'un ensemble à la fois. Celle-là est aussi nécessaire que les deux autres sont inutiles. C'est elle
40 qui marque le point de vue du drame ; or, par cela même, elle exclut les deux autres. Il ne peut pas plus y avoir trois unités dans le drame que trois horizons dans un tableau. Du reste gardons-nous de confondre l'unité avec la simplicité d'action. L'unité d'ensemble
45 ne répudie en aucune façon les actions secondaires sur lesquelles doit s'appuyer l'action principale. Il faut seulement que ces parties, savamment subordonnées au tout, gravitent sans cesse vers l'action centrale et se groupent autour d'elle aux différents étages ou plutôt
50 sur les divers plans du drame. L'unité d'ensemble est la loi de perspective du théâtre.

Victor Hugo, *Préface de Cromwell*, 1827.

VERS L'ANALYSE

## Un cordonnier qui voudrait mettre le même soulier à tous les pieds

1. Dégagez ce que reproche Hugo au sujet de chacune des unités.
2. Quelle vision du théâtre l'auteur souhaite-t-il mettre de l'avant ? Citez une phrase qui résume son propos*.
3. Hugo recourt à plusieurs procédés d'écriture* pour souligner le ridicule des contraintes que s'impose le théâtre. Relevez les procédés stylistiques* suivants au service de cette idée et commentez leurs effets.
   a) deux métaphores* ;
   b) une personnification* ;
   c) une antithèse* ;
   d) un parallélisme* ;
   e) une accumulation*.
4. D'autres procédés d'écriture* contribuent à l'effet de persuasion dans le discours d'Hugo. Commentez :
   a) l'emploi de la négation* ;
   b) le choix des verbes* ;
   c) l'emploi de la forme interrogative*.

### Sujet d'analyse littéraire

Analysez cet extrait en insistant sur la virulence de la critique exposée par Hugo.

**Élisabeth Vigée-Lebrun, *Madame de Staël en Corinne*, 1809.**

Tant par la finesse de ses romans que par la rigueur de ses essais, Mme de Staël incarne et définit l'esthétique romantique.

## Germaine Necker, dite Madame de Staël (1766-1817)

*Ce que l'homme a fait de plus grand, il le doit au sentiment douloureux de l'incomplet de sa destinée.*

Femme d'esprit indépendant, Mme de Staël a mené une vie mondaine dans toute l'Europe. D'abord partisane des idéaux révolutionnaires, elle devient par la suite une farouche opposante à Napoléon, ce qui lui vaut d'être exilée de Paris.

Rousseau avait préparé le terrain au mouvement romantique, mais c'est vraiment avec les romans de Mme de Staël que la nouvelle sensibilité littéraire prend son essor : les élans du cœur y sont analysés dans le détail. On lui doit également deux importants ouvrages qui en font la première théoricienne du romantisme : *De la littérature considérée dans ses rapports avec les institutions sociales* (1800) et *De l'Allemagne* (1810). Le deuxième est un récit de voyage dans lequel elle témoigne de l'influence du romantisme allemand et encourage les écrivains français à adopter cette esthétique nouvelle.

Dans le premier ouvrage, Mme de Staël montre les mérites d'une valorisation de l'histoire nationale au lieu de celle de l'Antiquité, si chère aux écrivains classiques. Elle promeut une nouvelle inspiration littéraire trouvant ses racines dans le Moyen Âge et dans le christianisme, en plus de revendiquer la liberté pour elle-même, pour les artistes et pour les femmes.

# Sa célébrité n'est qu'un bruit fatigant

L'existence des femmes en société est encore incertaine sous beaucoup de rapports. Le désir de plaire excite leur esprit; la raison leur conseille l'obscurité; et tout est arbitraire dans leurs succès comme dans leurs revers.

5 Il arrivera, je le crois, une époque quelconque, dans laquelle des législateurs philosophes donneront une attention sérieuse à l'éducation que les femmes doivent recevoir, aux lois civiles qui les protègent, aux devoirs qu'il faut leur imposer, au bonheur qui peut leur être garanti; mais, dans 10 l'état actuel, elles ne sont pour la plupart, ni dans l'ordre de la nature, ni dans l'ordre de la société. Ce qui réussit aux unes perd les autres; les qualités leur nuisent quelquefois, quelquefois les défauts leur servent; tantôt elles sont tout, tantôt elles ne sont rien. Leur destinée ressemble, à 15 quelques égards, à celle des affranchis chez les empereurs: si elles veulent acquérir de l'ascendant, on leur fait un crime d'un pouvoir que les lois ne leur ont pas donné; si elles restent esclaves, on opprime leur destinée.

Certainement il vaut beaucoup mieux, en général, que 20 les femmes se consacrent uniquement aux vertus domestiques; mais ce qu'il y a de bizarre dans les jugements des hommes à leur égard, c'est qu'ils leur pardonnent plutôt de manquer à leurs devoirs que d'attirer l'attention par des talents distingués; ils tolèrent en elles la dégradation du 25 cœur en faveur de la médiocrité de l'esprit; tandis que l'honnêteté la plus parfaite pourrait à peine obtenir grâce pour une supériorité véritable.

[...]

Dès qu'une femme est signalée comme une personne distinguée, le public en général est prévenu contre 30 elle. Le vulgaire ne juge jamais que d'après certaines règles communes, auxquelles on peut se tenir sans s'aventurer. [...] Un homme supérieur déjà les effarouche; mais une femme supérieure, s'éloignant encore plus du chemin frayé, doit étonner, et par conséquent 35 importuner davantage. Néanmoins un homme distingué ayant presque toujours une carrière importante à parcourir, ses talents peuvent devenir utiles aux intérêts de ceux mêmes qui attachent le moins de prix aux charmes de la pensée. L'homme de génie peut devenir 40 un homme puissant, et, sous ce rapport, les envieux et les sots le ménagent; mais une femme spirituelle n'est appelée à leur offrir que ce qui les intéresse le moins, des idées nouvelles ou des sentiments élevés: sa célébrité n'est qu'un bruit fatigant pour eux.

Mme de Staël, *De la littérature considérée dans ses rapports avec les institutions sociales*, 1800.

VERS L'ANALYSE

## Sa célébrité n'est qu'un bruit fatigant

1. a) La dernière phrase de l'extrait en résume le propos*. Expliquez sa portée en commentant la métaphore* qu'elle contient.

   b) Dégagez le thème* principal et dressez-en le champ lexical*.

2. Qu'est-ce qui surprend et offusque Mme de Staël? Expliquez les paradoxes qu'elle évoque quant au traitement réservé aux femmes.

3. a) Devant quelle impasse se trouvent les femmes ambitieuses?

   b) Relevez la phrase du premier paragraphe qui résume cette idée. Commentez la comparaison* sur laquelle s'appuie Mme de Staël pour illustrer sa pensée.

4. a) Quels souhaits Mme de Staël formule-t-elle?

   b) Comment l'espoir d'un changement transparaît-il dans l'écriture de Mme de Staël? Relevez un procédé syntaxique* et commentez le choix des temps et modes verbaux* pour justifier votre réponse.

## Quelques citations de Mme de Staël

« L'amour est l'histoire de la vie des femmes, c'est un épisode dans la vie des hommes. »

« Les jouissances de l'esprit sont faites pour calmer les orages du cœur. »

« On ne trouve bon dans la vie que ce qui la fait oublier. »

« Une nation n'a de caractère que lorsqu'elle est libre. »

« La destination de l'homme sur la terre n'est pas le bonheur, mais le perfectionnement. »

**Eugène Delacroix, *Hamlet et Horacio au cimetière*, 1839.**

Les romantiques trouvent dans l'univers shakespearien une complexité et un exotisme qui font écho à leur désir d'originalité, à leur refus des codes.

## Le théâtre : l'éphémère drame romantique

Revendiquant la totale liberté de l'art, le drame romantique ne saurait se soumettre à la règle rigide et artificielle des unités de temps et de lieu des classiques. Seule l'unité d'action est conservée, encore que des actions secondaires puissent être admises, dans la mesure où elles sont subordonnées à l'action principale. Les classiques distinguaient tragédie et comédie ; les romantiques refusent cette distinction et préfèrent le drame qui combine les deux genres, comme la vie, où cohabitent grotesque et sublime. Ce théâtre a peu à voir avec le drame bourgeois du siècle précédent. Les romantiques refusent de conforter les spectateurs dans leurs valeurs. Au contraire, ils s'insurgent contre le pacte social et les valeurs dominantes de la société.

Après avoir redécouvert Shakespeare, les romantiques s'inspirent de son esthétique qui mélange les genres et les tons, ce qui explique les nombreux niveaux de langue, la très grande complexité de l'intrigue et le foisonnement des personnages, à la fois beaux et laids, sublimes et grotesques, aux prises avec un destin pathétique appelé à bouleverser les spectateurs. Ce théâtre s'inspire aussi bien de l'exotisme et de la couleur locale que de l'Histoire, d'où sont puisés des événements grandioses et des personnages aux ambitions démesurées. Le lyrisme du style colore le tout, se déployant en de longs monologues.

*Le drame, qui fond sous un même souffle le grotesque et le sublime, le terrible et le bouffon, la tragédie et la comédie.*

*Victor Hugo*

Dans le drame romantique, qui se sert de l'Histoire revue et corrigée pour mieux faire comprendre le présent, se joue le sort d'un héros, qui est généralement l'incarnation d'un poète, en conflit avec la société. Cet être individualisé, fascinant jusque dans ses défauts, n'a plus rien des héros typés du théâtre classique. *Je suis une force qui va*, revendique Hernani (1830) dans la pièce du même nom, de Victor Hugo.

Le drame historique connaît un succès retentissant mais de très courte durée (de 1830 à 1843), car la complexité des pièces pose de grands problèmes de mise en scène.

### Alfred de Vigny (suite)

*Aimez ce que jamais on ne verra deux fois.*

Alfred de Vigny juge la vérité historique moins importante que la vérité morale. Ce traducteur des pièces de Shakespeare a écrit un drame en prose qui formule une vision romantique du poète sacrifié, exclu d'un monde par trop utilitaire, comme si la société ne donnait pas au poète la place qu'il mérite. *Chatterton* (1835) raconte en fait la vie du poète anglais Thomas Chatterton (1752-1770), acculé au suicide tant la vie lui semblait insupportable.

Ici, l'action qui expose les blessures de l'âme est bien davantage de nature psychologique. Retiré dans sa chambre, Chatterton, désespéré, s'apprête à commettre le geste fatal censé le délivrer.

# Ô mort, Ange de délivrance

Et à présent, pourquoi vivre? pour qui?... – pour qu'elle[1] vive, c'est assez... allons... arrêtez-vous, idées noires, ne revenez pas... Lisons ceci...

Il lit le journal.

5 « Chatterton n'est pas l'auteur de ses œuvres... Voilà qui est bien prouvé. – Ces poèmes admirables sont réellement d'un moine nommé Rowley, qui les avait traduits d'un autre moine du dixième siècle, nommé Turgot... Cette imposture, pardonnable à un écolier, serait criminelle plus tard... Signé... *Bale...* » Bale? Qu'est-ce que cela?
10 que lui ai-je fait? – De quel égout sort ce serpent?

Quoi! mon nom est étouffé! ma gloire éteinte! mon honneur perdu! – Voilà le juge!... Et le bienfaiteur! voyons, qu'offre-t-il?

Il décachète la lettre, lit... et s'écrie avec indignation.

Une place de premier valet de chambre dans sa maison!...

15 Ah!... pays damné! terre du dédain! sois maudite à jamais!

Prenant la fiole d'opium.

Ô mon âme, je t'avais vendue! je te rachète avec ceci.

Il boit l'opium.

Skirner[2] sera payé! – Libre de tous! égal à tous, à présent! – Salut,
20 première heure de repos que j'aie goûtée! – Dernière heure de ma vie, aurore du jour éternel, salut! – Adieu humiliation, haines, sarcasmes, travaux dégradants, incertitudes, angoisses, misères, tortures du cœur, adieu! Ô quel bonheur, je vous dis adieu! – Si l'on savait! si l'on savait ce bonheur que j'ai..., on n'hésiterait pas si longtemps!

25 Ô mort, Ange de délivrance, que ta paix est douce! j'avais bien raison de t'adorer, mais je n'avais pas la force de te conquérir. – Je sais que tes pas seront lents et sûrs. Regarde-moi, Ange sévère, leur ôter à tous la trace de mes pas sur la terre.

Il jette au feu tous ses papiers.

30 Allez, nobles pensées écrites pour tous ces ingrats dédaigneux, purifiez-vous dans la flamme et remontez au ciel avec moi!

Il lève les yeux au ciel et déchire lentement ses poèmes, dans l'attitude grave et exaltée d'un homme qui fait un sacrifice solennel.

Alfred de Vigny, *Chatterton*, acte III, scène 7, 1835.

1. Il s'agit de la femme qu'il aime, Kitty Bell. 2. Riche propriétaire à qui Chatterton doit des loyers arriérés. Le poète a signé que, s'il mourait avant d'avoir payé sa dette, il vendait son corps à l'École de chirurgie pour la payer.

VERS L'ANALYSE

## Ô mort, Ange de délivrance

1. Les thèmes* et le propos* de cette œuvre s'inscrivent clairement dans le courant romantique. Pourquoi?
2. Dès le début de l'extrait, on perçoit l'agitation de Chatterton. Relevez un passage éloquent et expliquez l'effet de trois procédés d'écriture* à cet égard.
3. a) Pourquoi le héros se sent-il persécuté?
   b) Comment l'écriture rend-elle cette impression?
4. a) Pourquoi Chatterton se suicide-t-il?
   b) Le suicide est présenté comme un acte de dignité et de courage. Commentez l'écriture de la dernière phrase prononcée par Chatterton, selon cette perspective: *Allez, nobles pensées écrites pour tous ces ingrats dédaigneux, purifiez-vous dans la flamme et remontez au ciel avec moi!* (l. 30-31)
5. Chatterton envisage la mort comme une délivrance. Commentez un passage comportant les procédés d'écriture* suivants en lien avec cette idée.
   a) une figure d'amplification*
   b) une métaphore*
   c) des interjections* et des points d'exclamation*

### Sujet d'analyse littéraire

**Analysez cet extrait pour faire ressortir l'intensité des émotions qui font de Chatterton un héros romantique.**

## Alfred de Musset (suite)

*Songes-tu que ce meurtre, c'est tout ce qui me reste de ma vertu ?*

Peut-être le plus grand dramaturge du XIXe siècle, Alfred de Musset a écrit plusieurs pièces qui sont encore jouées aujourd'hui. Parmi elles, *Les caprices de Marianne* (1833), *On ne badine pas avec l'amour* (1834) et *Lorenzaccio* (1834).

Ce dramaturge original et complet prétend qu'on peut très bien trouver du plaisir à lire du théâtre sans que celui-ci soit obligatoirement porté à la scène. Il crée des personnages déchirés par une double personnalité, débauchés mais rêvant de pureté, exaltés mais amers, idéalistes mais sans cause. Le ton mêle sans cesse le pathétique et le léger, le tout au service de l'analyse psychologique.

On considère *Lorenzaccio*, qui ne sera représenté pour la première fois qu'en 1896, comme le meilleur drame romantique. Située dans la Florence du XVIe siècle, l'action de cette pièce en prose met en scène un héros confronté à un monde de conventions et sans idéal. Personnage double, Lorenzo[1] est contraint de masquer sa pureté sous les allures de la débauche afin de mener à bien son projet d'assassiner son lointain cousin, le tyran Alexandre de Médicis. Profondément pessimiste, Musset y exprime avec une verve sans égale son mépris pour la lâcheté et la bêtise humaines.

Dans l'extrait, Lorenzo discute avec Philippe Strozzi, un aristocrate qui souhaite lui aussi libérer Florence du tyran.

1. À l'origine, le personnage s'appelait Lorenzaccio ; ce nom n'a été conservé que pour le titre de la pièce.

**Alphonse Mucha, affiche pour *Lorenzaccio*, 1896.**

Drame romantique par excellence, *Lorenzaccio* de Musset dépeint la désillusion caractéristique du romantisme par la mise en scène de la dualité humaine.

# Suis-je un Satan ?

LORENZO. Suis-je un Satan ? Lumière du ciel ! [...] Quand j'ai commencé à jouer mon rôle de Brutus[1] moderne, je marchais dans mes habits neufs de la grande confrérie du vice comme un enfant de dix ans dans l'armure d'un géant de la fable. Je croyais que la corruption était un stigmate, et que les monstres seuls le portaient au front. J'avais commencé à dire tout haut que mes vingt années de vertu étaient un masque étouffant ; ô Philippe ! j'entrai alors dans la vie, et je vis qu'à mon approche tout le monde en faisait autant que moi ; tous les masques tombaient devant mon regard ; l'humanité souleva sa robe et me montra, comme à un adepte digne d'elle, sa monstrueuse nudité. J'ai vu les hommes tels qu'ils sont, et je me suis dit : Pour qui est-ce donc que je travaille ? Lorsque je parcourais les rues de Florence, avec mon fantôme à mes côtés, je regardais autour de moi, je cherchais les visages qui me donnaient du cœur, et je me demandais : Quand j'aurai fait mon coup, celui-là en profitera-t-il ? J'ai vu les républicains dans leurs cabinets ; je suis entré dans les boutiques ; j'ai écouté et j'ai guetté. J'ai recueilli les discours des gens du peuple ; j'ai vu l'effet que produisait sur eux la tyrannie ; j'ai bu dans les banquets patriotiques le vin qui engendre la métaphore et la prosopopée ; j'ai avalé entre deux baisers les larmes les plus vertueuses ; j'attendais toujours que l'humanité me laissât voir sur sa face quelque chose d'honnête. J'observais comme un amant observe sa fiancée en attendant le jour des noces.

PHILIPPE. Si tu n'as vu que le mal, je te plains ; mais je ne puis te croire. Le mal existe, mais non pas sans le bien ; comme l'ombre existe, mais non sans la lumière.

LORENZO. Tu ne veux voir en moi qu'un mépriseur d'hommes : c'est me faire injure. Je sais parfaitement qu'il y en a de bons ; mais à quoi servent-ils ? que font-ils ? comment agissent-ils ? Qu'importe que la conscience soit vivante, si le bras est mort ? Il y a de certains côtés par où tout devient bon : un chien est un ami fidèle ; on peut trouver en lui le meilleur des serviteurs, comme on peut voir aussi qu'il se roule sur les cadavres, et que la langue avec laquelle il lèche son maître sent la charogne d'une lieue. Tout ce que j'ai à voir, moi, c'est que je suis perdu, et que les hommes n'en profiteront pas plus qu'ils ne me comprendront.

[...]

Il est trop tard. Je me suis fait à mon métier. Le vice a été pour moi un vêtement ; maintenant il est collé à ma peau. Je suis vraiment un ruffian, et quand je plaisante sur mes pareils, je me sens sérieux comme la mort au milieu de ma gaieté. Brutus a fait le fou pour tuer Tarquin[2], et ce qui m'étonne en lui, c'est qu'il n'y ait pas laissé sa raison. Profite de moi, Philippe, voilà ce que j'ai à te dire : ne travaille pas pour la patrie.

Alfred de Musset, *Lorenzaccio*, acte III, scène 3, 1834.

1. Héros semi-légendaire de Rome. 2. Dernier roi de Rome renversé à la suite d'un soulèvement auquel a collaboré Brutus, qui a joué au fou pour parvenir à ses fins, d'où son surnom, Brutus, qui signifie « idiot ».

## VERS L'ANALYSE

### Suis-je un Satan ?

1. Résumez la réflexion qu'expose le personnage de Lorenzo dans cet extrait. Reconstituez sa démarche en dégageant les grandes étapes qu'il traverse.
2. Commentez l'effet de deux figures de ressemblance* au début de l'extrait, qui mettent l'accent sur la naïveté et l'innocence de Lorenzo.
3. Par quelle métaphore* Musset illustre-t-il la fin de l'innocence de Lorenzo ?
4. [...] *j'attendais toujours que l'humanité me laissât voir sur sa face quelque chose d'honnête. J'observais comme un amant observe sa fiancée en attendant le jour des noces.* (l. 25-28) Quelle vision de l'humanité émerge de ce passage ?
5. a) Expliquez comment l'auteur aborde le thème* du double. Sur quels contrastes attire-t-il l'attention ?
   b) Relevez trois figures d'opposition* qui mettent en valeur cette idée.
6. Quelle perception Lorenzo a-t-il de lui-même à la fin de l'extrait ?
7. Commentez l'effet d'une métaphore* qui corrobore vos impressions.

## Victor Hugo (suite)

*L'amour fait songer, vivre fait croire.*

En 1830, *Hernani* de Victor Hugo impose le drame romantique et marque le triomphe de cet art nouveau. On se souvient de la pièce surtout pour la «bataille» qu'elle a soulevée à sa première représentation. Pour contrer les attaques d'un public conservateur attaché aux traditions du théâtre classique, un groupe de jeunes gens acquis aux idées nouvelles (Théophile Gautier, Alexandre Dumas, Gérard de Nerval, Honoré de Balzac, Hector Berlioz, Alfred de Vigny, Charles Nodier et d'autres), tous vêtus de rouge pour bien montrer leur appartenance au mouvement romantique, organisent une claque bruyante en faveur de Victor Hugo, ce qui déclenche une véritable bagarre entre classiques et romantiques: c'est la «bataille d'*Hernani*».

Dans l'extrait, le héros du drame, Hernani, grand d'Espagne, proscrit, réplique à Doña Sol qui, contrainte d'en épouser un autre, vient néanmoins de lui réitérer son amour.

# Une âme de malheur faite avec des ténèbres

Monts d'Aragon! Galice! Estramadoure[1]! –
Oh! je porte malheur à tout ce qui m'entoure! –
J'ai pris vos meilleurs fils; pour mes droits, sans remords
Je les ai fait combattre, et voilà qu'ils sont morts!
5 C'étaient les plus vaillants de la vaillante Espagne!
Ils sont morts! ils sont tous tombés dans la montagne,
Tous sur le dos couchés, en braves, devant Dieu,
Et, si leurs yeux s'ouvraient, ils verraient le ciel bleu!
Voilà ce que je fais de tout ce qui m'épouse!
10 Est-ce une destinée à te rendre jalouse?
Doña Sol, prends le duc, prends l'enfer, prends le roi[2]!
C'est bien. Tout ce qui n'est pas moi, vaut mieux que moi!
Je n'ai plus un ami qui de moi se souvienne,
Tout me quitte, il est temps qu'à la fin ton tour vienne,
15 Car je dois être seul. Fuis ma contagion.
Ne te fais pas d'aimer une religion!
Oh! par pitié pour toi, fuis! – Tu me crois peut-être
Un homme comme sont tous les autres, un être
Intelligent, qui court droit au but qu'il rêva.
20 Détrompe-toi. Je suis une force qui va!
Agent aveugle et sourd de mystères funèbres!
Une âme de malheur faite avec des ténèbres!
Où vais-je? je ne sais. Mais je me sens poussé
D'un souffle impétueux, d'un destin insensé.
25 Je descends, je descends, et jamais ne m'arrête.
Si parfois, haletant, j'ose tourner la tête,
Une voix me dit: Marche! et l'abîme est profond,
Et de flamme ou de sang je le vois rouge au fond!
Cependant, à l'entour de ma course farouche,
30 Tout se brise, tout meurt. Malheur à qui me touche!
Oh! fuis! détourne-toi de mon chemin fatal,
Hélas! sans le vouloir, je te ferais du mal!

Victor Hugo, *Hernani*, 1830.

1. Régions d'Espagne. 2. Don Carlos, également amoureux de Doña Sol.

VERS L'ANALYSE

## Une âme de malheur faite avec des ténèbres

1. Les tourments d'Hernani se révèlent peu à peu. Quels sont les quatre grands enjeux décrits dans cet extrait?
2. Étudiez le rythme* de l'extrait. Comment la longueur*, la succession* des phrases ainsi que les enjambements* contribuent-ils à traduire les émotions?
3. Hernani est présenté comme un être passionné et vif. Comment l'écriture reflète-t-elle cet aspect de sa personnalité? Appuyez-vous sur trois types de procédés* différents (syntaxiques*, stylistiques*, musicaux*, lexicaux*, etc.) pour justifier votre réponse.
4. a) Pour quelles raisons Hernani décourage-t-il Doña Sol de s'intéresser à lui?
   b) Citez et commentez l'écriture de deux passages démontrant son dénigrement.
5. a) Hernani se décrit comme s'il était marqué par une fatalité. Laquelle?
   b) Relevez trois procédés d'écriture* qui mettent l'accent sur son impuissance, son absence de prise sur sa vie.

**Eugène Delacroix, *Le Tasse dans la maison des fous*, 1840.**

C'est aux confins du réel et de l'imaginaire, là où l'indécidabilité se fait inquiétude, que s'exprime l'esprit du fantastique.

## Le genre fantastique

*Personne ne peut savoir si le monde est fantastique ou réel, et non plus s'il existe une différence entre rêver et vivre.*

*Jorge Luis Borges*

Amorcé au siècle de la Raison (*voir* p. 168), le fantastique est pourtant une réaction contre la raison, confrontée à l'inexplicable. Ce genre noir, comme le mal et la mort dont il porte les stigmates, représente *l'immense richesse du réel dans son plus grand désordre*, dit August Wilhelm von Schlegel (1767-1845). Ses œuvres, souvent brèves (contes, nouvelles), recherchent l'originalité en donnant dans l'excès, malgré un répertoire de situations souvent fait de stéréotypes: châteaux solitaires, paysages nocturnes, héros du mal et du désespoir, cauchemars, assassinats...

### La complicité entre le romantisme et le fantastique

Pendant un certain temps, le fantastique fait route avec le romantisme. Certains, qui ne craignent pas le pléonasme, parlent même de romantisme noir. De fait, on se doit de remarquer la très grande complicité entre romantisme et fantastique. Tous deux séduisent les esprits qui se réfugient dans l'imaginaire et privilégient la sensibilité comme instrument de connaissance du monde, s'interrogent sur les mystères de l'au-delà et remettent en cause les vétustes certitudes morales et religieuses de la société qui les a vus naître.

Héritier direct du romantisme anglais et allemand, le fantastique se nourrit en outre de fort nombreux thèmes du romantisme français, qu'il exploite à l'excès: l'exotisme, le pittoresque et la couleur locale penchent dès lors du côté de l'étrange, de l'insolite et du bizarre, avec une fascination marquée pour le mal et le macabre. Le «moi» solitaire et souffrant des écrivains romantiques devient la scène d'un mystère; il est l'observateur de la lutte qui oppose le «je» aux forces du Bien et du Mal; dédoublé, il laisse la parole à la folie tapie en soi. Comme les romantiques, les écrivains fantastiques cultivent l'évasion dans le monde des désirs et des rêves, mais aussi dans celui de la terreur et des spectres. Autre point commun avec le romantisme, le fantastique revendique la plus totale liberté pour allier humour noir et tragique, réflexions intimes et grotesque loufoque.

Néanmoins, une distinction capitale s'impose: le romantisme transpose des émotions alors que le fantastique, au moyen des thèmes du rêve, de la folie ou du double, dépasse ultimement l'émotion ressentie pour explorer l'espace ambigu, à la jonction du réel et de l'imaginaire, où elle prend naissance.

## Honoré de Balzac (1799-1850)

*Si tu me possèdes, tu posséderas tout. Mais ta vie m'appartiendra. [...]*
*À chaque vouloir, je décroîtrai comme tes jours.*

Observateur privilégié de la «comédie humaine», Honoré de Balzac a utilisé les ressorts du fantastique à des fins philosophiques. Il fait paraître en 1831 *La Peau de chagrin* (et profite de l'occasion pour ajouter la particule à son nom), un conte dont la donnée essentielle est proprement surnaturelle.

À la veille de se suicider, un personnage rencontre un vieil antiquaire qui lui remet un talisman au pouvoir extraordinaire : une peau de chagrin[1], qui lui permet de vivre intensément et passionnément, tout en satisfaisant chacun de ses désirs. Cependant, chaque fois qu'un de ses souhaits est comblé, la peau se rétrécit inexorablement, et il en va de même de sa vie. Ce pacte avec une puissance infernale est l'allégorie du désir destructeur, de l'écart persistant entre les passions et les possibilités de la nature, puisque la vie s'épuise à mesure que désirs et jouissances s'accumulent.

1. Cuir grenu, fait de peau de mouton, de chèvre ou d'âne.

**Portrait d'Honoré de Balzac d'après un daguerréotype, XIXe siècle.**

# Belle de terreur et d'amour

Raphaël tira de dessous son chevet le lambeau de la Peau de chagrin, fragile et petit comme la feuille d'une pervenche, et le lui montrant : Pauline, belle image de ma belle vie, disons-nous adieu, dit-il. (5)

– Adieu ? répéta-t-elle d'un air surpris.

– Oui. Ceci est un talisman qui accomplit mes désirs, et représente ma vie. Vois ce qu'il m'en reste. Si tu me regardes encore, je vais mourir...

(10) La jeune fille crut Valentin devenu fou ; elle prit le talisman, et alla chercher la lampe. Éclairée par la lueur vacillante qui se projetait également sur Raphaël et sur le talisman, elle examina très attentivement et le visage de son amant et (15) la dernière parcelle de la Peau magique. En la voyant belle de terreur et d'amour, il ne fut plus maître de sa pensée : les souvenirs des scènes caressantes et des joies délirantes de sa passion triomphèrent dans son âme depuis longtemps

20 endormie, et s'y réveillèrent comme un foyer mal éteint.

– Pauline ! viens, Pauline !

Un cri terrible sortit du gosier de la jeune fille, ses yeux se dilatèrent, ses sourcils, violemment tirés
25 par une douleur inouie, s'écartèrent avec horreur, elle lisait dans les yeux de Raphaël un de ces désirs furieux, jadis sa gloire à elle ; et à mesure que grandissait ce désir, la Peau, en se contractant, lui chatouillait la main. Sans réfléchir, elle s'enfuit
30 dans le salon voisin dont elle ferma la porte.

– Pauline ! Pauline ! cria le moribond en courant après elle, je t'aime, je t'adore, je te veux ! Je te maudis, si tu ne m'ouvres ! Je veux mourir à toi !

Par une force singulière, dernier éclat de vie, il jeta
35 la porte à terre, et vit sa maîtresse à demi nue se roulant sur un canapé. Pauline avait tenté vainement de se déchirer le sein, et pour se donner une prompte mort, elle cherchait à s'étrangler avec son châle. – Si je meurs, il vivra, disait-elle en
40 tâchant vainement de serrer le nœud. Ses cheveux étaient épars, ses épaules nues, ses vêtements en désordre, et dans cette lutte avec la mort, les yeux en pleurs, le visage enflammé, se tordant sous un horrible désespoir, elle présentait à Raphaël,
45 ivre d'amour, mille beautés qui augmentèrent son délire ; il se jeta sur elle avec la légèreté d'un oiseau de proie, brisa le châle, et voulut la prendre dans ses bras.

Le moribond chercha des paroles pour exprimer
50 le désir qui dévorait toutes ses forces ; mais il ne trouva que les sons étranglés du râle dans sa poitrine, dont chaque respiration creusée plus avant, semblait partir de ses entrailles. Enfin, ne pouvant bientôt plus former de sons, il mordit Pauline au
55 sein. Jonathas se présenta tout épouvanté des cris qu'il entendait, et tenta d'arracher à la jeune fille le cadavre sur lequel elle s'était accroupie dans un coin.

– Que demandez-vous ? dit-elle. Il est à moi ; je l'ai
60 tué, ne l'avais-je pas prédit ?

Honoré de Balzac, *La Peau de chagrin*, 1831.

---

VERS L'ANALYSE

## Belle de terreur et d'amour

1. a) Quel élément confère à ce texte une tonalité* fantastique ? Décrivez sa portée.

   b) Comment les thèmes et la perspective selon laquelle ils sont abordés appuient-ils l'aspect fantastique du récit ?

2. Dégagez trois thèmes essentiels et intimement liés dans cet extrait. Dressez-en les champs lexicaux*.

3. Le désir est présenté sous sa facette malsaine et destructrice. Dans le passage suivant, relevez les éléments correspondant aux procédés* mentionnés et commentez leurs effets en ce sens.

   *Pauline ! Pauline ! cria le moribond en courant après elle, je t'aime, je t'adore, je te veux ! Je te maudis, si tu ne m'ouvres ! Je veux mourir à toi !* (l. 31-33)

| Procédés | Éléments | Effets |
|---|---|---|
| Procédés syntaxiques* | | |
| Figures d'amplification* | | |
| Figure d'opposition* | | |

4. La situation que vivent Pauline et Raphaël provoque un déchirement qui les pousse à commettre des actes irrationnels. Comment s'exprime ce déchirement ? Citez un passage qui l'illustre et expliquez l'effet des procédés d'écriture* qui le traduisent.

### Sujet d'analyse littéraire

**Étudiez le thème* du désir en montrant comment la dimension fantastique de l'œuvre met en relief son caractère destructeur.**

## Charles Nodier (1780-1844)

*La carte de l'univers imaginable n'est tracée que dans les songes.*

Écrivain prolifique et polyvalent, Charles Nodier est l'un des tout premiers à sonder les mystères du rêve et de l'inconscient : *Le sommeil est l'état non seulement le plus puissant, mais le plus lucide de la pensée.* Toute son œuvre se place sous le signe du délire, du rêve et du cauchemar, comme si le rêve était une folie passagère, et la folie, un rêve prolongé. Il publie en 1821 un conte cruel et macabre, *Smarra ou les démons de la nuit*, une histoire de vampires gorgés d'horreur et de sang. Nodier convainc d'autant plus que, malgré sa fantaisie des plus débridées, son récit est parsemé de détails réalistes. Habile à instaurer un climat de poésie, il parvient à émouvoir le lecteur grâce à une écriture qui traduit bien les angoisses et les climats de cauchemar.

# Le bois humecté de mon sang

Plus tranquille, je livrai ma tête au sabre si tranchant et si glacé de l'officier de la mort. Jamais un frisson plus pénétrant n'a couru entre les vertèbres de l'homme ; il était saisissant comme le dernier baiser que la fièvre imprime au cou d'un moribond, aigu comme l'acier raffiné, 5 dévorant comme le plomb fondu. Je ne fus tiré de cette angoisse que par une commotion terrible : ma tête était tombée... elle avait roulé, rebondi sur le hideux parvis de l'échafaud ; et, prête à descendre toute meurtrie entre les mains des enfans, des jolis enfans de Larisse, qui se jouent avec des têtes de morts, elle s'était rattachée à une planche sail-10 lante en la mordant avec ces dents de fer que la rage prête à l'agonie. De là je tournais mes yeux vers l'assemblée, qui se retirait silencieuse, mais satisfaite. Un homme venait de mourir devant le peuple. Tout s'écoula en exprimant un sentiment d'admiration pour celui qui ne m'avait point manqué, et un sentiment d'horreur contre l'assassin de 15 Polémon et de la belle Myrthé. – Myrthé ! Myrthé ! m'écriai-je en rugissant mais sans quitter la planche salutaire. – Lucius ! Lucius ! réponditelle en sommeillant à demi, tu ne dormiras donc jamais tranquille quand tu as vidé une coupe de trop ! Que les dieux infernaux te pardonnent, et ne dérange plus mon repos. J'aimerais mieux coucher au bruit 20 du marteau de mon père dans l'atelier où il tourmente le cuivre, que parmi les terreurs nocturnes de ton palais.

Et pendant qu'elle me parlait, je mordais, obstiné, le bois humecté de mon sang fraîchement répandu, et je me félicitais de sentir croître les sombres ailes de la mort qui se déployaient lentement au-dessous de 25 mon cou mutilé. Toutes les chauves-souris du crépuscule m'effleuraient caressantes, en disant : Prends des ailes !... et je commençais à battre avec effort je ne sais quels lambeaux qui me soutenaient à peine. Cependant tout à coup j'éprouvai une illusion rassurante. Dix fois je frappai les lambris funèbres du mouvement de cette membrane 30 presque inanimée que je traînais autour de moi comme les pieds flexibles du reptile qui se roule dans le sable des fontaines ; dix fois je rebondis en m'essayant peu à peu dans l'humide brouillard. Qu'il était noir et glacé ! et que les déserts des ténèbres sont tristes ! Je remontai enfin jusqu'à la hauteur des bâtimens les plus élevés, et je planai en 35 rond autour du socle solitaire, du socle que ma bouche mourante venait d'effleurer d'un sourire et d'un baiser d'adieu. Tous les spectateurs avaient disparu, tous les bruits avaient cessé, tous les astres étaient cachés, toutes les lumières évanouies. L'air était immobile, le ciel glauque, terne, froid comme une tôle mate. Il ne restait rien de ce que 40 j'avais vu, de ce que j'avais imaginé sur la terre, et mon âme, épouvantée d'être vivante, fuyait avec horreur une solitude plus immense, une obscurité plus profonde que la solitude et l'obscurité du néant. Mais cet asile que je cherchais, je ne le trouvais pas. Je m'élevais comme le papillon de nuit qui a nouvellement brisé ses langes mystérieux pour 45 déployer le luxe inutile de sa parure de pourpre, d'azur et d'or.

Charles Nodier, *Smarra ou les démons de la nuit*, 1821.

VERS L'ANALYSE

## Le bois humecté de mon sang

1. Quel effet crée la cohabitation du réel et de l'irréel dans cet extrait ? Justifiez votre réponse au moyen d'éléments concrets.
2. Dans cet extrait, plusieurs procédés d'écriture* contribuent à l'horreur. Au premier paragraphe, relevez une citation qui illustre les procédés* suivants et décrivez leur effet.

| Procédé | Citation | Effet |
|---|---|---|
| Périphrase* | | |
| Personnification* | | |
| Comparaison* | | |
| Métaphore* | | |

3. Comment la description des lieux fait-elle écho aux thèmes* et aux sensations qui s'y rattachent dans le deuxième paragraphe ?
4. Repérez deux figures d'insistance* dans ce paragraphe et décrivez leurs effets.
5. Comment le caractère poétique contribue-t-il à l'aspect fantastique de ce texte ? Appuyez-vous sur la dernière phrase pour justifier votre réponse.

## Théophile Gautier (1811-1872)

*Bois ! et que mon amour s'infiltre dans ton corps avec mon sang !*

Conteur de grand talent, Théophile Gautier a produit des récits terrifiants peuplés d'ombres fantastiques et de femmes venues d'un autre monde. Ces mortes qui s'animent, comme dans *La morte amoureuse* (1836) où un jeune homme danse avec une femme sortie d'un tableau, sont symboles à la fois d'amour et de mort, de désir et de répulsion, Éros ne se déployant qu'en présence de Thanatos.

Comme Gérard de Nerval et Charles Nodier, Théophile Gautier se plaît à faire basculer le réel dans le rêve. Mais peu intéressé par les investigations psychologiques, il se contente le plus souvent d'observer la réalité extérieure, de décrire tout ce que l'œil pourrait voir. Son regard est si décapant qu'il met à nu ce qui se cache sous les apparences.

Dans *La cafetière* (1831), histoire d'amour d'un étudiant somnambule, l'insolite s'insère dans la quotidienneté, des objets anodins se voyant dotés d'étranges pouvoirs.

# La contemplation de cette mystérieuse et fantastique créature

– Angela, vous êtes lasse, lui dis-je, reposons-nous.

– Je le veux bien, répondit-elle en s'essuyant le front avec son mouchoir. Mais pendant que nous valsions, ils se sont tous assis, il n'y a plus qu'un fauteuil, et 5 nous sommes deux.

– Qu'est-ce que cela fait, mon bel ange ? Je vous prendrai sur mes genoux.

Sans faire la moindre objection, Angela s'assit, m'entourant de ses bras comme d'une écharpe 10 blanche, cachant sa tête blanche dans mon sein pour se réchauffer un peu, car elle était devenue froide comme un marbre.

Je ne sais pas combien de temps nous restâmes dans cette position, car tous mes sens étaient absorbés 15 dans la contemplation de cette mystérieuse et fantastique créature.

Je n'avais plus aucune idée de l'heure ni du lieu ; le monde réel n'existait plus pour moi, et tous les liens qui m'y attachent étaient rompus ; mon âme, 20 dégagée de sa prison de boue, nageait dans le vague et l'infini, je comprenais ce que nul homme ne peut comprendre, les pensées d'Angela se révélant à moi sans qu'elle eût besoin de parler, car son âme brillait dans son corps comme une lampe d'albâtre, et les 25 rayons partis de sa poitrine perçaient la mienne de part en part.

L'alouette chanta, une lueur pâle se joua sur les rideaux.

Aussitôt qu'Angela l'aperçut, elle se leva précipi- 30 tamment, me fit un geste d'adieu, et, après quelques pas, poussa un cri et tomba de sa hauteur.

Saisi d'effroi, je m'élançai pour la relever... Mon sang se fige rien que d'y penser ; je ne trouvai rien que la cafetière brisée en mille morceaux.

35 À cette vue, persuadé que j'avais été le jouet de quelque illusion diabolique, une telle frayeur s'empara de moi que je m'évanouis.

Théophile Gautier, *La cafetière*, 1831.

VERS L'ANALYSE

## La contemplation de cette mystérieuse et fantastique créature

1. Distinguez les éléments réalistes des éléments fantastiques qui se trouvent dans cet extrait.
2. Citez un passage dont l'acuité de la description contribue à l'ambiance inquiétante de l'extrait. Justifiez votre réponse.
3. Décrivez et qualifiez Angela d'après les indices fournis dans le texte. Sur quelles caractéristiques l'auteur insiste-t-il ?
4. a) Comment la description de l'espace fait-elle écho aux sensations décrites ? Que connotent* le lexique* et la forme négative* au milieu de l'extrait ?

   b) Comment ces éléments contribuent-ils au fantastique ?
5. a) Attardez-vous aux figures de ressemblance*. Relevez-en quatre et citez les passages en question.

   b) Comment les images créées par ces figures* sont-elles liées ? En quoi construisent-elles une cohérence ?

**Émile Jean Horace Vernet, *La ballade de Léonore*, 1839.**

Le fantastique cristallise les préoccupations romantiques, en affichant toutefois un goût très marqué pour le macabre.

## Prosper Mérimée (suite)

***Ces yeux brillants produisaient une certaine illusion qui rappelait la réalité, la vie.***

Pour Prosper Mérimée, auteur de *Carmen* (*voir* p. 210), l'écriture fantastique est surtout un jeu intellectuel : l'écrivain doit se faire illusionniste, prouver son habileté à user des outils rhétoriques pour susciter l'émotion chez le lecteur. *On sait la recette d'un bon conte fantastique*, écrit Mérimée. *Commencez par des portraits bien arrêtés de personnages bizarres, mais possibles ; donnez à leurs traits la réalité la plus minutieuse. Du bizarre au merveilleux la transition est insensible, et le lecteur se trouve en plein fantastique avant qu'il ne se soit aperçu que le monde est loin derrière lui.*

Cette rigueur lui a permis de créer deux œuvres exceptionnelles : *La Vénus d'Ille* (1837) et *Lokis* (1869). Mérimée privilégie dans l'une et l'autre une figure centrale du fantastique, la séductrice, habile à traduire tous les fantasmes du désir. Dans *La Vénus d'Ille*, le jour même de son mariage, un homme succombe aux charmes fatals d'une statue antique. Après avoir passé la bague destinée à la mariée au doigt de la statue de bronze, il n'arrive pas à la retirer parce que la Vénus replie son doigt pour mieux la retenir. La jeune fiancée affirme même avoir vu la statue étreindre son mari, jusqu'à l'étouffer.

# Le diable m'emporte

M. Alphonse me tira dans l'embrasure d'une fenêtre, et me dit en détournant les yeux:

«Vous allez vous moquer de moi... Mais je ne sais ce que j'ai... je suis ensorcelé! le diable m'emporte!»

5 La première pensée qui me vint fut qu'il se croyait menacé de quelque malheur du genre de ceux dont parlent Montaigne et Madame de Sévigné:

«Tout l'empire amoureux est plein d'histoires tragiques», etc.

10 Je croyais que ces sortes d'accidents n'arrivaient qu'aux gens d'esprit, me dis-je à moi-même.

«Vous avez trop bu de vin de Collioure, mon cher monsieur Alphonse, lui dis-je. Je vous avais prévenu.

– Oui, peut-être. Mais c'est quelque chose de bien plus 15 terrible.»

Il avait la voix entrecoupée. Je le crus tout à fait ivre.

«Vous savez bien mon anneau? poursuivit-il après un silence.

– Eh bien, on l'a pris?

20 – Non.

– En ce cas, vous l'avez?

– Non... je... je ne puis l'ôter du doigt de cette diable de Vénus.

– Bon! vous n'avez pas tiré assez fort.

25 – Si fait... Mais la Vénus... elle a serré le doigt.»

Il me regardait fixement d'un air hagard, s'appuyant à l'espagnolette pour ne pas tomber.

«Quel conte! lui dis-je. Vous avez trop enfoncé l'anneau. Demain vous l'aurez avec des tenailles. Mais 30 prenez garde de gâter la statue.

– Non, vous dis-je. Le doigt de la Vénus est retiré, reployé; elle serre la main, m'entendez-vous?... C'est ma femme, apparemment, puisque je lui ai donné mon anneau... Elle ne veut plus le rendre.»

35 J'éprouvai un frisson subit, et j'eus un instant la chair de poule. Puis, un grand soupir qu'il fit m'envoya une bouffée de vin, et toute émotion disparut.

Le misérable, pensai-je, est complètement ivre.

«Vous êtes antiquaire, monsieur, ajouta le marié d'un 40 ton lamentable; vous connaissez ces statues-là... il y a peut-être quelque ressort, quelque diablerie, que je ne connais point... Si vous alliez voir?

– Volontiers, dis-je. Venez avec moi.

– Non, j'aime mieux que vous y alliez seul.»

45 Je sortis du salon.

Prosper Mérimée, *La Vénus d'Ille*, 1837.

### VERS L'ANALYSE

## Le diable m'emporte

1. a) Résumez cet extrait en montrant le brouillage entre le réalisme et le fantastique. Expliquez comment les éléments fantastiques servent de ressort dramatique.
   b) Comment cette cohabitation du réel et du fantastique préserve-t-elle une part de mystère? Commentez en ce sens la fin du texte.
2. a) La posture d'énonciation* exprime l'inquiétude d'un point de vue extérieur à celui qui la vit. Expliquez cette affirmation.
   b) Relevez les adjectifs qui reflètent la perception qu'a le narrateur de M. Alphonse. Qualifiez ensuite sa perception.
3. L'écriture de l'extrait contribue au clivage des deux interlocuteurs. Relevez et commentez l'effet de deux procédés d'écriture* qui soulignent:
   a) l'agitation et l'inquiétude de M. Alphonse;
   b) le calme, le caractère rationnel de l'antiquaire.

**André Charles Voillemot, *Juliette Drouet*, v. 1885.**

L'amour inexorablement inassouvi de Victor Hugo pour Juliette Drouet donne lieu à une correspondance passionnée.

## Les plus belles lettres d'amour du XIXe siècle

Victor Hugo, qui n'a jamais renoncé à la vie commune avec son épouse, Adèle Foucher, a entretenu une liaison avec la comédienne Juliette Drouet pendant 50 ans, de 1833 jusqu'à la mort de cette dernière, en 1883. Juliette lui a écrit 18 000 lettres : une chaque jour. Pour sa part, Hugo lui en a adressé environ 300.

# De Victor Hugo à Juliette Drouet

9 janvier 1835.

Et qui résisterait à tes adorables lettres, Juliette ! Je viens de les lire, de les relire, de les dévorer de baisers comme j'en dévorerais ta bouche si je te tenais là. Je t'aime. Tu vois bien que je t'aime. Est-ce que tout n'est pas là ? Oh oui, je te demande bien pardon à genoux et du fond du cœur et du fond de l'âme de toutes mes *injustices*. Je voudrais avoir là comme tout à l'heure ton pied, ton pied charmant, ton pied nu, ta main, tes yeux et tes lèvres sous mes lèvres. Je te dirais toutes ces choses qui ne se disent qu'avec des sourires et des baisers. Oh ! je souffre bien souvent, va, plains-moi.

Mais je t'aime. Aime-moi !

Tes lettres sont ravissantes. Ma vie est faite des regards que me donnent tes yeux, des sourires que me donne ta bouche, des pensées que me donne ta journée, des rêves que me donne ta nuit. Dors bien cette nuit. Dors. Je pense que tu t'endors en ce moment. Je voudrais que tu visses cette lettre en songe, et le regard avec lequel j'ai lu les tiennes et le cœur avec lequel je t'écris celle-ci. Je te baise mille fois, Juliette bien-aimée, dans toutes les parties de ton corps, car il me semble que partout sur ton corps je sens la place de ton cœur comme partout dans ma vie je sens la place de mon amour.

Je t'aime. Tu es ma joie.

# De Juliette Drouet à Victor Hugo

21 mai 1866.

Cher adoré bien-aimé, ta lettre a toutes les senteurs du paradis et tout l'éclat des astres. J'en ai l'enivrement et l'éblouissement comme si je respirais ton âme en pleine lumière de ton génie. J'en suis ravie et confuse comme le jour où tu m'as dit pour la première fois : je t'aime. À ce moment-là j'avais peur de n'être pas assez belle pour les baisers, aujourd'hui je crains de n'être pas assez ange pour ton amour ; et pourtant Dieu sait si je t'aime et comment je t'aime, mes scrupules sont encore de l'amour. Modestie et orgueil, fierté et humilité, tout est amour en moi. Je t'admire comme un humble esprit que je suis ; je t'adore comme un être divin que tu es.

## Lettres entre Victor Hugo et Juliette Drouet

1. Dans la lettre signée Victor Hugo, relevez les procédés d'écriture* correspondant aux catégories mentionnées dans le tableau, citez les passages pertinents et commentez leur effet.

| Procédés | Citation | Effet |
|---|---|---|
| Construction des phrases* | | |
| Ponctuation* | | |
| Figure d'insistance* | | |
| Figure d'analogie* | | |

2. a) En exprimant son admiration pour Victor Hugo, Juliette Drouet semble se remettre en question. Sur quels plans souligne-t-elle ses faiblesses ?

   b) Quels procédés stylistiques* font bien ressortir ce contraste ? Relevez trois passages mettant en relief les oppositions et commentez-en les effets.

3. Relevez deux procédés stylistiques* qui mettent l'accent sur l'intensité des sentiments qu'éprouve Juliette Drouet. Décrivez leurs effets.

4. Pourquoi peut-on dire que cet échange épistolaire reflète l'esthétique romantique ? Justifiez votre réponse en tenant compte du fond* et de la forme* des lettres.

<table>
<tr><th colspan="3">VUE D'ENSEMBLE DU ROMANTISME</th></tr>
<tr><th>Contexte sociohistorique</th><th>Courants artistiques et littéraires : principales caractéristiques</th><th>Genres littéraires, auteurs, œuvres marquantes</th></tr>
<tr><td rowspan="4">Contrecoup de la Révolution française de 1789<br>Période de transition, ère de nouveauté et de progrès, mutation vers la démocratie, la justice et la liberté.<br>• Opposition entre les valeurs révolutionnaires et le désir d'un retour au conservatisme.<br>• Instabilité politique marquée par les soulèvements populaires et la succession de nombreux régimes.<br>- 1er Empire, Napoléon Ier (1804).<br>- Abdication de Napoléon (1814).<br>- Restauration de la monarchie, 100 jours de Napoléon, 2e restauration (1815-1830).<br>- Règnes de Louis XVIII, Charles X et Louis-Philippe (1814-1848).<br>- IIe République (1848-1852).<br>• Refonte des valeurs économiques, sociales, intellectuelles et artistiques : reconnaissance des droits des citoyens, voie vers l'émancipation individuelle.<br>• Révolution industrielle<br>- Amélioration fulgurante des moyens de transport et de production.<br>- Urbanisation, montée de la bourgeoisie.</td><td colspan="2">Le romantisme</td></tr>
<tr><td>En peinture comme en littérature<br>Refus des contraintes, célébration de la subjectivité, quête de la sensibilité.<br>En littérature<br>Culte du moi : lyrisme individuel empreint de mélancolie et de révolte, marginalité, inadaptation.<br>Communion avec la nature.<br>Goût pour l'exotisme et la couleur locale.<br>Thèmes de prédilection : amours déçues, mort, fuite du temps.</td><td>Poésie élégiaque<br>Genre de prédilection des romantiques : la sensibilité prime sur la technique ; lyrisme passionné et désespéré. P. ex. : Lamartine, Hugo, Musset.<br>Roman<br>Exploration des élans du cœur dans ses plus fines ramifications. P. ex. : Delphine, Mme de Staël.<br>• Roman autobiographique<br>Récit intimiste et sentimental, écrit à la première personne. P. ex. : René, Chateaubriand ; Adolphe, Constant ; La confession d'un enfant du siècle, Musset ; Indiana, Sand.<br>• Roman historique<br>Célébration du passé aussi bien que du quotidien, esthétique marquée par le pittoresque et la couleur locale. P. ex. : Les Misérables, Hugo.</td></tr>
<tr><td colspan="2">Le fantastique</td></tr>
<tr><td>Esthétique empreinte de mystère et d'incertitude, remise en question des certitudes morales et religieuses.<br>En peinture<br>Romantisme noir, expression de l'aspect sombre du réel, en réaction aux Lumières.<br>En littérature<br>Intérêt pour les phénomènes occultes ou angoissants liés à la présence d'un être menaçant : vampire, diable, double, spectre, etc., qui perturbe la vie du personnage principal.<br>Ambiance inquiétante, doute et trouble de l'esprit.</td><td>Genre narratif<br>Genre de prédilection des auteurs de littérature fantastique : récits angoissants, narration à la première personne, descriptions de lieux sombres et lugubres.<br>• Conte et nouvelle<br>P. ex. : Smarra ou les démons de la nuit, Nodier ; La Vénus d'Ille, Mérimée ; La morte amoureuse, Gautier.<br>• Roman<br>P. ex. : La Peau de chagrin, Balzac.</td></tr>
</table>

# L'analyse littéraire


## 1. Repérage des éléments ........ 229

### 1.1 Approche générale ........ 229
- 1.1.1 Situation de l'œuvre ........ 229
- 1.1.2 Organisation et propos ........ 230

### 1.2 Examen détaillé ........ 231
- 1.2.1 Énonciation ........ 231
- 1.2.2 Procédés lexicaux ........ 232
- 1.2.3 Procédés grammaticaux ........ 234
- 1.2.4 Procédés syntaxiques ........ 235
- 1.2.5 Procédés stylistiques ........ 236
- 1.2.6 Procédés musicaux ........ 241
- 1.2.7 Tonalités ........ 242
- 1.2.8 Exemple d'annotation d'un extrait ........ 243

## 2. Organisation du travail ........ 246

### 2.1 Élaboration du plan ........ 246
- 2.1.1 Principes généraux ........ 246
- 2.1.2 Organisation et hiérarchisation ........ 247
- 2.1.3 Exemple de plan ........ 247

### 2.2 Rédaction de l'analyse : exemple d'analyse commentée ........ 249

### 2.3 Révision de l'analyse ........ 250
- 2.3.1 Révision du contenu et de la structure ........ 250
- 2.3.2 Révision linguistique ........ 251
- 2.3.3 Exemple de fiche d'autocorrection ........ 252

## 3. Approche par genre ........ 252

### 3.1 Genre narratif ........ 252
### 3.2 Genre dramatique ........ 254
### 3.3 Genre poétique ........ 256

# 1. Repérage des éléments

L'analyse littéraire peut prendre différentes formes. Elle vise généralement à dégager les thèmes principaux d'une œuvre ou d'un extrait, puis à montrer comment l'écriture se met au service de ces thèmes, ce qu'elle cherche à faire en décortiquant les procédés littéraires liés au propos. Une telle rédaction exige un important travail préalable de réflexion et de repérage pour bien situer l'œuvre dans son contexte. Il faut, d'abord et avant tout, bien comprendre le sujet de rédaction et les consignes qui l'accompagnent de façon à orienter la lecture et le repérage des éléments. Peu importe les consignes et le libellé du sujet, il faut y porter grande attention avant d'entreprendre la lecture méthodique du texte à l'étude. Nous illustrerons les étapes du travail par un exemple d'analyse d'un extrait de la pièce *Phèdre* de Racine, qui permet de constater combien les tragédies de cet auteur reposent sur la psychologie des personnages.

**LIBELLÉ DU SUJET**

**Extrait à l'étude:** *Phèdre* de Racine, lignes 41 à 82: *Je m'abhorre encor plus que tu ne me détestes* (monologue de Phèdre).

**Sujet de rédaction:** Faites l'étude des thèmes en faisant ressortir le déchirement [1] que ressent le personnage de Phèdre.

**Consignes:** Rédigez une analyse littéraire d'environ 700 mots constituée d'une introduction, d'un développement d'au moins deux paragraphes et d'une conclusion. L'étude de chacun des thèmes doit s'appuyer sur l'explication de procédés littéraires [2] au service du propos [3].

[1] En comprendre le sens: souffrance morale, rupture intérieure.

[2] Procédés littéraires: éléments de l'examen détaillé (figures de style, choix des mots, procédés grammaticaux, versification, etc.).

[3] Propos: éléments de l'approche générale (auteur, époque, courant, contexte sociohistorique et littéraire, genre, etc.).

## 1.1 Approche générale

Les éléments dont il faut tenir compte dans l'amorce de l'analyse font appel aux connaissances acquises dans le cours de littérature. Ils concernent surtout le fond de l'œuvre et son contexte. En ce sens, on s'intéresse surtout ici au propos de l'œuvre et aux indices permettant d'en comprendre la portée. Il vous revient de faire les liens qui s'imposent dans le contexte précis de votre travail, donc de choisir les outils d'analyse qui mettront en valeur vos idées selon les particularités de l'œuvre à l'étude. Les grilles d'analyse proposent plusieurs éléments pertinents pour l'analyse. Toutefois, tous ces éléments ne s'appliquent pas à tous les types de textes. De plus, selon les particularités de l'œuvre à l'étude, il peut exister des recoupements d'une grille à l'autre. Il est donc judicieux de bien réviser et comprendre les notions auxquelles fait appel chacune des grilles, pour choisir les éléments à approfondir en fonction de l'œuvre à étudier et de la tâche à accomplir.

### 1.1.1 Situation de l'œuvre

| GRILLE D'ANALYSE – Situation de l'œuvre | |
|---|---|
| **Éléments essentiels** | **À chercher ou à vérifier** |
| **Auteur et contexte sociohistorique** | |
| Il est essentiel de bien indiquer l'œuvre et son auteur. Des liens pertinents peuvent également se dégager de l'approfondissement du contexte littéraire, social et historique dans lequel l'œuvre s'inscrit. | • Année de parution.<br>• Auteur: vie et œuvre (moments importants de la carrière littéraire, période charnière, etc.).<br>• Événements sociohistoriques, culturels ou politiques entourant la parution de l'œuvre. |

→

| GRILLE D'ANALYSE – Situation de l'œuvre (suite) | |
|---|---|
| **Éléments essentiels** | **À chercher ou à vérifier** |
| **Genre littéraire, situation de l'extrait dans l'œuvre et autres indices** | |
| En tenant compte du genre de l'œuvre, on ciblera mieux les éléments sur lesquels se pencher dans un examen détaillé.<br>L'analyse doit situer l'extrait à l'étude dans l'œuvre complète d'où il est tiré.<br>Selon le genre littéraire à l'étude, la disposition du texte peut varier. Les indices que révèlent les particularités typographiques peuvent être utiles à l'analyse. | • Genre littéraire : sommairement, selon les familles (narratif, dramatique, poétique, argumentatif), puis plus précisément si la situation l'exige (sous-genre ou forme : fable, nouvelle, roman, sonnet, tragédie, comédie, pamphlet, etc.).<br>• Situation de l'extrait dans l'œuvre complète : chapitre, dans un roman ; acte et scène, dans une pièce de théâtre ; nom du recueil, pour un poème, une fable ou une nouvelle ; etc.<br>• Paratexte (commentaires accompagnant l'œuvre).<br>• Disposition du texte (vers, texte suivi, dialogue, etc.), particularités typographiques (majuscules, tirets, italique, gras, etc.). |
| **Contexte littéraire** | |
| Pour replacer l'œuvre dans son contexte, il faut tenir compte de la production littéraire de l'époque.<br>Bien souvent, l'œuvre à l'étude se rattache à un courant littéraire dont certaines caractéristiques transparaissent dans le propos et dans la forme. | • Tendances, événements littéraires importants assimilables à l'époque de la parution de l'œuvre (s'il y a lieu).<br>• Courant auquel est associé l'auteur.<br>• Manifestations des principales caractéristiques de ce courant : sur le plan du contenu (thèmes) et sur le plan de la forme (écriture : cet aspect sera approfondi dans l'examen détaillé). |

### 1.1.2 Organisation et propos

| GRILLE D'ANALYSE – Organisation et propos | |
|---|---|
| **Éléments essentiels** | **Démarche** |
| **Constituants de l'histoire (s'il y a lieu)** | |
| Un relevé factuel – qui ? quoi ? où ? quand ? comment ? dans quel but ? – peut aider à déterminer les enjeux de l'extrait à l'étude.<br>Faire le schéma actanciel de l'extrait lorsqu'il comporte un récit (roman, théâtre, etc.) peut mieux faire comprendre le déroulement de l'action et le rôle des actants :<br>Destinateur —> Objet —> Destinataire<br>Adjuvant (allié) —> Sujet —> Opposant | • Décrire l'organisation du récit ou de la pièce. Où se joue l'intrigue ? Quels sont les personnages en cause ? Où se situe-t-on dans l'espace et le temps ? Selon quelle perspective les événements sont-ils racontés ?<br>• Décrire les caractéristiques physiques, morales et psychologiques des personnages.<br>• Définir le rôle des personnages (et de tout ce qui a une incidence sur l'action) et les relations entre les protagonistes. |
| **Structure** | |
| Il est souvent pertinent d'examiner la façon dont se déploie l'action ou la pensée dans un texte littéraire. | • Dégager la structure de l'extrait.<br>- Les paragraphes distinguent-ils les parties les unes des autres ? Qu'est-ce qui marque l'évolution psychologique des personnages ? Comment les idées s'organisent-elles ? Ces éléments peuvent enrichir votre résumé de l'œuvre. |

| GRILLE D'ANALYSE – Organisation et propos | |
|---|---|
| **Éléments essentiels** | **Démarche** |
| **Propos et thèmes** | |
| À partir des éléments recensés préalablement, il est possible de déduire l'idée générale d'un texte. Dans le cas d'un texte dramatique (comédie, tragédie, etc.) ou narratif (fable, roman, récit, etc.), le propos est un constat abstrait formulé à partir d'éléments concrets de l'œuvre. L'examen des actions des personnages, pour percevoir leurs caractéristiques psychologiques, peut s'avérer utile à cet égard. Dans un poème ou dans un essai, le propos correspond au sujet du texte, à l'idée ou à l'émotion autour de laquelle s'articule l'œuvre.<br>L'auteur exploite quelques thèmes (principaux et secondaires). Un travail de conceptualisation de la pensée (élaboration de concepts abstraits) permet de les dégager. | • Cerner l'intention de l'auteur (si elle est clairement exprimée), le propos général de l'œuvre.<br>- Cherche-t-on à critiquer ou à dénoncer une situation, à vanter la beauté de la nature, à mettre en relief les vices et les travers de l'être humain ?<br>• Formuler la morale, la leçon à retenir, s'il y a lieu.<br>• Dégager les principaux thèmes au service du propos. |

## 1.2 Examen détaillé

Si l'approche générale permet de cerner le contenu de l'œuvre et son propos en fonction de son contexte, l'examen détaillé, lui, s'attarde aux moyens auxquels a recours l'auteur pour mettre en valeur son discours, sa pensée. En ce sens, on s'intéressera particulièrement à la forme de l'œuvre à cette étape du repérage préalable à la rédaction de l'analyse qui, elle, mettra en lumière la façon dont l'auteur tisse les liens entre le fond (ce dont il est question) et la forme (le traitement du sujet).

### 1.2.1 Énonciation

Par *énonciation*, on entend la production d'un discours dans un contexte donné. Plusieurs facteurs peuvent être pris en considération pour mieux comprendre ce contexte et la relation qu'entretiennent le locuteur, celui qui produit l'énoncé, et le destinataire, celui à qui il s'adresse. La grille suivante ne décrit que les principaux procédés de l'énonciation pour situer le locuteur dans le discours qu'il émet et pour cerner son degré d'affectivité et de subjectivité. Les autres grilles d'analyse (procédés lexicaux, grammaticaux, syntaxiques, stylistiques, musicaux) abordent des éléments connexes qui viendront préciser le contexte de l'énonciation et ainsi enrichir vos observations à cet égard.

| GRILLE D'ANALYSE – Énonciation | |
|---|---|
| **Éléments à observer** | **Stratégies de repérage, amorce d'analyse** |
| **Marques du locuteur et du destinataire** | |
| Présence du locuteur, implication dans le discours, relation avec le destinataire. | • Le choix des pronoms personnels – caractère expressif (*je*), inclusif ou collectif (*nous*) – ou l'emploi d'un style impersonnel (*il*).<br>• Le choix des déterminants et des pronoms possessifs.<br>• L'abondance ou la parcimonie des renseignements que donne le locuteur sur lui-même.<br>• La familiarité (*tu*), la distance ou la politesse (*vous*), l'emploi de l'impératif (*position d'autorité*), par exemple, dans la relation entre locuteur et destinataire. |

| GRILLE D'ANALYSE – **Énonciation** (suite) | |
|---|---|
| **Éléments à observer** | **Stratégies de repérage, amorce d'analyse** |
| **Marques de modalisation** | |
| Subjectivité, opinions et attitude du narrateur, perception du destinataire. | • Le vocabulaire mélioratif ou péjoratif, exprimant les opinions et sentiments du narrateur.<br>• La présence marquée de verbes d'énonciation, tels que *penser, juger, croire*, qui laissent entrevoir la subjectivité.<br>• Les modalisateurs : *probablement, sans doute, à vrai dire*, etc.<br>• Les marqueurs affectifs : interjection, phrases exclamatives, etc. |
| **Discours rapporté** | |
| Le fait de citer directement (discours direct) ou de résumer les paroles d'un personnage (discours indirect, discours indirect libre) peut être révélateur des écarts entre les personnages. | • Les changements de registre de langue, correspondant, par exemple, aux différences de classes sociales.<br>• Les changements de ton : sentiments, tempéraments opposés, etc. |

### 1.2.2 Procédés lexicaux

#### Sens des mots

S'il faut s'assurer de bien comprendre le sens des mots, il est inutile, voire impossible de s'attarder à tous les mots du texte. En revanche, il est essentiel, pour bien comprendre le propos de l'œuvre, d'accorder toute l'attention nécessaire aux mots qui reviennent souvent et sur lesquels on pourrait avoir un doute, ou simplement aux mots qui expriment les nuances du propos. Il faut garder en tête que, dans un texte littéraire, l'auteur exerce un travail sur les mots dans le but de produire divers effets de sens. Ainsi, on tiendra compte des significations possibles des mots, du contexte dans lequel ils s'insèrent ainsi que de leur sens propre et figuré.

| **GRILLE D'ANALYSE – Procédés lexicaux : sens des mots** | |
|---|---|
| **Éléments à observer** | **Stratégies de repérage, amorce d'analyse** |
| **Dénotation et connotation** | |
| La dénotation renvoie au sens propre d'un mot. Comme certains mots peuvent avoir plus d'un sens, il faut bien les interpréter selon le contexte.<br>La connotation est le sens figuré d'un mot. Il s'agit d'une signification imagée, d'une impression qui s'ajoute au sens dénotatif. Par exemple, s'il dit d'une personne qu'elle est un paon, l'auteur peut souhaiter souligner, en faisant référence à cet oiseau fier, la vanité de l'individu en question. La connotation exprime donc une part de subjectivité. | • S'interroger sur le sens des mots qu'on ne connaît pas.<br>• Vérifier les mots dans un dictionnaire et tenir compte de leurs différents sens, s'il y a lieu ; s'assurer de connaître le sens contextuel.<br>• S'attarder au vocabulaire porteur du propos, qui en tisse les nuances et en traduit la portée.<br>• Selon le contexte, s'interroger sur l'aspect d'une réalité que l'auteur cherche à souligner par le recours au sens figuré. |
| **Vocabulaire mélioratif ou péjoratif** | |
| La connotation peut comporter une valeur affective, qui s'exprime par l'emploi de termes mélioratifs ou péjoratifs. Ces mots révèlent la subjectivité du locuteur, qui peut avoir tendance à embellir ou à déprécier une personne ou une réalité.<br>Exemple<br>L'adjectif « jolie », qui décrit le petit chaperon rouge dans le conte du même nom (p. 106), traduit une valeur méliorative, alors que les adjectifs « pelé » et « galeux », qui désignent l'Âne dans la fable *Les animaux malades de la peste* (p. 102), revêtent une connotation péjorative. | • En présence de termes mélioratifs ou péjoratifs, se demander s'ils sont neutres, à savoir s'ils cherchent à traduire objectivement une réalité donnée.<br>• Remarquer la présence de suffixes à connotation négative, par exemple : *bon**asse**, revanch**ard**, acari**âtre***, etc. |

| GRILLE D'ANALYSE – Procédés lexicaux : réseaux de mots | |
|---|---|
| **Éléments à observer** | **Stratégies de repérage, amorce d'analyse** |
| **Champ lexical** | |
| L'expression « champ lexical » désigne l'ensemble des mots, toutes catégories grammaticales confondues, qui se rapportent à une même réalité. On doit nommer le champ lexical, c'est-à-dire définir le concept auquel se rattache le réseau de mots. La constitution d'un champ lexical permet d'illustrer comment un thème se déploie au fil de l'œuvre.<br>Exemple<br>Le champ lexical de la débauche dans l'extrait « Suis-je un Satan ? », tiré du drame romantique *Lorenzaccio* de Musset (p. 217), pourrait entre autres comporter les mots « Satan » (l. 1), « corruption » (l. 5), « stigmate » (l. 6), « nudité » (l. 13), « vice » (l. 46) et « ruffian » (l. 47). | • Porter attention aux mots qui se rattachent aux thèmes importants de l'œuvre ou de l'extrait à analyser. Il peut être profitable de les souligner au fur et à mesure qu'on lit pour ensuite percevoir le sens qu'ils construisent ensemble et saisir la progression qu'ils laissent entrevoir. |
| **Registre** | |
| Le choix du registre de langue est révélateur de plusieurs éléments propres au contexte de l'œuvre, notamment en ce qui a trait au rang social des personnages ou à une situation de communication précise. Le passage d'un registre à un autre peut mettre en évidence des caractéristiques du locuteur et des destinataires, de même que la relation qu'ils entretiennent.<br>Exemple<br>Dans l'extrait « On dirait des crapauds et des araignées », tiré du roman *Le dernier jour d'un condamné* de Victor Hugo (p. 184), le narrateur, éduqué, adapte son registre de langue à celui des détenus qui lui apprennent l'argot, en intégrant des mots populaires à son discours en langue courante. | • Remarquer les variations de registre et les examiner en tenant compte du contexte et des caractéristiques des locuteurs : rang social, degré de familiarité, etc. |

#### Registres de langue

En plus de considérer le sens des mots pris individuellement, il importe d'examiner les effets créés par les combinaisons et les réseaux que tissent les mots à l'intérieur du texte. Voici quelques repères pour bien interpréter les indications relatives aux registres de langue dans les ouvrages de référence.

- Registre littéraire (abréviation dans un dictionnaire : *litt.* ou *littér.*) ou poétique (*poét.*) : langue érudite, phrases complexes, vocabulaire très riche, effets de style, etc.
- Registre soutenu ou didactique (*didact.*) : vocabulaire riche et spécialisé, propre à un domaine particulier ; souci de précision et d'exactitude.
- Registre neutre, courant ou standard (aucune indication dans le dictionnaire) : langue précise, conforme à la grammaire, appropriée, par exemple, au contexte scolaire.
- Registre familier (*fam.*) : langue de la conversation, légers écarts syntaxiques et grammaticaux, simplifications, etc.
- Registre populaire (*pop.*), argotique (*arg.*) ou vulgaire (*vulg.*) : langue relâchée, vocabulaire imprécis, plusieurs emprunts ou écarts grammaticaux et syntaxiques.

### 1.2.3 Procédés grammaticaux

Porter une attention particulière aux mots en fonction de leurs catégories grammaticales offre souvent une nouvelle perspective sur l'œuvre et une meilleure compréhension des effets recherchés par l'auteur. Comme le verbe constitue le cœur de la phrase, il importe également d'y accorder une attention particulière.

| GRILLE D'ANALYSE – Procédés grammaticaux | |
|---|---|
| **Éléments essentiels** | **Stratégies de repérage, amorce d'analyse** |
| **Classes de mots** | |
| En examinant le choix de même que la fréquence des mots appartenant aux différentes classes, il est possible de trouver certains indices fort révélateurs.<br>Les descriptions foisonnent-elles d'adjectifs ? Ces adjectifs traduisent-ils un débordement émotif (comme dans *Le beau voyage* de Joachim du Bellay [p. 59], dont le sentiment dominant est la nostalgie du pays natal) ou plutôt un souci de précision (comme dans l'extrait « Vingt fois sur le métier remettez votre ouvrage », tiré d'*Art poétique* de Nicolas Boileau [p. 100], où l'auteur cherche à cerner avec exactitude les qualités d'un écrivain et de son œuvre) ? Veut-on plutôt décrire le plus objectivement possible une réalité donnée (absence d'adjectifs) ? L'auteur cherche-t-il à marquer ou à effacer sa présence ?<br>Exemple<br>Dans le poème *Je vis, je meurs...* de Louise Labé (p. 61), l'abondance de pronoms personnels et de déterminants à la première personne exprime à la fois l'individualité et l'intensité de la peine de la poète. | • Remarquer la récurrence, l'abondance ou l'absence de mots d'une même classe (par exemple, déterminants et adjectifs).<br>• Étudier la façon dont le locuteur signale sa présence : marques de la possession, choix des pronoms et des déterminants, etc.<br>• Porter attention aux oppositions et flottements (singulier/pluriel, générique/spécifique, défini/indéfini) : l'inconstance peut laisser entrevoir l'état psychologique du locuteur. |
| **Procédés verbaux** | |
| **Catégories de verbes** | |
| Pour comprendre le ton d'un texte et l'état d'esprit d'un locuteur, il peut être intéressant de s'interroger sur les types de verbes employés. Privilégie-t-on la voix active ou la voix passive ? Le locuteur décrit-il une action ou des impressions, des sensations ?<br>Exemple<br>Dans l'extrait *Comment instruire un géant* de Rabelais (p. 67), l'abondance de verbes d'action souligne la vitalité du personnage. Les verbes permettent-ils l'expression d'une opinion ou d'un désir ? Leur succession contribue-t-elle au rythme de l'extrait ?<br>Exemple<br>Dans le poème *Je vis, je meurs...* de Louise Labé (p. 61), on passe de verbes d'action dans les quatrains à des verbes d'état dans les tercets. Ce décalage fait ressortir la réflexion de l'auteure sur les actions préalablement décrites. | • Vérifier les constantes dans le choix des verbes en regard de leur forme et de leur sens.<br>• Remarquer la quantité et l'enchaînement de verbes qui, selon leur type, peuvent dénoter différents états ou sentiments.<br>• Observer la terminaison des verbes pour déterminer les temps et modes et ainsi faire les déductions qui s'imposent en les rattachant aux thèmes de l'extrait et aux impressions qui s'en dégagent. |
| **Modes et temps verbaux** | |
| L'examen des temps et modes verbaux permet non seulement de situer le moment de l'action, mais aussi d'entrevoir la perspective selon laquelle on doit l'aborder : ce qui est décrit est-il réel ou hypothétique ? On peut souvent en déduire l'état d'esprit d'un personnage qui envisage l'avenir avec confiance (par l'emploi du futur), exprime ses désirs (subjonctif, conditionnel) ou refuse d'aller de l'avant (passé), par exemple. | • Remarquer les ruptures de ton induites par le passage d'un temps, d'un mode ou d'un type de verbe à un autre. |

### 1.2.4 Procédés syntaxiques

En examinant la construction des phrases, il est possible de déceler plusieurs effets intéressants liés au rythme de l'œuvre et aux émotions qu'il génère. Il faut observer les phrases en tant que telles, mais aussi la ponctuation qui marque leur structure, de même que leur succession, leur agencement à l'intérieur du texte, qui contribue à la musicalité. À cet égard, les procédés rythmiques et musicaux s'avèrent complémentaires des procédés syntaxiques.

| GRILLE D'ANALYSE – Procédés syntaxiques | |
|---|---|
| **Éléments essentiels** | **Stratégies de repérage, amorce d'analyse** |
| **Types de phrases** | |
| Le recours à différents types de phrases (déclarative, interrogative, exclamative, impérative) permet à l'auteur de traduire diverses émotions. Il importe d'examiner leur agencement pour cerner l'émotion qu'elles expriment.<br>Les nombreuses interrogations peuvent créer une atmosphère inquiétante ou montrer l'agitation intérieure du personnage. L'abondance des phrases exclamatives peut montrer la joie ou le désespoir du personnage. Ces phrases exclamatives prennent parfois la forme d'une imploration, comme dans cette strophe du poème *Le lac* de Lamartine (p. 190), où le poète supplie : *Ô lac ! rochers muets ! grottes ! forêts obscures ! / [...] Gardez de cette nuit, gardez, belle nature / Au moins le souvenir !* L'emploi de la phrase impérative peut traduire le caractère autoritaire du personnage ou, à l'inverse, le désespoir et l'imploration. Il peut également renvoyer à un conseil, comme c'est le cas dans cette strophe du poème *À Cassandre* de Ronsard (p. 60), alors que le poète suggère ainsi à la jeune fille de profiter de sa jeunesse : *Cueillez, cueillez !* | • Remarquer la présence de points d'interrogation et de points d'exclamation.<br>• Repérer les tournures impératives.<br>• Associer les types de phrases aux effets qu'ils produisent en fonction des thèmes de l'extrait.<br>• Remarquer l'abondance ou l'alternance des différents types de phrases, la longueur des phrases, et les effets que ces constructions entraînent sur le rythme. |
| **Forme des phrases** | |
| Peu importe le type de phrase, sa forme traduit souvent les intentions du locuteur.<br>Selon le thème de l'œuvre, la forme négative peut mettre en évidence l'esprit de contestation aussi bien que le déni ou le simple désir de présenter une réalité sous un jour différent. La forme emphatique, pour sa part, attire l'attention sur un élément précis. La phrase impersonnelle et la phrase passive peuvent entre autres signaler l'impuissance ou l'aliénation du personnage aussi bien que son souci d'objectivité, selon le contexte. Il importe donc de bien évaluer les effets en fonction du propos de l'œuvre. | • Remarquer la présence des termes de négation : *ne pas, ne jamais, point, nul, personne, rien,* etc. S'ils sont nombreux, les rattacher au propos de l'œuvre.<br>• Porter attention aux marqueurs emphatiques (*c'est... que, c'est... qui, ce que..., c'est,* etc.) et vérifier l'importance de l'élément mis en relief. |
| **Construction des phrases** | |
| Des effets intéressants résultent de la rupture par rapport au modèle de la phrase de base : sujet + groupe verbal [+ complément de phrase]. Par exemple, le simple fait de modifier l'ordre (inversion, détachement) des constituants peut mettre en relief un élément important. De plus, l'ajout d'éléments (complément du nom, complément de phrase) enrichit le contenu de la phrase, la rendant souvent plus précise, mais parfois aussi plus lourde. À l'inverse, l'ellipse, qui consiste en une suppression de mots, allège la structure sans altérer le propos ; elle peut aussi simplement contribuer à la symétrie de la phrase ou à la régularité du rythme. | • Envisager l'ensemble de l'extrait pour voir dans quelle mesure l'auteur s'affranchit du modèle de phrase de base : ordre, suppressions, ajouts... Remarquer comment l'enchaînement de phrases différentes contribue au rythme ou à l'harmonie de l'œuvre.<br>• Dans des phrases en particulier, déterminer si les ruptures par rapport à l'ordre habituel des constituants produisent un effet sur le sens (mise en relief ?) ou sur le rythme.<br>• Vérifier si l'ajout de compléments contribue à la construction du sens, si ces compléments créent des effets stylistiques (insistance, exagération, etc.). |

### 1.2.5 Procédés stylistiques

Le recours à maints procédés stylistiques est le propre du texte littéraire, qui vise à créer des effets et à susciter des émotions. Il est essentiel d'y prêter attention en cours d'analyse pour bien montrer les liens qui unissent le fond et la forme de l'œuvre. Pour les repérer et les interpréter, il est utile de comprendre les mécanismes associés à chacune des grandes catégories de figures que vous trouverez dans ces grilles. Il faut aussi garder en tête qu'un même passage peut comporter plusieurs figures de style. La pertinence de l'analyse repose sur les choix des effets que vous commentez. Il n'est pas nécessaire de recenser toutes les figures; il importe plutôt de décrire les effets les plus représentatifs et les mieux rattachés aux thèmes dominants de l'extrait.

#### Figures de rapprochement

Une figure de rapprochement met en relation deux réalités pour créer une image. On distinguera les figures de ressemblance, qui mettent en valeur une caractéristique commune à ces deux réalités, des figures d'opposition, qui mettent en contraste les réalités en question. L'interprétation des figures de rapprochement consiste donc en l'examen des effets associés à l'attribution des caractéristiques de l'élément comparant à l'élément comparé.

**GRILLE D'ANALYSE – Procédés stylistiques : figures de rapprochement**

Souvent, les figures de rapprochement passent inaperçues tant leur usage est répandu. En remarquant les représentations imagées des réalités décrites dans l'œuvre, on en découvre une nouvelle dimension.

Lorsqu'une image semble évocatrice, chercher le point de convergence entre les éléments qu'elle met en relation ; déterminer s'il s'agit d'une figure de ressemblance ou d'opposition avant de poursuivre l'interprétation.

| Principales figures | Repérage et analyse des effets |
|---|---|
| **Figures de ressemblance** | |
| **Comparaison** | |
| La comparaison crée une image en attribuant les caractéristiques d'un élément comparant à un élément comparé.<br>Exemple<br>*Leurs déclamations sont comme des épées* (poème *Le pélican* d'Alfred de Musset, v. 42, p. 193) | • Remarquer les comparaisons en repérant les termes de comparaison : *comme, tel, pareil à, semblable à,* etc. |
| **Métaphore** | |
| La métaphore crée une image en attribuant les caractéristiques d'un élément comparant à un élément comparé.<br>Exemple<br>*Notre cœur est un instrument incomplet* (extrait de *René* de Chateaubriand, l. 16, p. 201), *Ô montagnes d'azur !* (poème *Le cor* d'Alfred de Vigny, v. 9, p. 194) | • Pour s'assurer qu'il s'agit bien d'une métaphore, il peut être utile d'ajouter un terme de comparaison : coeur *comme* un instrument incomplet, montagnes *telles que* l'Azur.<br>• Se demander en quoi les caractéristiques du comparant altèrent la perception que le lecteur a du comparé pour décrire l'effet de la métaphore ou de la comparaison : le caractère tranchant d'une épée, le bleu de l'azur... |

| GRILLE D'ANALYSE – Procédés stylistiques : figures de rapprochement | |
|---|---|
| **Principales figures** | **Repérage et analyse des effets** |
| **Figures de ressemblance** | |
| **Allégorie** | |
| L'allégorie propose, par la description imagée, une représentation concrète d'une idée (concept, abstraction), donnant lieu à une réflexion.<br>Exemple<br>*Il leur restait donc le présent, l'esprit du siècle, ange du crépuscule qui n'est ni la nuit ni le jour ; ils le trouvèrent assis sur un sac de chaux plein d'ossements, serré dans le manteau des égoïstes, et grelottant d'un froid terrible. L'angoisse de la mort leur entra dans l'âme à la vue de ce spectre moitié momie et moitié fœtus.* (extrait *Alors s'assit...* d'Alfred de Musset, l. 31 à 36, p. 204) | • Dégager les caractéristiques de la situation ou de l'objet que décrit l'allégorie pour comprendre et interpréter la portée de l'association que l'auteur cherche à produire. Pour Musset, l'esprit du siècle se caractérise à la fois par la fraîcheur et la décrépitude, porte en lui la vie et la mort : réflexion empreinte d'espoirs déçus et de désolation. |
| **Personnification** | |
| Par l'attribution de caractéristiques humaines à un concept, à un animal ou à un objet, la personnification donne vie à l'inanimé.<br>Exemple<br>*Mon beau printemps et mon été / Ont fait le saut par la fenêtre* (poème *Plus ne suis ce que j'ai été de* Clément Marot, v. 3 et 4, p. 57) | • Être sensible, entre autres, aux noms et aux adjectifs souvent abstraits (méchanceté/méchant, affabilité/affable, hostilité/hostile, etc.) qui décrivent et qualifient normalement l'être humain ; vérifier s'ils sont appliqués à des idées, à un animal ou à une chose.<br>• S'interroger, selon les caractéristiques attribuées par la personnification, sur la fonction de l'objet personnifié pour le locuteur, sur son rôle par rapport au personnage, et ainsi de suite : dans le poème de Marot, l'action de sauter évoque le caractère soudain, inopiné de la fuite de la jeunesse. |
| **Figures d'opposition** | |
| **Antithèse** | |
| L'antithèse fait ressortir des contrastes en juxtaposant des mots ou des groupes de mots qui renvoient à des réalités opposées.<br>Exemple<br>*Le feu brûle dedans la glace* (poème *Le monde à l'envers* de Théophile de Viau, v. 17, p. 86) | • Remarquer, dans des œuvres mettant en scène des émotions violentes ou complexes, la présence de termes contraires : par exemple, le feu et la glace. |
| **Oxymore** | |
| Plus encore que l'antithèse, l'oxymore (ou oxymoron) met en relief les oppositions en alliant dans une expression deux mots apparemment contradictoires.<br>Exemple<br>*supplice si doux* (extrait « Je m'abhorre encor plus que tu ne me détestes » de la pièce *Phèdre* de Racine, v. 79, p. 119) | • Pour repérer l'oxymore, prêter attention à l'adjonction de termes opposés appartenant à des catégories grammaticales différentes, comme un nom (*supplice*) et un adjectif (*doux*). |

#### Figures d'amplification ou d'insistance et figures d'atténuation

Comme leur nom l'indique, ces figures ont pour effet de créer une impression de profusion, d'insister sur un phénomène ou d'en exagérer la portée. En ce sens, elles constituent parfois des manipulations apportées à d'autres figures (de rapprochement, de substitution, etc.) pour souligner les débordements émotifs ou le caractère excessif des personnages. L'effet de ces figures est souvent impressionnant, agressant par l'impression de martèlement qu'elles provoquent ou, au contraire, comique. Elles peuvent aussi produire un effet de persuasion dans un discours argumentatif. Les figures d'atténuation, pour leur part, amoindrissent l'expression d'un sentiment ou d'une réalité pour exercer des effets opposés : adoucir ou amplifier.

## GRILLE D'ANALYSE – Procédés stylistiques : figures d'amplification (ou d'insistance) et d'atténuation

Toutes les figures d'amplification ou d'insistance mettent l'accent sur un élément important de l'œuvre : un sentiment, un concept, une idée, etc. L'étude de ces figures permet donc de déterminer dans quelle mesure l'auteur a voulu révéler certaines facettes des personnages, ou d'entrevoir les perspectives qu'il a souhaité mettre en lumière.

Dans les œuvres expressives, remarquer comment l'auteur traduit l'intensité des sentiments : en répétant les mêmes mots ? en énumérant les éléments qui créent la joie ou le malheur ? en exagérant les émotions de manière imagée ? Se montrer sensible à ces mécanismes de base peut s'avérer utile pour repérer les différentes figures d'insistance et en décrire les effets.

| Principales figures et caractéristiques | Repérage et analyse des effets |
| --- | --- |
| **Figures d'amplification (ou d'insistance)** | |
| **Répétition et anaphore** | |
| La reprise d'un mot ou d'une expression met en relief l'importance d'une réalité donnée.<br><u>Exemple</u><br>*Toi seul, et non un autre, toi seul, qui seul es la cause de ma douleur* (*Lettre d'Héloïse à Abélard*, l. 6 et 7, p. 42) | • Remarquer la reprise de mots et l'associer au thème de l'extrait pour en déduire l'effet.<br>Ainsi, la répétition de *toi seul* fait ressortir le caractère unique qu'attribue Héloïse à Abélard, ce qui met l'accent sur la douleur mêlée d'amour qu'elle éprouve pour lui. |
| **Accumulation** | |
| Par la succession de mots appartenant à une même catégorie, l'accumulation crée une impression d'abondance, de foisonnement.<br><u>Exemple</u><br>*Belles, bien faites, et gentilles* (*Le petit chaperon rouge* de Charles Perrault, l. 79, p. 106) | • Remarquer la présence d'énumérations d'éléments de même catégorie (noms, adjectifs, etc.) ou fonction grammaticale (sujets, groupes verbaux, compléments, etc.) et déterminer sur quel élément porte l'impression d'abondance ou d'excès.<br>L'accumulation des adjectifs *belles, bien faites* et *gentilles*, par l'effet de profusion de qualités qu'elle crée, souligne la beauté et la douceur de la fillette. |
| **Gradation** | |
| La gradation reprend le principe de l'accumulation en organisant les éléments de manière ascendante ou descendante pour marquer une progression.<br><u>Exemple</u><br>*Sans bruit, sans fiel et sans courroux* (*Le petit chaperon rouge* de Charles Perrault, l. 86, p. 107) | • Remarquer la présence d'énumérations d'éléments de même catégorie (noms, adjectifs, etc.) ou fonction grammaticale (sujets, groupes verbaux, compléments, etc.), vérifier si l'intensité augmente d'un élément à l'autre et déterminer sur quoi porte l'impression d'abondance ou d'excès.<br>La gradation *Sans bruit, sans fiel et sans courroux* décrit la manière insidieuse qu'a le loup de s'approcher des petites filles, en ne dévoilant que progressivement sa vraie nature. |

| GRILLE D'ANALYSE – Procédés stylistiques : figures d'amplification (ou d'insistance) et d'atténuation | |
|---|---|
| **Principales figures et caractéristiques** | **Repérage et analyse des effets** |
| **Hyperbole** | |
| Figure de l'excès, l'hyperbole marque l'exagération dans l'expression de la réalité.<br>Exemple<br>*un million de fois* (*Henri IV à la marquise de Verneuil*, l. 9, p. 72) ; *d'énormes voûtes d'eau* (extrait « Le repoussant avec dignité, elle détourna de lui sa vue » tiré de *Paul et Virginie* de Jacques Henri Bernardin de Saint-Pierre, l. 15 et 16, p. 161) | • Remarquer les adverbes d'intensité comme *trop, tant, tellement,* etc., les déterminants à valeur quantitative tels que *tous les, des millions* (*un million de fois*) ainsi que les images fortes qui laissent entrevoir l'idée de démesure propre à l'hyperbole. |
| **Figures d'atténuation** | |
| Puisqu'elles remplacent une idée par une autre, ces figures peuvent aussi bien être considérées comme des figures de substitution, selon l'effet souhaité. Même si elles ont en commun l'édulcoration d'une réalité, les différentes figures d'atténuation créent des effets opposés.<br>Examiner avec vigilance le sous-texte, pour s'assurer de bien comprendre l'intention de l'auteur. | |
| **Euphémisme** | |
| Cette figure cherche à adoucir une réalité choquante ou déplaisante.<br>Exemple<br>*ta fille au tombeau descendue* (poème *Consolation à Monsieur du Périer…* de François de Malherbe, v. 5, p. 88) | • Remarquer le souci de l'auteur d'atténuer ses propos. Se demander s'il cherche ainsi à rendre acceptable une réalité controversée ou désagréable ou s'il essaie plutôt de renforcer une idée.<br>• Porter attention au choix des mots lorsque le texte aborde des sujets moralement discutables ou simplement tabous : on atténue la mort, par exemple, en l'envisageant comme une descente : *au tombeau descendue.* |
| **Litote** | |
| La litote procède par la retenue pour donner plus de force au propos, en disant moins pour faire entendre plus, souvent pour exprimer une idée plaisante.<br>Exemple<br>*Tu me haïssais plus, je ne t'aimais pas moins* (extrait « Je m'abhorre encor plus que tu ne me détestes » de la pièce *Phèdre* de Racine, l. 59, p. 118) | • Remarquer la présence de la négation qui caractérise la litote : en inversant la perspective, on comprend que « je ne t'aimais pas moins » peut être interprété comme « je t'aimais ». |

### Figures de substitution

Les figures de substitution remplacent une réalité par une autre, créant tantôt des raccourcis qui génèrent des images par l'association d'éléments unis par des liens logiques (à la manière des figures de rapprochement), tantôt des détours qui désignent une réalité par sa définition plutôt que par le terme qui suffirait à l'évoquer. Ces figures mettent l'accent sur une caractéristique de l'objet ou de l'individu en le réduisant à cette caractéristique ou elles en font une description détaillée qui en souligne le caractère soit solennel, soit ridicule.

| GRILLE D'ANALYSE – Procédés stylistiques : figures de substitution | |
|---|---|
| **Principales figures et caractéristiques** | **Repérage et analyse des effets** |
| **Métonymie** | |
| La métonymie crée un raccourci en mettant l'accent sur un aspect de la réalité décrite, par la substitution de termes entretenant un lien logique : contenu/contenant, cause/effet, abstrait/concret, etc.<br>Exemple<br>*Fumer la cheminée* (poème *Le beau voyage* de Joachim du Bellay, v. 6, p. 59) | • Remarquer les courts-circuits de la pensée. Ainsi, en attribuant une seule cheminée à l'ensemble du village (un tout réduit à un élément), du Bellay insiste sur le caractère modeste des lieux qu'il décrit. |
| **Périphrase** | |
| La périphrase est une expression qui décrit ou évoque une réalité en soulignant l'importance d'une de ses caractéristiques.<br>Exemple<br>*héros qui t'a donné le jour* (v. 71) en référence à Thésée, père d'Hippolyte, ou *La veuve de Thésée* (v. 73) pour désigner Phèdre (extrait « Je m'abhorre encor plus que tu ne me détestes » de la pièce *Phèdre* de Racine, p. 118) | • Lorsque des propos semblent inutilement compliqués, il peut être pertinent de remplacer la définition par un mot ou une expression pour ensuite interpréter le détour que fait l'auteur.<br>• Se demander quel aspect de l'élément on cherche à mettre en valeur.<br>On peut vouloir insister sur la force en évoquant un héros pour parler de Thésée, et souligner la faiblesse de Phèdre et inspirer la pitié en rappelant qu'elle est veuve. |

### Figures syntaxiques

Par figures syntaxiques, on entend des procédés stylistiques dans lesquels la construction des phrases produit des effets divers sur le sens. La juxtaposition peut souligner des contrastes ou accentuer les rapprochements à faire entre les éléments.

| GRILLE D'ANALYSE – Procédés stylistiques : figures syntaxiques | |
|---|---|
| **Principales figures et caractéristiques** | **Repérage et analyse des effets** |
| **Parallélisme** | |
| En présentant des éléments selon une construction syntaxique analogue (ABAB), le parallélisme les met en relation pour faire ressortir leurs similitudes ou leurs différences, selon l'effet recherché par l'auteur.<br>Exemple<br>Il faut *venger un père, et perdre une maîtresse* (extrait « Je dois tout à mon père avant qu'à ma maîtresse » du *Cid* de Corneille, v. 14, p. 94) | • Pour repérer le parallélisme, remarquer comment sont disposés les éléments de même nature, s'ils reproduisent le modèle ABAB.<br>• Pour l'interpréter, examiner le sens des éléments mis en parallèle.<br>Dans ces vers, Corneille oppose clairement la nécessité de la vengeance du père à la conséquence qu'entraîne ce geste, la perte de la maîtresse, illustrant le dilemme déchirant de Rodrigue. |
| **Chiasme** | |
| En disposant les éléments selon un effet de miroir (ABBA), le chiasme souligne généralement les oppositions.<br>Exemple<br>*Ajoutez quelquefois, et souvent effacez* (extrait « Vingt fois sur le métier remettez votre ouvrage » d'*Art poétique* de Nicolas Boileau, v. 22, p. 100) | • Pour repérer et interpréter le chiasme, être attentif aux effets rythmiques de la symétrie (ABBA). Les oppositions paraîtront alors clairement.<br>Ici, Boileau souligne l'importance de la mesure en opposant par la structure même de la phrase les adverbes « quelquefois » et « souvent » respectivement aux verbes « ajoutez » et « effacez ». |

### 1.2.6 Procédés musicaux

Particulièrement en poésie, mais aussi dans les autres genres littéraires, le rythme et les sonorités revêtent une importance capitale. Ainsi, en plus de s'attarder au sens, il faut écouter la musique que génère l'aménagement des syllabes, des mots et des phrases.

| GRILLE D'ANALYSE – Procédés musicaux | |
|---|---|
| **Éléments essentiels** | **Stratégies de repérage, amorce d'analyse** |
| **Éléments rythmiques** | |
| Peu importe le genre littéraire à l'étude, le découpage des phrases traduit souvent l'ambiance d'un texte ou l'état psychologique des personnages. Par exemple, la succession de phrases courtes peut créer une ambiance inquiétante, alors que l'accumulation de phrases longues et complexes est propice à la contemplation ou à l'approfondissement d'une réflexion, tout comme elle peut donner une impression de lourdeur. On doit donc considérer l'agencement des phrases tout en tenant compte des pauses, notamment celles dictées par la ponctuation.<br>Dans un texte versifié, l'auteur peut chercher à produire des effets en s'éloignant du rythme attendu ou installé au fil de l'œuvre ou encore à accentuer certains éléments, ce à quoi il importe de prêter attention. | • Dans tous les genres, remarquer l'agencement et la longueur des phrases. Faire le lien avec les thèmes principaux pour décrire l'ambiance qui en découle.<br>• Dans un texte en prose, repérer les signes de ponctuation : virgule (court arrêt), point-virgule (arrêt moyen), point ou points de suspension (arrêt plus long), etc. Interpréter les pauses en fonction du propos de l'œuvre. Cherche-t-on à mettre en évidence un élément en particulier ?<br>• En poésie, porter attention aux accents toniques et aux coupes, qui varient selon la longueur des vers, et repérer les enjambements. |
| **Sonorités** | |
| La répétition de certains sons peut suggérer des émotions. En poésie, les rimes constituent un procédé de prédilection pour donner de la musicalité au texte. On doit se demander dans quelle mesure elles sont en harmonie avec les thèmes et le propos de l'œuvre.<br>Dans tous les types de textes, l'auteur peut s'amuser à créer des effets sonores.<br>La récurrence de consonnes occlusives (*b, d, g, k, p, t*), qui ont une certaine dureté, donne une impression de martèlement, de violence, alors que les consonnes fricatives et liquides (*ch, j, s, v, z, l, r*) évoquent fluidité, douceur et légèreté.<br>Quant aux voyelles, leurs combinaisons sont multiples. Mieux vaut interpréter leurs effets au cas par cas, selon l'ambiance générale de l'œuvre. Il est aussi possible d'associer aux sonorités présentes dans un texte des bruits liés aux thèmes de l'œuvre, comme le vent, la pluie, les vagues, etc. Et, quelle qu'en soit la nature, la surabondance d'une sonorité ou sa répétition rapprochée peut aussi bien susciter l'agacement que provoquer un effet comique. | • Dans tous les types de textes, repérer les assonances et les allitérations (répétitions respectivement de voyelles et de consonnes), les onomatopées (reproduction de bruits) ainsi que les combinaisons qu'elles créent, et les rattacher aux thèmes. Ces sonorités renforcent-elles une impression installée par les mots ? |

## 1.2.7 Tonalités

La tonalité d'une œuvre, quelle qu'en soit la forme, en laisse entrevoir la couleur, la spécificité. Il est donc intéressant d'étudier les émotions qui naissent des différents procédés au service des tonalités possibles. Pour dégager la tonalité d'une œuvre, il faut l'envisager globalement, en considérant l'ensemble des éléments examinés dans les grilles précédentes. La combinaison des différents procédés crée l'atmosphère qui s'en dégage, et c'est ce qu'on entend par *tonalité*.

| **GRILLE D'ANALYSE – Tonalités** | |
|---|---|
| **Principales tonalités et caractéristiques** | **Procédés de prédilection et éléments à repérer** |
| **Tonalité réaliste** | |
| Tonalité très présente dans le roman de la fin du XIXe et du début du XXe siècle, caractéristique des œuvres cherchant à créer l'illusion du réel. | • Les descriptions détaillées.<br>• La rigueur et la précision dans l'énonciation des faits, de la succession des événements. |
| **Tonalité épique** | |
| Tonalité associée à l'épopée, mais aussi aux œuvres d'autres époques mettant en scène des affrontements dans lesquels se distinguent des héros. On la retrouve dans les récits des exploits souvent guerriers d'un héros surhumain qui affronte des obstacles apparemment insurmontables, suscitant l'admiration du lecteur.<br>Exemple<br>« La mort de Roland » (*La chanson de Roland*, p. 18) | • L'abondance de verbes d'action.<br>• L'abondance d'adjectifs mélioratifs.<br>• Les figures d'amplification.<br>• Les figures d'insistance.<br>• Les images grandioses.<br>• Le lexique exprimant la profusion (noms collectifs, superlatifs, etc.).<br>• La ponctuation expressive. |
| **Lyrique** | |
| Tonalité usitée en poésie, mais aussi présente dans les autres genres littéraires. Expression de sentiments et d'états d'âme visant à émouvoir le lecteur, manifestation de l'individualité et de l'introspection, effusions et débordements de sentiments.<br>Exemple<br>« Complainte Rutebeuf » (Rutebeuf, p. 32) | • Les champs lexicaux propres à l'affectivité (amour, mort, douleur, etc.).<br>• L'emploi de la première personne.<br>• L'emploi des verbes de perception.<br>• Le vocabulaire mélioratif ou péjoratif.<br>• Les interjections et la ponctuation expressive.<br>• Les figures d'insistance.<br>• Les images émouvantes et fortes. |
| **Tragique** | |
| Tonalité propre à la tragédie classique dont les accents peuvent également se retrouver dans des formes plus modernes. Présence d'une situation marquée par la fatalité, de souffrances causées par des forces qui dépassent le héros et le conduisent vers son funeste destin. Dignité malgré la douleur : thèmes liés à l'honneur et au devoir de même qu'à la culpabilité.<br>Exemple<br>« Je m'abhorre encor plus que tu ne me détestes » (*Phèdre* de Racine, p. 118) | • Les champs lexicaux de la passion, de la mort, de l'honneur, etc.<br>• Le registre littéraire, les tournures élégantes.<br>• Les indices du déchirement : figures d'opposition, figures syntaxiques (parallélisme, chiasme).<br>• Les interjections, la ponctuation expressive.<br>• Les marques de la dépossession : périphrases, emploi de la troisième personne, etc. |

| GRILLE D'ANALYSE – Tonalités | |
|---|---|
| **Principales tonalités et caractéristiques** | **Procédés de prédilection et éléments à repérer** |
| **Pathétique** | |
| Mise en scène de la souffrance par de violents débordements d'émotions afin de toucher, voire bouleverser le lecteur.<br>Exemple<br>« Ce baiser mortel » (*Julie ou la nouvelle Héloïse* de Jean-Jacques Rousseau, p. 160) | • Les procédés propres à l'insistance et à l'exagération : hyperboles, interjections, accumulations, gradations, etc. |
| **Comique** | |
| Tonalité souvent présente dans la comédie classique. Désir de faire rire le lecteur en lui présentant des personnages et des situations cocasses : quiproquos, rebondissements, exagérations d'un trait de caractère, associations inusitées, etc.<br>Exemple<br>« Je crois que deux et deux sont quatre » (*Dom Juan* de Molière, p. 121) | • Les jeux fondés sur la langue et les sons (assonances et allitérations, calembours, répétitions, déformations, etc.).<br>• Les variations de registre (très familier, voire grivois, faussement littéraire, etc.).<br>• Les variations rythmiques (phrases courtes, apartés, etc.).<br>• Les figures d'insistance et d'amplification. |
| **Polémique ou ironique** | |
| Tonalités correspondant à des textes critiques de genres variés, peu importe l'époque. On y dénonce souvent, de manière satirique, les institutions ou les individus qui abusent de leur pouvoir (critique de la bourgeoisie, de la religion, etc.) en mettant en évidence leurs aspects négatifs. Si la tonalité polémique vise à susciter un débat au moyen d'une critique sérieuse, la tonalité ironique, elle, procède plutôt par raillerie et sarcasme.<br>Exemple<br>*Le vilain et le souricon* (fabliaux des XIIIe et XIVe siècles, p. 28) ;<br>*Les animaux malades de la peste* (fable de La Fontaine, p. 102) ;<br>« À plus de onze cents lieues de mer des Iroquois et des Hurons » (*Les caractères* de La Bruyère, p. 114) | • Les procédés de l'insistance et de l'exagération (accumulation, répétition, adverbes d'intensité, etc.).<br>• Le vocabulaire péjoratif.<br>• Les procédés de l'ironie : antiphrase (emploi d'une expression dans un sens contraire à son sens premier), euphémisme. |

### 1.2.8 Exemple d'annotation d'un extrait

Pour effectuer un repérage efficace, il peut être pertinent d'annoter l'extrait à l'étude au fil de la première lecture en ayant en tête le sujet de rédaction ainsi que les éléments essentiels à repérer, que passent en revue les grilles d'analyse. Les lectures subséquentes permettront de compléter la collecte des éléments à détailler en prévision de la rédaction. Certains éléments recensés ne figureront pas nécessairement dans la version définitive du travail, mais ils permettront une meilleure compréhension générale qui transparaîtra dans la qualité de l'analyse. Il importe donc de s'arrêter aux différentes textures tout en tenant compte du sujet de rédaction et des consignes, qui détermineront l'importance relative à accorder à chacun des éléments.

L'extrait suivant, tiré de la présente anthologie (*voir* p. 118), comporte les annotations qu'un étudiant aurait pu faire au fil de sa première lecture en s'appuyant sur les consignes et le sujet de rédaction. Dans l'exemple qui suit, il s'agit d'examiner les thèmes liés au déchirement intérieur du personnage. Certaines pistes pourront être explorées à la rédaction de l'analyse complète, alors que d'autres constituent des remarques et questions qu'il faudra formuler pour bien comprendre le propos de l'œuvre. Pour tirer le maximum de votre lecture méthodique, reportez dans une grille d'analyse vierge les éléments pertinents en prévision de la rédaction.

## Exemple d'annotation d'un extrait de *Phèdre* de Racine, lignes 41 à 82 : monologue de Phèdre

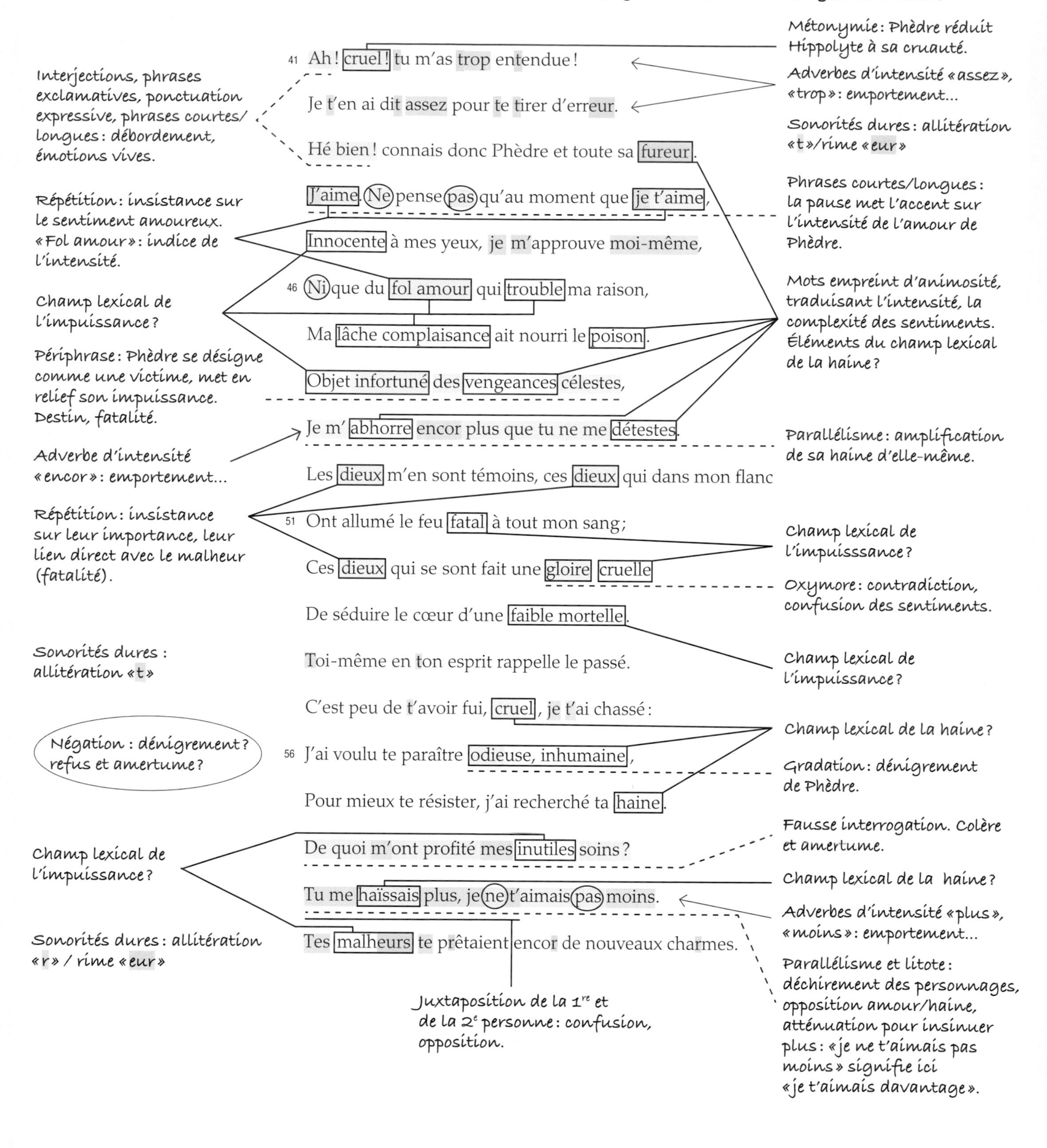


Procédés lexicaux | Procédés grammaticaux | Procédés stylistiques | Procédés syntaxiques | Procédés musicaux

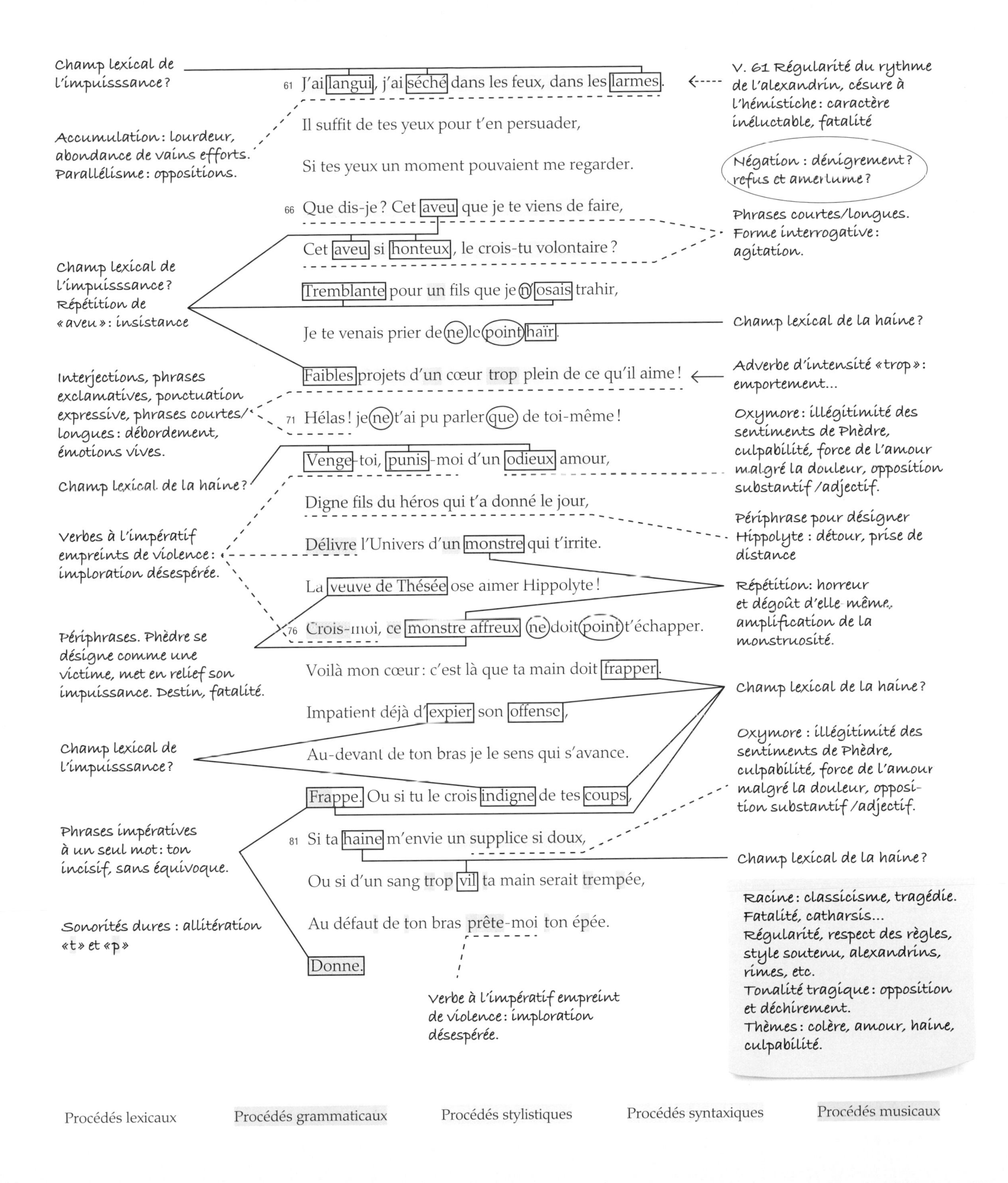
Champ lexical de l'impuisssance?
61 J'ai langui, j'ai séché dans les feux, dans les larmes.
V. 61 Régularité du rythme de l'alexandrin, césure à l'hémistiche: caractère inéluctable, fatalité
Il suffit de tes yeux pour t'en persuader,
Accumulation: lourdeur, abondance de vains efforts. Parallélisme: oppositions.
Si tes yeux un moment pouvaient me regarder.
Négation: dénigrement? refus et amertume?
66 Que dis-je? Cet aveu que je te viens de faire,
Phrases courtes/longues. Forme interrogative: agitation.
Cet aveu si honteux, le crois-tu volontaire?
Champ lexical de l'impuisssance? Répétition de «aveu»: insistance
Tremblante pour un fils que je n'osais trahir,
Je te venais prier de ne le point haïr.
Champ lexical de la haine?
Faibles projets d'un cœur trop plein de ce qu'il aime!
Adverbe d'intensité «trop»: emportement...
Interjections, phrases exclamatives, ponctuation expressive, phrases courtes/longues: débordement, émotions vives.
71 Hélas! je ne t'ai pu parler que de toi-même!
Oxymore: illégitimité des sentiments de Phèdre, culpabilité, force de l'amour malgré la douleur, opposition substantif/adjectif.
Venge-toi, punis-moi d'un odieux amour,
Champ lexical de la haine?
Digne fils du héros qui t'a donné le jour,
Périphrase pour désigner Hippolyte: détour, prise de distance
Verbes à l'impératif empreints de violence: imploration désespérée.
Délivre l'Univers d'un monstre qui t'irrite.
La veuve de Thésée ose aimer Hippolyte!
Répétition: horreur et dégoût d'elle-même, amplification de la monstruosité.
76 Crois-moi, ce monstre affreux ne doit point t'échapper.
Périphrases. Phèdre se désigne comme une victime, met en relief son impuissance. Destin, fatalité.
Voilà mon cœur: c'est là que ta main doit frapper.
Champ lexical de la haine?
Impatient déjà d'expier son offense,
Champ lexical de l'impuisssance?
Au-devant de ton bras je le sens qui s'avance.
Oxymore: illégitimité des sentiments de Phèdre, culpabilité, force de l'amour malgré la douleur, opposition substantif/adjectif.
Frappe. Ou si tu le crois indigne de tes coups,
Phrases impératives à un seul mot: ton incisif, sans équivoque.
81 Si ta haine m'envie un supplice si doux,
Champ lexical de la haine?
Ou si d'un sang trop vil ta main serait trempée,
Sonorités dures: allitération «t» et «p»
Au défaut de ton bras prête-moi ton épée.
Donne.
Verbe à l'impératif empreint de violence: imploration désespérée.
Racine: classicisme, tragédie. Fatalité, catharsis... Régularité, respect des règles, style soutenu, alexandrins, rimes, etc. Tonalité tragique: opposition et déchirement. Thèmes: colère, amour, haine, culpabilité.
Procédés lexicaux
Procédés grammaticaux
Procédés stylistiques
Procédés syntaxiques
Procédés musicaux

# 2. Organisation du travail

Les grilles d'analyse amènent à approfondir la compréhension d'un extrait et de son contexte. Or, un important classement s'impose pour choisir les éléments les plus pertinents et arriver à les mettre en valeur. Avant d'amorcer la rédaction d'une analyse littéraire, vous devez réfléchir à l'organisation du contenu en n'oubliant pas de vous référer aux consignes et au libellé du sujet.

## 2.1 Élaboration du plan

On ne saurait assez insister sur le soin à accorder à l'étape du plan, gage de la cohérence du développement que vous proposerez. Un bon plan vous assure de pouvoir entreprendre votre rédaction avec confiance.

### 2.1.1 Principes généraux

En général, un développement complet et pertinent présente deux ou trois paragraphes (le développement de deux ou trois idées principales), mais il vous revient de déterminer la structure la plus susceptible de mettre en valeur votre raisonnement. N'oubliez pas qu'une analyse littéraire est avant tout l'exposition d'une pensée. Comme la complexité des sujets et des œuvres varie considérablement, il est rarement judicieux de déterminer le nombre de paragraphes requis avant d'avoir choisi les idées à développer, à moins que des directives à cet égard fassent partie des consignes. En ce sens, il faut garder en tête que ce n'est pas la structure, mais bien les idées qui président à l'élaboration du plan (on choisit la boîte en fonction de ce qu'elle doit contenir, et non l'inverse). Il vous revient de réaliser les étapes préliminaires avec application pour vous assurer de cerner le problème posé. C'est pourquoi, avant d'entreprendre l'élaboration du plan, il peut être utile de dégager, à partir des éléments relevés dans les grilles, les principaux thèmes et les procédés qui y sont associés. Cette étape vous permettra par la suite d'envisager l'étape du plan, dans lequel vous regrouperez les thèmes unis par le sens de façon à esquisser les idées principales et secondaires.

Dans notre exemple sur l'extrait de *Phèdre*, le premier repérage a permis de cerner les éléments essentiels de l'extrait. À cette étape du travail, il s'agit de dégager les thèmes et de regrouper les procédés associés à chacun d'eux en choisissant méticuleusement les éléments de la lecture à reporter dans le tableau.

| ÉBAUCHE DU PLAN | |
|---|---|
| **Thèmes et ébauches d'idées** | **Références, procédés, esquisses d'explications** |
| Amour | v. 44 et 46 : effets d'insistance (répétition, mise en relief de l'intensité). |
| Douleur | v. 70 et 79 : caractère contradictoire, déchirement, souffrance (oxymores). |
| Haine | v. 61 : accumulation/gradation : insistance.<br>Champ lexical de la haine et de la violence : « fureur », « poison », « vengeance », « abhorre ». |
| Honte et culpabilité | v. 64 et 65 : vocabulaire (« aveux », « honteux »), phrases interrogatives. |
| Impuissance | v. 48 : périphrase mettant l'accent sur la fatalité : « Objet infortuné », absence de contrôle, malchance. |
| Violence et agitation | Phrases interrogatives : dépossession et détresse. |

### 2.1.2 Organisation et hiérarchisation

Le tableau élaboré à l'étape précédente est en quelque sorte l'ébauche de votre plan. Ce premier élagage des éléments du repérage constitue le point de départ de la formulation des idées principales et secondaires de votre analyse littéraire et des procédés sur lesquels ces idées vont s'appuyer (citations, commentaires, etc.). À cette étape, il s'agit d'organiser le contenu de ce tableau, de hiérarchiser les idées en fonction de l'orientation souhaitée. Vous constaterez des recoupements entre les idées. Quelques éléments vous paraîtront peut-être accessoires lorsque vous aurez une vision d'ensemble du problème. Vous veillerez alors à ne retenir que l'essentiel.

Vous remarquerez aussi que certaines idées constituent des ramifications d'idées plus générales. Vous pourrez, à partir de ce tableau, organiser votre pensée et en définir les grands axes (ébauches d'idées principales : IP) et leurs différents aspects (ébauches d'idées secondaires : IS), qui constitueront votre développement. Vous vous assurerez ainsi d'envisager le sujet de rédaction dans toute sa complexité. Par exemple, pour élaborer le plan, il suffit d'organiser et de bonifier le contenu du tableau proposé à l'étape précédente. Il vous faut préciser vos intuitions et formuler vos idées, puis expliciter la façon dont vous étayerez chacune d'elles, au moyen de preuves textuelles (citations) et d'explications. Assurez-vous aussi d'agencer harmonieusement ces éléments, de manière à mettre en valeur la logique de votre pensée à l'intérieur de chaque paragraphe. Selon le temps dont vous disposez, et selon le degré de précision du plan que vous jugez nécessaire pour amorcer la rédaction en toute confiance, vous pouvez définir les liens qui unissent les idées, de façon à faciliter la rédaction des transitions. L'étape du plan peut également être l'occasion de réfléchir aux éléments à inclure dans l'introduction et la conclusion. L'exemple qui suit se veut relativement détaillé. Si cette étape du travail ne constitue pas une difficulté majeure pour vous, n'hésitez pas à aller à l'essentiel en vous limitant à une approche plus schématique.

### 2.1.3 Exemple de plan

**ÉLÉMENTS DU PLAN**

**Introduction**

SA (sujet amené)

Théâtre classique (XVIIe siècle) : plaire et instruire à la cour de Louis XIV.

Tragédie : situation sans issue.

Racine et la « chaîne des amours contrariées ». Spécialisé dans la tragédie d'inspiration grecque.

Genre littéraire restreint à l'usage de l'alexandrin.

Dans *Phèdre :* amour illégitime.

(Lien logique : un tel sentiment peut occasionner un déchirement psychologique.)

SP (sujet posé)

Thèmes liés au déchirement.

SD (sujet divisé)

Amour et fatalité.

**Développement**

IP 1 (idée principale 1)

Déchirement psychologique lié à l'amour.

IS 1 (idée secondaire 1)

Amour profond et sincère.

→

SA Voir éléments de l'approche générale (grille d'analyse) : époque, courant, etc. pour situer l'extrait dans l'œuvre complète et dans son contexte littéraire, social et historique.

SP Reformulation du libellé du sujet.

SD Grands axes du développement (IP, thèmes).

## ÉLÉMENTS DU PLAN

**P (preuve)**
(v. 44)

**E (explication)**
Répétition de « aime » : insistance, intensité. Rupture du rythme après « J'aime. » : caractère solennel.

(Lien logique : intensité de l'amour, émotions violentes : sentiments contradictoires.)

**IS 2**
Amour illégitime, sentiments contradictoires (haine).

**P**
Champ lexical de la haine.

Métonymie : « cruel » (v. 41 et 55) pour désigner Hippolyte.

**E**
On met l'accent sur la violence de l'amour et la cruauté d'Hippolyte en le réduisant à cet adjectif (« cruel »).

(Lien logique : contradictions existent aussi sur un autre plan.)

**IP 2**
Contradictions dans le rapport à la fatalité.

**IS 3**
Impuissance et vulnérabilité.

**P**
Périphrase : « Objet infortuné » (v. 48).

**E**
Met l'accent sur la fatalité. Absence de contrôle, malchance, mais aussi puissance des dieux.

(Lien logique : impuissante mais pourtant affirmée.)

**IS 4**
Autorité et violence.

**P**
« Venge-toi, punis-moi d'un odieux amour » (v. 70).

**E**
Impératif, oxymore.

(Lien logique : complexité des sentiments, aveu de culpabilité présent dans l'oxymore.)

**IS 5**
Honte et culpabilité.

**P**
« monstre affreux » (v. 74).

**E**
Opposition des périphrases désignant Phèdre : ambivalence, déchirement.

**Conclusion**

**R (rappel)**
Déchirement intérieur.

**S (synthèse ou bilan)**
Opposition amour/haine, lien trouble à la fatalité : impuissance, détermination, responsabilité de la faute...

**O (ouverture)**
Catharsis, purgation des passions.

*P Gagner du temps en n'indiquant que la référence de la P (transcrire la citation dans la version définitive du texte).*

*P Champ lexical, terminer le relevé amorcé dans la lecture méthodique au moment de la rédaction.*

*E Esquisse d'E : effets des procédés retenus.*

*IS 4 L'IS 4 découle du raisonnement et permet d'illustrer l'opposition existant entre l'impuissance et la culpabilité de Phèdre, de glisser progressivement vers le sujet de la honte. Lorsque le développement s'en trouve bonifié, on ne doit pas hésiter à présenter une idée secondaire supplémentaire, par exemple, au risque de créer un déséquilibre entre les paragraphes.*

*O Élargir la portée du sujet. En manque d'inspiration, ne pas hésiter à revenir au SA en resserrant les liens avec les éléments de contexte.*

## 2.2 Rédaction de l'analyse : exemple d'analyse commentée

Toutes les étapes précédentes conduisent à la rédaction de l'analyse complète. Cet exemple commenté passe en revue les principes généraux liés au style et au ton à privilégier, aux enchaînements et aux transitions ainsi qu'aux conventions méthodologiques à respecter dans l'analyse.

**ANALYSE**

SA Au XVII^e siècle, l'activité théâtrale se caractérise par un désir de plaire à l'auditoire tout en l'instruisant. La tragédie classique est applaudie par un public qui veut qu'elle corresponde bien à cet esprit [1] en mettant en scène des êtres d'exception, des héros qui suscitent l'admiration, mais dont le destin funeste, marqué par le malheur, inspire pitié et terreur. Ces caractéristiques [2] propres à la tragédie se retrouvent dans la pièce *Phèdre* de Racine, dans laquelle l'héroïne éprouve un amour illégitime et irrépressible pour son beau-fils, Hippolyte, ce qui la met dans une situation conflictuelle sans issue. Le trouble et le déchire- SP ment psychologique qui en [1] résultent paraissent dans le traitement des thèmes SD de l'amour et de la fatalité [2] dans l'extrait à l'étude (acte II, scène 5), alors que Phèdre exprime à Hippolyte l'intensité des bouleversements qu'il suscite chez elle.

Le thème universel de l'amour illustre bien le déchirement que ressent le IP 1 personnage de Phèdre dans la mesure où ce sentiment [1] s'accompagne IS 1 d'émotions intenses et diverses. Phèdre éprouve pour son beau-fils Hippolyte un amour sincère et profond, dont l'intensité est mise en relief par la répétition P/E du verbe « aime ». La rupture du rythme corrobore cet effet alors que la phrase s'arrête net après « J'aime. » (v. 44), conférant à cette affirmation un caractère solennel qui souligne la conviction de l'héroïne [3]. Or [1], cette émotion intense [1], de par son caractère illégitime, est marquée par la souffrance et la violence, IS 2 ce que souligne l'abondance de termes appartenant au champ lexical de la haine qui se mêlent à l'expression du sentiment amoureux : « fureur » (v. 43), E/P « poison » (v. 47), « vengeances » (v. 48), « abhorre » (v. 49), « détestes » (v. 49), etc. [3-4] La confusion des sentiments paraît d'autant plus forte que Phèdre E/P désigne Hippolyte par l'adjectif « cruel » (v. 41 et 55), le réduisant par détour métonymique à cette caractéristique évoquant sa méchanceté malgré tout l'amour qu'elle lui porte. Ainsi [1], le déchirement intérieur de Phèdre paraît dans la force des sentiments contradictoires qui imprègnent ses propos MC lorsqu'elle décrit son amour pour Hippolyte [5].

Il est possible de [6] remarquer des contradictions semblables [1] dans le traitement du thème de la fatalité. Phèdre se présente d'emblée sous les traits d'une IP 2 victime, d'une « faible mortelle » (v. 53), et insiste sur son impuissance devant IS 3 le drame qui s'abat sur elle en se décrivant comme un « Objet infortuné des

[1] La reprise de l'information et le recours à des mots charnières tissent les liens entre les idées. Ne pas négliger les phrases de transition, qui assurent un passage harmonieux d'un paragraphe à l'autre. Aussi, on évitera les organisateurs qui ne mettent pas en valeur la logique et la progression de la pensée, tels que « premièrement », « deuxièmement ».

[2] SD : Annoncer les idées sans décrire la démarche, en évitant le métalangage (par exemple, inutile de dire que la première idée développée est celle de l'amour).

[3] Les P et les E peuvent s'enchevêtrer (les P s'intègrent à la syntaxe). Éléments tirés de l'œuvre : guillemets.

[4] Les éléments du champ lexical sont regroupés sous un dénominateur commun. Le deux-points précède la citation directe. Chaque élément est présenté entre guillemets et suivi de sa référence entre parenthèses.

[5] La mini-conclusion reprend succinctement l'essentiel du propos développé dans le paragraphe en le rattachant à l'idée directrice formulée dans le libellé du sujet.

[6] Ton neutre et objectif : pas de jugement ni d'opinion. Style impersonnel (à la 3^e personne ; éviter la 1^re personne).

→

**ANALYSE**

P/E vengeances célestes» (v. 48) 7. Cette périphrase illustre non seulement sa fragilité, mais aussi la puissance des dieux, ce qui laisse entendre qu'elle attribue l'entière responsabilité de son malheur à la force ennemie qui s'acharne sur son
E sort. Toutefois 1 l'agitation de son discours lié à la fatalité s'imprègne parfois d'une violence étrangère à toute vulnérabilité, notamment lorsqu'elle ordonne à Hippolyte: «Venge-toi, punis-moi d'un odieux amour» (v. 70). L'emploi de
E/IS4 l'impératif et de verbes empreints d'animosité caractérise le ton péremptoire,
P autoritaire et tranché de Phèdre, mais 1 constitue en quelque sorte un aveu
E puisqu'elle juge mériter punition 8. En ce sens 1, l'oxymore «odieux amour» (v. 70) traduit la complexité de son sentiment aussi bien que la culpabilité, voire la honte que cet amour fait naître en elle. Elle se décrit non plus comme la victime à la merci des dieux, mais bien comme un «monstre affreux» (v. 74) qu'elle implore
IS 5 Hippolyte de supprimer. L'opposition entre les périphrases servant à décrire Phèdre illustre donc 1 clairement la confusion qu'elle vit par rapport à la fatalité puisqu'elle se dépeint à la fois comme victime et comme coupable 9.

E/MC En somme 1, dans cet extrait de *Phèdre* de Racine, le déchirement psychologique de l'héroïne transparaît dans les nombreuses oppositions liées aux thèmes de l'amour interdit et de la fatalité. Phèdre est à la fois éprise et hargneuse, impuis-
R sante et responsable de son malheur. Toujours l'agitation et la violence traduisent le combat intérieur que mène l'héroïne tragique 10. La douleur qui assiège Phèdre, à la fois singulière et universelle, illustre bien la valeur cathartique de la tragédie,
S qui vise à purifier le spectateur de ses passions en le tenant à l'écart de la tentation 11.

7 Lorsque la citation s'intègre à la phrase, le deux-points n'est pas requis.

8 L'explication constitue ici une transition vers l'idée secondaire qui suit: le thème de la culpabilité.

9 L'explication permet de clore le paragraphe en synthétisant le propos.

10 L'ouverture élargit la portée du sujet. Il peut être pertinent de la rattacher aux caractéristiques du courant dans lequel elle s'inscrit, comme c'est le cas ici.

11 Plus qu'une simple reprise du sujet divisé, la synthèse des idées développées montre la progression du raisonnement.

## 2.3 Révision de l'analyse

Avant de remettre votre analyse, il importe que vous la relisiez avec soin, en revoyant toutes les facettes de votre travail. Cette section donne quelques conseils pour améliorer l'efficacité de votre révision, tant sur le plan du contenu et de la structure que sur le plan linguistique.

### 2.3.1 Révision du contenu et de la structure

En ce qui a trait au contenu, à la structure et aux conventions méthodologiques, il est possible de vous épargner un lourd travail de révision et d'éviter des maladresses difficiles à réparer en vous référant régulièrement aux documents fournis par l'enseignant: il s'agit en général d'une feuille de consignes et d'une grille de correction.

Voici quelques conseils à mettre en pratique au fil de la rédaction:

1. Quand vous élaborez votre plan, référez-vous régulièrement au libellé du sujet pour vous assurer que chaque aspect de votre développement est pertinent et approprié au contexte. Vérifiez que chaque élément essentiel fait l'objet d'un développement substantiel et que vous ne vous éloignez pas du sujet en développant un élément accessoire. Vous éviterez ainsi d'avoir à supprimer ou à récrire une partie du travail au moment de la révision.
2. Tout au long de la rédaction, ayez en tête la façon dont doit se présenter votre travail pour éviter d'avoir à recommencer. Devez-vous écrire à l'encre? à double interligne? Devez-vous prévoir une page de titre? Y a-t-il des consignes particulières au sujet des marges? Au fil de la rédaction, revoyez régulièrement les consignes pour vous assurer de ne rien oublier.

3. Ne perdez pas de vue les exigences précisées par votre enseignant: nombre de mots, structure prescrite (nombre de paragraphes, s'il y a lieu), éléments ou notions à inclure dans le travail (par exemple, remarques relatives à la forme ou au contexte littéraire). À mesure que vous intégrez les consignes à votre texte, prenez-en note.
4. Gardez à l'esprit les principes généraux liés à la rédaction d'une analyse littéraire: style neutre et objectif (pas de «je», pas d'opinion ni de jugement, à la troisième personne dans la mesure du possible, écriture au présent). Veillez à présenter les citations et à indiquer les références selon les consignes données par l'enseignant.
5. Quand vous avez terminé la rédaction, pour vous assurer que votre travail est conforme aux exigences, passez en revue tous les éléments figurant sur la grille de correction qui vous a été fournie. Vous aurez ainsi la certitude de couvrir tous les aspects qui font l'objet de l'évaluation et, selon la portion de la note accordée à chacun d'eux, vous en connaîtrez l'importance relative. Si le temps presse, vous pourrez donc consacrer votre énergie à l'essentiel.

### 2.3.2 Révision linguistique

Pour une révision efficace, personnalisez la fiche d'autocorrection qui se trouve en ligne et servez-vous-en pour réviser l'ensemble de vos travaux. Inspirez-vous de la fiche remplie et annotée à la fin de cette section. Cet outil très souple s'adapte réellement à vos besoins et se bonifie en fonction de l'évolution de votre connaissance de la langue et de vos aptitudes de révision.

Pour que la fiche vous soit utile, prenez d'abord connaissance de vos principales lacunes en matière de révision en analysant les annotations laissées par un enseignant sur un de vos travaux. Quels types d'erreur avez-vous tendance à commettre le plus souvent? Distinguez ensuite les erreurs d'inattention de celles qui relèvent de réelles difficultés. N'hésitez pas à demander l'aide d'un enseignant ou d'un tuteur pour effectuer un diagnostic représentatif de votre situation. Prenez bonne note de vos lacunes et tentez d'y remédier. Cependant, dans l'exercice de la révision, ne vous attardez qu'aux éléments que vous maîtrisez bien ou relativement bien, mais que vous oubliez parfois de corriger, faute de temps ou simplement parce que vous avez du mal à repérer vos erreurs. Dans cette perspective, la révision n'est pas l'occasion d'acquérir de nouvelles connaissances, mais bien d'exploiter vos compétences actuelles en vous concentrant sur les aspects de la langue que vous pouvez vous-même améliorer dans votre texte. Vous pourrez ainsi déterminer quelques éléments à surveiller (colonne de gauche) qui feront l'objet d'une relecture ciblée; c'est-à-dire que vous réviserez vos phrases en ne vous arrêtant qu'à ceux-là. Quand vous aurez révisé un aspect, indiquez, dans la case prévue à cet effet, le nombre d'erreurs que cette relecture vous a permis de corriger, et entamez la révision de l'élément suivant. Pour la grammaire et l'orthographe, il peut être pertinent de commencer la révision à la dernière phrase du texte. De cette façon, vous ne vous laisserez pas distraire par le sens des phrases et vous améliorerez votre acuité de repérage.

En bas de la fiche, notez dans la section «Aide-mémoire» les règles que vous savez appliquer mais que vous avez tendance à oublier, les conseils donnés par votre enseignant (formulations à éviter ou à privilégier, erreurs fréquentes, etc.), et ainsi de suite. Si désiré, dressez une courte liste de mots dont vous n'êtes pas certain de la graphie, ajoutez des exemples, bref, des rappels qui seront utiles si vous manquez de temps pour consulter les ouvrages. Ici encore, il est judicieux de vous référer à un ancien travail pour relever les corrections apportées et ainsi vous garder de reproduire les mêmes erreurs d'une rédaction à l'autre. Ne retenez que les éléments essentiels; surcharger votre fiche aurait pour effet de diluer l'information, et vous risqueriez d'oublier les éléments les plus importants.

### 2.3.3 Exemple de fiche d'autocorrection

Voici une fiche d'autocorrection telle qu'un élève aurait pu la remplir à la suite d'un diagnostic établi à partir d'un ou de plusieurs travaux corrigés. Cet outil vous accompagne d'une rédaction à l'autre, comme en témoignent les titres de travaux. Il s'avère judicieux d'en ajuster le contenu au fil de la session, en tenant compte de vos progrès. Certains éléments de la colonne de gauche exigeront moins d'attention de votre part à mesure que vous progresserez. Vous pourrez donc modifier le contenu de cette colonne et y ajouter de nouveaux éléments que vous n'aviez pas le temps d'examiner ou que vous ne maîtrisiez pas suffisamment auparavant.

| | Analyse de *La chanson de Roland* | Analyse de *Phèdre* | |
|---|---|---|---|
| **Éléments à surveiller** | | | |
| Accord du participe passé employé avec « avoir » | 4 | 3 | |
| Accord dans le GN : cibler le nom, vérifier les déterminants et les adjectifs | 5 | 2 | |
| Relecture des citations : mot à mot | 1 | 1 | |
| | | | |
| | | | |

**Aide-mémoire**

Participe passé avec « avoir » : accord avec le CD s'il est placé avant le verbe. ✓

« Chaque » : toujours au singulier. ✓

Mettre l'accent, mettre en relief, souligner, etc. ✓

Verbes en « -er » : « e » final (et non « t ») : il essaie, elle se confie… ✓

Mettre en évidence un titre : guillemets (extrait), italique ou souligné (œuvre complète). ✓

Erreurs courantes :

- faire partie (toujours un « e » à la fin)
- figures de style, signes de ponctuation (pas de « s » à la fin)
- le romantisme, un poème romantique
- répétition

## 3. Approche par genre

Les tableaux suivants passent en revue les principaux genres littéraires et leurs caractéristiques générales. Pour en savoir plus sur les formes et les particularités de chacun des genres, consultez un ouvrage spécialisé tel que le *Guide littéraire*[1] de Carole Pilote.

### 3.1 Genre narratif

Les œuvres appartenant au genre narratif sont généralement écrites en prose, quoique certaines, comme la fable (qui se trouve à la charnière entre le genre narratif et le genre poétique), puissent aussi être constituées de vers. Pour analyser une telle œuvre, il faut bien

1. PILOTE, Carole (2012). *Guide littéraire*, 3e édition. Montréal : Beauchemin.

distinguer l'histoire (ce qui est raconté, le fond) de la façon dont elle est racontée (la forme) en s'interrogeant sur l'importance des éléments les uns par rapport aux autres, mais aussi en envisageant l'œuvre comme un tout. On distingue deux grands genres narratifs : le récit fictif, qui comprend le roman, la nouvelle, le conte, la légende, la fable, etc., et le récit véridique, qui regroupe l'autobiographie, le journal intime, la correspondance, le récit de vie, les mémoires, etc.

<table>
<tr><th colspan="2">ANALYSE D'UNE ŒUVRE NARRATIVE</th></tr>
<tr><th>Éléments à observer</th><th>Stratégies de repérage et exemples</th></tr>
<tr><th colspan="2">Narration</th></tr>
<tr><td>• Narrateur externe<br>Instance narrative extérieure à l'histoire racontée. Narration à la troisième personne.<br>• Narrateur interne<br>Personnage principal du récit, qui raconte son histoire à la première personne, ou personnage témoin de l'action, qui emploie la première personne pour se désigner et la troisième personne pour désigner le sujet de l'histoire.</td><td>• Qui raconte l'histoire ? Est-ce l'auteur ou quelqu'un d'autre ?<br><u>Exemple</u><br>Extrait « Vous le connaissez sans jamais l'avoir vu » de La princesse de Clèves de M<sup>me</sup> de La Fayette (p. 105).<br>Extrait « Ces régions inconnues que ton cœur demande » de René de François René de Chateaubriand (à la première personne) (p. 201).<br>Extrait « Le diable m'emporte » de La Vénus d'Ille de Prosper Mérimée (témoin à la troisième personne) (p. 225).</td></tr>
<tr><th colspan="2">Focalisation</th></tr>
<tr><td>Perspective à partir de laquelle les éléments du récit sont décrits et racontés.<br>• Focalisation zéro<br>Point de vue omniscient. Conscience de toutes les facettes de l'action, en tout lieu et en tout temps.<br>• Focalisation interne<br>Perspective d'un personnage sur l'action racontée : regard subjectif sur l'histoire, identification possible au personnage par l'entremise duquel sont racontés les événements.<br>• Focalisation externe<br>Perspective d'un témoin qui assiste à l'action. Aucun accès aux sentiments ou aux pensées des personnages. Distance, effet d'objectivité.</td><td>• Comment l'information est-elle révélée ?<br>• Quel est le point de vue à partir duquel l'histoire est racontée ? A-t-on accès aux émotions des personnages ?<br>• A-t-on accès aux pensées les plus intimes de tous les personnages ?<br>• Voit-on l'histoire à travers les yeux d'un personnage auquel il devient possible de s'identifier ?<br>• Le lecteur est-il un spectateur qui assiste à l'action sans connaître les pensées des personnages ?</td></tr>
<tr><th colspan="2">Organisation temporelle</th></tr>
<tr><td>• Moment de la narration<br>Moment de l'action situé par rapport au moment où elle est racontée.<br>• Ordre et vitesse de narration<br>Importance relative des événements les uns par rapport aux autres.</td><td>• Le narrateur raconte-t-il une action passée ou une action en train de se dérouler ? Entremêle-t-il des éléments du présent, du passé et de l'avenir ?<br>• La chronologie est-elle respectée ? Le narrateur retourne-t-il dans le passé (analepse) ou anticipe-t-il des éléments à venir (prolepse) ?<br>• L'espace accordé aux événements dans l'œuvre correspond-il au temps du déroulement de l'action ? Occulte-t-on ou résume-t-on des moments de l'action (ellipse ou sommaire) ?</td></tr>
</table>

## 3.2 Genre dramatique

Les œuvres dramatiques sont des textes de fiction conçus pour le théâtre. Ainsi, l'histoire n'est pas racontée, mais bien jouée. Ces œuvres se caractérisent par la mise en scène d'un conflit opposant des personnages aux intérêts contraires. Pour analyser une œuvre ou un extrait appartenant à ce genre, il est essentiel de bien comprendre les relations entre les protagonistes pour dégager les motivations de chacun par rapport au conflit en question. Il faut également envisager les particularités du discours narratif de façon à cerner les caractéristiques formelles de l'œuvre.

| ANALYSE D'UNE ŒUVRE DRAMATIQUE | |
|---|---|
| **Caractéristiques** | **Instruments d'analyse** |
| **Discours propre au genre dramatique** | |
| On doit bien distinguer les paroles des personnages (répliques, monologues, tirades, apartés, etc.) des indications scéniques, appelées « didascalies », qui fournissent l'information relative à l'interprétation et à la mise en scène. | Pour l'analyse du fond : étudier les didascalies, ce qu'elles révèlent sur les personnages, leur environnement et l'action.<br>Pour l'analyse de la forme : examiner attentivement les paroles des personnages. |
| **Découpage** | |
| On appelle « actes » les grandes divisions d'une pièce de théâtre. Une pièce classique compte cinq actes. Ces sections, articulées autour d'une partie importante de l'action, se subdivisent en scènes. | Il peut être judicieux, au moment de la lecture, de résumer chacun des actes pour dégager les éléments essentiels de l'œuvre, notamment les thèmes dominants qui s'imposent à mesure que progresse l'histoire. |
| **Structure** | |
| Quel que soit son découpage, une pièce de théâtre se constitue ainsi :<br>- exposition : mise en contexte, pour que le spectateur comprenne les liens existant entre les personnages, et amorce de l'action ;<br>- nœud : partie dans laquelle se précise le conflit qui oppose les personnages ;<br>- péripéties : actions menant à la résolution du conflit ;<br>- dénouement : résolution du conflit, situation finale, heureuse dans la comédie, malheureuse dans la tragédie. | En identifiant les éléments constitutifs de la structure, on cerne les enjeux de l'œuvre et on raffine le travail sur les thèmes en explorant leurs diverses manifestations. L'examen des différentes parties permet également de cerner l'évolution psychologique des personnages ainsi que le déroulement de l'action. |
| **Contrainte propre au théâtre classique** | |
| **Règle des trois unités** | |
| Unité de temps : le temps de l'action est équivalent au temps de la représentation ou se déroule tout au plus en 24 heures.<br>Unité de lieu : l'action se déroule dans un lieu unique et clos.<br>Unité d'action : la pièce ne comporte qu'une seule intrigue. | L'étude d'une pièce selon cette perspective révèle le souci de l'auteur de respecter les règles propres à l'esthétique classique et de mettre en relief ses qualités d'équilibre, de beauté et de rigueur. |

→

<table>
<tr><th colspan="2">ANALYSE D'UNE ŒUVRE DRAMATIQUE</th></tr>
<tr><th>Caractéristiques</th><th>Instruments d'analyse</th></tr>
<tr><th colspan="2">Tragédie</th></tr>
<tr><td>Forme théâtrale qui vise la catharsis, c'est-à-dire la purgation des passions, le fait d'assister à la représentation permettant au spectateur de se libérer. Inspirée de l'Antiquité, la tragédie est une pièce de registre soutenu, écrite en vers, qui met en scène des personnages tourmentés suscitant l'admiration (figures mythologiques ou personnes de niveau social élevé). Le héros tragique se trouve dans une situation irréparable, orchestrée par les dieux et marquée par la fatalité, qui le conduit à la mort.</td><td>Sur le plan du contenu, il est essentiel de comprendre les références à la mythologie et à l'Antiquité et d'en analyser la portée pour bien situer les personnages dans leur contexte.<br>Plusieurs procédés d'écriture sont mis en œuvre dans la tragédie. Il serait judicieux d'étudier leurs manifestations en tenant compte de la tonalité tragique (section 1.2.7).<br>L'étude de la structure est particulièrement révélatrice des bouleversements que traverse le héros tragique.</td></tr>
<tr><th colspan="2">Comédie</th></tr>
<tr><td>Forme qui cherche à susciter le rire en mettant en relief le ridicule des vices et des travers humains, par l'entremise de personnages issus de diverses classes sociales. Les grandes comédies classiques peuvent être écrites en vers, mais, le plus souvent, la comédie reproduit la langue parlée, si bien que la prose s'avère plus appropriée. L'intrigue de la comédie connaît habituellement un dénouement heureux dans lequel intervient parfois un deus ex machina qui résout les problèmes comme par magie.</td><td>Procédés du comique<br>• Comique de situation : rebondissements, malentendus, renversements de situation, etc.<br><u>Exemple</u><br>Le tour joué à Ysengrin par Renart dans l'extrait « La pêche à la queue » du Roman de Renart (p. 30).<br>• Comique de geste : effet produit par l'interprétation : mimiques, grimaces, utilisation d'un accessoire, etc.<br><u>Exemple</u><br>La façon dont Ysengrin tente de s'extirper de son piège dans l'extrait « La pêche à la queue » du Roman de Renart (p. 30).<br>• Comique de caractère : effet résultant de l'exagération d'un vice ou d'un trait de caractère.<br><u>Exemple</u><br>La crédulité ridicule de Sganarelle devant les dogmes dans l'extrait « Je crois que deux et deux sont quatre » de Dom Juan de Molière (p. 121).<br>• Comique de mots : jeux de mots, répétitions, déformations, calembours, etc.<br><u>Exemple</u><br>Les « bée » du berger dans La farce de maître Pathelin (p. 40), le malentendu entourant le sens du mot « con » dans Le vilain et le souricon (p. 28).</td></tr>
</table>

## 3.3 Genre poétique

Le genre poétique se caractérise par un grand soin accordé au rythme et aux sonorités. Il importe donc de s'attarder aux éléments propres à ce genre pour en saisir toute la portée sur le plan du sens. En plus de s'arrêter au rythme des phrases et aux sonorités autres que la rime, comme on le ferait pour une œuvre de n'importe quel genre, on doit porter attention à la construction particulière du poème pour comprendre les effets recherchés par l'auteur. Il existe en poésie des formes déterminées ou fixes: ballade, rondeau, blason, ode, sonnet. Lorsqu'une œuvre s'éloigne de celles-ci, on dit qu'elle est de forme irrégulière.

| ANALYSE D'UNE ŒUVRE POÉTIQUE | |
|---|---|
| **Principales formes** | **Particularités et instruments d'analyse** |
| Les instruments d'analyse décrits dans la colonne de droite s'appliquent à toutes les formes du genre poétique présentées dans la colonne de gauche. Ces instruments permettent de bien cerner la structure et les particularités musicales du poème. | |
| **Ballade**<br>Poème constitué de trois couplets et un envoi composés sur les mêmes rimes. L'envoi reprend la deuxième partie du couplet, et le dernier vers de ces parties est identique. Le nombre de vers correspond au nombre de syllabes par vers (généralement 8 ou 10).<br>Exemple<br>La *Ballade des pendus* de François Villon (p. 37).<br>**Rondeau**<br>Ce poème, qui repose sur deux rimes, compte treize vers dont le premier et le deuxième sont repris comme refrains après le sixième vers et le premier, au treizième vers.<br>**Blason**<br>Poème faisant l'éloge d'une personne un d'un objet.<br>Exemple<br>*Le beau tétin* de Clément Marot (p. 58).<br>**Ode**<br>Poème constitué de strophes (peu importe leur nombre) contenant toutes le même nombre de vers.<br>Exemple<br>*À Cassandre* de Pierre de Ronsard (p. 60).<br>**Sonnet**<br>Poème de quatorze vers (souvent des alexandrins ou des décasyllabes, parfois des octosyllabes) répartis en deux quatrains et deux tercets. Les rimes des quatrains sont généralement embrassées (ABBA), mais peuvent aussi être croisées (ABAB).<br>Exemple<br>*Le beau voyage* de Joachim du Bellay (p. 59), *El desdichado* de Gérard de Nerval (p. 197). | **Rythme**<br>• Les accents toniques et les coupes varient selon la longueur des vers.<br>• Les enjambements créent un effet de continuité en commençant une phrase (contre-rejet) à la fin d'un vers et en la poursuivant au vers suivant (rejet). Remarquer leur présence, mais aussi leur fréquence et leur organisation dans l'extrait. Les mots ainsi mis en évidence sont-ils au service d'un thème?<br>**Sonorités et rimes**<br>Remarquer la musique créée par les rimes en observant, s'il y a lieu:<br>- leur nature (féminines ou masculines);<br>- leur valeur (pauvre, suffisante, riche);<br>- leur disposition (suivies AABB, croisées ABAB, embrassées ABBA). |

### CHAPITRE 1

Marcel, Jean (1980). *La chanson de Roland*, Version moderne en prose, Montréal, Québec, VLB éditeur, p. 73-75.

de Champagne, Thibaud (1991). « XLVII » dans *Recueil de Chansons*, Paris, France, Klincksieck Éditions, p. 115.

de Troyes, Chrétien (2002). *Romans de la Table Ronde*, Traduction et annotation de Jean-Marie Frizt, Charles Méla, Olivier Collet, Catherine Blons-Pierre et David Hult, Paris, France, Coll. Le livre de poche classique, p. 452-453.

_______ (1972). *Le Roman de Tristan et Iseult renouvelé en français moderne par René Louis d'après les manuscrits des 12e et 13e siècles*, Coll. Le livre de poche classique, p. 246-247.

_______ (1977). « Le Vilain et le Souricon » dans *Contes pour rire ? Fabliaux des 13e et 14e siècles*, Paris, France, UGE, Coll. 10/18, p. 46 à 50.

_______ (1937). *Le roman de Renart (extraits)*, Paris, France, Éditions Larousse, Classiques, p. 33-34.

Rutebeuf (1966). *Œuvres*, Vienne, Autriche, Édition Pierre Seghers, p. 167-169.

Ferré, Léo (1990). *Mes grands succès*, Vincennes, France, Disque EPM.

De Pisan, Christine et Charles d'Orléans (2006). *Mon cœur qui est maître de moi…*, Paris, France, Éditions Alternatives, p. 48-49.

d'Orléans, Charles (1998). « Prenez tôt ce baiser » dans Jean Orizet, *Anthologie de la poésie française*, Paris, France, Éditions Larousse, p. 99.

Villon, François (1987). *Le Testament, Le Lai, Poésies diverses*, Paris, France, Bordas, p. 116-117.

Villon, François (1957). *Œuvres de François Villon*, Paris, France, Le livre club du libraire, p. 59-60.

_______ (2002). *La Farce de Pathelin*, Traduction de Françoise Rachmuhl, Paris, France, Les classiques Hatier, p. 78-80.

Abélard, Pierre (1979). *Abélard et Héloïse correspondance*, Paris, France, UGE, coll. 10/18, 209 p.

### CHAPITRE 2

de Waresquiel, Emmanuel et Benoît Laudier (1997). « Plus ne suis ce que j'ai été » dans *La poésie française à travers ses succès, Du Moyen Âge à nos jours*, Paris, France, Éditions Larousse, 233 p.

de Waresquiel, Emmanuel et Benoît Laudier (1997). « Le beau tétin » dans *La poésie française à travers ses succès, Du Moyen Âge à nos jours*, Paris, France, Éditions Larousse, 233 p.

de Waresquiel, Emmanuel et Benoît Laudier (1997). « À Cassandre » dans *La poésie française à travers ses succès, Du Moyen Âge à nos jours*, Paris, France, Éditions Larousse, 233 p.

de Ronsard, Pierre (1954). *Poésies choisies de Ronsard*, Paris, France, Éditions Garnier Frères, p. 85-86.

Labé, Louise (1983). *Œuvres poétiques*, Paris, France, Gallimard, p. 116.

Alluin, Bernard (dir) (1998). « Je veux peindre la France » dans *Anthologie des textes littéraires du Moyen Âge au XXe siècle, Pour les lycées*, Paris, France, Hachette Éducation, p. 87.

Gadbois, V., M. Paquin et R. Reny (1990). « Une femme, étant aux abois de la mort, se courrouça en sorte, voyant que son mari accolait sa chambrière, qu'elle revint en santé » dans *20 grands auteurs pour découvrir la nouvelle*, Beloeil, Québec, Éditions La Lignée, p. 43-45.

Noël, Eugène (1879). *Le Rabelais de Poche*, Paris, France, Librairie des Bibliophiles, p. 243-244.

de Montaigne, Michel (2008). *Essais*, Paris, France, Éditions Larousse, Petits classiques, p. 24.

Henri IV (1876). *Lettres intimes*, Paris, France, Éditeur J. Baudry, p. 287.

Henri IV (2010). *Lettres d'amour 1585-1610*, Paris, France, Éditions Tallandier, p. 143.

### CHAPITRE 3

de Viau, Théophile (1907). *Odes et stances : élégies et sonnets*, Paris, France, Société du Mercure de France, p.45.

de Saint-Amant, Marc-Antoine Girard (1855). « Le melon » dans *Œuvres complètes*, Paris, France, P. Jannet Éditions, p. 198-199.

de Malherbe, François (1862). *Œuvres de Malherbe*, Paris, France, Éditions Hachette, p. 39-43.

d'Urfé, Honoré (1981). *L'Astrée*, Saint-Étienne, France, Le Hénaff éditeur, p. 90-92.

Corneille, Pierre (2006). *Le Cid*, Paris, France, Éditions Larousse, Petits classiques, p. 39-41.

Shakespeare, William (2004). *Hamlet*, traduit par Jean-Michel Déprats, Paris, France, Éditions Gallimard, Foliothéâtre, p. 169-171.

Boileau, Nicolas (1952). *Œuvres*, Paris, France, Éditions Garnier Frères, p. 163-164.

de La Fontaine, Jean (2000). *Fables*, Paris, France, Éditions Gallimard, p. 248-250.

de La Fayette, Marie-Madeleine (1993). *La princesse de Clèves*, Paris, France, Éditions Magnard, p. 106 et 110.

Perrault, Charles (2007). *Les contes de Perrault dans tous leurs états*, Paris, France, Éditions Omnibus, p. 275-277.

Descartes, René (1856). *Discours de la méthode*, Paris, France, Éditions Hachette, p. 23.

Pascal, Blaise (2008). *Pensées (liasses de II à VIII)*, Paris, France, Gallimard, Folioplus classiques, p. 82-84.

de La Rochefoucauld, François (1956). *Sentences et maximes de morale*, Paris, France, Le livre club du libraire, p. 38-39, 41-45, 48-51, 54-57.

de La Bruyère, Jean (1843). *Les caractères*, Paris, France, Lefèvre Éditeur, p. 226-227.

de Sévigné, Marquise (1934). *Lettres historiques de Madame de Sévigné*, Paris, France, Librairie Plon, p. 100-101.

Racine, Jean (1985). *Phèdre*, Paris, France, Librairie Générale Française, p. 46-48.

Molière (2008). *Dom Juan*, Paris, France, Flammarion, p. 86-88.

Molière (1833). *Œuvres de Molière*, Paris, France, Lefèvre Éditeur, p. 369-370.

Voiture, Vincent (1996). *Du temps où les hommes écrivaient des lettres d'amour*, Levallois Perret, France, Filipacchi Éditions, p. 87-88.

## CHAPITRE 4


Voltaire (1859). *La henriade*, Paris, France, Firmin Didot Frères Éditeurs, p. 335-336.

Montesquieu (1838). *Œuvres complètes de Montesquieu*, Paris, France, Firmin Didot Frères Éditeurs, p. 309.

Voltaire (1989). *Traité sur la tolérance*, Paris, France, Flammarion, p. 141-142.

Dumarsais, César Chesneau (2008). *Encyclopédie ou dictionnaire raisonné des sciences, des arts et des métiers*, Paris, France, Gallimard, p. 33-36.

Diderot, Denis (2002). *Supplément au voyage de Bougainville*, Paris, France, Gallimard, p. 40-42.

La Hontan (1973). *Dialogues avec un Sauvage*, Paris, France, Éditions sociales, p. 126-127.

Rousseau, Jean-Jacques (1884). *Discours sur l'origine et les fondements de l'inégalité parmi les hommes*, Paris, France, Librairie de la Bibliothèque nationale, p. 96-97.

de Gouges, Olympe (2003). *Déclaration des droits de la femme et de la citoyenne*, Paris, France, Éditions Mille et une nuits, p. 11-12, 14-17 et 26-27.

Montesquieu (1866). *Lettres persanes : suivies de Arsace et Isménie et de pensées diverses*, Paris, France, Garnier Frères, p. 53-54.

Voltaire (1984). *Candide ou l'optimisme*, Paris, France, Bordas, p. 116-118.

Rousseau, Jean-Jacques (2001). *Rêveries du promeneur solitaire*, Paris, France, Librairie Générale française, p. 110-111.

Chénier, André (1958). « Iambes » dans *Œuvres complètes*, Paris, France, Gallimard, p. 192.

Prévost, Abbé Pierre Janet (1874). *Histoire de Manon Lescaut et du Chevalier des Grieux*, Paris, France, Éditions Alphonse Lemerre, p. 233-234.

Diderot, Denis (1909). *Jacques le fataliste et son maître*, Paris, France, Garnier Frères, p. 40-41.

Rousseau, Jean-Jacques (1985). *Julie ou la nouvelle Héloïse*, Paris, France, Bordas, p. 16-17.

de Saint-Pierre, Bernardin (2002). *Paul et Virginie*, Paris, France, GF Flammarion, p. 106-110.

de Laclos, Pierre Choderlos (1961). *Liaisons dangereuses*, Paris, France, Garnier Frères, p. 175.

Marivaux (1991). *Le jeu de l'amour et du hasard*, Paris, France, Éditions Larousse, p. 70-72.

Beaumarchais (1953). *Le mariage de Figaro*, Paris, France, Éditions du Seuil, p. 254.

Cazotte, Jacques (1856). *Le diable amoureux*, Paris, France, Librairie centrale des publications illustrées, p. 16.

Diderot, Denis (2010). *Lettres à Sophie Volland*, Paris, France, Édition Non lieu, p. 168-169.


## CHAPITRE 5


Hugo, Victor (1999). *Le dernier jour d'un condamné*, Montréal, Québec, Beauchemin, p. 18.

de Lamartine, Alphonse (1837). « Le lac » dans *Œuvres complètes*, Bruxelles, Belgique, Éditions Adolphe Wahler, p. 34-35.

de Musset, Alfred (1867). « La nuit de mai » dans *Œuvres*, Paris, France, Charpentier Éditeur, p. 93-94.

de Vigny, Alfred (1841). « Le cor » dans *Poésies complètes*, Paris, France, Charpentier Éditeur, p. 171-172.

Bertrand, Aloysius (1868). *Gaspard de la nuit, fantaisies à la manière de Rembrandt et de Callot*, Paris, France, René Pinceboude éditeur, p. 88-89.

de Nerval, Gérard (1864). « El desdichado » dans *Les filles de feu*, Paris, France, Michel Lévy Frères libraires éditeurs, p. 291.

Hugo, Victor (1841). *Les rayons et les ombres*, Paris, France, Charpentier Éditeur, p. 150-151.

Hugo, Victor (1856). *Les contemplations*, Paris, France, Michel Lévy Frères libraires éditeurs, p. 208-209.

de Chateaubriand, François René (1859). « René » dans *Œuvres*, Paris, France, Dufour, Mulat et Boulanger éditeurs, p. 74-75.

Constant, Benjamin (1816). *Adolphe*, Paris, France, Treuttel et Würzt éditeurs, p. 212-216.

de Musset, Alfred (1840). *La confession d'un enfant du siècle*, Paris, France, Charpentier Éditeur, p. 4-7.

Sand, George (1838). « Indiana » dans *Œuvres*, Bruxelles, Belgique, Meline, Cans et compagnie éditeurs, p. 156.

Hugo, Victor (1880). « Notre-Dame de Paris » dans *Œuvres complètes*, Paris, France, J. Hetzel & Cie et A. Quantin & Cie éditeurs, p. 184-185.

Hugo, Victor (1862). *Les Misérables*, Bruxelles, Belgique, A. Lacroix, Verboeckhoven & cie éditeurs, p. 138-140.

Mérimée, Prosper (1852). « Carmen » dans *Nouvelles*, Paris, France, Michel Lévy frères éditeurs, p. 94-95.

Hugo, Victor (1828). *Cromwell*, Paris, France, Ambroise Dupont & Cie éditeurs, p. XXIX-XXXI.

de Staël, Madame (1858). *De la littérature considérée dans ses rapports avec les institutions sociales*, Paris, France, Charpentier éditeur, p. 305-306, 312-313.

de Vigny, Alfred (1841). « Chartterton » dans *Théâtre complet*, Paris, France, Charpentier éditeur, p. 435-436.

de Musset, Alfred (1867). « Lorenzaccio » dans *Œuvres*, Paris, France, Charpentier éditeur, p. 247-248.

Hugo, Victor (1836). *Hernani*, Paris, France, Eugène Renduel éditeur, p. 113-114.

Nodier, Charles (1832). « Smarra ou les démons de la nuit » dans *Œuvres*, Bruxelles, Belgique, C.J. de Mat éditeur, p. 55-56.

de Balzac, Honoré (1853). « La peau de chagrin » dans *Œuvres illustrées*, Paris, France, Chez Maresq et cie, p. 59-60.

Gautier, Théophile (1852). « La cafetière » dans *La peau de tigre*, Bruxelles, Belgique, Kiessling & Cie, p. 7-8.

Mérimée, Prosper (1854). « La Vénus d'Ille » dans *Œuvres*, Paris, France, Charpentier éditeur, p. 177-178.

Frain Iréne (1999). « 9 janvier 1835 » dans *Les plus belles lettres d'amour d'Héloïse à Éluard*, Paris, France, Éditions l'Archipel, p. 80.


Frain Iréne (1999). « 9 janvier 1835 » dans *Les plus belles lettres d'amour d'Héloïse à Éluard*, Paris, France, Éditions l'Archipel, p. 80.

# Index des auteurs


## A

Abélard (Pierre), **41**, 42

## B

Balzac (Honoré de), 176, 218, **220**, 227
Beaumarchais, 129, 132, 164, **167**, 173
Bellay (Joachim du), 47, 56, **59**, 73, 234, 240, 256
Bernardin de Saint-Pierre, 129, **161**, 173, 239
Bertrand (Aloysius), 177, **196**
Bingen (Hildegarde von), **13**
Boccace, 5, 64
Boileau (Nicolas), 77, 83, 98, **99**, 103, 106, 116, 125, 138, 234, 240
Borges (Jorge Luis), 219
Burckhardt (Jacob), 83
Byron (George Gordon), 179, 186

## C

Calderón de la Barca (Pedro), 76, 96
Cazotte (Jacques), **170**
Cervantès, 76, 96
Champagne (Thibaud de), **21**
Chateaubriand (François-René de), 147, 154, 176, 182, 185, 186, **200**, 227, 236, 253
Chénier (André), 129, **156**, 173
Chrétien de Troyes, **24**, 43
Cinna, 93
Constant (Benjamin), 176, **202**, 203, 227
Cooper (Fenimore), 179
Corneille (Pierre), 76, 92, **93**, 117, 125, 138, 240

## D

Dante, 5, 13
D'Alembert, 128, 143, 173
D'Aubigné (Agrippa), 47, 56, **62**, 73, 76, 156
Descartes (René), 76, 108, **109**, 125, 130
Diderot (Denis), 128, 129, 143, **145**, 147, **159**, 164, 172, 173
D'Orléans (Charles), 33, **35**, 43
Drouet (Juliette), **226**
Dumas (Alexandre), 177, 207, 218
D'Urfé (Honoré), 76, 89, **90**, 125

## E

Érasme (Didier), 46, 55
Estienne (Robert), 55

## F

Ferré (Léo), 33
Freud (Sigmund), 168

## G

Gary (Romain), 207
Gaspé (Philippe Aubert de), 179
Gautier (Théophile), 182, 218, **223**, 227
Goethe, 129, 178, 186
Goldoni (Carlo), 96
Gouges (Olympe de), **149**

## H

Hawthorne (de Nathaniel), 179
Homère, 20
Horace, 93
Henri IV, 47, 71, 76, 78, 239
Hugo (Victor), 176, 182, 183, 186, **198**, 200, **207**, **211**, 214, **218**, 226, 227
Huyghe (René), 81

## J

Jonson (Ben), 96

## K

Kant, 128, 129, 130, 180
Keats (John), 186

## L

Labé (Louise), 46, 53, **61**, 73, 234
La Bruyère (Jean de), 77, 108, **113**, 125, 243
Laclos (Choderlos de), 129, **163**, 173
La Fayette (Madame de), 103, **104**, 125, 253
La Fontaine (Jean de), 77, 98, **101**, 103, 113, 125, 138, 232, 243
La Hontan, **147**
Lamartine (Alphonse de), 176, 187, 189, **190**, 191, 227, 235
La Rochefoucauld (François de), 80, 108, **112**, 125
Larousse (Pierre), 184
Lewis (Matthew Gregory), 170
Littré (Émile), 184

## M

Machaviel (Nicolas), 46, 55
Malherbe (François de), 83, **88**, 99, 125, 239
Marivaux (Chamblain de), 128, 136, 164, **165**, 173
Marlowe (Christopher), 47, 96
Marot (Clément), 46, 56, **57**, 60, 73, 237, 256
Marx (Karl), 177, 179
Maupassant, 169
Melville (Herman), 179
Mérimée (Prosper), 176, 177, 180, **210**, **224**, 227, 253
Molière, 77, 84, 98, 113, 116, **120**, 125, 165, 255
Molina (Tirso de), 96
Montaigne (Michel Eyquem de), 47, 48, 56, **68-69**, 70, 73, 109, 110
Montesquieu (Baron de), 128, 132, **140**, **152**, 173
More (Thomas), 46, 55
Musset (Alfred de), 154, 176, 178, **192**, **204**, 205, **216**, 227, 236, 237

## N

Navarre (Marguerite de), 47, 56, **64**, 73
Nerval (Gérard de), 154, 177, **197**, 218, 223, 256
Nietzsche, 69
Nodier (Charles), 218, **222**, 227

## P

Pascal (Blaise), 77, 79, 108, **109**, 112, 125
Perrault (Charles), 77, 104, **106**, 125, 153, 238
Pétrarque, 5, 13
Pisan (Christine de), 33, **34**, 43
Poe, 176, 179
Polo (Marco), 13
Polyeucte, 93
Prévost (abbé), 128, **157**

## R

Rabelais (François), 46, 47, 55, 56, 64, **66**, 67, 73, 234
Racine (Jean), 77, 79, 98, 104, 106, 112, 116, **117**, 125, 138, 237, 239, 240, 244, 247
Radcliffe (Ann), 170
Ronsard (Pierre de), 47, 56, **60**, 73, 235, 256
Rousseau (Jean-Jacques), 128, 129, 134, 137, 147, **148**, **154**, **160**, 173, 186, 200, 213, 243
Rutebeuf, **32**, 33, 43, 242

## S

Saint-Amant (sieur de), **87**, 125
Sand (George), 176, 204, **205**, 227
Scève (Maurice de), 60, 61
Schlegel (August Wilhelm von), 219
Scott (Walter), 176, 186, 197, 207
Scudéry (Madeleine de), 76, 89, **92**
Sévigné (Madame de), 77, 108, **115**, 116
Shakespeare (William), 47, 51, 76, 85, 91, **96**, 186, 215
Shelley (Mary), 170, 176
Shelley (Percy Bysshe), 186
Spinoza, 77, 80
Staël (Madame de), 176, 186, 202, **212**, 214, 227

## T

Todorov (Tzvetan), 133
Tourneur (Cyril), 96

## V

Vaugelas (Claude Favre de), 82, 83
Vega (Lope de), 96
Ventadour (Bernard de), 20
Viau (Théophile de), 77, 84, **86**, 125, 237
Vigny (Alfred de), 176, **194**, 195, **214**, 218, 236
Villon (François), 33, **36**, 43, 56, 256
Virgile, 20
Voiture (Vincent), 76, **124**
Voltaire, 128, 132, 137, **138**, **141**, 147, 148, **153**, 173

## W

Walpole (Horace), 170
Wölfflin (Heinrich), 53

# Index des œuvres


**A**

Adolphe, **202-203**, 227
Amours de Cassandre, 47, **60**, 235, 256
Andromaque, 117
Art poétique, 77, 83, 99, **100**, 125, 234, 240
Astrée (L'), 76, 89, **90-91**, 103, 125

**B**

Bajazet, 117
Ballade, **34**
Ballade des dames du temps jadis (La), **38**
Ballade des pendus, 35, **36**, 256
Beau tétin (Le), **58**, 256
Bug-Jargal, 176, 207

**C**

Cafetière (La), **223**
Candide ou l'optimisme, 128, 138, **153**, 173
Cantilène de sainte Eulalie (La), 4, 14, **15**
Caprices de Marianne (Les), 216
Caractères (Les), 77, 113, **114**, 125, 243
Carmen, 176, **210**
Chanson de Roland (La), **18-19**, 43, 194, 242
Château d'Otrante (Le), 170
Chatterton, **215**
Cid (Le), 76, 93, **94**, 125, 240
Clélie, 92
Complainte Rutebeuf, **32**, 242
Comte de Monte-Cristo (Le), 207
Confession d'un enfant du siècle (La), 176, **204**, 227, 236, 237
Confessions (Les), 160
Consolation à Monsieur du Périer, gentilhomme d'Aix-en-Provence, sur la mort de sa fille, **88**, 239
Contes, 125, 176
Contes du temps passé, 106
Contes de ma mère l'Oye, 77, 106
Cor (Le), **194**, 236
Critique de la raison pure, 180
Cromwell, 176, 211, **212**

**D**

Dame, pitié !, **22**
Décaméron (Le), 5, 64
Déclaration des droits de l'homme et du citoyen, 133, 148, 149, 177
Déclaration des droits de la femme et de la citoyenne, **149-151**
Défense et illustration de la langue française, 47, 56, 59
De la littérature considérée dans ses rapports avec les institutions sociales, 212, **213**
De l'Allemagne, 212
De l'esprit des lois, 128, **140**, 173
Delphine, 227
Dernier des Mohicans (Le), 179
Dernier jour d'un condamné (Le), **184**, 233
Desdichado (El), **197**, 256
Diable amoureux (Le), 170, **171**
Dialogues curieux entre l'auteur et un sauvage de bon sens qui a voyagé – Voilà ce que j'appelle un homme, **147**
Dictionnaire de l'Académie française, 77, 82
Dictionnaire de la langue française, 184
Discours de la méthode, 76, **108-109**, 125
Discours sur l'origine et les fondements de l'inégalité parmi les hommes, 128, **148**
Dom Juan, 77, 120, **121**, 125, 255
Du contrat social, 128, 148

**E**

Éloge de la folie, 46, 55
Encyclopédie ou Dictionnaire raisonné des sciences, des arts et des métiers, 128, 130, 143, **144**, 173, 176
Énéide (L'), 20
Épopée de Gilgamesh (L'), 20
Essais, 47, **69**, 73

**F**

Fables, 77, 101, **102**, 125, 232, 243
Farce de maître Pathelin (La), **40-41**, 43, 255
Faust, 178, 186
Fonction du poète, **198**
Frankenstein ou le Prométhée moderne, 170, 176

**G**

Gargantua, 46, 66, **67**, 73, 234
Gaspard la nuit, 177, 196
Genèse, 131
Grammaire générale et raisonnée de Port-Royal (La), 83
Grand débat (Un), **25**
Grand dictionnaire universel, 184

**H**

Hamlet, 76, **97**
Heptaméron (L'), 47, **64-65**, 73
Hernani, 176, **218**
Histoire du chevalier des Grieux et de Manon Lescaut, 128, **157-158**
Histoires extraordinaires, 176, 179
Horla, 169

**I**

Iambes, **156**, 173
Iliade (L'), 20
Illusion comique (L'), 93
Indiana, 176, **205-206**, 227
Influence d'un livre ou le chercheur de trésors (L'), 179
Iphigénie, 117
Ivanhoé, 176, 207

**J**

Jacques le fataliste et son maître, **159**
Jeu de l'amour et du hasard (Le), 128, 165, **166**, 173
Je vis, je meurs..., **61**, 234
Julie ou la Nouvelle Héloïse, 128, **160**, 161, 173, 200, 243

**L**

Lac (Le), **190-191**, 235
Lettre de Juliette Drouet à Victor Hugo, **226**
Lettre de Victor Hugo à Juliette Drouet, **226**
Lettre d'Héloïse à Abélard, **42**, 238
Lettre écarlate (La), 179
Lettre sur les aveugles à l'usage de ceux qui voient, 128
Lettres, 76
Lettres à Sophie Volland, **172**
Lettres de Madame de Sévigné, **115**
Lettres de Vincent Voiture, 124
Lettres d'Henri IV à la duchesse de Beaufort, **72**
Lettres d'Henri IV à la marquise de Verneuil, **72**, 239
Lettres persanes, 128, **152**, 173
Liaisons dangereuses (Les), 129, **163**, 173
Livre des merveilles du monde, 13
Locandiera (La), 96
Lokis, 224
Lorenzaccio, 176, 216, **217**, 233

**M**

Mahabharata, 20
Malade imaginaire, 120
Manifeste du parti communiste, 177, 179
Mariage de Figaro ou la folle journée (Le), **167**, 173
Méditations poétiques, 176, **190**
Melancholia, 198, **199**
Melon (Le), **87**
Mille et une nuits (Les), 77, 153, 168
Misanthrope (Le), 120
Misérables (Les), 207, **209**, 227
Mithridate, 117
Moby Dick, 179
Moine (Le), 170
Monde à l'envers (Le), **86**, 237
Morte amoureuse (La), 223, 227
Mystères d'Udolphe (Les), 170

**N**

Neveu de Rameau (Le), 159
Notre-Dame de Paris, 176, 207, **208**
Nuits (Les), 176, 192

**O**

Odyssée (L'), 20
On ne badine pas avec l'amour, 216

**P**

Pantagruel, 46, 73
Paul et Virginie, **161-162**, 173, 239
Pauvre Rutebeuf, **33**
Peau de chagrin (La), 176, **220-221**, 227
Pélican (Le), **193**
Pensées, 77, 110, **111**, 125
Petit chaperon rouge (Le), **106**, 232, 238
Phèdre, 77, 117, **118-119**, 125, 237, 239, 240, **244**
Plus ne suis ce que j'ai été, **57**, 237
Poème sur le désastre de Lisbonne, **138-139**
Précieuses ridicules (Les), 85, 120
Prenez tôt ce baiser, **35**
Princesse de Clèves (La), 103, 104, **105**, 125, 253
Princesse de Montpensier (La), 103
Provinciales (Les), 110

**R**

Réflexions, sentences et maximes morales, **112**, 125
Regrets (Les), **59**, 234, 240, 256
Religieuse (La), 159
Remarques sur la langue française, **83**
René, 200, **201**, 227, 236, 253
Rêve (Un), **196**
Rêveries du promeneur solitaire, 154, **155**, 173
Roman de la rose (Le), 5, 16
Roman de Renart, 27, **30-31**, 43, 255

**S**

Saga d'Érik le Rouge, 13
Serments de Strasbourg (Les), 4, **14**
Smarra ou les démons de la nuit, **220, 222**, 227
Souffrances du jeune Werther (Les), 178, 186
Supplément au voyage de Bougainville, **145-146**

**T**

Tartuffe, 77, 120, **123**
Tragiques (Les), 47, 62, **63**, 76
Traité sur la tolérance, **142**
Tristan et Iseut, 23, 24, **26**, 43
Trois mousquetaires (Les), 176, 207

**U**

Utopie, 46, 55

**V**

Vénus d'Ille (La), 176, 224, **225**, 227, 253
Vie devant soi (La), 207
Vilain et le souricon (Le), **28**, **29**, 243, 255
Voyage autour du monde, 145

**Y**

Yvain ou le chevalier au lion, 24

# Index des notions théoriques


**A**

Accumulation, 19, 35, 97, 107, 139, 148, 156, 163, 197, 201, 208, 212, **238**, 241, 243, 244, 246
Adjectifs, 86, 113, 139, 225, 232, 234, 237, 238, 245
Adjectifs mélioratifs, 242
Adverbes d'intensité, 19, 119, 140, 239, 243
Alexandrin, 119, 247
Allégorie, 63, 148, 152, 159, 193, 201, 205, **237**
Allitération, 58, 197, 241, 243, 245
Analogie, 72,
Anaphore, 34, 58, 95, 198, **238**
Antiphrase, 140
Antithèse, 60, 86, 95, 146, 161, 163, 201, 210, 212, 214, **237**
Assonance, 58, 241, 243

**B**

Ballade, 34, 37, **256**
Blason, **256**

**C**

Calembours, 243, 255
Champ lexical, 26, 32, 37, 38, 59, 61, 63, 65, 69, 89, 95, 103, 109, 111, 122, 124, 139, 151, 155, 156, 158, 161, 171, 184, 193, 197, 198, 205, 206, 214, **233**, 242, 244, 245, 246, 248
Chiasme, 95, 214, **240**, 242
Choix des mots, 32, 139, 152, 197, 229, 239
Classe de mots, 234
Comédie, 230, 231, 243, 254
Comique, **243**
Comique de caractère, **255**
Comique de geste, **255**
Comique de mots, 166, **255**
Comique de situation, 166, **255**
Comparaison, 184, 201, 214, **236**
Connotation, 63, 184, **232**
Construction syntaxique, 155
Contexte, 229, 230, 231, 232, 233, 246
Contexte sociohistorique, **229**
Contexte littéraire, **230**
Convergence, 60

**D**

Découpage, **254**
Dénotation, **232**
Destinataire, 72, 100, 230, **231**, 233
Discours direct, 232
Discours indirect, 232
Discours indirect libre, 232

**E**

Effets musicaux, 32
Effets rythmiques, 32
Éléments rythmiques, **241**
Ellipse, 235
Enjambements, 63, 218, 241, 256
Énonciation, 29, 32, 37, 58, 69, 72, 100, 105, 114, 159, 172, 199, **231**
Euphémisme, 161, **239**, 243
Exagération, 235, 239, 243, 255

**F**

Figures d'amplification, 114, 122, 152, 206, 215, 221, **238**, **239**, 242, 243
Figures d'atténuation, 122, 238, **239**
Figures de rapprochement, **236**, 239
Figures de ressemblance, 196, 217, **236**
Figures de style, 61, 67, 72, 89, 100, 156, 158, 161, 191, 198, 199, 229, **236**, 242
Figures de substitution, 72, **239**, **240**
Figures d'insistance, 41, 42, 122, 152, 208, 222, 226, **238**, **239**, 242, 243
Figures d'opposition, 107, 114, 124, 193, 197, 199, 213, 217, 221, **236**, **237**, 242
Figures syntaxiques, **240**, 242
Focalisation, 115, 201, **253**
Focalisation externe, **253**
Focalisation interne, **253**
Focalisation zéro, **253**
Fond, 95, 109, 142, 196, 229, 231, 236, **254**
Forme, 59, 61, 63, 86, 95, 109, 142, 191, 196, 231, 236, **254**
Forme emphatique, 235
Forme exclamative, 19, 60, 87, 95, 139, 198
Forme interrogative, 38, 146, 159, 199, 212, 245
Forme négative, 25, 235

**G**

Genre dramatique, **254**
Genre littéraire, **230**, 247
Genre narratif, **252**
Genre poétique, **256**
Gradation, 19, 25, 161, **238**, 243, 244, 246

**H**

Hyperbole, 19, 72, 85, 87, 139, 161, 206, **239**, 243

**I**

Impératif, 26, 35, 60, 87, 95, 139, 146, 198, 201, 206, 231, 245, 248
Indices temporels, 203
Insistance, 235, 244, 246, 248
Interjections, 87, 119, 139, 216, 242, 243, 244, 245
Ironie, 120, 139, 140, 243

**J**

Jeux de mots, 29, 41, 255

**L**

Lexique, 41, 100, 114, 162, 184, 193, 198, 206, 242
Litote, **239**, 244
Locuteur, **231**, 233

**M**

Métaphore, 38, 58, 87, 124, 144, 161, 197, 198, 201, 212, 214, 216, 217, **236**
Métaphore filée, 60
Métonymie, 72, 161, **240**, 244, 248
Modalisation, 232
Modes verbaux, 41, 72, 100, 206, 203, 213, **234**
Musicalité, 38, 58, 59, 241

**N**

Narrateur externe, 253
Narrateur interne, 253
Narration, 115, 201, 203, **253**
Négation, 34, 111, 146, 201, 206, 212, 235, 239, 244, 245

**O**

Ode, **256**
Onomatopées, 241
Opposition, 25, 26, 59, 61, 86, 95, 107, 111, 113, 122, 144, 156, 163, 208, 226, 234, 240, 244, 245, 248, 250
Organisateur textuel, 124
Organisation temporelle, **254**
Oxymore, 95, 119, 122, 197, 201, **237**, 244, 245, 246, 248

**P**

Parallélisme, 95, 119, 122, 146, 203, 212, 214, **240**, 242, 244
Passage allégorique, 144
Périphrase, 119, **240**, 242, 244, 245, 246, 248
Personnification, 57, 72, 89, 139, 206, 212, **237**
Phrases, 41, 42, 67, 86, 87, 109, 113, 139, 148, 155, 161, 167, 196, 218, 234, **235**, 241, 244, 245
Phrase déclarative, 235
Phrase emphatique, 206
Phrase exclamative, 235, 244, 245
Phrase impérative, 235
Phrase impersonnelle, 235
Phrase interrogative, 235, 246
Phrase passive, 235
Points d'exclamation, 216, 235
Points d'interrogation, 235
Ponctuation, 95, 161, 167, 241, 242, 244, 245
Procédés, 19, 22, 26, 31, 35, 37, 42, 57, 59, 61, 65, 69, 95, 105, 107, 109, 111, 113, 114, 119, 124, 139, 144, 146, 147, 151, 152, 153, 158, 162, 166, 167, 184, 191, 193, 195, 196, 198, 201, 203, 205, 206, 208, 212, 216, 218, 226, 244, 245
Procédés d'amplification, 63, 107, 124
Procédés de l'ironie, 243
Procédés d'exagération, 243
Procédés d'insistance, 243, 244, 245, 246
Procédés du comique, 41, 120, **255**
Procédés grammaticaux, 152, 229, **234**, 244, 245
Procédés lexicaux, 152, 218, **232**, 244, 245
Procédés littéraires, **229**
Procédés musicaux, 218, **241**, 244, 245
Procédés rythmiques, 58, 63, 243
Procédés stylistiques, 212, 218, **236**, 237, 238, 244, 245
Procédés syntaxiques, 214, 218, **235**, 244, 245
Procédés verbaux, **234**
Propos, 38, 42, 58, 60, 61, 63, 65, 67, 69, 97, 100, 109, 120, 146, 159, 162, 167, 197, 198, 201, 203, 208, 210, 212, 214, 216, **229**, **231**, 232, 241, 243

**Q**

Quiproquo, 120, 243

**R**

Registre, 119, 232, **233**, 242, 243
Règle des trois unités, **254**
Répétition, 19, 60, 95, 161, **238**, 241, 243, 244, 245, 246, 248, 255
Rimes, 241, 244, 245, 256
Rondeau, **256**
Rythme, 33, 35, 38, 41, 42, 58, 59, 61, 89, 119, 155, 161, 167, 191, 196, 210, 218

**S**

Satirique, 29, 31, 41
Schéma narratif, 105, 107, **230**
Sens figuré, 232
Sens propre, 232
Sonnet, **256**
Sonorités, 35, 38, 58, 63, 86, 196, **241**, 244, 256
Structure, 32, 86, 89, 103, 191, 196, 230, 254
Syntaxe, 155, 161, 167

**T**

Temps verbaux, 38, 41, 57, 72, 100, 203, 206, 213, **234**
Termes mélioratifs, 232
Termes péjoratifs, 167, 232
Théâtre, 95
Thème(s), 26, 32, 34, 35, 37, 38, 42, 57, 60, 61, 63, 87, 89, 91, 95, 103, 105, 107, 139, 155, 156, 158, 159, 191, 195, 197, 205, 206, 214, 216, 217, 229, **231**, 234, 235, 241, 245
Ton, 232, 234, 245
Ton humoristique, 29
Tonalité, 41, 65, 67, 114, 162, 193, 203, 210, 233, **242**, 243, 244
Tragédie, 119, 244, 245, **255**

**U**

Unité d'action, **254**
Unité de lieu, **254**
Unité de temps, **254**

**V**

Verbes, 61, 140, 212, 232, **234**, 245
Verbes d'action, 67, 234, 242
Verbes de perception, 242
Versification, 229
Vocabulaire, 25, 59, 65, 109, 151, 156, 162, 210, 232, 246
Vocabulaire mélioratif, 19, 87, **232**, 242
Vocabulaire péjoratif, **232**, 242, 243
Voix active, 234
Voix passive, 234

## CHAPITRE 1

Page couverture : Wikipedia Commons, p. 2 ; Carto-Média, p. 5 ; Musée Conde, Chantilly, France/Giraudon/The Bridgeman Art Library International, p. 6 ; The Art Archive/Art Resource, NY, p. 7 ; Erich Lessing/Art Resource, NY, p. 8 ; The Art Archive/Art Resource, NY, p. 9 ; Erich Lessing/Art Resource, NY, p. 10 ; Ivan Vdovin/maXx images, p. 10 ; Photolibrary.com, p. 11 ; Fabio Muzzi/Getty Images, p. 11 ; Wikipedia Commons, p. 12 ; Nimatallah/Art Resource, NY, p. 12 ; The Art Archive/Art Resource, NY, p. 13 ; Carto-Média, p. 14 ; Musée Conde, Chantilly, France/Giraudon/The Bridgeman Art Library International, p. 16 ; akg-images/ullstein bild, p. 17 ; Réunion des Musées Nationaux/Art Resource, NY, p. 19 ; Musée National du Moyen Âge et des Thermes de Cluny, Paris/The Bridgeman Art Library International, p. 20 ; Wikipedia Commons, p. 21 ; Bibliothèque nationale de France, p. 21 ; Bibliothèque Nationale, Paris, France/The Bridgeman Art Library International, p. 22 ; The Everett Collection, p. 24 ; Bibliothèque nationale de France, p. 27 ; akg-images, p. 27 ; Museum voor Schone Kunsten, Ghent, Belgium/The Bridgeman Art Library International, p. 30 ; akg-images, p. 31 ; Bibliothèque nationale de France, p. 32 ; akg-images/British Library, p. 34 ; Réunion des Musées Nationaux/Art Resource, NY, p. 35 ; akg-images, p. 36 ; Wikipedia Commons, p. 39 ; Bibliothèque nationale de France, p. 40 ; The Art Archive/Art Resource, NY, p. 42.

## CHAPITRE 2

Page couverture : Galleria degli Uffizi, Florence, Italy/The Bridgeman Art Library International, p. 44 ; akg-images/Rabatti-Domingie, p. 47 ; Palazzo Pitti, Florence, Italy/Alinari/The Bridgeman Art Library, p. 48 ; akg-images/Hedda Eid, p. 49 ; Galleria e Museo Estense, Modena, Italy/The Bridgeman Art Library, p. 50 ; Wikipedia Commons, p. 51 ; Scala/White Images/Art Resource, NY, p. 52 ; John Harper/Getty images, p. 53 ; Kunsthistorisches Museum, Vienna, p. 54 ; Pinacoteca di Brera, Milan, Italy/Alinari/The Bridgeman Art Library, p. 55 ; akg-images/Rabatti-Domingie, p. 56 ; Louvre, Paris, France/Giraudon/The Bridgeman Art Library, p. 57 ; akg-images, p. 58 ; Scala/White Images/Art Resource, NY, p. 59 ; Bibliothèque Nationale de France, p. 60 ; Private Collection/Roger-Viollet, Paris/The Bridgeman Art Library, p. 61 ; Toledo, S. Tome, Spain/Giraudon/The Bridgeman Art Library, p. 62 (Le Greco) ; BGE, Centre d'iconographie genevoise, p. 62 (Agrippa d'Aubigné) ; Wikipedia Commons, p. 63 ; Réunion des Musées Nationaux/Art Resource, NY, p. 64 ; Wikipedia Commons, p. 66 ; Musée d'Art Moderne et Contemporain de Strasbourg, photo A. Plisson, p. 67 ; Musée d'Art Thomas Henry, Cherbourg, France/Giraudon/The Bridgeman Art Library, p. 68 (Jan Massys) ; Private Collection/Giraudon/The Bridgeman Art Library, p. 68 (Michel Eyquem de Montaigne) ; Scala/Art Resource, NY, p. 70 ; Private Collection/Photo © Bonhams, London, UK/The Bridgeman Art Library, p. 71 (Philippe Mercier) ; Gemaeldegalerie Alte Meister, Dresden, Germany/© Staatliche Kunstsammlungen Dresden/The Bridgeman Art Library, p. 71 (Giorgione) ; Kunsthistorisches Museum, Vienna, Austria/The Bridgeman Art Library, p. 72.

## CHAPITRE 3

Page couverture : Photolibrary.com, p. 74 ; akg-images, p. 77 ; © Musée des Beaux-Arts de Dijon. Photo François Jay, p. 79 ; Louvre, Paris, France/The Bridgeman Art Library International, p. 81 ; National Gallery, London/Art Resource, NY, p. 82 ; Musée des Beaux-Arts, Orléans, France/Giraudon/The Bridgeman Art Library International, p. 84 ; Hospital de la Santa Caridad, Seville, Spain/Giraudon/The Bridgeman Art Library International, p. 84 ; Prado, Madrid, Spain/The Bridgeman Art Library International, p. 85 ; Bibliothèque nationale de France, p. 86 ; Alte Pinakothek, Munich, Germany/Giraudon/The Bridgeman Art Library International, p. 87 ; Bibliothèque nationale de France, p. 88 ; Prado, Madrid, Spain/Giraudon/The Bridgeman Art Library International, p. 89 ; Bibliothèque nationale de France, p. 90 ; Roger-Viollet/The Image Works, p. 92 ; Bibliothèque Marguerite Durand, Paris, France/Archives Charmet/The Bridgeman Art Library, p. 92 ; Château de Versailles, France/Giraudon/The Bridgeman Art Library, p. 93 ; Louvre, Paris, France/Giraudon/The Bridgeman Art Library International, p. 93 ; Le Soleil, Laetitia Deconinck, p. 95 ; Louvre, Paris, France/Peter Willi/The Bridgeman Art Library International, p. 96 ; Bettmann/Corbis, p. 96 ; Musée des Beaux-Arts de Chartres, p. 98 ; Louvre, Paris, France/Giraudon/The Bridgeman Art Library International, p. 99 ; Musée des Beaux-Arts, Lyon, France/Giraudon/The Bridgeman Art Library, p. 99 ; Musée de la Ville de Paris, Musée Carnavalet, Paris, France/The Bridgeman Art Library International, p. 101 ; akg-images/ullstein bild, p. 101 ; Bibliothèque nationale de France, p. 104 ; Erich Lessing/Art Resource, NY, p. 104 ; The Art Archive/Art Resource, NY, p. 106 ; Wikipedia Commons, p. 108 ; Louvre, Paris, France/Giraudon/The Bridgeman Art Library International, p. 109 ; The Gallery Collection/Corbis, p. 110 ; Erich Lessing/Art Resource, NY, p. 110 ; Château de Versailles, France, Lauros/Giraudon/Bridgeman Art Library, p. 112 ; Private Collection, Ken Welsh/Bridgeman Art Library, p. 113 ; Musée de la Ville de Paris, Musée Carnavalet, Paris, France, Lauros/Giraudon/Bridgeman Art Library, p. 115 ; Musée de la Ville de Paris, Musée Carnavalet, Paris, France, Giraudon/Bridgeman Art Library, p. 116 ; Château de Versailles, France/The Bridgeman Art Library, p. 117 ; Caroline Laberge, p. 119 ; Wikipedia Commons, p. 120 ; Louise Leblanc, p. 122 ; Musée de Tesse, Le Mans, France/Giraudon/The Bridgeman Art Library, p. 124 ; National Gallery of Art, 1962.10.1, p. 124.

## CHAPITRE 4

Page couverture : Louvre, Paris, France/Giraudon/The Bridgeman Art Library, p. 126 ; Scala/Art Resource, NY, p. 129 ; Mary Evans Picture Library/The Image Works, p. 131 ; Erich Lessing/Art Resource, NY, p. 132 ; Wikipedia Common, p. 133 ; Museu de Arte, Sao Paulo, Brazil/Giraudon/The Bridgeman Art Library, p. 134 ; Musées Royaux des Beaux-Arts de Belgique, Brussels, Belgium/The Bridgeman Art Library, p. 135 ; Académie des Sciences et Belles Lettres, Rouen, France/Giraudon/The Bridgeman Art Library, p. 136 ; National Gallery, London/Art Resource, NY, p. 137 ; Photo Los Angeles County Museum of Art, p. 138 ; Château de Versailles, France/Giraudon/The Bridgeman Art Library, p. 140 ; Musée des Beaux-Arts, Nantes, France/Giraudon/The Bridgeman Art Library, p. 141 ; Gianni Dagli Orti/The Art Archive at Art Resource, NY, p. 143 ; Louvre, Paris, France/Giraudon/The Bridgeman Art Library, p. 145 ; Musée des Beaux-Arts, Marseille, France/Giraudon/The Bridgeman Art Library, p. 147 ; Musée Antoine Lécuyer, Saint-Quentin, France/Giraudon/The Bridgeman Art Library, p. 148 ; Musée de la Ville de Paris, Musée Carnavalet, Paris, France/The Bridgeman Art Library, p. 149 ; Copyright The Frick Collection, p. 151 ; Musée des Beaux-Arts, Pau, France/Giraudon/The Bridgeman Art Library, p. 154 ; Wikipedia Common, p. 155 ; akg-images, p. 156 ; akg-images, p. 157 ; Wikipedia Common, p. 158 ; Wikipedia Common, p. 161 ; Wikipedia Common, p. 162 ; Musée de Picardie, Amiens, France/Giraudon/The Bridgeman Art Library, p. 163 ; Louvre, Paris, France/The Bridgeman Art Library, p. 164 ; Comédie Française, Paris, France/Roger-Viollet, Paris/The Bridgeman Art Library, p. 165 (Carle van Loo) ; Théâtre populaire d'Acadie – Rufin Cormier, p. 165 (René Cormier) ; Comédie Française, Paris, France/Archives Charmet/The Bridgeman Art Library, p. 167 ; Detroit Institute of Arts, USA/Founders Society purchase with Mr and Mrs Bert L. Smokler/and Mr and Mrs Lawrence A. Fleischman funds/The Bridgeman Art Library, p. 168 ; Bibliothèque Nationale, Paris, France/Archives Charmet/The Bridgeman Art Library, p. 170 (Francisco de Goya) ; National Gallery, London, UK/Photo © Christie's Images/The Bridgeman Art Library, p. 170 (Jean-Baptist Peronneau) ; Wikipedia Common, p. 172.

## CHAPITRE 5

Page couverture : Private Collection/Photo © Peter Nahum at The Leicester Galleries, London/The Bridgeman Art Library, p. 174 ; Musée de la Ville de Paris, Musée Carnavalet, Paris, France/Giraudon/The Bridgeman Art Library, p. 177 ; Manchester Art Gallery, UK/The Bridgeman Art Library, p. 178 ; Schloss Charlottenburg, Berlin, Germany/The Bridgeman Art Library, p. 179 ; National Gallery, London, UK/The Bridgeman Art Library, p. 180 ; National Gallery, London, UK/The Bridgeman Art Library, p. 181 ; Louvre, Paris, France/The Bridgeman Art Library, p. 182 ; Musée des Beaux-Arts, Lyon, France/Giraudon/The Bridgeman Art Library, p. 185 ; Musée de Picardie, Amiens, France/Giraudon/The Bridgeman Art Library, p. 187 ; Hamburger Kunsthalle, Hamburg, Germany/The Bridgeman Art Library, p. 188 ; Musée Lamartine, Macon, France/Giraudon/The Bridgeman Art Library, p. 190 ; Château de Versailles, France/Giraudon/The Bridgeman Art Library, p. 192 (Alfred de Musset) ; Musée national du Château de Malmaison, Rueil-Malmaison, France/Archives Charmet/The Bridgeman Art Library, p. 192 (Eugène-Louis Lami) ; Réunion des Musées Nationaux/Art Resource, NY, p. 194 ; akg-images, p. 195 ; PRA/Wikipedia Common, p. 196 ; Wikipedia Common, p. 197 ; Erich Lessing/Art Resource, NY, p. 198 ; Ullstein-Archiv Gerstenberg/ak-images, p. 199 ; Scala/Art Resource, NY, p. 200 ; Saint-Malo-Musée d'histoire, p. 200 ; Musée de la Vie Romantique, Paris, France/Giraudon/The Bridgeman Art Library, p. 202 ; © The Metropolitan Museum of Art. Image source : Art Resource, NY, p. 204 ; Musée de la Ville de Paris, Musée Carnavalet, Paris, France/Giraudon/The Bridgeman Art Library, p. 205 ; The Philadelphia Museum of Art/Art Resource, NY, p. 207 ; Scala/White Images/Art Resource, NY, p. 209 ; Musée de la Ville de Paris, Musée Carnavalet, Paris, France/The Bridgeman Art Library, p. 210 ; Maison de Victor Hugo, Paris, France/Giraudon/The Bridgeman Art Library, p. 211 ; Musée d'Art et d'Histoire, Geneva, Switzerland/The Bridgeman Art Library, p. 212 ; Réunion des Musées Nationaux/Art Resource, NY, p. 214 ; Mucha Trust/The Bridgeman Art Library, p. 216 ; akg-images, p. 219 ; Musée de la Ville de Paris, Maison de Balzac, Paris, France/Giraudon/The Bridgeman Art Library, p. 220 ; Château de Versailles, France/The Bridgeman Art Library, p. 222 ; Musée de la Vie Romantique, Paris, France/Giraudon/The Bridgeman Art Library, p. 223 ; Musée des Beaux-Arts, Nantes, France/Giraudon/The Bridgeman Art Library, p. 224 ; Maison de Victor Hugo, Paris, France/Giraudon/The Bridgeman Art Library, p. 226.